ОБ ЭДУАРДЕ ТОПОЛЕ И ЕГО КНИГАХ

«Тополь пишет с таким знанием российской жизни, которого не могут достичь ни Ле Карре, ни Дейтон. Головокружительные тайники информации...» — «Нью сосайети», Великобритания

«Тополь использует вся и всё, что делает бестселлер, — убийство, интригу, секс, любовь, юмор — и, самое главное, не разочаровывает в конце...» — «Бирмингем ньюс», США

«Тополь держит сюжет в напряжении и интригует тайной, разворачивая блистательную панораму российской жизни» — «Цинциннати пост», США

«Тополевские книги читаются запоем, от них трудно оторваться» — «Комсомольская правда», Москва

«Эдуард Тополь, по определению парижан, "самый крутой мастер современной прозы"» — «Общая газета», Москва

«Все романы Эдуарда Тополя — это большой захватывающий сценарий, который издается массовыми тиражами не только в России, но и в США, Европе, Японии... А все потому, что Тополь не лукавит с читателем, не морочит ему голову, не играет с ним в литературные игры, а прямым текстом излагает, что думает» — Ирина ИВАНОВА, газета «Версия»

«Некоторые считают романы Тополя бульварным чтивом. Ну, в общем, да — купи увесистый том, садись на скамью на бульваре и читай. Но уже через полчаса ты почувствуешь сдвиг в сознании — "это было со мной и со страной?". Или будет — завтра, через полгода, через полвека?.. Меня всегда поражало и поражает, откуда Эдуард Тополь, этот блудный сын "Комсомольской правды" и нашего непредсказуемого в своей доброте и бешенстве отечества, знает на своей новой родине — в нью-йоркчине — такие реалии российской политики и российского быта, что диву даешься, отчего же свои, не выехавшие никуда летописцы не могут врубиться в нашу действительность и рассказать нам, очевидцам, о ней так, что начнешь читать и не отвалишься, хотя будешь смеяться, и плеваться, и швырять от себя эту книжку, но все равно не поделишься с другом, а дочитаешь до конца» — «Комсомольская правда», Москва

«Обилие деталей подчас заслоняет главное нам, живущим на ¹/6 (или теперь уже меньше?) твердой земной поверхности. Эдуарду Тополю это не грозит. Он — далеко, он — за океаном... пишет книги о нас, о себе, о любви, счастливо совмещая "близорукость" и "дальнозоркость". Наверное, это и есть объективность, причем жанр книги — будь то детектив, гротесковый роман или воспоминания эмигранта — значения не имеет. Разве что давнее призвание лирика чуть-чуть мешает. Или помогает. Кому как видится...» — Сергей БОРИСОВ, «Вечерняя Москва»

«"Красная площадь" — это куда больше удовольствия, чем "Парк Горького", это убедительно и достоверно...» — «Спектейтор», Великобритания

«"Красная площадь" — смесь реальности и авторской выдумки, написана в стиле типичного американского триллера в соединении с глубиной и сложностью русского романа» — «Файнэншл таймс», Великобритания

«"Журналист для Брежнева" — высшая оценка за правдоподобие!» — «Таймс», Великобритания

«"Журналист для Брежнева" насыщен безостановочным действием и документальной достоверностью» — «Нью сосайети», Великобритания

«"Русская семерка" — захватывающий триллер, любовный роман и панорама жизни современной России» — «Нью сосайети», Великобритания

«В "Красном газе" Эдуард Тополь превзошел свои предыдущие романы и выдал захватывающий триллер... Богатый набор характеров, полных человеческих страстей, мужества и надежд... С прекрасной сибирской натурой и замечательной главной героиней, это глубокая и волнующая история...» — «Сёркус ревью», США

«Эдуард Тополь умеет создать грандиозную сцену. Его "Красный газ" — возбуждающе-приключенческая история, где вместо автомобильных гонок герои мчатся на собачьих упряжках, оленях и вертолетах, где плевок замерзает, не долетев до земли, а эскимосы живут по законам тундры. Фабула полна неожиданных поворотов и сюрпризов, снабженных сексом и безостановочным действием...» — «Питсбург пресс», США

«Совершенно необычный роман, "Красный газ" куда больше, чем просто детектив, посвященный расследованию загадочных убийств...» — «Вест Гавайи тудей», США

«"Красный газ" — сильно сбитый роман, полный сочного реализма... Зубасто-когтистая история, полная сильных характеров среди суровой природы...» — «Истерн дейли пресс», Великобритания

«"Любимые и ненавистные"... — бездонное море удовольствия. Притом гарантированного...» — «Известия», Москва

«Эмигрантская трилогия Эдуарда Тополя "Любимые и ненавистные" — это сильнейшая и откровеннейшая страница нашей истории. Я просто поражена страстностью этого произведения. Яркий, неравнодушный автор в любом читателе зажжет свет интереса к тому, чем сам пленен.

Мое мнение: по степени "бешеной" любви к своим героям (девам и евреям) Эдуарду Тополю просто нет равных на современном литературном поле. А по глубине и беспредельной откровенности чувств он уже приближается к классикам. Но книги Тополя — это не просто развлекательное чтиво, хотя с захватывающими сюжетами у него все в порядке. Они очень страшны по правде своей. Почему страшны? Почитайте — узнаете!» — Наталья ЖЕЛНОРОВА, журналист

«Строго говоря, Эдуард Тополь лукавит, выделяя из двадцати (или уже больше?) написанных им романов "еврейскую трилогию" "Любимые и ненавистные". Во-первых, евреев и "еврейских" проблем хватает и в остальных его книгах, а во-вторых, вряд ли можно найти другого современного русского писателя, *все* произведения которого составляют столь непрерывную автобиографическую повесть. Будь то рассказ о кознях КГБ, о газовых олигархах или о друзьях по кино — Тополь всегда пишет о своей собственной жизни. Просто таков его общественный темперамент, не только заставляющий "принять близко к сердцу" очередной отечественный невероятный сюжет, но и побуждающий вгрызться в проблему, докопаться до корней, до прямых свидетелей даже тех событий, которые по определению проходят "без свидетелей". Это не творческий метод, а способ жизни, который позволяет писателю в обмен на нервные клетки обходиться без высасывания из пальца натужных "приключений для развлечения".

Продолжая аналогию с автобиографической прозой, замечу, что этот жанр особо нетерпим к языковой неряшливости и смысловой невнятности — для некоторых авторов просто саморазоблачительным. Эдуард Тополь выдерживает и этот критерий — он пишет хорошим русским языком, привитым той сценарной школой ВГИКа, которой может по праву гордиться не только русское кино, но и русская литература» — Борис ПАСТЕРНАК, газета «Время новостей»

«Тополь не документалист, хотя в романе "Римский период, или Охота на вампира" соединяет разное: свои непосредственные впечатления первого периода еврейской эмиграции с рассказом о преступном "романе" итальянского психиатра с тогдашним КГБ; репортаж о событии, которое сейчас называется просто "11 сентября", — с нашими отечественными медико-криминальными документами такой страшной силы, присутствие которых в романе еще вчера представить себе было невозможно... Этот человек, этот Тополь просто не может не писать романы на злобу дня... Своим беспощадным пером он, как плугом, роет, взрывает знакомые пласты всемирной истории... а злоба сегодняшнего дня — борьба со всемирным терроризмом — объединяет российского президента, бывшего русского коммуниста и разведчика, с еврейско-российско-американским писателем-диссидентом, с американским президентом и с американским летчиком и английским парламентарием...» — Татьяна КОРСАКОВА, газета «Трибуна»

«Прочла "Невинную Настю" и еще раз убедилась в гениальности автора, так реально отражена в ней жизнь современного подростка» — Наталья БАБЕНКО, психиатр, главный врач ММУ «Лосино-Петровский наркологический диспансер», Московская область

«"Невинная Настя", имея в своем названии слово "невинная", — на первый взгляд проста и неказиста. Но читатель глубокий, мыслящий, дочитавший ее до конца, ужаснется от той трагической развязки (Тополь как-никак писатель, прославившийся как автор хорошо скроенных детективов), от понимания, что перед его взором во весь рост обозначено название страшной болезни многих нынешних шестнадцатилетних — детская сексуальная наркомания...» — «Версия», Москва

«Если скандальный роман Владимира Набокова "Лолита" вам не по зубам, то теперь у вас есть шанс восполнить пробел в вашем эротическом образовании. И поможет вам в этом новое творение одного из лучших авторов русских бестселлеров Эдуарда Тополя. Книга носит незамысловатое название "Невинная Настя, или Сто первых мужчин". Юная прелестница подробно рассказывает о своей бурной интимной жизни. Конечно, книга может кого-то шокировать своей откровенностью, но нам-то с вами не привыкать. Ведь правда?» — «Вот так!», Москва

«Не трудно догадаться, что за показной бравадой аппетитной кошечки (а слабо начать сексуальную жизнь в тринадцать лет!) скрывается несчастный, отчаявшийся малыш, который вопиет: "Что делать? Как мне дальше жить, ведь я уже на пределе!" — к нам, чужим и неизвестным взрослым... И пропасть, которая отделяет мир несовершеннолетних от нашей взрослой реальности, становится очевидной до жути...» — «Вечерняя Москва»

«"У.е." — наилучший из лучших триллеров Тополя. Супер!» — Сергей Юрьенен, радио «Свобода»

«Читайте Тополя!» — «Бильд», Германия

КНИГИ ЭДУАРДА ТОПОЛЯ ИЗДАНЫ В США, АНГЛИИ, ФРАНЦИИ, ГЕРМАНИИ, ИТАЛИИ, ГОЛЛАНДИИ, НОРВЕГИИ, ПОРТУГАЛИИ, ШВЕЦИИ, ФИНЛЯНДИИ, БЕЛЬГИИ, ВЕНГРИИ, БОЛГАРИИ, ПОЛЬШЕ, ЯПОНИИ И В РОССИИ

Эдуард
ТОПОЛЬ

Римский период,

или
Охота на вампира

Эмигрантский роман

ИЗДАТЕЛЬСТВО

Москва

2005

УДК 821.161.1
ББК 84(2Рос=Рус)6-44
Т58

Серийное оформление и компьютерный дизайн А.А. Воробьева

Подписано в печать с готовых диапозитивов 11.11.04.
Формат 84×108¹/₃₂. Бумага газетная. Печать высокая с ФПФ.
Усл. печ. л. 26,04. Тираж 2500 экз. Заказ 3097.
Четвертое издание.

Тополь, Э.

Т58   Римский период, или Охота на вампира : эмигрантский роман /
Эдуард Тополь. — М.: АСТ, 2005. — 489, [7] с.

ISBN 5-17-012449-X

«Римский период, или Охота на вампира» — это первые приключения
русских эмигрантов на Западе, роковой любовный треугольник, драматическая
охота за вампиром-террористом.

УДК 821.161.1
ББК 84(2Рос=Рус)6-44

Римский период, или Охота на вампира

Эмигрантский роман

НЕ ВСЕ ФАКТЫ И ХАРАКТЕРЫ ПЕРСОНАЖЕЙ, ФИГУРИРУЮЩИХ В ЭТОЙ КНИГЕ, ЯВЛЯЮТСЯ ПЛОДОМ ТВОРЧЕСКОГО ВООБРАЖЕНИЯ АВТОРА И НЕ ИМЕЮТ ОТНОШЕНИЯ К ДЕЙСТВИТЕЛЬНОСТИ. МНОГИЕ — ИМЕЮТ.

ПРЕДИСЛОВИЕ

Я люблю сам представлять читателям свою новую книгу. Для этого я даже прилетаю в Москву и в день выхода книги стою в книжном магазине «Москва», что на Тверской. С плохо скрываемым тщеславием я радуюсь там очереди моих читателей, с удовольствием отвечаю на их вопросы и огорчаюсь, когда эта очередь иссякает. Но порой среди этих «моих» читателей ко мне подходят люди, которые случайно оказались в магазине, увидели толпу у прилавка и подошли из чистого любопытства или российской страсти к очередям. Они никогда меня не читали и теперь, стоя перед двадцатью разными книгами, стопками выложенными на прилавок, мнутся и спрашивают в затруднении:

— А вы, как автор, какую книгу посоветуете купить?

И этим вопросом они выбивают у меня почву из-под ног.

При всей моей завышенной самооценке я не могу сказать человеку: заплати за мою книгу. А вдруг мы с ним не подходим друг другу? А вдруг мои книги не в его вкусе? И как мне угадать вкус этой девчонки или этой пожилой дамы? Ведь я так хочу им понравиться! Ведь я так хочу, чтобы, прочитав одну мою книгу, они взяли вторую, третью, четвертую... Я не верю писателям, которые говорят, что популярность их не интересует, что они пишут для вечности. Чушь! Двадцать моих книг — это двадцать лет жизни, нет, не жизни: по словам моей жены, «когда ты пишешь книгу, никакой жизни нет!». Но если я трачу на каждую книгу год жизни, то я хочу убедиться, что эта жертва не зря.

Как же мне сказать, какая книга лучше или хуже?

В последнее время я научился отвечать на этот вопрос. Я говорю: а вы для чего читаете? Чтобы развлечься? Чтобы узнать что-то новое? Чтобы интимно побеседовать с автором? И в зависимости от ответа я рекомендую начать либо с «Чужого лица», либо с «Китайского проезда», либо с «Игры в кино», либо... — ну и так далее.

А поскольку мне хочется захватить внимание как можно большего числа людей самых разных вкусов, я стал придумывать своим книгам двойные названия: «Женское время, или Война полов», а теперь вот — «Римский период, или Охота на вампира». «Римский период» — это для читателей, которые меня уже знают, а «Охота на вампира» — для тех, кого я хотел бы занимательной интригой этого романа оторвать от макулатуры, выходящей под аналогичными названиями...

Насколько мне это удастся, я буду судить по вашим письмам, которые жду от вас по адресу: Москва, Звездный бульвар, 21, издательство «АСТ», редакция художественной литературы, Эдуарду Тополю.

Желаю приятного чтения.

Автор

ПРОЛОГ

ПОДПИСКА О СОТРУДНИЧЕСТВЕ И НЕРАЗГЛАШЕНИИ

Я, Вадим Плоткин, без гражданства, прибывший в Рим 5 февраля 1979 года по советской выездной визе № 5704-АЗ, письменно подтверждаю, что добровольно и по собственному желанию соглашаюсь помогать сотрудникам Американского посольства в Риме в операции «Pupil». При любом исходе этой операции обязуюсь в течение последующих 20 (двадцати) лет сохранять в тайне все ее обстоятельства, никогда не упоминать об этой операции ни в печати, ни в своих фильмах, ни в разговорах даже с самыми близкими друзьями и родственниками.

Подпись:
(Вадим Плоткин)

27 марта 1979 года
Американское посольство в Риме,
виа Венето, Рим, Италия

Этот исторический документ я сам отпечатал на посольской пишущей машинке, расписался и протянул его Грегори Черни.

— Ну? — сказал я нетерпеливо.

— «Ну, милая, трогай!..» — усмехнулся он, демонстрируя свое знание российской словесности.

Я промолчал. Мы были знакомы больше месяца и чуть не половину этого срока пьянствовали ночами (за его счет) по римским кабакам, так что мне уже ни к чему было разводить тут политесы и восхищаться его безукоризненным русским. Рожденный в США, Грегори Черни, сорокалетний потомок самой первой, двадцатых годов, волны беженцев из России, никогда не бывал в СССР, но его русский был не хуже моего, и только одна деталь выдавала его иноземное происхождение — пристрастие по любому поводу щегольнуть цитатой из русских классиков. Впрочем, как я теперь понимаю, это свойственно всем отличникам славянских факультетов Америки и Европы. А у Грегори его университетский русский был отшлифован под московское произношение на славянском отделении в лучшей — Монтерейской — лингвистической школе американской военной разведки.

Пробежав глазами мою расписку-подписку, Грегори бросил ее в ящик своего письменного стола и молча протянул мне другой лист бумаги — плотный, с водяными знаками и с маленьким гербом ЦРУ вверху. Текст на этом листе был отпечатан четким типографским шрифтом самой последней — «кулачковой» — модели пишущей машинки, но читал я его медленно, поскольку переводил с английского:

Мистеру Грегори Черни, срочно, суперсекретно

По нашим сведениям, Москва заслала в Италию каннибала, с тем чтобы 10—11 апреля, во время еврейской Пасхи, он под видом еврейского эмигранта совершил ритуальное убийство итальянского ребенка.

Никаких дополнительных сведений, к сожалению, не имеем.

Предположения и рекомендации нашего аналитического отдела:

В настоящее время СССР, нуждаясь в американском зерне, трубах для газопровода «Сибирь — Европа» и нефтяных бурильных станках, вынужден довести квоту выпускаемых евреев до 50 тысяч в год, что вызывает резкий протест арабских стран, опасающихся увеличения населения и армии Израиля. В связи с этим КГБ намеренно заполня-

ет поток эмигрантов стариками, больными, работниками торговли и пищевой промышленности, а также проводит дискредитацию еврейской эмиграции, инфильтрируя в ее среду значительное количество преступников, выпущенных из советских тюрем...

— Ага! — воскликнул я, прервав чтение. — Вот! Это как раз то, что я говорил Дэвиду Харрису еще в венском ХИАСе!

— А что вы говорили? — спросил Грегори. Несмотря на дружбу, скрепленную огромным количеством алкоголя, мы с ним продолжали быть на вы, и это, пожалуй, была вторая деталь, выдававшая его несоветское происхождение — Грегори ни с кем из эмигрантов не переходил на ты (в отличие от нашего брата-совка, который на второй день по прибытии на Запад стал тыкать всем и вся, даже старикам).

— Ну как же! — ответил я. — Я написал статью «Как КГБ отомстил сенатору Джексону» — о том, что за вето на режим благоприятствования для СССР КГБ выбросил из тюрем массу уголовников, всучив им еврейские паспорта и выездные визы.

— А, это я читал! — отмахнулся Грегори.

— Вы не могли это читать! Дэвид уговорил меня не печатать статью, чтобы не компрометировать нашу эмиграцию.

— Я знаю. Но у Дэвида есть копировальная машина. Вы думаете, почему я с вами познакомился?

Я изумленно уставился на Грегори, мысленно отбросив себя назад, к нашей первой встрече в Ладисполи на дне рождения одного из эмигрантов. Так вот зачем он так нагло прошелся тогда по поводу нашего потока эмиграции, сказав, что половина его — жлобы и дикари! Провоцировал меня и проверял, блин! А я-то вспыхнул, как бенгальский огонь!..

— Читайте же, — напомнил он о шифровке.

...Однако внедрение уголовников в среду эмигрантов не дало желаемых Москвой результатов — советские криминальные элементы не совершают в Италии преступлений против итальянцев (за исключением мелкого воровства в магазинах), а ограничивают свою преступную деятельность эмигрантской средой.

Вынужденное по экономическим причинам увеличивать эмиграцию, с одной стороны, и оказавшись, с другой стороны, под давлением арабских противников Израиля, требующих прекращения этой эмиграции, Политбюро ЦК КПСС, мы полагаем, поручило КГБ <u>любыми способами</u> скомпрометировать еврейских эмигрантов. И, выполняя это задание, в КГБ решили пойти на повторение в Италии знаменитого дела Бейлиса об употреблении евреями крови христианских младенцев при изготовлении пасхальной мацы...

Я в ужасе поднял глаза на Грегори.

Он усмехнулся:

— Да, дорогой. Представьте, что с вами будет со всеми, когда этот еврей-людоед сожрет итальянского ребенка. Да еще под стеной Ватикана...

Часть первая

Венский транзит

В моем словаре еврей — это тот, кто считает себя евреем или обречен быть евреем.

Амоз Оз, израильский писатель

1

— В 2238 году со дня сотворения мира мы пришли в Египет. Потомки Якова, внука Авраама, мы пришли туда сами во время сильного голода в Ханаане, нас было семьдесят человек. Как сказал Томас Манн, путь из земли Ханаанской в Новое Египетское царство — это путь от праотцев, созерцавших Бога, к высокой ступени цивилизации с ее приманками и доходящим до абсурда снобизмом...

Я не помню, чтобы кто-нибудь из нас повернулся к иллюминатору бросить прощальный взгляд на занесенные снегом ельники вокруг шереметьевского аэропорта. Двадцать семь эмигрантов-беженцев, мы, буквально замерши, сидели во втором салоне самолета и не верили ни реву турбин, ни тряске нашего «ТУ-124», бегущего по взлетной полосе. Неужели? Неужели это произошло? Неужели нас выпустили?

В первом салоне летят четверо советских дипломатов — надменно-отстраненные, в одинаковых серых костюмах и с глазами, глядевшими сквозь нас, как сквозь пустое место, еще там, в зале ожидания на втором этаже аэровокзала. А в третьем салоне сидят немецкие и австрийские туристы. Их тоже привезли к самолету и посадили отдельно от нас, как от прокаженных, а нас подвезли к трапу буквально за минуту до отлета —

в обшарпанном автобусе, промороженном до инея на заклепках. Впрочем, вру — кроме нас, эмигрантов, был в этом автобусе еще один человек; сначала мы даже приняли его за своего, но уже через минуту стало ясно, кто это. Высокий, широкоплечий, рыбьи глаза на бетонном лице, шляпа горшком, узенький засаленный галстук на несвежей рубашке, мощная грудная клетка и пистолет под мышкой распирают потертый пиджак...

Когда, продержав нас у выхода из аэровокзала на продуваемом морозным ветром летном поле так долго, что у моей семилетней племяшки Аси забелели щечки и я, бросив свою пишмашинку, у которой несколько минут назад таможенники на моих глазах выломали букву «ф», подхватил Асю на руки и сунул под пальто, — когда, повторяю, все-таки подали этот гребаный автобус, бетоннолицый сфинкс был уже внутри его, он стоял там впереди, возле шофера, и молча смотрел, как мы входим и рассаживаемся. Ася по праву ребенка привычно пошла к первому ряду кресел, но жесткой рукой гэбэшника этот сфинкс тут же отстранил ее, как котенка, и так и стоял во главе пустых кресел, молча, как пень, все четыреста метров от вокзала до самолета. Зато в самолете он прошел через весь наш второй салон и сел в конце его, в последнем ряду, чтобы обозревать нас всех, как конвой.

Но нам уже было наплевать на него!

Как только самолет взлетел — да, как только мы ощутили, что колеса оторвались — **оторвались!** — вы понимаете — *оторвались!* — мы *ОТОРВАЛИСЬ* от советской земли, — Валерий Хасин громко и даже весело сказал:

— Не понимаю, они что? Боятся, что мы угоним самолет обратно в СССР?

Жена тут же одернула его:

— Тише! Не дразни его, черт с ним!

— Но ведь я уже на свободе!

— Не знаю... — осторожно ответила она.

Да, мы уже были на свободе, нас уже выменяли на техасские бурильные станки, зерно и кукурузу, но мы еще не простились с советской властью. И это было почти символично: в полупустом салоне советского самолета 27 евреев — потных, усталых, возбужденных и немытых после двухсуточных мытарств в шереметьевской таможне, с детьми, со сморщенной и парализованной старухой Фельдман, которая только что у трапа сотворила чудо (когда двое провожатых вынесли ее на руках из автобуса, она вдруг оттолкнула их: «Опустите меня! Пустите! Я сама уйду с этой земли!», встала на ноги и, шатаясь, действительно сама взошла по трапу!), и с 24-летним гигантом-сварщиком из Одессы, умирающим от лейкемии, на двух разложенных креслах (весь рейс он лежал с кислородной маской на лице, а его отец и я каждые десять минут трогали его босые желтые ноги — не остывают ли?), — так вот, мы, 27 эмигрантов, и немцы-австрийцы, тут же после взлета прибежавшие из третьего салона на помощь больному (среди них оказался врач, он дежурил возле умирающего весь рейс и заставил командира самолета сообщить в Вену о необходимости подать к прилету самолета специализированную машину «скорой помощи» с установкой для срочного переливания крови), — и все это был один полюс, человеческий и естественный. А рядом, всего в нескольких метрах от нас, был полюс другой — четверо кремлевских дипломатов, безучастно засевших в первом салоне, и наш бесстрастный конвой, торчавший в конце салона и наблюдавший за нами с каменно-пустым лицом...

(2001. Сегодня, двадцать два года спустя после того полета, я практически без правки снова* переписываю на компьютер эти строки из дорожного дневника Вадима Плоткина и поражаюсь, как тогда, в 79-м, буквально назавтра после прилета в Вену, он на сломанной советскими таможенниками пишущей машинке залпом стучал страницу за страницей этого дневника — ожесточенно, набело, без помарок...)

Те четверо дипломатов уже отстранились от нас, «предателей Родины», для них мы перестали существовать как люди, но их представитель с пистолетом под мышкой еще смотрел нам в затылки холодными дулами своих гэбэшных глаз. Боль-

---

* Своим постоянным читателям приношу извинения за повтор — эта глава из дневника Плоткина была опубликована в 1990 году в романе «Московский полет», который теперь завершает мою «Еврейскую трилогию»: «Любожид» (или «Русская дива»), «Римский период, или Охота на вампира» и «Московский полет». Те, кто читал и помнит «Московский полет», могут пропустить эту главу. — Э.Т.

ной лейкемией сварщик мог умереть — этот гэбэшник и с места бы не сдвинулся, парализованная Фельдман могла явить новое чудо, скажем, взлететь под потолок на своих высушенных старческих косточках, — он бы и бровью не повел. Но в таком случае на хрена он летел с нами и на кой черт он грел под мышкой табельный пистолет Макарова и семь маленьких по 6,1 г кусочков свинца калибра 9 мм? Неужели они боялись, что мы — старуха Фельдман, умирающий сварщик и моя семилетняя племяшка-скрипачка — ринемся в пилотскую кабину, чтобы угнать самолет в Израиль?

Да, боялись!

Они нас *боялись*! И именно потому он грел под мышкой свой табельный ПМ...

Кто-нибудь из тех австрийцев, американцев и англичан, которые без всякого таможенного досмотра проходили мимо нас на посадку в самолет и с отчужденным изумлением смотрели, как таможенники потрошат наши узлы и чемоданы, прощупывая каждый шов на нижнем белье, изымая серебряные вилки и семейные фотографии, вспарывая пакеты с манной крупой и лекарствами, ломая затворы фотоаппаратов и клавиши пишущих машинок («А вдруг они золотые?» — с издевкой сказал мне таможенник), — кто-нибудь из них может себе представить, что это такое — жить в стране, где правительство и мудрая правящая партия боятся своих граждан, держат их под прицелом своих Первых отделов и Пятого управления КГБ и греют под мышкой шесть граммов свинца персонально для каждого? Греют и с высоты своей власти смотрят на тебя пустыми глазами, ожидая команды, чтобы нажать курок, или бросить тебя в ГУЛАГ, или лишить работы, прописки...

(...Блин! думаю я сегодня, почему в той России, которую нынче зовут демократической, уже никто не помнит о том времени? Почему нет в печати голой правды о подсоветской жизни? Почему нет мемуаров про обыденную совковую жизнь в очередях за сахаром и мукой, маслом и мясом по талонам? Почему нет в школах сочинений на тему «Проклятое время коммунизма», как мы писали о «проклятом царизме», и почему даже совковый гимн возрожден новодемократическим строем? Право, кто-то мудро

сказал, что у народов нет памяти. Но у меня сохранился дневник Плоткина, и в нем сказано:)

Теперь мы улетали с этой земли, мы ОТ-летали от нее, а от всего арсенала советской власти — всех ее тюрем, лагерей, паспортного режима, пятого параграфа и морального кодекса строителя коммунизма — за нашими спинами оставалось всего-навсего шесть граммов свинца под мышкой у бетоннорылого гэбэшника — ну кто же будет обращать на них внимание в такой ситуации?!

Мы громко шутили, вспоминая Шереметьевскую таможню, и возмущались последней выходкой пограничников — тем, что нам не разрешили проститься с родными, которые приехали проводить нас.

Да, это было странно. Ведь обычно после таможенного досмотра и прохождения границы пассажиры поднимаются на второй этаж аэровокзала и оттуда, с балкончика, машут рукой провожатым, кричат им последнее «Прощайте!» или «Шалом!». Сколько раз я сам провожал отъезжающих друзей и коллег — Москва в те годы пустела буквально на глазах, вот уже и Богин улетел, и Маркиш, и Севелла, и Суслов, и Сокол, и Калик, и Бениаминов, и Круглый*, и Галича вынудили к эмиграции, и менее знаменитых, — а я все стоял там, внизу, махая рукой отлетающим, гадая о своем часе и страшась, что он не наступит, что — не выпустят! О, этот балкончик! Он стал так знаменит, что кто-то в Израиле опубликовал проект Памятника Улетающему Еврею — улетающему с этого балкончика. А кто-то из диссидентов даже песню о нем сочинил...

Может быть, поэтому нам теперь и не позволили махнуть с этого балкона родным и близким, и моя сестра стала просить пограничников выпустить на него хотя бы семилетнюю Асю, чтобы девочка могла сказать «До свидания!» своему отцу. И я видел по лицу молоденького узбека-пограничника, как он

---

* Михаил Богин — кинорежиссер, лауреат Московского и международных кинофестивалей; Давид Маркиш — журналист, ныне израильский писатель; Эфраим Севелла — писатель; Михаил Суслов и Юрий Сокол — ведущие кинооператоры «Мосфильма»; Михаил Калик — кинорежиссер, постановщик фильма «Я иду за солнцем»; Александр Бениаминов и Лев Круглый — киноактеры.

заколебался, глядя в просящие Асины глазки, но тут подошел старшина-разводящий и твердокаменно приказал моей сестре:

— Отойдите от границы!

И тогда сестра, ожесточившись, быстро, какими-то судорожными движениями открыла футляр детской скрипки-четвертушки, окованной пломбами Министерства культуры, и стала совать ее Асе, прилаживая подушечку к ее плечику и приговаривая:

— Сыграй! Сыграй, Асенька! Только громко! С полным звуком! Пожалуйста! Твой папа услышит! И поймет, что это ты для него играешь!..

Ее просто лихорадило, и я не знаю, чего было больше в этом — желания хотя бы этим детским концертом отомстить за вспоротые подушки и конфискованные таможней Асины рисунки, наши семейные фотографии, лекарства и детское питание или действительно стремления хоть таким путем послать нашим провожатым последнее прости. Может быть — поровну...

Так или иначе, Ася опломбированным смычком тронула струны опломбированного грифа своей опломбированной, словно в свинцовых наручниках, скрипочки (впрочем, и не своей, потому что ее-то итальянскую скрипку-четвертушку Министерство культуры вывезти не разрешило, пришлось купить ей советскую) и сказала матери:

— Третья струна опять расстроена, слышишь?

— Не важно! — торопила ее Белла. — Играй!

— Нет, я не могу так...

В Московской консерватории эту девочку считали вундеркиндом и приучили серьезно относиться к игре.

Белла нетерпеливо подтянула струну и спросила у дочки:

— Так?

Ася прошлась смычком по этой струне, кивнула утвердительно — и первые такты Шестой сонаты Генделя полоснули воздух второго этажа аэровокзала.

— Полнее! — сказала моя сестра. — Полнее звук!

На ее лице было торжество — звуки крохотной Асиной четвертушки с неожиданной мощью заполнили зал, они явно пересекали границу и вторгались на ту, нижнюю и еще советскую, территорию зала ожидания. Пассажиры-иностранцы оглянулись на нас со всех сторон зала, но тут в глубине этого зала распахнулась служебная дверь, оттуда вышла негодующая фрейлина в форме пограничных войск СССР и дубовой солдатской походкой направилась к нам.

В это время по радио объявили посадку на рейс № 205 Москва — Вена.

Ася отняла смычок от скрипки и вопросительно посмотрела на меня и на мать.

— Играй! — сказала ей Белла. — Играй!

Пограничница подошла, спросила резко:

— Это что еще за концерт?

— Это не концерт, это репетиция, — ответила ей сестра. — Она должна каждый день заниматься, сейчас как раз время.

Две женщины стояли друг против друга, между ними был ребенок со скрипкой и замершим в воздухе смычком со свинцовыми пломбочками, а они смотрели друг другу в глаза — долго, по-женски упорно.

Несколько иностранцев подошли поближе в ожидании инцидента.

На настенных часах было 9.20 утра, в 9.40 мы должны были вылетать, это истекали наши последние минуты на советской земле.

— Это вам объявили посадку? — спросила пограничница.

— Нам! — с вызовом сказала ей Белла.

— Вот и летите. Там будете концерты давать.

— Да, — ответила сестра. — Для того и летим.

Пограничница, не ответив, взяла у Аси скрипку и смычок, внимательно осмотрела пломбочки Министерства культуры, разрешившего вывезти из СССР эти музыкальные инструменты, положила их в футляр и ушла.

Инцидента не произошло, и иностранцы двинулись своей дорогой в валютную «Березку», а мы подхватили Асину скрипку и мою пишмашинку и пошли на посадку. Я не знаю, слышали ли наши провожатые там, внизу, этот детский скрипичный концерт...

Теперь, утомленная нервозностью бессонной таможенной ночи, Ася тихо спала в кресле самолета между мной и сестрой, уронив голову на свою кроличью шубку, которую мы подложили ей вместо подушки. Она дышала спокойно и глубоко, приоткрыв во сне свои пухлые детские губки. Футляр с маленькой скрипкой лежал на ее коленях, но мы уже не трогали его, чтобы не разбудить девочку. Мы просто посмотрели друг другу в глаза. Где-то там, за нашими спинами, в глубине салона еще сидел этот последний гэбист с пистолетом под мышкой, но мы уже твердо знали, что этим полетом завершается их власть над нашими жизнями и жизнью этого ребенка. Мы вырвали этот саженец, этот корешок нашего рода из советского рая, где даже этой семилетней девчушке открыто сказали в Московской консерватории, что если она хочет играть в концертах, ей нужно сменить фамилию...

— Слушайте, у меня в чемодане были серебряные вилки и ложки, — говорил впереди меня Валерий Хасин. — Я не указал их в декларации. Там написано: укажите золото и драгоценности. Но ложки моей бабушки — какие же это драгоценности? Так они их конфисковали! «Контрабанда»! Какая контрабанда, когда они лежали наверху чемодана, я их не прятал! А когда я отказался подписать акт о провозе контрабанды, они устроили гинекологический осмотр моей жене и маме. Я с ними чуть не подрался, а мама сказала: «Валера, ты оставил им квартиру, машину, сберкнижку и должность инженера. Так уже отдай им эти вилки, пусть они подавятся!»*

— Слушайте сюда, — весело сказал мужчина слева. — У нас в ОВИРе главный инспектор женщина, Елена Петровна. Я приношу документы на эмиграцию — израильский вызов, все справки; ну все как положено. Она говорит: «Так, пять кило баранины, три кило говядины, финскую колбасу, икру и рижский бальзам. Чтобы к четырем часам все было, тогда уедешь». Ну, хорошо, ради такого дела, сами понимаете, не жалко. Но вы же знаете, что сейчас делается с продуктами, — ничего ж нету даже на Привозе! Как я мясо доставал на мясокомбинате, это целая история, но — достал, ладно. Теперь колбасу и икру. Хорошо, у меня «Жигули», объехал всех друзей, просто искал у них по холодильникам. Нашел. Теперь бальзам. Бальзама нет ни у кого, даже в буфете обкома партии. Ладно, еду в порт, даю двадцатник буфетчику в баре, он меня водит по всем кораблям. Ну нет у ребят рижского бальзама, ни у кого! А время идет. Ребята говорят: «Бери отборный армянский коньяк, двадцать

* См. Приложение 1.

лет выдержки, это не хуже!» Хорошо, беру подарочный набор армянских коньяков, все в красивую корзину укладываю, приезжаю в ОВИР упакованный. Захожу прямо с корзиной к ней в кабинет, говорю: вот, все достал, кроме рижского бальзама. Зато, говорю, привез вам армянский двадцатилетний коньяк, это не хуже. Она говорит: «Нет, у меня сегодня день рождения, хочу рижский бальзам!» Что делать? Еду к себе на завод, прихожу прямо к директору: «Степан Афанасьевич, выручай! Я тебе из Америки что хочешь пришлю!» Он говорит: мне ничего не надо, только дочке нужны джинсы фирмы «Леви». Я говорю: нет вопросов, прямо из Рима высылаю. Он пишет записку своей жене, я еду к нему домой, забираю у его жены рижский бальзам. И опять в ОВИР. А там уже закрыто, мент у двери говорит: ждите. Ладно, два часа стою на улице в такую погоду, под дождем, жду. Она выходит пьяная в сопровождении двух пьяных гэбэшников. Увидела меня, узнала, залезла в машину: «Вези домой, на Четвертый Фонтан!» Хорошо, привез. Выходим из машины, она впереди шатается, я за ней с корзиной. Она открывает дверь и говорит: «Мама! Возьми, тут жиды продукты принесли!»...

— Это что! — сказала худенькая, с простуженным красным носом Лина, у которой таможенники в последний момент сняли с руки последнее кольцо. — Вы знаете, как издеваются на Ленинградской таможне? У моего приятеля были краски — обыкновенные краски в тубах. Они спрашивают: «Вы художник?» — «Да, я художник». — «А где ваш мольберт?» — «Вот». И знаете, что они сделали? Они прокалывали каждый тюбик и выжимали краски на мольберт! До остатка!

— А вы видите моего сына? — Старик Гриншпут показал на 24-летнего сварщика из Одессы. — У него белокровие, у меня есть заключение врачей, что его могут вылечить только в Бостоне. И справка, что ему положено в день двадцать таблеток. Так я пошел к самому начальнику Шереметьевской таможни и сказал: «Вот мой военный билет, я всю войну прошел капитаном артиллерии, имею два ранения и восемь орденов. И вот справка, что я диабетик и моя жена диабетик. Конечно, вы можете не пропустить наши лекарства, если хотите. Мы это переживем. Но у моего сына лейкемия, если ему не принимать лекарство несколько часов, он умрет!» И знаете, что он мне ответил? «Не летите». Вот и все. Наглая скотина — «Не летите»! Я говорю: «Но вы же иногда разрешаете вывозить немного лекарств — я видел». Так он даже улыбнулся: «Здоровым разрешаем». Вы поняли, как они над нами издеваются? Как собаки, хватают за штанину, чтобы урвать последний клок! Посмотрите на этого немца. — Гриншпут кивнул на врача, который, сидя на корточках, считал пульс его сыну. — Сколько ему лет? Может быть, я его отца грохнул из гаубицы во время войны, а он с моим пацаном возится. А эта сволочь, за которого я свою кровь пролил... Но я вам говорю: Бог есть! Пусть они будут иметь наши ковры, вилки и лекарства, но они будут иметь и наше горе! Бог должен быть!..

— Молодой человек, — повернулся ко мне мужчина из переднего ряда, — вы не переживайте за вашу машинку. В Вене я вам ее запаяю...

— Чем ты запаяешь, Гриша? — сказала его жена. — Они же забрали у тебя паяльник и весь инструмент!

— Не слушайте ее, — улыбнулся Гриша. — Они не на тех напали! Я вам на спичках запаяю. Вы будете бутерброд?

Мы обменивались бутербродами и воспоминаниями, анекдотами и сигаретами, мы почти насильно угощали австрийцев шоколадом «Аленка», твердя им, что это же «рашен чоколадо, лучший в мире!», и австрийцы принужденно откусывали от шоколадных плиток в разорванных таможенниками обертках; и в этой суете, возбуждении и хлопотах над умирающим сварщиком мы совершенно забыли о нашем конвоире.

А он сидел там, сзади, один, курил и молча буравил наши затылки своими рыбьими глазами. И в венском аэропорту он первым вышел из самолета — его вахта кончилась. Он сошел по трапу, сел в служебный австрийский автобусик, но уехать еще не мог — должен был дождаться экипажа самолета. И на его глазах мы спускались по трапу в этот новый мир.

В Вене, которая значительно южнее Москвы, стоял не по сезону теплый день. Солнце, чистенький, как лакированный, автобус у трапа и две беленькие санитарные машины, ожидающие нашего больного сварщика, а неподалеку — невысокое стеклянно-бетонное здание венского аэропорта, — здравствуй, новый мир. Какой ты?

Не успеть ни понять, ни почувствовать — нужно выгружать вещи, нужно помочь спуститься по трапу сестре с дочкой и всем остальным. За два часа полета мы стали как одна семья, и, проводив сестру и Асю в автобус, я бегу обратно в самолет, подхватываю на руки парализованную старуху Фельдман, несу ее вниз, в автобус, и чувствую, что она легче пера — ну, 30 кило, ну, 40 от силы, а Бог мне дал в эти минуты такие восторженные силы, что кажется, я могу нести эту старушку в ладонях. Я сажаю ее в автобус, и снова бегу наверх за вещами Гриншпутов, и уже на трапе спиной чувствую что-то острое, холодное, чужое.

Я поворачиваюсь скорее инстинктивно, чем осмысленно, и тут же встречаю взгляд этих рыбьих гэбэшных глаз. Но нет, теперь это не рыбьи глаза! В них появилось выражение и даже чувство, но какое! Ненависть. С каким удовольствием он достал бы сейчас припрятанный под мышкой табельный пистолет и всадил в меня всю обойму! Но поздно, господа, проморгали антисоветчика! Если я и не был им до отъезда, то стал таковым за эти две ночи ваших издевательств в шереметьевском аэропорту...

Усмехнувшись в его ненавидящие глаза, я повернулся и легко, с еще большей прытью взбежал по трапу в салон самолета. Здесь санитары укладывали на носилки больного сварщика, его отец и мать причитали рядом, а его молодая толстая жена тихо рыдала в соседнем кресле, держа на руках грудного ребенка и раскачиваясь в такт своему плачу.

Я взял у нее ребенка — почти силой отнял — и сказал: «Пошли!»

Когда женщины плачут, им нужен твердый мужской приказ.

Она покорно встала и пошла за мной к двери, на ходу теряя вязаные детские ботиночки.

Я вышел из самолета на трап с этим грудным ребенком в руках. И нашел взглядом моего гэбиста. И так, глядя ему в глаза, я выносил из советского самолета, я уносил с их советской территории еще одного еврейского ребенка, и не было в эту минуту на земле человека счастливее меня, поверьте. Я чувствовал себя сионистом, бойцом, воином. Если бы он вытащил сейчас пистолет, я бы закрыл этого ребенка своей грудью. Есть вещи, о которых не стыдно писать, даже если принято в таких случаях проявить скромность. Я не стыжусь сказать, что то была минута, когда я был стопроцентным евреем и стопроцентным человеком. Не знаю, как другим, но мне такое сочетание дается не часто.

Я спускался по трапу, глядя этому гэбэшнику прямо в глаза, и так же, глядя ему в глаза, внес этого ребенка в автобус, и было уже что-то такое напряженное в дуэли наших глаз, что моя сестра сказала поспешно:

— Я тебя умоляю: не дразни его!

— Почему? — улыбнулся я, передавая ей ребенка и не отрывая взгляда от глаз этого гэбэшника.

Но тут он и сам отвернулся. Он отвернулся с деланно равнодушным лицом, но мы-то с ним хорошо поняли друг друга. Он отвернулся и вышел из автобуса, пересел в микроавтобус, поданный советскому экипажу, и вместе с ними укатил к аэровокзалу — надеюсь, теперь уже навсегда из моей жизни...

(Но уже через два месяца, в Италии, перечитывая эти строки после визита в Американское посольство к Грегори Черни, мой герой горько усмехнется своей наивности — что эта безобидная дуэль взглядов по сравнению с тем вызовом, которое послало нам вдогонку КГБ к празднику Пасхи! Где и как найти того каннибала, которого они послали в Италию? По каким приметам? В Риме, Остии и Ладисполи нас больше десяти тысяч — как же искать эту иголку в трех стогах сена? А Пасха — вот она, через две недели!..)

2

Да, никто из них не повернулся к иллюминатору бросить прощальный взгляд на шереметьевский аэропорт. А зря. Потому что именно в этот день, 25 января 1979 года, на посадочную полосу аэропорта приземлился еще один «ТУ», прибывший из златой, как тогда говорили, Праги. И когда, сутуло кутаясь от морозного ветра в пальто и шарфы, они поднимались в свой самолет, по пустому трапу пражского самолета легкой походкой сбежал вниз загорелый моложавый брюнет в светло-бежевом кашемировом пальто, темно-синем костюме, белоснежной сорочке и при галстуке в сине-бордовые полоски, под стать его костюму и туфлям. Одного взгляда на его прямую фигуру, свободно развернутые плечи и костюм, сшитый по фигуре буквально «с иголочки», было достаточно, чтобы понять — иностранец. Двадцатиградусный московский мороз вызвал легкую улыбку на его красивых под усиками губах. Впрочем, улыбку легкообъяснимую — прямо у трапа его ждала черная «Волга» с включенным мотором и двое мужчин, бетоннолицых, но с приветливыми улыбками на лицах.

А рядом с ними стояла тонкая, как стручок, двадцатипятилетняя шатенка в очках, синем поношенном пальто, вязаной шапочке набекрень, в темной «водолазке» под горло и в тяжелых сапогах на низком каблуке. В ее глазах, увеличенных стеклами очков, брюнет мгновенно прочел то сочетание отчуждения, настороженности и любопытства, которым любые аборигены всегда встречают чужеземцев, и улыбнулся еще ослепительнее.

Тем временем следом за иностранцем из самолета вышел еще один кирпичелицый с тяжелым кожаным чемоданом в руке, багажом новоприбывшего. При виде этого чемодана один из встречавших тут же распахнул багажник «Волги».

— Бонджорно, синьор! — сказала ему шатенка низким голосом и продолжила также по-итальянски, показав на открытую заднюю дверцу машины: — Andare indietro! Сюда, пожалуйста...

Синьор, легко пригнувшись, нырнул в машину, шатенка тут же деловито села по его левую руку, а прибывший с иностранцем «кирпич», забросив чемодан в багажник, — по правую. Двое встречавших стремительно сели впереди — один за руль, второй рядом с ним, и машина с места рванула от трапа прямо к воротам аэропорта — без всякой таможни и паспортного контроля.

Только после этого стюардесса, заслонявшая дверной проем пражского самолета, отступила в сторону и пассажиры цепочкой потянулись вниз, к подкатившему к трапу автобусу.

— Вы так легко одеты, синьор! У нас сегодня минус двадцать три по Цельсию, — укорила в машине шатенка новоприбывшего иностранца все тем же низким голосом. — Меня зовут Елена, я ваша переводчица и гид. — И по-русски попросила водителя: — Прибавьте печку, Сережа. Не дай Бог, мы его простудим...

— Винсент, — коротко представился иностранец. — Но вы можете звать меня Винни, это еще короче...

Тут водитель вымахнул на Ленинградское шоссе и, распугав ревуном и мигалкой шарахнувшийся по сторонам транспорт, пулей помчался по осевой полосе.

— Мамма мия! — воскликнул Винсент. — Куэсто ми пьяче! Мне это нравится! Куда мы едем? В Кремль?

Елена усмехнулась:

— Разве вам не нужно отдохнуть с дороги? Мы едем на дачу, но через Москву. Вы уже бывали в Москве?

— Нет, конечно! Я первый раз в России... — Винсент, с любопытством оглядываясь по сторонам, показал на гигантский придорожный щит с портретом Брежнева: — А что тут написано?

Елена перевела текст, припорошенный снегом:

— «ЛЕОНИД ИЛЬИЧ БРЕЖНЕВ — МУДРЕЙШИЙ, ТАЛАНТЛИВЕЙШИЙ РУКОВОДИТЕЛЬ МЕЖДУНАРОДНОГО КОММУНИСТИЧЕСКОГО ДВИЖЕНИЯ!»

Произнесенный ее низким бархатным голосом, этот текст вдруг прозвучал проникновенно и почти эротически.

— Magnifico!* — воскликнул Винсент и посмотрел на растяжку, висевшую над шоссе. — А здесь?

— «ПАРТИЯ — УМ, ЧЕСТЬ И СОВЕСТЬ НАШЕЙ СОВЕТСКОЙ ЭПОХИ!»

— Perfetto! А тут? — Он живо повернулся к щиту с портретом Ленина, поднявшего ладошку к доброму прищуру глаз.

— «ВЕРНОЙ ДОРОГОЙ ИДЕТЕ, ТОВАРИЩИ!»

Винсент расхохотался — заразительно и безыскусно.

Елена изумленно вскинула на него очки, а сопровождающие «кирпичи» посмотрели на нее вопросительно — мол, чему он смеется?

— Фантастико! — сказал Винсент. — Кампанелла! «Город солнца» в России! А тут что написано? Тоже про революцию?..

Впрочем, в Москве его жизнерадостного оптимизма слегка убыло — то ли от того, что город был накрыт низкими облаками, набухшими снегом, то ли от магазинных витрин, си-

---

* Великолепно! *(ит.)*

30

ротливо уставленных пирамидами консервных банок, то ли от вида сутулых москвичей, которые тащились по тротуарам вдоль этих витрин с тяжелыми авоськами в руках*.

А может быть, Винсенту стало не до смеха потому, что, несмотря на мощно гудящую печку и жару в салоне, пол машины оставался ледяным и его ноги в модных итальянских туфлях просто подмерзали.

Но еще тревожнее стало его лицо, когда «Волга» после короткого тура по Москве вновь выскочила из города и, проехав по узенькому Рублевскому шоссе, вдруг резко свернула влево, под заснеженные лапы гигантских сосен, а метров через двести уперлась в высоченные и глухие железные ворота. По обе стороны ворот шел трехметровый кирпичный забор — глухой, с колючей проволокой на гребне.

Винсент в тревоге посмотрел на Елену.

Однако она лишь загадочно улыбнулась, а один из сопровождающих «кирпичей» вышел из машины, подошел к воротам и нажал неприметную кнопку под железной, словно от почтового ящика, накладкой. Тотчас эта накладка приподнялась, в узкой прорези показались чьи-то глаза. «Кирпич» что-то сказал, накладка упала с металлическим звуком, затем за воротами послышался лязг отпираемых запоров, и наконец тяжеленные, кованые, будто средневековые, створки ворот стали медленно открываться под нажимом двух солдат-автоматчиков в длинных овчинных полушубках, валенках и шапках-ушанках. За ними, во все расширяющемся просвете, обнаружилась очищенная от снега дорога в дремучем сосновом бору...

— Это ГУЛАГ? — деланно улыбнулся Винсент. — Куда мы приехали?

— Я же сказала, вам нужно отдохнуть с дороги, — уклончиво ответила Елена.

— Да, но...

Машина миновала ворота, и Винсент непроизвольно оглянулся — автоматчики, всем телом налегая на тяжелые створки, уже закрыли ворота и теперь задвигали скрипящие запоры.

---

* В СССР был очередной дефицит продуктов питания, и масло, мясо и прочее «давали», кто помнит, только на предприятиях «по полкило в одни руки». — *Э. Т.*

А впереди, за стволами гигантских заснеженных сосен, показался бело-желтый двухэтажный особняк.

— Это бывшая дача Сталина, — сказала Елена. — Здесь вас никто не потревожит.

3

— ...Сначала мы жили в области Гошен, плодородной и обильной пастбищами и скотом. Отсюда мы могли кочевать по всей стране и очень скоро расплодились и стали жить не в шатрах, а в домах, занимаясь земледелием и ремеслами. Иосиф, сын Якова, возвысился до звания главного советника фараона, но египтяне все равно смотрели на нас с презрением и снобизмом, ведь мы не верили в их рукотворных богов...

Господин Вильчицки — маленький, пожилой, вежливый и суетливый польский еврей, представитель Израиля — встречал нас за стеклянной дверью венского аэровокзала.

— Господа, поздравляю вас с прибытием на свободный Запад!

Он собрал наши визы и открыл блокнот, чтобы записать в него тех, кто едет в Израиль. Оказалось, что из 27 новоприбывших только моя сестра с дочкой направляются в Израиль, а остальные хотят в США и Канаду. Но Вильчицки был корректен:

— Хорошо, господа, пойдемте со мной.

И повел нас в таможенный зал получать наш авиабагаж. Здесь чемоданы моей сестры без всякой проверки отложили в сторону и погрузили на тележку грузчика. Нам же, «прямикам», Вильчицки предложил выбрать по одному чемодану на семью для жизни в Вене, а остальной багаж мы должны были сдать в камеру хранения. Конечно, мы еще в Москве слышали о том, что в Вене, где у нас лишь краткосрочная пересадка по дороге в Рим, все чемоданы брать с собой в отель не разрешают, а этот единственный «венский» чемодан будут досматривать. И все-таки... Все-таки было что-то оскорбительно-саднящее в том, что это именно он, Вильчицки, стал рыться в наших чемоданах, запрещая брать с собой в отель ту или иную вещь, которая, на его взгляд, могла быть предметом спекуляции. Да, человек, который в эти минуты олицетворял в наших глазах весь Израиль, — что же он делал? Своими меленькими пожухлыми ручками он рылся в наших вещах, вытаскивал из них и откладывал в сторону то кипятильник, то банку икры, то алюминиевую кастрюлю. И мы понимали почему: в алюминиевой кастрюле можно с помощью кипятильника сварить курицу в гостиничном номере, а это запрещено австрийскими правилами... Но по мне лучше бы он обозвал меня предателем за то, что я не еду в Израиль, и ушел бы с моей сестрой, оставив работникам австрийской таможни разбираться с моими вещами. Я смотрел бы в его гордую маленькую спину и понимал, что он прав. Но тут...

— Вы видели? — процедил Хасин сквозь зубы. — А они еще хотят, чтоб мы ехали в Израиль! А сами роются в наших чемоданах, как на советской таможне!

Тень сомнения легла и на лицо моей сестры, сидевшей с дочкой на скамейке под вывеской «Lost and Found», и я тут же спросил господина Вильчицки:

— А если она сейчас раздумает лететь в Израиль, вы отдадите ее вещи?

— Конечно. Отдать? — ответил он и тут же крикнул что-то по-немецки австрийскому грузчику, который уже двинулся с ее вещами к выходу из зала.

Грузчик с автокаром послушно остановился, ожидая нашего решения.

И это были секунды, которые надорвали наши сердца. Мы с сестрой смотрели друг другу в глаза. Молчал господин Вильчицки, молчали окружающие нас «прямики»-эмигранты, и австрийский грузчик в сером фирменном комбинезоне стоял неподвижно у тележки с четырьмя сиротливыми чемоданами моей сестры и ее ребенка.

Одного моего слова было достаточно, чтобы решить их судьбу. Там, за стеклянной стеной зала ожидания, были Австрия, Италия, Америка, и если бы я сказал: «Останься со мной»,

Белла сгрузила бы свои вещи, поехала со мной, и кто знает, как сложилась бы наша общая судьба... Но я не произнес этого слова, потому что в Московской консерватории вундеркинду по имени Ася Абрамова сказали, что лучший в мире скрипач-учитель профессор Феликс Андриевский работает в Тель-Авивской консерватории. Я вызвонил этого Феликса из Москвы, с Главтелеграфа, и он сказал мне, что если этот ребенок действительно играет Шестую сонату Генделя и Концерт ля минор Вивальди, то он берет ее в свой класс, — и это решило дорогу моей сестры.

Но сейчас, в эту секунду...

Я смотрел в лицо своей сестры, утомленное бессонными ночами последних сборов в эмиграцию. Ее щеки, запавшие после стервозного шмона в советской таможне... Ее глаза... Ее надорванное сердце и больные легкие... Там, в Израиле, в Тель-Авиве сегодня плюс двадцать четыре, там цветут пальмы и мандарины, а в Италии, где нам всю зиму сидеть в ожидании въездной американской визы, даже в самых богатых домах нет отопления...

Нет, я не сказал ей: «Останься со мной».

— Битте! — распорядился Вильчицки, и австрийский грузчик в фирменном комбинезоне увез их вещи, а рядом со мной появилась какая-то женщина, сказала: «Пойдемте, нам сюда», и повела меня и гурьбу остальных эмигрантов не за моей сестрой, а в другую дверь, куда сыновья старухи Фельдман, прилетевшие из Штатов в Вену неделю назад, уже унесли свою мать.

Толкая перед собой тележку с чемоданом и пишмашинкой и полагая, что за этой дверью я вновь увижу сестру и племяшку и прощусь с ними, я вышел из аэровокзала и обнаружил, что никакой сестры тут нет, а нас торопят в автобус. И тут я понял! Я понял, что уже простился с Беллой и Асей, что их увели от меня, увели — *насовсем!*

Мама моя! мне уже до лампочки эта свобода! Мама моя, мне уже до фонаря эти сверкающие, как в кино, ряды невиданных мной «мерседесов», «ауди», «вольв» и «фольксвагенов»! И в гробу я видел свой чемодан, который нужно срочно грузить в багажник автобуса! Сестру! Дайте мне сестру! Дайте мне увидеть их еще минуту! Куда вы их дели?

Я бросаю чемодан и пишмашинку и мечусь по сторонам, пытаясь вычислить, через какой выход их вывел из вокзала этот гребаный Вильчицки, я шарю взглядом поверх чьих-то голов, заглядываю в отъезжающие машины и вдруг...

Боже, спасибо тебе! — я вижу свою сестру в окне желтого микроавтобуса, который проносится мимо меня!

Остолбенев от этого мимолетного видения, я еще секунду тупо стою на месте и только потом, когда этот автобусик входит в изгиб поворота к шоссе, я спохватываюсь и что есть духу бегу за ним, цепко держа взглядом его выпуклую желтую крышу. Я бегу за ним, как терьер за зайцем, как спринтер на Олимпийских играх, бегу что есть сил — прямо по мостовой, в густом потоке «мерседесов» и «ауди», и — вот где пригодились мои ежедневные пробежки целый год перед эмиграцией! — я догоняю этот микроавтобус! Я догоняю его уже на шоссе, стучу кулаком по крыше, и... они останавливаются.

Загудели сзади машины, сбились, как стадо, в пробку, но мне плевать, я распахиваю дверь автобуса и, почти задыхаясь, спрашиваю у сестры:

— Куда вас везут?

— Я не знаю, — отвечает она.

— Куда вы их везете? — говорю я Вильчицки, который сидит рядом с ней и Асей.

— За город, в наш лагерь. Не беспокойтесь, им там будет хорошо.

— Я смогу их навестить?

— Нет.

— Почему?

— Вас не пустит охрана.

— К сестре?! Как это не пустит? Дайте мне адрес!

— Я не могу. Вы что, не понимаете? Мы охраняем их от арабских террористов. Тут в любое время может быть теракт и стрельба.

— Хорошо, — смиряюсь я. — А телефон? Я могу им позвонить?

Он отрицательно качает головой и произносит с мягким польским акцентом:

— Не бешпокойтесь, с ними будет все в порядке. — И кивает водителю: — Битте...

И — они уезжают.

А я стою посреди шоссе, два потока лакированных машин обтекают меня, как корягу, я стою на их пути, словно пень, и слежу глазами за удаляющимся микроавтобусом с выпуклой желтой крышей.

На какой срок оторвал я их от себя и доверил Неизвестности? Никогда в России я не был от них так далеко, как с этой минуты, когда между нами в одночасье легли границы государств, паспортные режимы и эмигрантское безденежье. Мы разлучались порой надолго, да, после окончания музыкального училища Белла добровольно уехала преподавать музыку в какой-то глухой кубанский совхоз и жила там год, народоволка, и доработалась до затяжного приступа астмы, но при первом известии об этом я бросил занятия во ВГИКе, вылетел за ней из Москвы и — согнутую колесом, дышавшую только верхними краями легких — на руках унес из больницы, увез к нашей маме в Полтаву. А позже Белла, бросив всех своих кавалеров, приехала в Москву и нашла себе работу в трех часах от нее, в Шатуре — лишь бы быть поближе к своему единственному брату, бездомному и безработному в то блаженное время нашей юности... А когда умирала наша мама, я прилетел из Москвы в Полтаву, застал маму в больничной палате еще живой, и она сняла тогда с руки свое единственное — обручальное — кольцо и сказала тихо, как говорят умирающие:

— Отдай Белле. Не бросай ее...

Я не бросал ее, мама!

Я написал о ней пьесу, ты знаешь. Я поставил о ней фильм, ты знаешь. И когда разбогател, то перевез их всех в Москву — и Беллу, и ее гребаного мужа, и Асю, и купил им в Москве квартиру — им, не себе. А когда запретили два моих фильма и я решил, что баста, я не буду лизать зад этой власти, лучше камни бить на нью-йоркской мостовой, то, уезжая, я поставил в титры своего последнего фильма ее фамилию вместо своей, думая, что уеду один, но... она разошлась с мужем, чтобы уехать со мной. И вот теперь — в здравом уме, не подневольно, а только подчиняясь еврейскому инстинкту жертвовать всем ради своих детей — мы с ней впервые в жизни поступали не по сердцу, а по уму. Но буду ли я благословлять эту минуту или прокляну ее?

Я стоял посреди австрийского шоссе и смотрел им вслед.

Господи, сохрани их без меня и не разлучай нас надолго!

Желтый микроавтобус увозил их по солнечной аккуратной австрийской земле, и под этим солнцем не было ни одной диссонирующей ноты, которая заставила бы меня вновь догнать этот автобус, прижать к себе Беллу и Асю и не выпускать никогда.

Я стоял и смотрел им вслед, пока они не исчезли за дальним поворотом шоссе...

...По странному стечению обстоятельств, именно в этот день, 25 января 1979 года, арабские террористы совершили нападение на Израильское посольство в Вене, выстрелили в него ракетой. Мы, однако, еще ничего не знали об этом...

4

Сталин не любил эту дачу, но и не расставался с ней до конца своей жизни. Когда-то, едва став хозяином Кремля и всей России со всеми ее барскими усадьбами, Ясными Полянами и Петродворцами, он выбрал себе эту дачу только потому, что до революции здесь было поместье кавказского генерал-губернатора, и самолюбие сына грузинского сапожника тешилось сознанием такой символичной экспроприации.

Потом оказалось, что дача крайне удобна — просторная, двухэтажная, с множеством комнат и двухэтажной ротондой, и недалеко от Москвы, всего полчаса на машине, но совершенно изолирована.

Сталин перевез сюда свою семью, расширил парк и окружил его высоким кирпичным забором, приказал построить на территории казарму для охраны и теплицу для выращивания овощей, а бальный зал перестроить под домашний кинозал и бильярдную. Но после смерти жены — то ли она сама застрелилась, то ли Сталин ее тут пристрелил, этого не знает даже Светлана Аллилуева — дача опустела, дети — Яков, Светлана и Василий — переехали в Москву, и Сталин до самой войны не приезжал сюда, обзаведясь новой дачей на окраине Москвы, в Матвеевском. С тех пор дача в Матвеевском стала именоваться «ближней», а эта, в Горках-2, соответственно «дальней».

Но перед войной он вспомнил о «дальней», приказал усилить ее охрану танками, а по всем сторонам глухого кирпичного забора сделать восемь ворот, чтобы в случае опасности рвануть с этой дачи на танке в любую сторону...

Потом, после войны — но еще не остыв от нее, — он распорядился проложить от Москвы до Горок-2 железную дорогу, а от Кремля до «дальней» — секретную подземную линию метрополитена. К самой же даче были пристроены крытый плавательный бассейн с гидромассажем и сауной, а также бытовка для постоянной прислуги. Вся эта работа говорит о том, что Хозяин собирался переселиться на «дальнюю» дачу основательно и надолго, но, похоже, воспоминания о кровавой семейной драме мешали тут даже ему, стальному Сталину, и он продолжал жить на «ближней», устраивая там попойки для своих «соколов», членов его карманного Политбюро.

Под самый конец, когда боязнь покушений на его бессмертную жизнь стала маниакальной до такой степени, что он каждую ночь менял спальни на своей «ближней» даче, он и на «дальней» велел все комнаты переделать под спальни, надеясь, наверное, простым секретным рывком с одной дачи на другую перехитрить не то своих воображаемых убийц, не то саму барыню Смерть.

Перехитрить, как известно, не удалось, он умер на «ближней» Матвеевской даче, и «дальняя» дача легла на руки кремлевского ХОЗУ во всем своем нетронутом сталинском виде — с одинаковой, как в казармах, светлой мебелью из карельской березы в спальнях, с текинским ковром и изразцовым камином в гостиной, с библиотекой и кабинетом на втором этаже, бильярдом в кинозале и гидромассажем в плавательном бассейне.

Прекрасная дача! С чистейшим и упоительным воздухом гигантских корабельных сосен, с просторным парком, дорожками для прогулок, теплицей, барскими беседками — ну просто живи не хочу!

Однако ни Маленков, ни Хрущев, ни Брежнев, ни члены их Политбюро, ни даже кандидаты в эти «члены» никогда не посягали на эту дачу, словно страшились встретить тут призрак сухорукого «гения всех времен и народов»*.

Зато самые избранные или самые секретные гости Кремля — Фидель и Рауль Кастро, Ульбрихт, Живков и им подоб-

* Насколько я слышал, сейчас ее занимает Генеральный прокурор РФ — единственный, видимо, кто не страшится встретиться там с призраком вождя. — *Э. Т.*

38

ные — считали за честь переночевать на кровати «самого» Сталина, сыграть на *его* бильярде, попариться в *его* сауне и поплавать в *его* бассейне. И тогда — на практике — выяснилось, что именно здесь, вдали от официального Кремля, под кронами сталинских сосен и под психологической сенью его незримого призрака, очень удобно вести тайные переговоры с вождями западных компартий, арабскими лидерами и другими зарубежными гостями. Почему-то тут они становились сговорчивее, откровеннее, покладистее...

Так «дальняя» дача стала домом секретных свиданий — и не только политических...

Впрочем, всего этого Елена, конечно, не стала излагать Винсенту, да и сама, я полагаю, не знала. Но и того простого факта, что Винсента привезли на дачу *самого* Сталина, оказалось, как обычно, достаточно, чтобы и этот иностранец широко распахнул глаза и рот и с трепетом оглядывался по сторонам, как в таинственном храме.

Елена провела его по даче, показала плавательный бассейн, гостиную, кинозал с бильярдом, а потом повела по коридору второго этажа в глубину дома, открывая слева и справа двери в просторные спальни.

— Где вы хотите расположиться, синьор? Выбирайте.

— Неужели Сталин действительно тут спал? Fantastico! На этой кровати?

Она усмехнулась:

— Винсент, Сталин был человеком, как мы с вами. Тут в каждой спальне есть ванна и туалет. Он и ими пользовался, клянусь вам!

— О, я понял... А сколько я тут пробуду? Когда мы поедем к синьору Андропову?

— Товарища Андропова вы увидите завтра в восемь утра. Постарайтесь не проспать. Бонна ноттэ!

— Как, Элен?! Вы меня бросаете? Здесь? Наедине с духом Сталина? — Винсент с притворным ужасом схватил ее за руку. — Нет! Никогда! Я вас не отпущу! Moriro qui di paura! Я тут умру от страха!

Но Елена мягким движением выпростала свою руку и улыбнулась:

— До завтра, Винни. Мой рабочий день закончился. Чао.

5

— ...Мы не верили в их рукотворных богов, и мы занимались ремеслами, которые они презирали. Мы разводили скот, добывали камень в каменоломнях, прокладывали дороги в пустынях, производили кирпич и черепицу и строили пирамиды для их фараонов, а они держали нас своими рабами...

Наверное, со стороны мы выглядели дикарями, впервые глазеющими из окон автобуса на волшебный мир западной цивилизации.

— Ой, смотрите сюда! Какая свалка автомобилей! Почти новые!

— Ой, какая чистота!

— А сколько магазинов — на каждом шагу!

— А на витринах что делается! Одних сосисок тридцать сортов!

— Мама, мама! Посмотри: колбаса прямо на витрине и нет очереди!

— Нет, вы видите, как подстрижены деревья?

— А какие дороги!

— А дома?! Слушайте, неужели все эти дома — частные?

— А цветы? С ума сойти — тюльпаны в январе!

— Нет, но витрины! Боже, сколько продуктов! Конечно, почему бы им тут не жить?..

Прокатив через ошарашивающе чистый, витринно-сказочный и разукрашенный рекламой центр Вены, автобус въехал куда-то в пригород, поднялся по холму и привез нас на Джорданштрассе в небольшой отель с вывеской «Zum Turken». Но едва я, волоча свой чемодан и пишмашинку, вошел в его вестибюль — о Боже, мне показалось, что я вернулся в СССР 1945 года, когда мы с мамой возвращались из сибирской эвакуации и сутками мыкались на переполненных сибирских вокзалах, спали на полу и пили из кружек, цепочками прикованных к баку с надписью «Кипяток». Крохотный и обшарпанный холл «Зум Туркена» был так же, как те вокзалы, забит детьми, их родителями, стариками и старухами. Прибывшие ночными и утренними поездами из Бреста и Чопа, они торчали здесь с раннего утра — ждали размещения. Стульев хватало только для стариков, те, кто моложе, сидят на своих узлах и чемоданах, а дети ползают по полу голодные, потные, сопливые. Какая-то мать кормит ребенка грудью, а другая сует своему малышу печенье, но он, зареванный, сипло твердит:

— Я не хочу печенье, я кушать хочу!

— Ну, Сема, пожалуйста! — просит она со слезами, и я вижу ее беспомощно разведенные руки, в которых только пачка сухого печенья. — Ты же видел, еду у нас забрали в Бресте.

А посреди этого эвакуационного шума, гвалта, плача детей и толкотни взрослых сидит за стойкой, как за волнорезом, портье и обзванивает другие пансионы, пытаясь спровадить туда новоприбывших.

Бросив свой чемодан, я по киношной манере тут же протискиваюсь сквозь этот табор и иду посмотреть — а что же там, внутри отеля? Я прохожу по его коридорам и вижу, что трехэтажный «Зум Туркен» заселен теми, кто приехал раньше нас, и заселен до отказа — так, как заселялись, наверное, тифозные бараки в России двадцатых годов, — по шесть коек в каждом крохотном номере, а туалет общий и единственный на весь коридор, совмещенный к тому же с умывальником, — ну точь-в-точь как в моей бывшей армейской казарме. Грязь, гомон, плач детей, запахи сортира и вареной курятины...

Господи, говорю я себе, неужели и моя Ася жила бы здесь со своей скрипкой?

Но почему такое убожество — тут, на благословенном, мать его, Западе?

— А вы не знаете? — удивляется Гриша, мой паяльщик из Киева. — Да вы что! Мне уже рассказали! Хозяйка этого отеля мадам Бетттина — легендарная женщина! Раньше у нее была сеть публичных домов, но когда ХИАС стал платить отелям по сто шиллингов за ночлег каждого эмигранта, она быстро превратила свои бордели в еврейские пансионаты, и теперь посчитайте: если селить в двухместный номер по восемь человек, это же триста долларов за ночь с каждой комнаты! Беттина сделала на нас миллионы!..

Я достал свой фотоаппарат, думая: Господи, если судьба сподобит меня делать фильм о нашей эмиграции, никакая, даже голливудская, ассистентка по актерам не найдет мне такую старуху, какая сидит тут в углу вестибюля. Седая, гладко причесанная, она заведенно раскачивалась и, безмолвно молясь сухими серыми губами, глядела на все это остановившимися и трагически-горестными глазами. Нет, я не могу описать всей глубины ее глаз — казалось, они видели не то, что было перед ней, а то, что она уже прожила и пережила в своей жизни, — от дореволюционных погромов до гитлеровских зверств в Белоруссии. И теперь, глядя на новый еврейский табор, прошлое всколыхнулось в ней и толчками раскачивает ее на стуле, как язык безмолвного колокола.

И тут же, среди этого шума, баулов, молитв и писающих детей, выхаживает высокий и хваткий администратор отеля господин Леня, цепким опытным взглядом оценивает вас и вашу ручную кладь, с ходу приглашает избранных в свою конторку за лестницей и за пять минут скупает у новоприбывших то, что им удалось провезти через все заслоны советских и австрийских таможен, — водку, шампанское, икру, кораллы.

Потные, измызганные дорогой, измочаленные третьими и четвертыми сутками этих постоянных проверок люди уже ненавидят вещи, из-за которых они приняли столько мук, и именно сейчас, в эти минуты они — лучшая добыча для перекупщиков. Да, они оставили советской власти свои квартиры, мебель, ковры, музыкальные инструменты и серебряные вилки, и если бы им сказали, что уехать они могут только голыми, они бы и голыми, конечно, уехали, но раз уж сенаторы Джексон, Ванек и прочие заморские благодетели вырвали для этих людей право вывезти из СССР хоть какой-то скарб, то они, страшась неизвестности, везут то, что, по слухам, можно пусть за гроши, но все же продать в Вене и в Риме, чтобы купить детям лишний мандарин или пару туфель. И потому такой шмон на советских таможнях — таможенники, пользуясь своей бесконтрольной властью над этими «предателями Родины», рвут у них все, что могут и даже не могут, вплоть до обручальных колец и сережек из ушей. А теперь и здесь, в Вене, в первый же день свободы — этот Леня из Ленинграда, кандидат, как он мне представился, медицинских наук, он психологию изучал в институте и знает, как разговаривать с людьми в таких экстремальных ситуациях — спокойно, деловито и доверительно: «Хотите продать? Я покупаю по такой-то цене. Нет? Не надо. Оставьте эту водку себе, пейте на здоровье сами!»

Веселая, живая работа! Евреи наживаются на евреях! Леня — на новоприбывших эмигрантах, мадам Беттина — на Лене и на эмигрантах, а выше я не хочу заглядывать — зачем мне?

Увидев мой фотоаппарат, Леня насторожился, выделил меня из толпы, пригласил за стойку, представил портье господину Рубинчику и увел нас в каморку администраторов пить кофе. Я с радостью отдал ему единственную бутылку водки и тут же, за первой чашкой кофе, открыто и азартно изложил замысел своего заветного фильма.

— Я буду делать об этом кино! А как же! — сказал я, ощущая себя разом и бывшим, как в юности, тележурналистом, и режиссером своего будущего голливудского блокбастера. Позабыв о том, что я сам эмигрант, я горячечно возглашал: — Я сделаю фильм о советских таможнях, о венском аэропорте, об израильской проверке наших чемоданов, о своей сестре и об этом вашем бардаке в «Зум Туркене»! Я столько слышал по «Голосу Америки» о миллионных пожертвованиях американских евреев на нашу эмиграцию — и что? Наши дети должны в первый же день эмиграции голодными ползать по грязным полам австрийских борделей?

— А что с вашей сестрой? — осторожно спросил портье. Сорокалетний, черноволосый, хорошо одетый, в России сказали бы «фирменный» или «интеллигентный», у нас там этим словом выделяют любое неиспитое лицо, — он производил приятное впечатление, и я в двух словах рассказал ему о прощании с сестрой в венском аэропорту. Он усмехнулся:

— О, вы послушайте мою историю! Я тоже из Москвы, журналист-очеркист, моя фамилия Рубин. Точнее, Рубинчик, а Рубин — это псевдоним, может быть, вы меня читали в газетах. Но сейчас это не важно. Я приехал в Вену с женой, двумя детьми и, между прочим, с замыслом, близким к вашему, — я хотел писать книгу «Еврейская дорога». На аэродроме нас встречал тот же Вильчицки, он сказал те же слова: «Господа, поздравляю с прибытием на свободный Запад! Кто едет в Израиль?» «Мы!» — сказала вдруг моя жена. «Как? — изумился я. — Ты что?! Мы едем в Америку!» «Мы едем в Израиль», — сказала она и протянула Вильчицки нашу общую визу. Я закричал: «Ты с ума сошла! С чего ты взяла? Мы едем в Америку! Господин, отдайте наши документы, мы едем в США!» «Ты можешь ехать куда хочешь, — сказала жена, — а я с детьми еду в Израиль. И

43

если ты любишь детей, ты поедешь с нами». И она уехала с этим Вильчицки в их израильский загородный лагерь Эбенсдорф — туда, куда он увез и вашу сестру. Я пробовал пробиться к ним, я звонил туда каждые полчаса — ведь у нас с женой никогда и разговора не было об Израиле! Но уже на следующий день ее и детей они первым же рейсом отправили в Тель-Авив. А я остался тут — без вещей, без денег, без документов. Слава Богу, Беттина взяла меня на работу. Конечно, она платит мне гроши, но это не важно, она меня спасла. И я люблю свою жену, старик! Я люблю жену и детей, и я стал звонить им и писать в Тель-Авив, в этот ульпан, где их поселили, и — похоже — уговорил ее вернуться. Она согласилась, я выслал ей все, что заработал — 600 долларов, чтобы она могла купить билеты. Но в день, когда она пошла за билетами на самолет, «Сохнут» дал ей трехкомнатную квартиру. Понимаешь, я ничего не могу сказать — тут Израиль сработал блестяще. Никто там не получает квартиру раньше чем через полгода, некоторые и по году ждут — ты еще увидишь это по своей сестре. А моим дали квартиру через полтора месяца, и теперь она пишет, что счастлива, устроена и я должен приехать к ним. Выпьем, старик!

Мы выпили. Уже не кофе, а простую — нет, извините, не простую, а экспортную — русскую водку.

— Ты можешь мне дать телефон Эбенсдорфа? — спросил я Рубина-Рубинчика.

— Ты им не дозвонишься.

— Я попробую.

— Пожалуйста. — Он великодушно сам набрал телефонный номер и протянул мне трубку.

— Шолом! — услышал я в этой трубке.

— Шолом, — произнес я, представился по-английски и сказал, что хочу поговорить с сестрой.

— Они на завтраке, — сообщили мне после паузы, и я, успокоившись, положил трубку.

— Вот видишь, — усмехнулся Рубинчик. — И так будет всегда: они будут на завтраке, на обеде, на ужине, на лекции — до отъезда...

Тут распахнулась дверь, влетел Леня-администратор:

— Хозяйка приехала!

Появление мадам Беттины было подобно сигналу «Воздушная тревога!», с той только разницей, что все не ложатся, а сгибаются. Беттина — коренастая, неряшливо одетая пятидесятилетняя и коротко стриженная блондинка с крепким широким лицом, накладными ресницами и густо зашпаклеванными щеками, словно карикатурная кукла из театра Образцова, — быстро прошла за стойку портье, отперла ключиком свой личный телефон и тут же принялась названивать куда-то сразу по двум аппаратам, накручивая их диски шариковой авторучкой. Вокруг нее завихрились, забегали и засуетились служащие — Леня, Рубинчик, еще кто-то, а она, отдавая команды, кого куда поселить, договаривалась по телефону о местах в других пансионах и отелях, о стирке простыней, о транспорте.... Точная, с острым и цепким взглядом, шумная, где нужно, и мягкая, где пожелает, она восседала за стойкой администратора, как одесская бандерша времен Бени Крика. А в кино ее могла бы замечательно сыграть Симона Синьоре, если ей плохо и наспех покрасить волосы пергидролем...

Я стоял поодаль, наблюдал. Было интересно следить за ней, за ее одновременными разговорами по телефону, со служащими и с осаждавшими стойку эмигрантами. Что-то актерское сквозило в ее манерах, но актерское не на публику, а для себя самой. И я понял, что ей нравилось то, что она делает и как она это делает, — с таким смаком Род Стайгер играл Муссолини, а Броневой — Мюллера...

...Именно в эти, как потом выяснилось, минуты арабские террористы, выстрелив ракетой по воротам Израильского посольства в центре Вены, бросили в него еще несколько ручных гранат и умчались в минивэне, а за городом, в замке Эбенсдорф, моя сестра и ее дочка во все глаза смотрели на еврейские ритуальные танцы, которые устроили в холле прибывшие из Бухары молодые хасиды...

6

Он проснулся в темноте и первую минуту все не мог сообразить, где он находится. В комнате было совершенно темно, а светящийся циферблат его наручных часов показывал 6:14, но он не знал, 6:14 чего — утра или вечера? И только тонкая струйка морозного воздуха, которая поддувала ему в ноги, да вес тяжелого одеяла вернули его памяти подробности его путешествия через Париж и Прагу в Москву и план, разработанный им с синьором Разлогоф, резидентом советской разведки в Риме.

Он выпростал руку из-под одеяла и по привычке к западным гостиничным удобствам протянул ее вверх и за голову, пытаясь нащупать выключатель бра или лампы. Но никакого выключателя не было, рука слепо шарила по высокой деревянной спинке кровати, и только тут он окончательно вспомнил: «Мадонна миа, я в Москве, и это же сталинская кровать! Я лежу в кровати Джозефа Сталина!»

Он замер в темноте и холодной свежести льняных простыней и хвойного воздуха. Дио Санто! Боже святой! Он на даче самого Сталина! Вот это приключение! Какая жалость, что он никогда — никогда-никогда! — не сможет рассказать об этом своим студентам и особенно студенткам! Впрочем, когда-нибудь, наверное, сможет и даже книгу напишет. «В гостях у Сталина». А что? А почему нет?..

Винсент осторожно выскользнул из-под одеяла, ступил босыми ногами на коврик и тут же зябко потянул одеяло на себя, закутался в него и в темноте слепо, наугад шагнул вперед, шаря рукой перед собой, — туда, откуда сквозило по ногам этим морозным воздухом. Рука уперлась в тяжелый плюш, он повел пальцами к его краю, захватил этот край и отодвинул плюшевую гардину.

Теперь перед ним было большое окно с двойной рамой и высокой — не достать — форточкой, неплотно прикрытой. А за окном — тяжелый мертвенно-желтый снег на ветках гигантских сосен, черные стволы деревьев и тонкий саблеизогнутый месяц на черном, как театральный полог, небе. Почему-то именно эта мирная, казалось бы, картина вошла в его душу холодным жалом испуга. Куда он забрался? Да эти русские заживо его похоронят тут, сгноят в ГУЛАГе, отправят на урановые рудники, сотрут в порошок, выбросят псам на мороз, и ни одна душа в Италии никогда не узнает, куда он делся! И ведь он сам, сам полез в пасть этому русскому медведю! Сам принес в Советское посольство свою восхитительную идею! Герой вшивый! Гений в пижамных подштанниках!..

46

Но стоп, минуточку! Если бы они собирались его сгноить, разве привезли бы они его сюда, на дачу самого Сталина? И вообще, на хрена им известный итальянский психиатр, профессор Римского университета, в роли чернорабочего на урановом руднике? Выбросив его из игры, они не смогут воспользоваться его идеей, потому что, кроме него, никто, ни один психиатр в мире не сможет реализовать эту прекрасную идею...

Ободрившись, Винсент почувствовал голод и желание выпить. При лунном свете его глаза легко различили выключатель на стене у двери, он включил свет и, передернув плечами от озноба, сунул руку в свой чемодан, распахнутый на низком журнальном столике. Там, на дне, под стопкой одежды лежал его дорожный туалетный набор с электробритвой и плоская фляжка «Хеннесси». Он достал эту фляжку и на миг удивленно замер — как? Разве вчера перед посадкой самолета он выпил половину этой фляги? Впрочем, он был так возбужден и так трусил, что, может быть, и не заметил, сколько раз приложился к ней...

Ладно, Бог с ним, какое это имеет значение! Досадно не это, а то, что он вчера так легко отпустил эту русскую переводчицу. Сейчас бы она оказалась оч-чень кстати — с ее крохотной грудкой, осиной талией и высокой попкой una cula...

От одной, как в кино, вспышки его опытного воображения — с каким смаком он имел бы сейчас эту переводчицу на сталинской постели! — у Винсента пересохло в горле, он отпил из фляги еще раз, почувствовал, что согрелся, и уже без спешки извлек из чемодана свой туалетный набор, джинсы, теплые носки, мягкие мокасины и тонкий гарусный свитер фирмы «Polo». Разложив это все на кровати, он прошел в туалетную комнату, снова, после вчерашнего, удивился ее огромным размерам и старомодности ванны, унитаза и умывальных кранов, попробовал включить свою электробритву и тут же обнаружил, что вилка его итальянской электробритвы не подходит к русской розетке. Черт подери, как же он, небритый, поедет на встречу с синьором Андроповым?

Через минуту, умывшись (и удивившись странной облегченности флакона своего одеколона «Армани»), он вышел из спальни в темный коридор. Здесь было абсолютно тихо, и какое-то обостренное чувство любопытства, напряжения и страха подсказало Винсенту, что за всеми этими дверьми в соседние спальни и комнаты нет ни души. Медленно, даже как-то крадучись и ощущая себя персонажем из фильмов не то Хичкока, не то Антониони, он двинулся по этому пустому коридору, придерживаясь рукой за стену. Мягкие туфли и толстая ковровая дорожка на полу заглушали его шаги. Где-то здесь, посреди коридора, должна быть лестница. Да, прямо рядом со сталинским кабинетом и библиотекой. Неужели и Сталин вот так же неслышно ходил по ночам в этом коридоре? Черт возьми, почему здесь нигде нет его портрета или хотя бы фотографии? Вчера, когда Элен показывала ему дачу, он не обратил на это внимания, но завтра он обязательно спросит. Ах, какой он cretino, что не задержал ее на ночь! В таком тоненьком, как спица, теле — и такой низкий, томный, чувственный голос!..

Ага, вот и лестница!

Крепко держась за широкий деревянный поручень, Винсент стал осторожно спускаться вниз. На первом этаже в коридоре тоже было темно, только из последней — перед выходом наружу — двери сочилась в темноту узкая желтая полоска света.

Винсент шагнул на этот свет, и тут же из двери выскользнула громадная немецкая овчарка, остановилась в луче, выжидающе уставилась на Винсента своими желтыми глазами и тихо, предупредительно зарычала.

Винсент испуганно замер.

Впрочем, почти тут же во всем коридоре вспыхнул свет, голос за дверью громко сказал: «Нукер, на место!», и в двери появился солдат в сапогах, брюках-галифе и в гимнастерке с расстегнутым воротничком. Он взял собаку за ошейник, втолкнул в свою комнату и вопросительно повернулся к Винсенту:

— I may help you, sir? Tea? Food?*

И хотя эта безграмотная фраза была произнесена с дубовым акцентом, а от солдата пахло коньяком «Хеннесси» и парфюмом «Армани», Винсент сразу успокоился и даже развеселился — русский солдат на даче Сталина говорит по-английски! Это же сюр похлеще фильмов Антониони! Но ничего, сейчас и он удивит этого солдата!

— Сколько время? — почти чисто произнес он по-русски.

Солдат, нисколько не удивившись этому лингвистическому подвигу, взглянул на настенные часы и ответил по-русски:

---

* Могу вам помогать? Чай? Еда? *(англ.)*

48

— Шесть двадцать семь.

Винсент почувствовал, что исчерпал свой русский словарь, и перешел на английский:

— Evening or morning?*

— Evening. Вечер, — сказал солдат.

— I see... — Винсент подсчитал, что он проспал часов шесть, не больше. И вновь перешел на русский, который обошелся ему в тысячу миль — по полсотни миль за урок в римской «Берлиц-скул». — Я хотеть кушать. And чай!

7

— ...Когда в Египте воцарился фараон Рамзес Второй, он сказал народу своему: «Вот племя израильское размножается и может стать сильнее нас. Если случится у нас война с другими государствами, то израильтяне могут соединиться с нашими врагами и воевать против нас. Постараемся же, чтобы это племя не усилилось». И египетские надсмотрщики всякими жестокостями стали изнурять нас на работах до смерти. А затем был отдан приказ топить всех наших новорожденных мальчиков. Когда мы совершали новорожденным обряд обрезания, египтяне говорили: «Зачем вы это делаете? Ведь не пройдет и часа, и детей бросят в реку...»

Эмиграция как война, — она легко сближает даже совершенно разных и еще недавно совсем незнакомых людей. А с Кареном Гаспаряном мы впервые увиделись месяц назад в Москве, в Новодевичьем монастыре, где по четвергам и вторникам комиссия Министерства культуры определяет, какие

---

* Вечер или утро? *(англ.)*

предметы искусства можно вывезти из СССР, а какие нет. В очереди, состоявшей в основном из художников, испрашивавших разрешение на вывоз своих картин, я стоял с крошечной Асиной скрипкой-четвертушкой, а Карен — крупный, толстый молодой армянин — с огромной бочкообразной виолончелью. И по этой полноте виолончели и ее хозяина, по его яркому кавказскому галстуку, характерной армянской внешности и особому нервному беспокойству, выделявшему его даже в толпе нервных евреев, я еще тогда легко заметил его и запомнил. Второй раз мы пересеклись в Австрийском посольстве, где в числе других «счастливцев», получивших разрешение на выезд из СССР, оформляли свои въездные австрийские визы. Но там, в Москве, стояние в общей очереди еще не повод для знакомства, зато здесь, в Вене, когда мы увидели друг друга в крохотном отельчике «Францесгоф», куда спровадила меня из «Зум Туркена» мадам Беттина, мы бросились друг к другу как родные.

И вот мы уже сидим в моем номере-клетушке, варим куриный суп на крохотной, для варки кофе, лабораторной электроплитке, прошедшей со мной все киноэкспедиции от Ямала до Братска, а потом, как два бойца в одном окопе, едим этот суп по очереди — единственной ложкой и прямо из кастрюльки.

И я вижу, каким усилием воли Карен старается унять голодное дрожание руки и каким вожделенным взглядом он смотрит на московскую копченую колбасу, которую я режу перочинным ножом. Он замечает мое изумление и признается:

— Я это... я ем первый раз за неделю...

— Почему? Тебя обокрали?

— Нет, что ты!

— Тебе не дают пособие?

— Нет. Я, правда, ушел из вашего еврейского ХИАСа — я ведь уехал по фиктивному браку. Но меня приняли в IRC, это христианский фонд, и там пособие даже больше, чем ваше...

— Так в чем же дело?

Он посмотрел на колбасу, потом на хлеб, потом не удержался, сделал себе бутерброд, жадно надкусил и сказал:

— Ладно, тебе можно довериться. Я не имею права тратить ни шиллинга, я должен выручить свою виолончель.

— Подожди, ты же вывез виолончель, я видел ее в твоем номере.

50

— Да ты что! Это разве виолончель? Это советская кастрюля! Я, конечно, не Ростропович, но в Армении я довольно известный виолончелист, выступал с сольными концертами, и виолончель у меня итальянская, прошлого века, пять лет назад я отдал за нее сорок тысяч рублей!* Но кто же мне разрешит вывезти ее из СССР! Я и пробовать не стал, купил эту кастрюлю. А свою отдал приятелю из Московского симфонического оркестра, у них скоро гастроли в ФРГ, в Гамбурге, и мне нужно найти тут музыканта, который отвезет туда эту кастрюлю и подменит на мою.

— То есть как?

— Ну как! Очень просто. — Карен сделал себе второй бутерброд. — Можно?

Я кивнул.

— Он приедет к концу их гастролей... — Карен надкусил второй бутерброд, прожевал его, запил супом и продолжил: — Поселится в гостинице, где будут жить советские музыканты, и после последнего концерта мой друг отдаст ему мою виолончель, а возьмет эту кастрюлю и поедет домой. Раньше этого сделать нельзя — все услышат, что он играет на другой виолончели.

— Ни хрена себе! Ты серьезно?

— За это я в Москве отдал своему другу тыщу рублей!

— А где ты найдешь австрийца, который ради тебя попрется в Гамбург?

— Не ради меня, а за деньги, которые я тут коплю. Пойми, кому я тут на фиг нужен без хорошего инструмента? Это тебе все равно, на какой машинке печатать. Но если ты дашь мою кастрюлю даже Ростроповичу, то и его никто слушать не будет... — Карен доел суп, колбасу и весь мой хлеб, блаженно откинулся на стуле и опять посмотрел на часы. — Ладно! — произнес он, расслабившись. — Скажу тебе больше: я уже нашел таких музыкантов. Правда, мы еще окончательно не договорились, они приедут за мной через двадцать минут. Ты хочешь послушать настоящий джаз?

Конечно, меня больше интересовал не джаз, а те рисковые музыканты, которые поедут в Гамбург за его виолончелью, и через двадцать минут мы с Кареном спустились вниз, в вести-

---

* В 1979 году по официальному курсу советский рубль был равен $ 1.30 US.

бюльчик нашего отеля. Там трехлетняя Анжела и пятилетняя Римма, дети еврейского «Левши» Гриши, который таки припаял на спичках рычажок буквы «ф» в моей пишмашинке, приручали нашего вальяжного портье Ганса. Обе эти девушки уже хозяйски расположились в его конторке, Римма проводила инвентаризацию ключей, а Анжела, сидя у Ганса на коленях, пела ему с кокетливым придыханием:

— Гуд монинг ту-у-у ю-у-у-у!..

Ганс растроганно шмыгал носом и пробовал подыгрывать ей на расческе вместо губной гармошки, а она ерошила и гладила своими пальчиками его усы, и они оба были очень довольны.

— Только ради этой сцены стоило эмигрировать, — сказал я Карену и спросил у Анжелы: — Как зовут этого дядю?

— Его зовут дядя Портье.

— Нет, его зовут дядя Ганс.

— Дядя Портье! — сказала она уверенно и снова дернула его за усы.

Через час (за который Карен, нервничая, похудел на вес всего того, что он у меня съел) у дверей нашего отельчика остановился обшарпанный двухдверный «рено». За рулем этого автомобильного гнома сидела худая, как жердь, девица в вязаном жилете без рукавов, с узким носатым лицом и бесцветными волосами, а рядом с ней был высокий, гладко зачесанный, с кисточкой на затылке голубоглазый очкарик. Он вышел из машины, пожал нам руки, коротко представился: «Франц Когелман», откинул свое кресло, и мы с Кареном с трудом втиснулись на заднее сиденье. Девица резво рванула с места и тут же повернулась ко мне:

— German? French? English?

— English.

— Fine. My name is Ingrid*.

Очкарик, который назвался Францем, оказался очень дружелюбным, но молчаливым «мэном», зато Ингрид кипела энергией за двоих, гнала свою машину по узким венским улочкам как угорелая и при этом, поминутно оглядываясь через плечо, тут же затеяла со мной дискуссию о коммунизме, изумляясь, почему мы уехали from that great country, из такой замечатель-

---

* — Немецкий? Французский? Английский?
— Английский.
— Хорошо. Меня зовут Ингрид *(англ.).*

ной страны, и вдрабадан ругая капитализм, как самое жуткое явление человеческой истории. А когда я, обозлившись, стал на своем «божественном» английском рассказывать ей о простых деталях нашего советского быта — паспортный режим, талоны на сахар и сосиски, очереди за молоком и обувью, — она, отрывая руки от руля, хваталась за голову, кричала в полный голос: «Oh, it's impossible!.. It's horrible!.. I can't believe it! It's like a fascism!»* — и переводила мой рассказ Францу на немецкий.

О себе она тут же сообщила, что она никто, part-time assistant, внештатный помреж в каком-то театрике в Зальцбурге и his girlfriend, его подруга, зато Франц — великий джазмен, очень известный в Европе, он создал «Венский ансамбль», дает концерты в Австрии и ФРГ и записывает свою музыку на магнитофонные кассеты, но это только серьезный джаз, «ты увидишь!». Он вообще семь лет был ночным портье, пока завоевал известность, однако и теперь делать деньги на джазе не хочет, принципиально не играет коммерческий джаз. не дает больше двух концертов в месяц, и потому они живут в Зальцбурге довольно бедно и в основном на банковские кредиты. Я не понял, как банк дает им кредиты, если они оба безработные, и рассказал, что когда я, автор семи кинофильмов, пришел в бухгалтерию ВААП и попросил двести рублей в кредит под будущий гонорар, главный бухгалтер только беспомощно развел руками.

Карен, который, как я теперь сообразил, взял меня с собой в качестве переводчика, все просил меня выяснить, сколько же они возьмут с него за поездку в Зальцбург, но я чувствовал, что спрашивать об этом еще не время...

Тут мы остановились где-то за городом, чуть ли не на пустыре, перед неказистым каменным домом какого-то известного, по словам Ингрид, художника. Внутри дома оказалась большая студия — во всяком случае, по моим советским меркам. Две просторные смежные комнаты с высоченными потолками были оформлены так, как в Москве оформляют свои студии модные художники типа Брусиловского — немного антиквариата, на стенах экстравагантные картины и чучела зверей, в углу мольберт, холсты, повернутые лицом к стене, ящики с

---

* Ой, это немыслимо! Это ужасно! Я не могу поверить! Это как при фашистах! *(англ.)*

красками, а посреди комнаты — большой литографский станок. И на нем — кухонная доска с огромным куском ветчины, нож, горчица и буханка хлеба. Самообслуживание.

Когда мы приехали, весь ансамбль был практически в сборе. Нас с Кареном представили музыкантам и посадили у стены к слушателям, коих было ровно три девицы. Между тем, как я вскоре понял, это был действительно первоклассный джазовый состав — Франц Когелман, Карл Вильхельм Крбавак, Питер Альберт Жакели и еще семь известных в джазовом мире музыкантов, собравшихся на session по случаю того, что кто-то из них оказался в Вене проездом из Парижа, кто-то — из Варшавы, а Франц — из Зальцбурга. То есть они пришли сюда поиграть сами для себя и привели с собой всего трех слушательниц — Ингрид, которая нас привезла, тощую двадцатилетнюю польку Эльжбету и жгучую, как испанка, черноглазую брюнетку без имени, на которую я тут же положил глаз. Нас с Кареном усадили рядом с этими девушками за совершенно замечательный стол, вырезанный в виде гриба из одного куска красного дерева и отполированный до матово-яхонтового свечения. На этом столе была батарея бутылок — пиво, вино; но и стол, и мы, слушатели, занимали только один угол студии, а все остальное пространство было в распоряжении музыкантов с их немыслимым количеством инструментов — ударник со своими гигантскими барабанами, контрабасист, два тромбониста, саксофонист, электропианист, два электрогитариста с динамиками и еще бог знает кто такой, игравший на всем — от свирели до горохового стручка.

Впрочем, когда мы приехали, они еще не играли, а только разыгрывались. Худенький, как кузнечик, контрабасист, обнимал свой контрабас, как сзади, со спины, обнимают толстозадую девку, наклонялся над ней и — видимо, для разминки — шарил руками на ее животе, словно искал, где у нее расстегивается. А нащупав это заветное место, дотрагивался до него и тут же трусливо убегал пальцами вверх по грифу и щекотал уже там.

Зато ударник лупил по своим тарелкам и барабанам в полную силу — упражнял руки.

Еще кто-то стучал на ксилофоне, а пианист извлекал из чрева электрооргана такие дикие диссонансные звуки, что все музыканты принимались хохотать.

И все эти тамтамы, стуки, всхлипы, взревы и ржание их инструментов были уже так далеко за пределами звуковой шкалы, что устраивать такие session можно было действительно только на пустыре. При этом все они, музыканты, пили вино и пиво, продували мундштуки, разговаривали, ели бутерброды, передвигались, и толстый черноусый тридцатилетний тромбонист, приехавший вчера из Парижа, взасос целовался с худенькой полькой Эльжбетой.

Только Франц, приехавший с нами, хранил невозмутимое и тихое спокойствие. Его труба еще лежала в футляре, словно он и не собирался играть.

Я наблюдал за ними за всеми, они все были мне интересны — и этот сорокалетний, «старый», как сказала о нем Эльжбета, саксофонист, который петушком, задрав одно плечико, разгуливал по комнате, выдувая весь свой дух в мундштук саксофона, и этот жирный, с пузом и усами навыпуск парижский тромбонист, отлипающий от своего тромбона только для того, чтобы вывести в соседнюю комнату худющую пигалицу Эльжбету и через пять минут с невозмутимым видом вернуться назад (что они успевали там за эти минуты?). Кося на нее глазами, он уходил в дальний угол комнаты, накачивал там дыханием свой зычный тромбон, а Эльжбета, сидя подле меня, тут же принималась щебетать со мной на ломаном и пшикающем русском («Ты слышалыш новины? Арабы хтели вжахнуть ваше посольство, но жиды их всех поштреляли!»).

Тут ее тромбонист ревниво возвращался, наклонялся к ней, щекотал усами ее шею и совал свою ладонь ей под зад, а она нежно прижимала эту ладонь своим тощим задиком к скамье и одновременно успевала прижаться щекой к его усам. По-моему, своим флиртом со мной она его просто дразнила и возбуждала.

Но самым интересным из всех музыкантов был сидевший подле меня Карен. Он не играл, не двигался, не дул ни в какие тромбоны. Но его лицо раскраснелось, губы открылись, глаза, вцепившиеся взглядом в чужой контрабас, выкатились, как у лягушки, а руки...

Глядя на них, я вспомнил Салехард, куда в марте 67-го года моя мосфильмовская киногруппа приехала на съемки моего первого фильма. Утром мы завтракали в портовом ресторане «Волна», и вдруг за моей спиной раздался чудовищный крик и даже не крик, а рев: «Пло-о-от!» Я замер, остолбенев, — это была моя школьная кличка, и реветь ее таким слоном мог только один человек — мой школьный друг Славка Наумов, музыкальный вундеркинд, с которым мы знали наизусть «Убийство на улице Данте», «Чайки умирают в гавани» и все остальные лучшие фильмы пятидесятых годов, — он знал наизусть всю музыку этих фильмов, а я — все диалоги. Но вместо того чтобы после музыкальной десятилетки, которую Славка окончил на «отлично», пойти в консерваторию, он по моде того времени поперся на геологический факультет Бакинского нефтяного института, и наши дороги разошлись, но теперь...

Теперь в Салехарде начальник геологоразведочной партии Вячеслав Наумов — бородатый гигант в унтах и меховом комбинезоне — уселся за наш стол и сказал мне, что, услышав по местному радио о съемках моего фильма, прилетел сюда из тундры на вертолете. Тут к нам подошла официантка и, обняв нас обоих за плечи, интимно произнесла:

— Ребята, знаете, я в Заполярье уже одиннадцать лет. И как вы понимаете, в моей жизни было много объятий. Но чтобы **так** обнимались, я еще не видела...

После завтрака я повел Славку по дощатым тротуарам Салехарда в местную школу, взял у директора школы ключ от зала, где стояло пианино, усадил там Славку за этот инструмент и приказал:

— Играй!

Он отказывался, сопротивлялся, вскакивал со стула, но я сказал, что если он не сыграет мне музыку из «Чайки умирают в гавани», он мне не друг. И он положил руки на клавиши. О, нужно было видеть эти руки геолога, месяцами живущего в заполярной тундре! Мозолистые, огрубевшие, обмороженные, распухшие от комариных укусов и въевшейся в них солярки, они были похожи на клешни гигантских вареных раков. И этими клешнями он начал играть. Я видел и даже чувствовал боль, которая пронизывала эти пальцы, я видел, как они шевелились, медленно ползая по клавишам и с натугой, с болью убыстряя свой принужденный бег...

Руки Карена Гаспаряна напомнили мне Славкины руки — большие, с толстыми пальцами виолончелиста, они непроизвольно шевелились вслед за пальцами кузнечика-контрабасиста — нет, я вру! не вслед! а сами по себе! — они жили самостоятельно и играли по-своему...

И конечно, меня ужасно интриговало, кто же из музыкантов владеет этой знойной Кармен, молча сидевшей в углу, как соблазнительное пирожное в освещенной неоном вечерней витрине. (Хотя для таких нищих псов, как я в этот первый венский вечер, лучше облизнуться и тут же идти дальше, не расходуя слюну, а сохранив безразличный байроновский вид.) Впрочем, ни один из музыкантов не уделял этой Кармен видимых знаков внимания, и она, казалось, тоже не выделяла никого из них, а сидела недвижимо, как ярко раскрашенная дымковская игрушка.

Но вот музыканты, подчиняясь непонятно какому знаку, вдруг затихли один за другим, расположились по какому-то порядку, тоже ведомому им одним, и по кивку петушка-саксофониста негромко заиграли все вместе. Это, как я понял, было вступление, потому что только теперь Франц открыл футляр, достал из него свою трубу, продул не спеша мундштук, насадил его на трубу и... Без всякой подготовки, одним коротким движением Франц поднес инструмент к губам, вступил в мелодию и уверенно, как истинный лидер, тут же вырвался вперед и повел за собой весь оркестр, только толстый парижский тромбонист погнался за ним, не отступая, и вот они уже вдвоем повели этот музыкальный марафон, то уступая друг другу лидерство и давая возможность посолировать, то вновь состязаясь в скорости и высоте своего полета.

Боже мой, что случилось с руками Гаспаряна! Они затрепетали, как птичьи крылья, они вдруг обрели невесомость и легкость перстов Майи Плисецкой, они вытягивались вдоль незримого грифа и воображаемых струн, ласкали их, щипали, дергали...

В два часа ночи, когда я уже совершенно ошалел от этих тамтамов, хрипящего и скулящего саксофона, визжащих тромбонов, трепещущей флейты и жаворонкозвучной трубы Франца, худосочная Эльжбета наклонилась ко мне и сказала:

— Мой телефон 57-08-184, ты запиши, а то забудешь.

Я еще изумленно хлопал ресницами, когда парижский тромбонист подхватил ее за цыплячью задницу и унес, а Карен сказал мне:

— Ты помнишь, что нужно спросить у Франца?

Но спрашивать не пришлось, по дороге в гостиницу Ингрид сказала:

— Переведи своему другу: во время концерта Франц видел его руки. Мы поедем в Гамбург without his money, без всяких денег.

8

— Товарищ Андропов болен, простуда и почки, врачи прописали постельный режим дней на десять. Но мы не хотим задерживать вас так надолго, поэтому он поручил мне обсудить с вами всю операцию. Я его личный помощник, моя фамилия Иванов, зовут Петром Ивановичем, а вы можете звать меня просто Питер...

«Просто Питер» был высоким сорокалетним крепышом с открытым лицом, глубокой залысиной, по-офицерски прямой спиной и лукавыми серыми глазами. Глядя прямо в эти глаза, Винсент мысленно передал ему, что не поверил ни одному его слову, включая фамилию и имя, которые тот себе только что придумал. Впрочем, тут же подумал Винсент, и русских можно понять: если операция провалится и Винсент попадет на допросы в СИСДЕ, секретную службу итальянского министерства внутренних дел, или, что еще вероятнее, в руки генерала Джузеппе Сантовито, начальника СИСМИ, то есть контрразведки, то где гарантии, что Винсент не расколется и что имя Андропова, как главного организатора столь возмутительной акции, не попадет на первые страницы всех газет? А так — никакого Андропова, а некто «просто Питер» Иванов, этих Ивановых в России, наверное, как Винсентов в Италии.

Винсент опустил глаза и сделал вид, что обдумывает ситуацию. Нужно показать этим русским (и особенно этой переводчице), что и он себе цену знает. В конце концов, сейчас они целиком зависят от него. И если они пригласили его в Москву и поселили здесь, на сталинской даче, и если помощник самого Андропова прикатил сюда с переводчицей (мадонна, что за una cula обозначилась в юбке, когда эта Элен нагнулась помешать поленья в камине!), то они уже на крючке, они уже начали эту операцию.

— Карашо, — решительно сказал он по-русски и тут же перешел на итальянский: — Раз вы привезли меня сюда, то вы уже начали операцию, так я понимаю. Правильно?

Елена перевела почти синхронно, и Иванов кивнул, его глаза сразу потеряли блеск простого сельского хитрована и стали серьезны и внимательны, как у хирурга перед сложной операцией.

— В таком случае, — продолжал Винсент, — мы в первую очередь должны обсудить проблему секретности. До сегодняшнего дня я считал, что синьор Разлогоф выполнил мое условие и об операции знают только три человека: я, синьор Разлогоф и синьор комрад Андропов. Сегодня это число увеличилось почти вдвое. А завтра?

Елена бесстрастно перевела. Иванов ответил:

— Я понимаю ваши опасения. Давайте обсудим эту проблему. Но вы должны учесть: даже если бы товарищ Андропов и приехал сюда, у операции все равно был бы куратор, а у вас переводчик. Елене мы полностью доверяем, это наша сотрудница. И мне товарищ Андропов тоже пока доверяет... — Иванов чуть усмехнулся, но тут же и убрал улыбку. — Пожалуйста, скажите, что вам нужно для операции, и мы с вами вместе обсудим круг посвященных лиц.

— Что мне нужно? — удивленно переспросил Винсент. — А разве синьор Разлогоф не доложил комраду Андропову?

Действительно, ведь Разлогоф сам сказал Винсенту в Риме, что его идея настолько рискованна — он не станет сообщать о ней начальству никакими самыми секретными шифрами, а слетает в Москву и лично, тет-а-тет доложит Андропову.

— Конечно, доложил, — успокоил Винсента Иванов. — А потом по приказу товарища Андропова Разлогов повторил ваши условия мне, потому что мне курировать эту операцию. Но вы же понимаете, я все равно должен выслушать план операции от вас и — со всеми подробностями!

Что ж, подумал Винсент, это разумно. Он неловко отпил чай из диковинного стакана в тяжелом серебряном подстаканнике и сказал:

— Bene! Цель вы знаете, я ее повторять не буду. Тем более при даме. Обсудим средства. Я должен увидеть всех каннибалов, которые находятся в ваших тюрьмах и психбольницах, и выбрать гипнотабельный субъект. Этому субъекту я полностью сотру память о его биографии — на нашем языке это называется формированием амнезии, а затем методом суггесто-лингвистического программирования сформирую новую биографию, национальность и прочие мелочи. А его психоз и инстинкты привяжу к определенному коду, которым воспользуюсь в нужный момент. Надеюсь, синьор Разлогоф привез вам для издания мою книгу «Гипноз и методы программирования информационного человека»?

— Да, — ответил Иванов, — Елена перевела мне эту книгу, и издательство уже готовит ее к выпуску.

— Как? — Винсент в изумлении уставился на эту хрупкую переводчицу. — Вы перевели мою книгу?

— Конечно, — ответила она. — Больше того, нам уже ее отрецензировали в Институте Сербского. Это наш ведущий Институт судебной психиатрии.

— Мамма миа! — восхитился Винсент. — И что же сказали русские психиатры?

— Вам нужны комплименты или критика?

— И то и другое!

— Результатом их комплиментов можете считать то, что вы здесь и что сам помощник председателя КГБ сидит перед вами. А критика... Если хотите, я вам потом переведу всю рецензию, а сейчас не будем тратить на это время. Товарищ Иванов не любит его терять.

Perbacco! Черт побери, подумал Винсент, у этой Елены не только прекрасная una cula, но и мозги! И вот почему она еще в аэропорту смотрела на меня такими глазами — она прочла и перевела на русский всю мою книгу! Все четыреста тридцать страниц со сложнейшими психиатрическими терминами! Ничего себе ragazze* в КГБ! А он-то думал, как просто и сладостно он переломит ее тонкое тело на сталинской постели! Но если у них такие сотрудницы, то...

— Винсент, вы слышите?

— Что?

— Комрад Иванов спрашивает, когда вы хотите видеть наших каннибалов.

_____
* девочки (ит.).

60

9

— ...Моисей же пас овец тестя своего, жреца Мадиамского. И явился ему ангел Господень в пламени огня из среды терновника, и видел он: вот терновник горит огнем, а не сгорает. И сказал Моисей: «Пойду посмотрю на это явление, отчего же терновник не сгорает?» И воззвал к нему Бог из среды терновника и сказал: «Я Бог отца твоего, Бог Авраама, Бог Исаака и Бог Якова. Увидел Я бедствие народа Моего, который в Египте, и услышал вопль его от притеснителей его, так что знаю его страдания...»

...А назавтра мы приходим в ХИАС. Это в центре Вены, на площади Брамса, дом номер 3, второй этаж.

Я уже отдохнул в отеле, искупался под умывальником (поскольку душевая в отеле отдельно и стоит аж сорок шиллингов!), побрился, и в прекрасном венском метро, где мелодично звенит какой-то звонок, предупреждая, что двери закрываются, где кондиционер обволакивает вас свежим воздухом, где чистые холеные австрийцы стоят друг от друга не ближе чем в полуметре, чтоб у каждого была своя зона независимости, — в этом метро я проехал из своего отеля «Франценсгоф» в центр города, а потом еще шел, гуляя, по просторным и уютным венским улицам, которые, на наш, советский, взгляд, можно довести до этой сияющей чистоты, только если мыть и дома, и тротуары, и мостовые дорогим ароматным шампунем.

Я шел, вдыхая в себя воздух свободы, распрямляя плечи и спину на манер этих австрийцев, и уже ощущал себя почти иностранцем. Все вокруг было просторно и многоцветно, красиво и доброжелательно — совсем так, как и должно быть в человеческой жизни. Казалось, я просто вернулся домой после сорокалетней — с момента рождения — командировки в другой, неразумный мир...

И вот — за углом — эта крохотная и аккуратная площадь Брамса. Мама моя! Мне даже не нужно искать номер дома — я уже издали вижу эту черную и серую советскую толпу у подъезда! А что ты хотел, тут же говорю я себе, чтобы эти люди за один день стали западными людьми? Я пробираюсь через толпу, вновь опустив свои еврейские плечи, и по каменной лестнице поднимаюсь на второй этаж. Я уже не удивляюсь — тут, на втором этаже, где разместились ХИАС и «Джойнт», все выглядит как вчера в «Зум Туркене» и даже похлеще.

Маленький узкий коридор и крохотный холл забиты людьми, как в фильмах о революции, в эпизодах посадки буржуев на последний пароход из Одессы в двадцатом году. Тесно, люди стоят спина в спину и затылок в затылок. Где уж тут австрийские стандарты «зон независимости»! — это как очередь за хлебом в 1947-м. Дети ревут от духоты и стервозности, и люди, одетые, как и я, в новые костюмы, купленные перед выездом, чтобы «выглядеть как люди», но не ставшие от этого иностранцами, толпятся у дверей «Сохнута», ХИАСа и «Джойнта» и осаживают рвущихся без очереди:

— Тише! Вы уже не в Одессе!

— Мама, идите сюда, уже наша очередь! Стойте тут, наконец!

— Ой, Вадим Ефимович! Неужели вас выпустили? Поздравляю! Леня, познакомься, это режиссер Плоткин, он снимал кино в нашем институте. Ник, дай дяде ручку. Да не эту, правую!..

— Товарищи, я вам скажу, что такого безобразия нет даже в ОВИРе — чтобы целый день держать людей в такой духоте, да еще с детьми!

— А что вы хотите, когда КГБ вдруг сразу выбросил такую кучу народу?

— Слушайте, в пятой комнате «Джойнта» уже деньги дают, вы получили?

— Дайте дорогу! Пропустите господина Леона! Господин Леон, вы меня извините, я правильно заполнила этот бланк?

— Господин Леон, вот мое открепление от «Сохнута», я уже могу идти за деньгами в «Джойнт»?..

Леон — старый и маленький портье — протискивается в этой толпе с подносом, уставленным чашками с венским кофе для сотрудников ХИАСа и «Джойнта», и только просит:

— Господа, не толкайтесь! Тише, господа! Боже, я донесу этот кофе или не донесу?..

Я стою в этой толчее, даже у стены нет места прислониться плечом, орут, шныряют и дерутся в ногах чьи-то дети, и поток людей пихает меня так, как могут пихаться только в одесских трамваях, и час за часом в ушах этот гвалт, но я чувствую, как лицо мое не может удержаться от блаженной улыбки. Я счастлив, что это мой народ — крикливый и хитрый, ловкий и талантливый, сильный и убогий, несчастный и остроумный, богатый и бедный, жадный и щедрый — вывозит из советского рая своих детей и стариков. Детей и стариков. Я смотрю на их лица — Господи, два дня свободы уже меняют их черты! Еще вчера в Москве, в ОВИРе и в Австрийском посольстве, это была нищая, узкоплечая, с печатью изгойства на лице и с затаенным вековечным страхом в глазах нация, еще вчера они робко стояли в дверях консульств, боялись милиции и не верили — до последней минуты не верили, что их выпустят, выпустят, а не убьют, — а сегодня им уже подавай Канаду, Австралию, Штаты!

Я смотрю на их дерзкие, даже наглые лица, я смотрю на лица их детей — прекрасных детей, и в глаза их стариков и старух — прекрасные библейские глаза, господа! — и я говорю себе, что это мой народ, наконец! Как будто выпустили из темных конюшен застоявшихся коней, как будто спустили с ремней борзых, как будто выпорхнула из голубятни стая голубей. Лететь, ехать, двигаться — наконец-то моему народу снова дали эту великую возможность колесить по миру! И хмелеет сердце, и бьют копыта — поехали! Куда — не важно, важно — откуда, зачем — не важно, важно — от чего, катит поток, и мы в нем, и в этом — счастье! Я стою и думаю: куда же вынесет меня этот поток и во что превратит? И даст ли Бог мне силу снять о нем фильм? Потому что не снять — преступление, потому что все, что происходит сейчас с моим народом, — История, еще один — какой по счету? — Исход. Но кто ведет сегодня мой народ? Где наш нынешний Моисей? И не потому ли, что его нет, растекается этот поток на два рукава — узкий в Израиль и широкий в Америку, Австралию, Канаду, даже в Южную Африку... Как сказал бы господин Гоголь, о, жидовские кони, о, еврейские души, куда вы мчитесь, дайте ответ!

И дают ответ еврейские души — заполняют анкеты, куда бы им хотелось поехать. Ну и как вы думаете куда?

В золотой штат, в Калифорнию!

Бедная богатая Калифорния, у всех евреев, оказывается, там есть прямые родственники!

— Слушайте, я знаю, что в Калифорнию пускают только по прямому родству. И поэтому я вам говорю: моя бабушка вышла замуж за могилевского раввина, а его дедушка уехал в Штаты еще до революции 1905 года и там женился второй раз. Теперь от этого брака у меня восемнадцать кузенов, и все они живут в Калифорнии, только один в Австралии. Не верите? Но вы же можете проверить! Как вы их найдете? Откуда я знаю как? Пустите меня в Калифорнию, я их вам сам найду!

— Слушайте, этот сохнутовец в первой комнате, такой, в свитерочке, дал мне израильскую сигарету и так чисто говорит по-русски — даже приятно. Он мне говорит: «Вы откуда? Из Харькова? Если вы врач из Харькова, то вы, наверно, знаете Борщевского, он тоже харьковский врач, и знаете, как он устроился в Израиле? У него свой дом и своя клиника!» Вы поняли? У них на каждый город есть такой показательный список, чтобы делать такие примеры.

— А мне он говорит: «Вы хотите ехать в Штаты, а вы знаете, что там только пять процентов советских врачей сдают экзамены и получают докторский лайсенс*?» Это он мне говорит, ты понял? А если я, кандидат наук, не стану там врачом, а буду только фельдшером — что мне, плохо будет?

— А они там, в «Сохнуте», сильно пытают? Жмут ехать в Израиль? Чего они вас так долго держали?

— Слушайте, если они не могут повесить здесь карту Израиля и несколько фотографий израильской жизни, так или у них там нет жизни, или мы им до лампочки, я так думаю!

— А один киевлянин им так и сказал: «Идите вы к такой-то матери с вашей войной и с арабами! Дайте мне открепление от Израиля и прикрепление к ХИАСу, а то я поеду обратно!»

— Ох, как он их напугал!

— Слушайте, вы знаете, как там с нами разговаривают? Мой папа так говорил со мной, когда я собрался идти на Крещатик к проститутке попробовать, что это такое. Он знал, что я все равно пойду, но целый час пугал меня сифилисом и триппером...

— Подождите, что вы мне мозги пудрите! Зачем проходить эмиграцию в Вене? Что я — сумасшедший? Я хочу посмотреть Италию, как все люди, и не морочьте мне голову! Вот народ! Каждый хочет быть умнее другого! Нет, я уже посмотрел Австрию, с меня хватит! И довезем мы до Рима бабушку, ничего!

---

* разрешение на практику.

Вчера в госпитале — вы видели, какой тут госпиталь, я не знаю, есть ли у них в Кремле такой госпиталь! — так они тут подняли дедушку на ноги, и он уже ходит ногами. Здесь он уже ходит, а там он восемь лет не ходил ногами!

— А вы знаете, что было вчера в Вене? Как? Вы ничего не знаете? Арабы напали на израильское посольство, там ужас что творилось!

— И что?

— Как что? Наши их всех постреляли!

— Нет, вы подумайте, что написано в этих документах! Я должна буду выплатить все расходы, связанные с моей эмиграцией, включая транспорт, жилье, питание, медицинскую помощь и даже оформление документов. То есть их зарплата тоже за мой счет! Селят нас черт-те как, а получают за это черт-те сколько! Нет, я еще пошлю эту бумагу в Союз, чтобы люди видели, на что они идут!

Так я стоял в коридоре венского ХИАСа, слыша вокруг себя гомон очередей у каждой двери, дыша запахами одесской парфюмерии и слушая пространные монологи людей, которые — наконец! — могут высказать все, что хотят. Я слушал их и вдруг... — через чьи-то плечи, руки, головы я вижу забытое и все же родное, до озноба родное лицо. Это же... Инна? Инна?! Здесь?! В Вене? Не может быть!..

А она разговаривает с кем-то, кто перекрывает ее от меня своим могучим плечом и затылком, потом наклоняется к какому-то ребенку, и я издали все не могу решить: это она или не она? Совсем другого цвета волосы и это дурацкое пальто! И разве она еврейка?

Но вдруг она единственно своим, неповторимым движением головы отбрасывает волосы за спину, и я уже **знаю**, знаю, что это она, Инна! И теперь я просто жду, я стою и жду нашей встречи. И наконец ее взгляд, проходя по лицам толпы, прошел и по мне, миновал меня, миновал и вернулся. Не испуг, не радость, не изумление, а просто взгляд. Но я физически почувствовал, как этот взгляд вобрал меня всего, опознал и тут же одним внутренним толчком бросил ее ко мне через весь этот табор и круговорот людей.

— Ты?

Она целовала меня, и я целовал ее, и мне показалось, что разом стало тихо вокруг нас, и все смотрели только на нас, и в этой тишине все по нашим объятиям увидели и поняли, конечно, то, что было между нами много лет назад.

Эта же тишина привела нас в себя, и я медленно провел рукой по ее щеке, но и она уже пришла в себя, чуть отстранилась и показала мне на крупного, под два метра ростом, мужчину, удивленно наблюдавшего за нами из-за стола, за которым он заполнял анкеты для заказа израильских вызовов родственникам в СССР.

— Познакомьтесь, — сказала она. — Это мой муж. А это моя дочь, ей три года. Юля, не дергай меня...

А глаза ее, глаза, в которых было всегда написано все, что она думает, добавили мне в упор: «Идиот, это мог быть твой ребенок!»...

10

— «Акт № 1769. Комплексная судебно-психиатрическая экспертиза на испытуемого Богула Федора Егоровича, 1950 года рождения, обвиняемого по статьям 103, 102 УК РСФСР, а также статье 126 и статье 131 — преднамеренное убийство 18 человек с отягчающими обстоятельствами. Из материалов уголовного дела, из медицинской документации, а также со слов испытуемого известно следующее. Отец злоупотреблял алкоголем. В семье учинял ссоры, дебоши, «гонял жену и детей», рано оставил семью. Мать замкнутая, необщительная, внешне тихая, жестокая и решительная, держала детей в строгости. Испытуемый рос ослабленным ребенком, страдал энурезом до девяти лет. Воспитывался в условиях гиперопеки. Обучение в школе начал своевременно, учился удовлетворительно, в четвертом классе завел дома муравьев, чтобы наблюдать за ними, было интересно, можно ли их откормить. Увлекался радиотехникой, любил читать историческую, фантастическую литературу, иногда сочинял стихи, читал труды Ленина. Считал, что весь мир подключен к нему и он может узнавать мысли людей. При этом сравнивает мозг с жидкокристаллическим индикатором, который можно подключить к чужой голове. Рассказывает, что подключался к телефонным сетям, чтобы влиять на мысли людей... В 1964 году, после конфликта с подростками, пытался вскрыть себе вены. Близких друзей не имел. Последний раз плакал в десятилетнем возрасте, когда умер его пес — «я его на кладбище похоронил». В 1965 году за кражу был поставлен на учет в инспекцию по делам несовершеннолетних. Дома грубил матери, покрикивал на нее. Вел замкнутый образ жизни, общался с беспризорными подростками, с бомжами, часто уходил из дома, ночевал на вокзале, в подвалах, на чердаках, где смотрел «за протекающим там процессом» — наблюдал за жизнью людей и думал: какое право имеют взрослые плодить бродяг, доводить их до такой жизни? Себя по отношению к обществу считал потерпевшим, непонятым. Был обеспокоен тем, что у него «гниет половой член», ходил к врачам, требовал операцию на половом члене, а врачи «по халатности» его не лечили. Не смущался, что мать работала на нескольких работах, кормила его, давала деньги, считал это в порядке вещей. Иногда подрабатывал ремонтом радиотехники. Имел случайные связи с женщинами, но не влюблялся. В 20 лет познакомился с Р., но говорит о ее убийстве неохотно. Считает себя невиновным, так как, по его словам, она ему нравилась, он ее любил, с ней спал, а она гуляла, приходила и уходила, когда хотела. По его словам, «сама и пострадала из-за этого». Так же неохотно, раздраженно, с вызовом говорит об инкриминируемых ему убийствах еще 17 подростков: «Да, убил, съесть хотел. Если я не имею права держать в камере мыло, то имею право и это забыть, не хочу ничего вспоминать. Всех убил и всех съел!» Эмоциональные реакции испытуемого монотонны, маловыразительны. Речевому контакту малодоступен, на вопросы отвечает односложно...»

Елена подняла голову от папки с документами и взглянула на Винсента. С закрытыми глазами слушая ее перевод акта психиатрической экспертизы, он, откинувшись к спинке старого кожаного дивана, сидел в дубленке, пыжиковой шапке и фетровых бурках, которые они купили ему сегодня в «Березке». Но и в этой одежде ему было холодно, он прятал руки в рукава и поджимал ноги. Утром в котельной Института Сербского прорвало трубы, и отопление тут не работало, а два электрических калорифера, которые здесь нашли ради столь экзотического гостя, обогревали практически только сами себя. Конечно, можно было переждать, пока трубы починят, или, привезя в институт официальное письмо за подписью кого-либо из замов Андропова, получить разрешение на вынос этих документов, но Винсент ждать отказался. «Будем работать здесь. У нас в Италии вообще не топят!» — бодро сказал он утром, когда они по какой-то обшарпанной лестнице поднялись на четвертый этаж бокового флигеля института в кабинет заведующего лабораторией судебной психиатрической экспертизы.

Елена сама первый раз была в этом институте, столь известном по вражеским радиоголосам. «Голос Америки», «Свобода» и Би-би-си, а также «Радио Италии» и «Радио "Ватикан"», которые она по долгу службы постоянно слушала и переводила для руководства, почти ежедневно твердили о том, что здесь совершенно здоровым людям только за то, что они критикуют власть, ставят диагноз «шизофрения» и принудительно разрушают психику аминазином и другими психотропными средствами. Но ничего похожего на это она тут не увидела — в центре Москвы, в одном из переулков рядом с Кропоткинской улицей, за высоким бетонным забором с почти неприметной колючкой поверху находилось обычное закрытое учреждение с большим пятиэтажным корпусом психиатрической клиники, с трехэтажным административным зданием возле проходной и несколькими служебными флигелями и пристройками. Конечно, проходная тут тюремного типа, с клацающими засовами на дверях контрольно-пропускного бокса, а на окнах клиники решетки, и клиника эта обнесена еще одной, внутренней оградой, но что вы хотите, если здесь приходится иметь дело с такими вот чудовищами!

— «Акт № 1770. Жигало Леонид Викторович, 1938 года рождения. До 13-летнего возраста страдал ночным недержанием мочи, по характеру был робким, замкнутым, стеснительным, близких друзей среди сверстников не имел, отличался мечтательностью и склонностью к фантазированию. Часто воображал, что у него есть старший брат, который может его защитить в случае обид. Потом с ужасом представлял себе, что брата съели во время голода, воображал окровавленные куски мяса, лужи крови, части трупов, которые видел во время войны. По словам испытуемого, его детство проходило в тяжелых условиях, семья голодала. В селе, где он жил, наблюдались случаи каннибализма во время голода в 1933 году. Однако, по данным загса, никаких документов о брате нет...

Школу начал посещать своевременно, учителя характеризуют испытуемого как талантливого. Он все схватывал на лету, отличался феноменальной памятью. Здоровье, по словам односельчан, было отличное, нервы в порядке. Никогда не психовал, в свободное время помогал родным по хозяйству. В возрасте 12—13 лет увлекался тем, что составлял последовательный ряд чисел, хотел добраться до последнего числа, исписал толстую тетрадь. В 7—8 классах в учебнике географии над каждой страной вписывал имя генсека компартии этой страны, так как считал, что вскоре коммунизм победит во всем мире и они станут правителями этих стран. Много времени уделял чтению, больше всего нравились книги о партизанах. Боготворил «Молодую гвардию», после прочтения которой представлял, как он берет одинокого «языка», ведет его в лес и выполняет команду командира партизанского отряда — связывает и бьет пленного. В более старшем возрасте читал труды Маркса, Энгельса, Ленина. В школе с девочками не дружил, сторонился их, влечения к ним не испытывал, считал, что это позорно. Написал клятву о том, что никогда в жизни не дотронется до чьих-либо половых органов, кроме своей жены. Вместе с тем в возрасте 15 лет из любопытства совершил акт мастурбации, который происходил на фоне расслабленной эрекции. Когда учился в десятом классе, влюбился в девочку-сверстницу, мечтал общаться с ней. Как-то вечером из интереса тайно наблюдал за ней через окно. Когда она стала раздеваться, произошло семяизвержение. В 18-летнем возрасте стал часто задумываться о своей неполноценности и переживал, что он не такой, как другие, порой возникали мысли о самоубийстве. Вместе с тем продолжал много учиться, поступил на заочное отделение вуза, оценивал это поступление как реванш за свою неудачную жизнь. Активно боролся с несправедливостью, писал жалобы, если сталкивался с какими-либо недостатками. Служил в армии. Был кандидатом в члены КПСС. С 1960 по 1961 год регулярно встречался с Н. На протяжении полутора месяцев при встречах с ней всегда был ласков, добр, нежен, насилия не применял. Дважды, когда пытался совершить с ней половой акт, потерпел неудачу. При следующей попытке, когда она стала вырываться от него, при отсутствии эрекции произошло семяизвержение. Переживал из-за своей неудачи, испытывал тоску, возникали мысли о самоубийстве, так как считал, что девушка расскажет всем, что он импотент. В дальнейшем, чтобы избежать «позора», решил уехать из села.

В 1965 году стал преподавателем русского языка и литературы. С будущей женой познакомился с помощью родственников. В семье, по его словам, ему приходилось подчиняться ей во всем. Жена характеризует его замкнутым и немногословным. Он любил детей, много играл с ними. Хотел иметь много детей. Но с первых дней совместной жизни она отмечала у него половую слабость, он не мог завершить половой акт без ее помощи. При этом садистских наклонностей она у него не отмечала.

Между тем, согласно материалам уголовного дела, Жигало обвиняется в том, что в период с 1968 по 1977 год совершил 55 убийств девочек, мальчиков и женщин. По его словам, будучи школьным учителем, он порой оказывался в интимной обстановке с детьми, и тогда им овладевала «какая-то необузданная страсть», которую он с трудом подавлял. Неоднократно обращался за медицинской помощью к сексопатологу. Заявил, что стал убийцей потому, что над ним издевались учащиеся, прозвали Жуком. Это обижало его. Знал, что многие из учеников отличались половой распущенностью, вступали в половые связи с одноклассниками и воспитателями. Вместе с тем однажды летом, когда он был воспитателем в пионерском лагере и стал выгонять из реки девочку, которая зашла далеко в воду, и при этом несколько раз дотронулся до ее ягодиц, она стала кричать, протестовать, отбиваться. У него возникло желание, чтобы она закричала еще громче, он почувствовал возбуждение, и внезапно произошло семяизвержение.

В дальнейшем, оставшись после уроков наедине с одной из учениц, он вдруг вновь ощутил возбуждение, несколько раз ударил ее по ягодицам, попытался залезть под одежду, а когда она вырвалась, произошло семяизвержение. Постепенно у него появилась потребность получать сексуальное удовлетворение таким образом.

Первое убийство совершил в 1968 году, когда вечером вышел погулять. Увидел, что рядом идет девочка 10 лет, разговорился с ней. Когда они оказались в отдаленном месте на берегу реки, у него возникло внезапное желание совершить с этой девочкой половой акт. Он не понимал, что с ним происходит, всего трясло. Бросился на девочку, словно озверев, ничего не мог с собой поделать, им овладела животная страсть. Стал рвать на ней одежду, зажимал рот, сдавливал горло, чтобы не было слышно криков. Остановиться в этот момент уже не мог. Вид крови привел его в еще большее возбуждение. В тот момент, когда разорвал руками ее половые органы и стал пить ее кровь, почувствовал, что произошло семяизвержение, и испытал ярко выраженный оргазм. Вместе с тем понимал, что совершил убийство, и, когда понял, что девочка мертва, сбросил труп в реку. После этого испытуемого постоянно преследовала картина, как он залезал руками в половые органы девочки. Не мог забыть этот момент. И когда оказывался в уединенном месте, тяга вновь пережить подобное ощущение усиливалась...»

Елена остановилась посмотрела на Винсента — переводить ли дальше этот кошмар*?

Но Винсент сидел не шевелясь и не открывая глаз, только дыхание чуть участилось, это было видно по маленьким клубам морозного пара, вылетавшим из его крупного, с горбинкой, римского носа. Елена, тяжело вздохнув, продолжила:

— «Второй эпизод произошел в 1971 году с девушкой, которая на автовокзале подходила к мужчинам и предлагала вступить с ней в половую связь за деньги и спиртное. Они вместе пришли в рощу, где девушка предложила ему совершить половой акт. Однако испытуемый не мог привести себя в состояние возбуждения. Им овладела ярость. Вспомнил садистские моменты из кинофильмов. Вытащил нож и стал наносить ей удары. Когда увидел вспоротое тело, набросился на него, стал кусать его и пить кровь, и вновь самопроизвольно произошло семяизвержение. В дальнейшем такое происходило всегда при совершении последующих убийств. Когда убивал женщин, возникало

* В романе использованы подлинные акты судебно-психиатрических экспертиз, за что автор приносит свои извинения слабонервным читателям.

желание проникнуть в их брюшную полость, вырезать половые органы, рвать их руками и разбрасывать...»

Елена отодвинула папку:

— Нет, я не могу это переводить!

Винсент открыл глаза, посмотрел на нее. В его взгляде было недоумение хирурга, которого отвлекли в ходе операции.

— Что случилось, Элен?

Отвернувшись к замерзшему окну, она молчала. Действительно глупо! Просто слюнтяйство кисейной барышни! Ее освободили от поденщины на Пятницкой, в Главной редакции иновещания, перевели — с повышением зарплаты! — в высшую категорию переводчиц, а она... Но с другой стороны, что за операцию этот Винсент обсуждал с Ивановым? Почему ее сделали его ассистенткой, не объяснив толком, что ей придется делать?

— Элен, мы работаем или нет? — строго сказал Винсент.

Она вновь подвинула папку к себе. «Хорошо, если тебе так нравится копаться в этом дерьме, что ты ради этого прилетел к нам из Италии, то сейчас я тебе переведу!»

Ее голос разом потерял все краски, словно высох, и она стала переводить со скоростью и безразличием автомата:

— «Своих жертв он находил на вокзалах, на улицах, в электричках, аэропортах. Когда знакомился с будущей жертвой, обычно предлагал различные подарки. Когда ребенок или женщина отказывались от знакомства, он не настаивал. При этом его всегда удивляло, с какой легкостью они соглашались идти с ним, их притягивало к нему как магнитом. Встречаясь с жертвой, надеялся, что ему удастся совершить с ней нормальный половой акт. Каким образом это произойдет, не планировал, однако, зная себя, допускал, что в процессе полового акта может пойти и на убийство, и потому уводил их в отдаленные места. Убив очередную жертву, он при виде ее крови ощущал сухость во рту, озноб, весь дрожал, набрасывался на нее, кусал губы и язык мертвой жертвы. У женщин откусывал и проглатывал соски, ножом вырезал матку. А у мальчиков — мошонку и яички. Матку и яички кусал зубами, грыз. Это доставляло ему эротическое удовольствие — они такие красные и упругие. Тому же ощущению способствовали просмотренные ранее фильмы о партизанах. Убивая свои жертвы, имитировал виденное в этих фильмах. В ряде случаев во время убийств наступало семяизвержение и возникало желание доставить сперму туда, куда она предназначалась. Хотелось, чтобы все выглядело как при нормальном половом акте. Затем совершал с жертвами половые акты в извращенной форме, а когда не было эрекции, возбуждал свой половой член кровью жертвы, и происходило семяизвержение...»

Перехватив воздух, Елена коротко глянула на Винсента. Но он снова сидел с закрытыми глазами — бесстрастно и откинувшись головой к спинке дивана. Только захватил подмерзающими коленями подол дубленки. «То-то же! — мстительно подумала она. — Это тебе не Италия! У нас нужно под брюками кальсоны носить, а не форсить в феврале своим импортным загаром! Но хрен я тебе скажу, где купить кальсоны, пока сам не попросишь...»

— «После каждого подобного эпизода ощущал резкое улучшение настроения, чувство физической и психической разрядки, усталость, слабость. Порой не сразу приходил в себя. Некоторое время бесцельно блуждал по лесу. Затем, в течение одной-двух недель после этого, чувствовал себя бодрым и жизнерадостным. Однако впоследствии, из-за незначительных конфликтов и неприятностей на работе или при плохой погоде, самочувствие ухудшалось, нарастала тревога, раздражительность, ощущал себя униженным и ненужным человеком. Находясь в командировках, вне дома, чувствовал себя одиноким и потерянным. Когда видел бродяг или женщин в коротких юбках, усиливалось чувство тревоги, возникало половое возбуждение. Пытался удовлетворить это возбуждение тем, что писал множество жалоб, так как именно эта деятельность иногда помогала ему отвлечься от переживаний...»

Елена остановилась, в упор посмотрела на Винсента:
— Переводить следующий акт?
— Конечно... — ответил он, не открывая глаз.

Блин! Он что, кайф ловит на этих текстах? Может, он извращенец, как большинство психиатров?

— «Акт № 1771. Со слов испытуемого Н. известно, что отец его иногда выпивал, но не злоупотреблял спиртными напитками, а мать злоупотребляла алкоголем даже в период беременности. По словам испытуемого, он стыдился ее всю жизнь, слышал, что она умерла от пьянки. А отец — добрый, внимательный, справедливый. Несколько раз избивал его шнуром от электрокофейника. Испытуемый долго не разговаривал, стал говорить ближе к четырем годам. Страдал энурезом. До какого возраста, не помнит. Рос хилым, болезненным. Перенес ряд детских инфекций, простудных заболеваний. В школу его не хотели брать, так как был слабым. Учился плохо. Был тугодум. По характеру формировался замкнутым, необщительным. Приятелей не было. Лучше чувствовал себя среди девочек. Нравилось играть с ними. Мальчишки унижали его, дразнили, называли Марусей, часто избивали. В свободное время ему нравилось помогать по дому, убирать, готовить. Примерно со второго класса у него появилось желание мастурбировать. Затем стал совершать половые акты с животными, в частности с собаками, коровами, курами и индюками. Согласно его показаниям, дома было две коровы, одна из них, бурая, ему нравилась больше. Обычно он подставлял табуретку и совершал с коровой половые акты. Его это очень возбуждало...»

«Боже мой, какая мразь!» — подумала Елена, но тут же ей непроизвольно представилась эта картина: щупленький маленький восьмилетний мальчик, подставив табуретку, тычет своей пиписькой в зад огромной бурой корове. Это было настолько смешно, что Елена чуть не рассмеялась вслух, снова невольно посмотрела на Винсента и обнаружила, что у того под щеточкой усов тоже пляшет на губах улыбка. Гм... Ладно, продолжим...

Голос Елены вновь обрел краски и интонации.

— «Мать сообщила отцу, что он совершает половые акты с курами, после чего отец его выпорол. Кроме того, родители обращались к врачам. После этого он стал реже совершать половые акты с животными. Играл с куклами, отрывал им руки, ноги, имитировал половые акты с ними. Играл с ними по нескольку часов в день. Всегда нравилось играть в войну, использовал при этом солдатиков, пробки от бутылок. Расстреливал нарисованных им человечков. Когда уходил в игру, отвлекался от того, что с людьми у него не ладилось. Жил своей жизнью. Когда исполнилось 11 лет, у него умерла мать. Смерть матери не переживал, старался ее не вспоминать. Было стыдно за ее пьянство. Потом отец сошелся с другой женщиной. В возрасте 11—12 лет испытуемый увлекся оружием, все лето проводил в катакомбах и на лиманах, где находил патроны, мины и гранаты, оставшиеся после Второй мировой войны. Нравилось разгуливать по улицам, поднимая автомат вверх. Чувствовал свою силу, превосходство. Часто бросал гранаты и мины в костер, наблюдал за взрывами. Увлекался чтением исторической литературы, читал книги про Чингисхана, Отечественную войну, интересовался описанием боев. С 13-летнего возраста стал увлекаться анатомией животных, изучал строение их внутренних, а также детородных органов. Наблюдал поведение собак и кошек в период гона. В 13 лет стал заниматься онанизмом, но после того, как услышал, что от онанизма вырастают волосы на ладонях, прекратил...»

«А что, это правда?» — захотелось спросить Елене у Винсента, но она не решилась и продолжала:

— «Затем появился интерес к медицинской литературе. Изучал строение женских внутренних органов — матки, яичников. При этом испытывал сексуальное возбуждение, сопровождавшееся мастурбацией. В этом же возрасте надевал женские колготки, нравилась их гладкая поверхность. В период обучения в техническом училище показал себя способным учеником, некоторое время был комсоргом группы. В армии к служебным обязанностям относился халатно. Первый половой акт совершил в 17 лет с девушкой на три года старше, по ее инициативе. В 20 лет женился по любви. В половом отношении, по его словам, жена его не удовлетворяла, он просто притворялся, что ему хорошо, а сам ничего не испытывал. После женитьбы стал ревнивым. По поводу жертв сообщил, что в декабре 1971 года обратил на улице внимание на женщину, которая ему понравилась. Он куда-то ее позвал. Когда женщина побежала, его захлестнула злость, в голове что-то вспыхнуло. Появилась внезапная ярость и одна только мысль: догнать. Догнал, начал наносить удары ножом, затащил ее во двор пустого старого дома, предназначенного на снос.

Чем больше она сопротивлялась, тем больше ему это нравилось, возбуждение возникало еще сильнее. Действия производил машинально, не понимая себя. У потерпевшей начались судороги, она хрипела. Он получал неописуемое удовольствие от этого. После того как он ее задушил, он взял шарф потерпевшей и один конец обмотал вокруг ее шеи, а другой привязал к металлической стойке дворового турника так, что голова оказалась приподнятой над землей. Затем он стал ее раздевать. Сначала снял с нее сапоги, потом трусы и стал смотреть на половые органы. Ему хотелось совершить половой акт, но у него не получилось. Он озверел, в ярости он уже не мог остановиться, начал разрезать ей живот, но вид крови еще больше разозлил. Только после отрезания груди нашло просветление, состояние стало возбужденное, радостное. Сколько времени оно продолжалось, не знает.

(При исследовании трупа потерпевшей на ней было обнаружено 33 колото-резаных повреждения на шее, на передней грудной стенке и в области половых органов. Следствие доказало, что повреждения на шее сделаны зубами убийцы. Все повреждения были причинены прижизненно через очень небольшой промежуток времени.)

Затем, по показаниям испытуемого, настроение у него упало, он пошел домой, ему захотелось есть.

С тех пор совершил 19 умышленных убийств, 12 лиц мужского пола и 7 женского. Жертв-женщин выслеживал в лесных массивах, убивал, насиловал мертвых. С мужчинами знакомился в парке. Вторую жертву он задушил руками, сорвал одежду и начал насиловать в задний проход. Закончил половой акт или нет, не помнит. Для получения удовольствия нанес ей несколько ударов ногой по телу, в голову. Затем сделал надрезы ножом на теле, стал отсасывать кровь. Возбудившись, посадил потерпевшую около дерева и отрезал ей голову. При виде хлынувшей крови испытал новое сильное возбуждение, стал пить эту кровь и почувствовал оргазм. Нож и лицо вытер листьями с дерева. После совершенного поехал на работу...»

Елена ощутила приступ подступающей тошноты, но превозмогла себя. Почему-то стало интересно, как при чтении «ужастиков» на втором курсе Иняза, когда преподаватели советовали им читать не Петрарку или Умерто Дэ и даже не Тольятти или Берлингуэра, а — без всякого словаря — самые простенькие итальянские детективы и «ужастики», чтобы фабулой втягиваться в чтение и словарь обиходного итальянского языка.

— «Следующую жертву он повалил в лесопарке, задушил платком, оттащил на десять метров вправо от тропы, раздел до половины, разрезал ей рейтузы и сарафан, кусал за грудь, высасывал кровь из шеи. Было при этом семяизвержение или нет, не помнит. Какая она была по счету, не помнит. Затем увел в лес подростка, схватил за горло, задушил руками, после чего полностью обнажил, иссек ножом, отсосал кровь и изнасиловал, приставив к дереву так, чтобы зияло заднепроходное отверстие. Свой половой член не возбуждал, так как при первых глотках крови он возбудился сам. Было или нет семяизвержение, не помнит. Впоследствии душил все жертвы, раздевал их, пил кровь и насиловал мертвых. Что мужчин, что женщин...»

Брр...

— «Была жертва, которая уцелела. Встретил ее на дороге, стал рассказывать, что проживает с женой и двумя дочерьми, его жена в настоящее время в отъезде, пригласил к себе домой. По дороге они обнимались, целовались, останавливались. Он обнимал ее, левой рукой трогал грудь и гладил тело, а правой стал душить. Когда она вырвалась и побежала, догнал ее, сбил с ног, стал бить головой о землю. Потом снял с нее колготки, обмотал их вокруг шеи и затянул петлю, после чего стал рвать одежду, кусал за грудь, шею, лицо. Затем оттащил в сторону от дороги, в ярости наносил удары ножом вдоль и поперек. Но тут услышал шум мотоцикла и убежал.

Пытаясь объяснить свои поступки, испытуемый утверждает, что проститутки распространяют венерические болезни, поэтому их надо уничтожать.

При переходе на общие или на эмоционально значимые темы испытуемый просит разрешения походить по кабинету, покурить и, курсируя по кабинету взад-вперед, рассказывает, как он изменился в последнее время, стал чувствительным, сентиментальным, может заплакать при просмотре фильма, чтении книги и начал бояться кладбищ, похоронных процессий. Но связывает эти изменения не с совершенными убийствами, а с тяжелыми переживаниями последних лет, когда он похоронил деда и тестя. Фактом углубления садистских действий была, по его мнению, кровь, возбуждающая его необычным образом, с признаками гедонизма, органической приятности. После насыщения кровью и сопутствующего этому семяизвержения ярость у него сходила быстро, то есть поглощение крови сначала возбуждало, а затем имело успокаивающий эффект...»

«Ну, это-то наконец то, что тебе нужно?» — подумала Елена и с некоторой неприязнью посмотрела на Винсента. Хотя она была в сапогах и двух парах колготок, ноги у нее тоже подмерзли, и хотелось в туалет.

Он открыл глаза:

— Вы устали, Элен?

— Нет, ничего...

— Я думаю, вам нужен перерыв. Вы курите?

— Нет.

— Все равно, а fare pi-pi, можете выйти пи-пи... — Винсент встал и принялся энергично тереть руки и разминать плечи. — Брр, русский мороз! — улыбнулся он. — Идите, идите. Я надеюсь, туалет тут еще не замерз.

Черт возьми, откуда он знает, что ей нужно пописать?

Елена вышла и вернулась через минуту, внутренне смущаясь перед этим итальянцем за вид и состояние туалета в институте. Всегда, когда она сопровождала по Москве иностранные делегации или зарубежных гостей, она с гордостью показывала им Красную площадь, Большой театр, плавательный бассейн «Москва» на Кропоткинской, станции Московского метрополитена и другие достопримечательности. Но каждый раз, когда эти иностранцы устремлялись в общественные или даже служебные туалеты, ее охватывала паника и стыд за то, что они там увидят. Туалет Института психиатрии имени Сербского не был, к сожалению, исключением из правил...

Вернувшись в кабинет, она застала Винсента у окна — он дышал на оконную изморозь стекла, расширяя в ней маленький, величиной с пятак, глазок, сквозь который можно было увидеть все тот же корпус психдиспансера с зарешеченными окнами.

— Переводить дальше? — спросила она.

Винсент повернулся к ней:

— Конечно.

11

> — ...*Знаю Я про его страдания, и снизошел Я избавить его от руки Египтян и вывести его из той земли в землю хорошую и обширную, в землю, текущую молоком и медом, на место Хананеев, Хиттеев и Емореев, Феризеев, Хиввеев и Иевусеев...*

Когда наконец подошла моя очередь и я открыл дверь в комнату «Сохнута», меня ждало новое потрясение. «Этот, такой симпатичный, в свитерочке» оказался Гариком К., другом и учителем моей еще докиношной юности. Конечно, мы не бросились друг к другу в объятия, как это было только что в коридоре с Инной. Но посреди венской зимы палящее апшеронское солнце вдруг вспыхнуло перед нами обоими, и мы оба увидели себя, двадцатилетних, в тесных шлакобетонных комнатках редакции «Социалистического Сумгаита», где вчетвером — он, я, Рафаил Шик и Олег Зейналов — должны были ежедневно писать всю газету, все ее четыре страницы — по полосе на брата. «Старик, дай первую фразу! Любую!», «А давайте на спор: кто больше воткнет слово «Петя» на свою полосу!» — эти и подобные этим забавы подстегивали нашу работу, превращали ее в игру. Впрочем, не для Гарика. Хотя Гарик был ненамного старше меня — ну, на год или на полтора, — но он всегда был взрослее, напористее и жестче: и пером, и словом, и с девушками. А я учился у него всему этому, но, как плохой ученик, усвоил, я думаю, только первое...

Ну а потом жизнь развела нас — я уехал в Москву, во ВГИК, а Гарик женился, остался в Баку, в редакции газеты «Бакинский рабочий». И вот семнадцать лет спустя — Вена, «Сохнут», он по ту сторону стола, а я по эту. Он — израильтянин, сотрудник радиостанции «Голос Израиля», а я — «прямик», «нешира», «отсохшая ветка».

— Старик! — восклицает он своим высоким напористым голосом. — Я понимаю — сестра, я понимаю — другие! Но почему *ты* эмигрировал? Неужели ты не знаешь, что здесь ты уже никогда не будешь ни режиссером, ни даже журналистом?!

— Гарик, ты когда уехал?

— Пять лет назад. А что?

— Как быстро ты все забыл! Неужели и я забуду?

— Что ты имеешь в виду?

— Мне кажется, я увез оттуда не журналиста и не режиссера. Мне кажется, я увез оттуда в себе последние остатки человека, не проданные советской власти. А кем я тут стану, посмотрим. Скажи, в Израиле есть кинематограф?

— Нет.

— Значит, мне там нечего делать.

— Почему? Ты можешь родить сынов, они будут воевать за Израиль.

— Спасибо, это я могу сделать и в Голливуде.

— Ты думаешь, тебя там ждут?

— Гарик, а в «Соцсумгаите» нас ждали? А в «Бакрабочем» нас ждали?

Он посмотрел на меня горестным взглядом отца, пытавшегося удержать сына от похода в бордель, и выписал мне открепление от Израиля. Я встал.

— Сядь! — сказал он. — Расскажи о сестре. Почему она едет в Израиль?

Я рассказал, стараясь быть как можно короче — там, за тонкой фанерной дверью, гудела в коридоре еврейская толпа, потели в очереди люди и плакал чей-то ребенок, может быть, даже Иннин.

— Ты можешь не беспокоиться о сестре, у нас они будут в порядке.

— Но вчера арабы обстреляли ваше посольство.

— Она же не в посольстве, она за городом, в Эбенсдорфе. Не бойся, там такая охрана! — Он снял телефонную трубку, набрал какой-то номер и вдруг заговорил на иврите.

Я, пораженный, смотрел на него во все глаза — черт возьми, неужели и я буду вот так же свободно говорить по-английски, пусть даже через пять лет? И неужели я сейчас буду говорить с сестрой? Впрочем, Гарик всегда был напористее меня...

Похоже, однако, ему отвечали не так, как он хотел, и он повысил голос, но я не мог, конечно, понять ни слова и в его быстром гортанном иврите ловил только частое, чуть ли не в каждом предложении, «слиха».

Наконец он положил трубку и сказал мне:

— Они в синагоге, сегодня там праздник...

— Гарик, что такое «слиха»?

— «Слиха» — это извинение.

Я взял со стола бумажку-открепление от Израиля и стал подниматься.

— Подожди, покурим... — Он протянул мне сигареты. — Ты хочешь кофе?

Да, ему явно не хотелось отпускать меня — что-то, какая-то юношеская нить еще связывала нас, и оба мы понимали в эту минуту, что стоит мне выйти из его кабинета, как она порвется — теперь уже навсегда.

Я неуверенно замялся и кивнул на дверь, за которой уже клокотала толпа «прямиков»:

— Там люди...

И вдруг Гарик взорвался:

— Люди?! Это не люди! Ты можешь их не жалеть! Эти свиньи едут в Штаты за жирной похлебкой, так пусть они стоят и ждут! Я их всех приму и всех отпущу, но это только начало их мучений, пусть привыкают! Они знают, на что идут!

В его голосе зазвенело ожесточение максималиста, знакомое мне в нем еще по Сумгаиту, но, кажется, теперь это было уже не только его ожесточение, но и ожесточение всего Израиля по отношению к нам — «прямикам». Вместо того чтобы выйти замуж за небогатого, но молодого, трудолюбивого и гордого парня по имени Израиль, мы, как последние шлюхи, катим к богатым американцам, канадцам и австралийцам...

— Гарик, но, может быть, они просто ничего не знают об Израиле? Мы же напичканы советской пропагандой и только здесь начинаем получать первые граммы информации...

— Они не знают? — возмущенно перебил он. — Старик, они знают больше, чем мы с тобой! Они получают письма из Израиля, Канады и Штатов и знают, где можно урвать кусок пожирней!

Я пожал плечами:

— Люди хотят жить, это еще не преступление.

— Да? А ты знаешь, что мне сказал один? Вот здесь, в этой комнате, на твоем месте — знаешь, что он мне сказал? Он сказал мне прямо в лицо: «Иди ты на х... со своим Израилем! Ты хочешь подыхать за Израиль — иди, воюй и подыхай! А я не хочу!» Вот так и сказал! Еврей еврею! А ты хочешь, чтобы я их жалел! Почему я должен их жалеть, если мои дети в Израиле, а эти везут своих детей мимо?!

Я смотрел в его горячие темные глаза. «Если мои дети в Израиле, то почему эти везут своих детей мимо?» — что-то, как двойное дно, было в этой фразе такое, что зацепило меня и подняло со стула ужасной тревогой за сестру и Асю.

— Слиха, Гарик, — сказал я. — Пока! Шолом!

12

— «Акт № 1782. Испытуемый Коловкин Андрей Романович обвиняется в том, что в период с 1967 по 1977 год на территории Московской области совершил ряд умышленных убийств мальчиков, сопровождавшихся насильственными актами, развратными действиями, вампиризмом и мужеложством.

Экспертиза установила:

В юношеском возрасте мать испытуемого перенесла психоз. Но по характеру она спокойная, замкнутая, необщительная, тяжело сходится с людьми, предпочитает занятия чтением, рукоделием. Отец — общительный, коммуникабельный. Начиная с пяти лет у испытуемого появилась вредная привычка, выражавшаяся в мастурбации. Перед засыпанием сына мать замечала, что он прячет ручку в трусах. Объясняла ему, что это делать нельзя, так как он может заболеть, просила положить руки поверх одеяла. С 11 лет стал заниматься онанизмом до двух раз в день. Родители ругали его, даже зашивали карманы. В 12 лет появились первые эякуляции, сопровождавшиеся оргазмом. В 1966 году успешно сдал экзамены и поступил в Тимирязевскую академию на факультет зооинженерии, отделение коневодства. Во время учебы был избит подростками. После этого избиения у него ясно сформировалось желание убить какого-нибудь мальчика или подростка, хотелось увидеть его мучения и физически ощутить состояние его агонии.

После окончания академии работал на конезаводе и стал приглашать мальчиков понаблюдать за лошадьми, за их половыми актами. С одним мальчиком они пошли собирать грибы. Когда тот нагнулся, он резким движением схватил ребенка за шею, начал давить на горло большими пальцами обеих рук. При этом он упал вместе с мальчиком, но продолжал сжимать шею мальчика. Вскоре руки ослабли, и испытуемый понял, что так у него ничего не получится, мальчик сопротивляется. Он слез с мальчика, взял нож и вновь попытался подойти к нему, однако тот продолжал сопротивляться, кричать. Потом вырвался и убежал. А у Коловкина голова гудела от возбуждения. И первое сознательно запланированное нападение на подростков он совершил, уже с самого начала угрожая жертве ножом, — взял испуганного подростка за руку, повел в лес. Затем остановился, завязал мальчику руки поясом, вынул из сумки кепку, надвинул ему на глаза и повел дальше в лес. Через некоторое время заставил его лечь лицом вниз на землю. Что случилось потом, не помнит. Почувствовал сексуальное удовлетворение, убивать подростка испытуемый не стал, было страшно в первый раз это делать. Первое убийство совершено в 1973 году. Тогда он в поисках мальчика тщательно осматривал поселок и футбольное поле, где играли ребята. Подошел к мальчику, который стоял в стороне с велосипедом, попросил спички, затем схватил за грудь и приказал идти вместе с велосипедом в глубь леса. Сопротивления подросток не оказывал, так как был сильно напуган. Семяизвержение от орального акта не наступило, тогда он потребовал, чтобы мальчик снял трусы и брюки, лег на живот. Затем связал мальчику руки за спиной, с обнаженным половым членом лег на него, накинул на шею веревку, завязал простым узлом сзади и затянул. После этого перерезал мальчику горло, сделал несколько надрезов на мошонке...»

Елена с горестным хрипом выдохнула воздух, она уже понастоящему устала от этих ужасов. Однако Винсент не реагировал, и ей пришлось продолжать. Но теперь она переводила как бы по поверхности, стараясь не вникать в текст:

— «Следующего мальчика он нашел в лесу, тот убежал на некоторое расстояние от пионерского лагеря. Коловкин неожиданно подошел к мальчику сзади, схватил его за одежду и, угрожая ножом, завел подальше от лагеря в лес. По дороге связал ему руки веревкой за спиной, на глаза надел свою кепку. Перед тем как надеть на него петлю, сказал, чтобы подросток разделся для совершения орального полового акта. Мальчик не понимал, что испытуемый собирается с ним сделать, пока тот не надел на него петлю и не снял кепку с глаз. Когда мальчик понял, то закричать не успел, так как Коловкин уже перебросил веревку через ветку дерева, потянул за конец, повесил мальчика и зафиксировал труп на дереве. Сначала он вырезал у мальчика половой член с мошонкой одним фрагментом, затем нанес несколько ударов ножом в область спины и груди, разрезал грудь и живот до лобка. Все эти действия вызвали у него эмоциональный подъем, хотелось находиться рядом с телом, производить различные манипуляции, что-то вырезать. После достижения экстаза снял тело мальчика из петли, отрезал ему голову. Решил голову взять с собой. Такое же желание возникло у него в отношении половых органов. Сложил их в полиэтиленовый пакет, сунул в сумку, а голову понес прямо в руке. Но потом одумался, голову оставил в лесу, забросил на просеке. Вернувшись домой, достал пакет с вырезанными половыми органами, положил в стеклянную литровую банку и пересыпал обыкновенной поваренной солью. Чувства, обуревавшие его в тот момент, тяжело передать словами. Законсервировав половой член и мошонку с яичками, он их хранил три дня, постоянно созерцая... После изменения цвета органов сжег их в печи.

Следующей жертвой был мальчик, которого он уговорил поехать помочь ему убрать картошку и обещал заплатить за это 10 рублей. Они углубились по узкоколейке в лес, где испытуемый предложил мальчику осмотреть тайник — землянку, где находились старинные уздечки и оружие. Под предлогом, чтобы мальчик не узнал дорогу к его «тайнику», завязал ему глаза черным платком, а руки брезентовым ремнем. Долго водил по лесу, потом задушил веревкой... Следующим был мальчик, которого он уговорил пойти к нему в гости, посмотреть на его магнитофон, послушать музыку...

Испытуемый в своих показаниях подчеркивает, что старался выбирать ребят куривших, склонных к бродяжничеству, совершению преступления. С такими легче вступить в контакт, их исчезновение не сразу можно заметить. Если он предлагал им совершить кражу, а они соглашались, то сразу попадали в число его жертв. Таким образом он внутренне оправдывал свои действия — этих «плохих» было не так жалко убивать, как хороших благовоспитанных мальчиков.

Когда он купил машину, он подобрал на дороге мальчика 10 лет. Сказал, что ему нужно прокачать тормоза. Привез к себе домой, загнал машину в гараж, закрыл ворота на щеколду и потребовал, чтобы подросток разделся догола и взял в рот его половой член. При этом ножом не угрожал, так как мальчик и так был напуган и не кричал. Тот выполнил его требования. Когда мальчик сосал его половой член, у него было семяизвержение. Затем он вывел свою жертву из машины, накинул на шею петлю, повесил его на скобе, вбитой в стену гаража. Сняв тело со скобы, засунул его в мешок, положил в багажник и поехал в лесничество, чтобы закопать труп. Но когда вынимал из мешка, у него опять возникло половое возбуждение. Чтобы его удовлетворить, ножом расчленил труп. Сначала отрезал голову, затем руки в плечевых суставах, ноги в тазобедренных суставах. Потом вскрыл грудную и брюшную полости, вынул внутренние органы. Во время этих манипуляций с трупом, особенно при выемке внутренних органов, половой член Коловкина стал напряженным, но семяизвержения не произошло. После расчленения сбросил все части тела в выкопанную яму, забросал землей, замаскировал дерном. Затем отъехал и сжег одежду мальчика вместе с мешком.

За следующей жертвой приехал на соседнюю станцию. Сидя на платформе, смотрел, кто голосует в поисках транспорта. Так увидел очередную жертву. Мальчик был среднего роста и телосложения, ноги были полные, волосы светлые. Увидев, что мальчик купил цветы и, выйдя на дорогу, стал голосовать, Коловкин сошел с платформы, завел машину, подъехал к нему и согласился подвезти при условии, что мальчик поможет ему отремонтировать машину в гараже. Тот согласился. Из разговора с мальчиком понял, что тот приехал из другой области. Когда приехали в гараж, пригрозил жертве ножом и потребовал спуститься в подвал. Спустился следом за ним и закрыл за собой крышку. Угрожая ножом, заставил мальчика снять одежду, совершил орально-генитальный половой акт. В обоих случаях было сильное семяизвержение, но успокоения не наступило. После совершения акта мужеложства под предлогом того, что ему необходимо уйти, связал ребенку руки веревкой, затем накинул ему веревку с петлей на шею, а другой конец пропустил через лестницу и потянул вниз, повесив таким образом мальчика. После убийства вынул его из петли, привязал за ноги веревку и в таком положении повесил головой вниз. Затем с помощью ножа отрезал ему голову, спустил кровь в ванну, расчленил руки в плечевых, а ноги в тазобедренных и коленных суставах и с помощью туристского топорика разрубил кости таза...»

Елена почувствовала, что больше не может, что у нее горит лицо и сейчас она ринется из кабинета в туалет рвать. Но какая-то сила, которую она ощутила даже физически, прижала ее к стулу, успокоила рвоту и заставила читать и переводить дальше:

— «Черепом этого мальчика он пугал следующих подростков. Ехал по дороге, заметил двух ребят, голосовавших на обочине. Ребята попросили подвезти их. Он привез их к себе, заставил раздеться. Они не оказывали сопротивления. Он заставил младшего взять половой член в рот, затем в положении стоя совершил с ним акт мужеложства. Следом то же самое проделал со вторым подростком. Потом связал им поочередно руки за спиной, никто из них не кричал и даже не пытался это сделать. Был орально-генитальный акт, сопровождавшийся семяизвержением. После этого задушил первого мальчика, снял из петли и той же веревкой задушил второго. Затем сделал надрезы кожи в области плечевых костей, кожу снял единым лоскутом, изнутри посыпал солью, которую специально принес для этой цели с конюшни. С головы убитого снял скальп, отрезал голову, отчленил руки-ноги, вскрыл брюшную и грудную полости, отрезал половой член. Симпатия к трупу захлестнула его, и он пожалел, что мало его помучил, убил его так быстро...»

Новый приступ тошноты, и новый накат какой-то успокаивающей силы извне...

— «Воображение подхлестывало Коловкина искать все новые жертвы. Чтобы получить психологическое удовлетворение, решил со следующей жертвой воспользоваться паяльной лампой. Проволокой связав очередному мальчику руки за спиной, он повесил мальчика на дыбу, связал ему ноги и паяльной лампой опалил мальчику лицо и волосы на лобке. Когда подросток начал кричать, закрыл ему рот рукой... Мальчик стал просить не убивать его, обещая выполнить любое желание. Убил он этого мальчика путем удушения, перекинув веревку через ступеньку лестницы и предварительно заставив мальчика встать на табурет, который потом выбил из-под него ударом ноги. После агонии ребенка подвесил его тело за ноги вниз головой, отрезал голову и спустил кровь. На легких сделал надрезы, так как интересно было их посмотреть. Затем снял скальп с головы, выколол глаза, отрезал уши, нос, рассек тазовые кости пополам, так как все это очень возбуждало...»

Елена ощутила, что сейчас изнуренно упадет со стула, но какая-то сторонняя сила вновь поддержала ее и словно принудила переводить дальше, не поднимая головы и не глядя на Винсента:

— «Потом он взял сразу трех мальчиков — там же, возле электрички, когда они голосовали. Тоже привез к себе. Связал. С каждым по очереди совершил акты мужеложства, заставлял каждого брать свой половой член в рот. Кроме того, заставлял их по очереди брать в рот половые члены друг друга, облизывать их. Но эрекция при этом ни у кого не наступила. А для него был интересен сам процесс их унижения, их подчинение его воле, отчего у него наступал эмоциональный подъем самоутверждения. С тем чтобы проверить свою власть, заявил ребятам, что сейчас будет их по очереди убивать, что вместе с ними у него будет уже одиннадцать трупов. Реакция была такая, как и у предыдущих — мольба о пощаде, готовность выполнить любое желание. После сказанного стал поочередно вешать детей. При этом совершенствовал систему пыток, применяя дыбу и дополнительные кольца. Дети, парализованные страхом, не могли кричать, к тому же он всегда имел возможность заставить их молчать — ножом или топориком. Последним он решил убить того мальчика, который понравился ему больше других, — хотел подольше видеть его мучения. Первого мальчика он повесил на толстой веревке. Когда задушил второго, то подвесил его за ноги и стал расчленять. Третий мальчик в это время сидел в углу на табурете, наблюдал за его действиями и не проронил ни звука. Расчленение трупа на глазах этого мальчика доставляло Коловкину удовольствие. При этом он показывал ребенку, где какие находятся органы, давал пояснения. Мальчик все это пережил спокойно, без истерики. Когда Коловкин закончил «работу», то подвесил и этого, третьего мальчика, Егорова, за руки на крюк и раскаленной проволокой выжег у него на груди нецензурное слово из трех букв. Мальчик пытался кричать от боли, но Коловкин не давал ему это делать, закрывал рот рукой. Снял мальчика с крюка и заставил взять свой половой член в рот. Так как семяизвержение не наступило, то повесил ребенка снова. Когда мальчик задохнулся, испытуемый вынул его из петли, но расчленять не стал, поскольку устал — в эту ночь он никаких перерывов на отдых не делал, все произошло на одном дыхании. Чтобы как-то возбудить себя и восстановить силы, решил попробовать кровь Егорова, третьего мальчика. Вкус крови ему не понравился, но появилось чувство морального превосходства над миром, и произошло семяизвержение.

На следующий день вывез на автомашине трупы трех мальчиков в лес, с помощью лопаты выкопал яму, перенес туда мешки с трупами и там же с помощью ножа отчленил головы, затем руки-ноги. С третьего мальчика снял скальп, выколол глаза, после этого закопал, засыпал дерном.

Хотя в предыдущем эпизоде вкус крови ему не понравился, однако в последующих убийствах он стал пить кровь своих жертв во время их агонии, что сильно поднимало ему настроение, поскольку именно в этот момент происходила эякуляция, хотя он не всегда ее чувствовал. Рассказывает о постепенной отработке деталей совершения преступлений, которые прокручивались в голове, дополнялись или, наоборот, исчезали, однако схема убийства всегда оставалась единой. Когда объект оказывался в его власти, Коловкину становилось легче дышать, появлялось предвкушение радости. Тех, кто казался ему более симпатичным, мучил значительно дольше. Ощущения при этом сопровождались чувством возбуждения, возвышенности, отсутствием жалости к своим жертвам, так как всегда с целью самооправдания выбирал в качестве жертв мальчиков, склонных к правонарушениям. Сам акт пытки длился до трех часов, был одинаковым, на одном подъеме. Переживания между удушениями и расчленением были различными, но эмоционально это было одной цепочкой, в которой все было связано. Самым приятным был не вкус крови, а акт ее поглощения и вид агонии жертвы — подергивание тела, предсмертные конвульсии и хрипы, безликое выражение лица, остановившиеся, смотрящие в одну точку глаза, вывалившийся язык, непроизвольный акт дефекации и мочеиспускания. При расчленении тел возбуждение возникало от вида их внутренностей. При их созерцании возникали эмоциональный подъем и радостное состояние, нередко заканчивающееся семяизвержением. Созерцания внутренних органов одного человека хватало на момент одного убийства, к моменту завершения расчленения появлялось ощущение пресыщенности. В последующем до появления трупного запаха в подвале Коловкин постоянно возвращался туда, совершал там акты мастурбации, вспоминал подростков, их пытки, рассматривал предметы, взятые у мальчиков. Это состояние могло длиться от одного дня до недели, затем появлялась необходимость совершить новое убийство. При этом промежуток между убийствами стал уменьшаться, желание убить и насладиться приходило все чаще, поиски были постоянными. Накануне каждого нового убийства представлял и придумывал разнообразные формы пыток и способов подавлять свои жертвы морально. Одним из главных наслаждений было то, что своей властью он разрушает детскую дружбу и даже заставляет детей вешать друг друга. Перемена отношений между детьми в период их гибели, отсутствие борьбы друг за друга, героизма, предательство убеждали его в том, что людям не свойствен героизм, что, когда речь идет о собственной жизни, мальчики легко подставляют товарищей. Думая об этом, прибегал к акту мастурбации, после чего наступало физическое и психологическое удовлетворение, в душе появлялось облегчение, чувство покоя, настроение приближалось к радостному.

Сначала, когда его арестовали, был напуган, но спустя несколько дней испуг сменился чувством облегчения, «свободы», «наконец все закончилось и никогда не повторится». Стал ко всему относиться фаталистически, признал, что собственная смерть его не пугает — «чему быть, того не миновать». В камере СИЗО держится спокойно, обособленно. От встречи с матерью отказался, хотя среди родственников наиболее близким ему человеком была мать. Характеризует себя спокойным, замкнутым. Мышление конкретное, формальное, целенаправленное, последовательное. Подчеркивает, что ценит в людях порядочность, принципиальность, честность. Отмечает, что хотел бы избавиться от застенчивости, которую считает своей основной отрицательной чертой...»

Кренясь и падая со стула, Елена почувствовала, как ее подхватили чьи-то руки, но у нее уже не было сил даже поднять глаза и посмотреть, кто это.

Винсент отнес ее на диван, уложил, расстегнул верхнюю пуговицу на блузке и стал делать над ней медленные пассы, говоря по-итальянски негромко, речитативом:

— Tutto a posto... Все хорошо, все в порядке... Вы погружаетесь в сон и забываете все, что прочли... Вы забываете все, что прочли... — И вдруг приказал: — Вы забыли! Вы уже забыли все, что прочли... И теперь вы просто спите, набираетесь сил... — И опять мягко, речитативом: — Вы спите глубоко, покойно и чувствуете, как в вас проникает солнечная энергия... Солнечное тепло разливается по всему телу, входит во все мышцы и капилляры... Ваши щеки розовеют, вам видится хороший сон, но вы начинаете просыпаться, потому что сюда идут... Все, просыпайтесь!

Винсент чуть слышно хлопнул над Еленой ладонями, и она проснулась, удивленно захлопала своими начерненными ресницами:

— Где я? Я уснула?

Винсент улыбнулся:

— Ну, немножко. Вы просто устали. Мы с вами в Институте психиатрии, и сейчас сюда кто-то войдет. Садитесь.

Она удивленно и послушно села, увидела на столе толстенную папку с актами психиатрических экспертиз и уставилась на нее, хмуря лицо и пытаясь что-то вспомнить. Но в этот момент открылась дверь, в кабинет вошел заведующий лабораторией судебно-психиатрической экспертизы профессор Демидов.

— Ну? — бодро сказал он Винсенту. — Как вам наши маньяки? — И тут же перевел себя на английский: — What do you think of our maniacs?

— I like them, — без улыбки ответил Винсент.

— Do you want to meet them?

— Not all of them. Just one.

— Which one?

— I don't remember his last name, but his number 1769. The one who was trying to influence people throw the telephone lines*.

Елена озадаченно тряхнула головой — о чем они говорят? Какой номер 1769? И кто тут пытался воздействовать на людей через телефонные линии?

13

— ...вопль сынов Израилевых дошел до Меня, и видел Я угнетение, каким Египтяне угнетают их. Так пойди к Фараону, Я посылаю тебя, и выведи народ Мой, сынов Израилевых, из Египта...

Весь квартал на Антонфранцгассе, 20, где находилось Израильское посольство, был блокирован полицейскими машинами, а перед посольством — широким и приземистым бетонным зданием без единого окна — работали асфальтовые катки, бетономешалки и рабочие — все как один в чистеньких комбинезонах и оранжевых пластиковых касках. Мне трудно сказать, как вчера, после арабского теракта, тут выглядели ворота, будка охранников и парадный подъезд посольства (я не покупаю газет, ведь я не знаю немецкого, и не смотрю телевизор, поскольку его можно получить в отеле только за дополнительную плату), но сегодня следов этого нападения практически не было — сколько ни озирался я по сторонам, пока австрийский полицейский передавал листочек с моей советской визой какому-то молодому израильтянину в штатском, а тот по рации связывался с кем-то в посольстве и на гортанном иврите сообщал, что я хочу срочно видеть консула. Потом он

---

* — Что вы думаете о наших маньяках?

— Они мне нравятся.

— Хотите с ними встретиться?

— Не со всеми. С одним.

— С кем именно?

— Я не помню его фамилию, но его номер был 1769. Тот, который пытался воздействовать на людей по телефонным линиям *(англ.)*.

же меня обыскал и ощупал от щиколоток и паха до спины и подмышек и проводил от проходной к подъезду посольства. Этот подъезд представлял собой уникальное, на мой взгляд, сооружение: наружная дверь из толстенного темного стекла открывалась изнутри только с помощью какой-то особой сигнализации; за дверью был узкий тамбур со стенами из бронированной стали и узких окошек-бойниц, а следующая дверь была стальная, как в салехардском лагерном ШИЗО, где я снимал свой первый фильм. За этими окошками и были, видимо, те пулеметы, из которых израильские коммандос расстреляли бы арабов, если бы они прорвались в посольство. А за стальной дверью оказалась еще одна ловушка — узкий Г-образный тамбур, где меня снова обыскали и ощупали, перед тем как впустить в пустую маленькую комнату с двумя закрытыми и зарешеченными окошками.

Надписи на окошках были только на иврите и по-немецки. Поскольку я не читал ни на одном из них, я сел на стул и стал ждать. Минут через пять лязгнуло, открываясь, одно окошко, женский голос что-то сказал на гортанном иврите, и я догадался, что это обращено ко мне.

Я встал, подошел к окну, произнес «Шолом» и на своем смелом английском сказал, что мне нужно видеть консула.

— I'm a consul, — ответила сидевшая за окном загорелая девица в защитной гимнастерке-апаш и с насмешкой посмотрела мне в глаза.

Я понял, что она врет, но деваться мне было некуда, и сказал, что в замке Эбенсдорф находится моя сестра с дочкой и мне нужно срочно с ними увидеться или поговорить по телефону.

— Why? — спросила она.

— What do you mean — why?

— Why you need to see her?

— Because she is my sister and she has an asthma. I was calling there twenty times, and each time I was told she is having breakfast, dinner or she is in a synagogue. But my sister is not religious, she cannot be at the synagogue all day*.

---

* — Зачем?

— Что значит — зачем?

— Зачем вы хотите ее увидеть?

— Потому что она моя сестра и у нее астма. Я звонил туда двадцать раз, и каждый раз мне говорили, что она на завтраке, на обеде или в синагоге. Но она не религиозна, она не может весь день быть в синагоге *(англ.)*.

Этот длинный монолог я заготовил заранее — так же как заявление, что я не выйду из посольства до тех пор, пока меня не соединят с сестрой. И похоже, эта решительность настолько ясно читалась в моих глазах и в голосе, что девица, пронзив меня испытующим взглядом, встала, хлопнула окном и ушла куда-то.

Я остался в абсолютно пустой комнате и, постояв минуты три у закрытого окна, снова сел на стул.

Делать было нечего, и я попытался представить себе, как рослые израильские коммандос, ощупывавшие меня у входа и еще вчера отбившие нападение арабских террористов, будут теперь выносить меня из посольства, а я буду орать во весь голос, что это нарушение Хельсинкской декларации о правах человека (этот текст по-английски был у меня тоже заготовлен), и объявлю голодную забастовку у ворот посольства — до тех пор, пока меня не соединят с сестрой.

Так, настраивая себя на военный конфликт с Израилем, я просидел еще минут пять. Потом окошко с тем же лязгом открылось, и девица сказала:

— Mister Plotkin, your sister and her daughter just left for Israel.

— What do you mean — left?

— I mean they are now landing in the airport Ben Gurion in Tel-Aviv. Good luck in your America!* — И с презрением в глазах она захлопнула свое окошко.

14

— Вампиризм не такая уж редкая вещь, как вам может казаться, caro mia. Вы порезали палец, увидели кровь, и первым делом что вы сделали? Сунули его себе в рот и стали сосать кровь, правильно? Значит ли это, что вы вампир? Нет, конечно. Но почему же вы стали сосать свою кровь? Причем тут же,

---

* — Мистер Плоткин, ваша сестра с дочкой уже улетели в Израиль.
— Что значит «улетели»?
— Это значит, что сейчас они уже садятся в аэропорту Бен Гурион в Тель-Авиве. Удачи в вашей Америке! *(англ.)*

инстинктивно! Потому что в подкорке, в вашей генетической памяти записано: кровь — это жизнь. Мы можем остаться без глаз, без ушей, без рук и без ног, но мы живы. А без крови мы трупы, кровь — это самое ценное, что у нас есть. Евреи считают, что душа находится в нашей крови и с кровью из человека выходит. Поэтому кровью, как душой, клялись, расписывались и кровью кропили жертвы богам. Выпить чашу крови своих врагов считалось не просто доблестью, но и обретением силы, здоровья. Вся Южная Америка покрыта пирамидами алтарей ацтеков, толтеков и майя, которые убивали своих пленных не десятками и не сотнями, а сотнями тысяч и делили с богами их плоть и кровь. Кстати, вы никогда не задумывались, почему у каждого народа вкусы богов всегда совпадают с вкусами верующих? Это интересный вопрос! Еврейский и мусульманский боги с отвращением относятся к свинине, конине, собачьему мясу и человечине, а христианский и буддистский — только к человечине и собачьему мясу. Зато свинину и конину — пожалуйста! А китайские боги благоволят к собачьему мясу, а боги ацтеков и майя собачьим мясом брезговали, зато любили человечину настолько, что поедать ее было привилегией только священнослужителей, вождей и воинов. Но все — буквально все боги, интернационально — принимали в жертву кровь. Причем у тех народов, которым вкус человеческой крови был не по вкусу или не по карману — как, например, евреям, — им разрешалось подменять эту жертвенную кровь кровью ягненка или курицы. Зато эскимосы, например, и по сей день пьют оленью кровь и едят сырое мясо убитых оленей — еще теплое. Да и мы с вами только что съели по замечательному куску мяса с кровью — как это называлось?

— «Мясо по-суворовски», — вынужденно улыбнулась Елена.

Действительно, мясо по-суворовски, которое делали в ресторане Дома журналистов на Суворовском бульваре, было прекрасным — нежное, сочное, с той темно-розовой кровоточинкой, которая так аппетитно брызжет под вилкой и ножом.

Елена почувствовала, как приятная сытость сонно разливается по телу, и ей вдруг захотелось зажмуриться и мурлыкнуть, как кошка. Черт побери этого Винсента, почему с первой минуты общения с ним ей так покойно и доверительно в его обществе? Нет, нужно выпить черного кофе, встряхнуться и взять себя в руки. Никаких расслаблений, она на работе! И самое неприятное в этой работе то, что сегодня же вечером ей предстоит сесть и написать подробный рапорт-отчет обо всех разговорах с этим Винсентом. Именно из-за этих рапортов Елена нередко старалась увильнуть от обслуживания иностранных делегаций и зарубежных правительственных гостей. Но деньги, деньги — даже лишняя десятка к зарплате — были так нужны! В конце концов, сколько она получает в своей Главной редакции на Пятницкой? Аж сто тридцать в месяц! И еще нужно считать, что ей повезло, ведь сюда лезет по блату весь Иняз, все дочки кремлевской и московской элиты, которым и деньги-то не нужны — что им эти сто тридцать, когда пара приличных сапожек стоит двести рублей! Но их — в их лаковых итальянских сапожках, французских блузках и канадских дубленках — привозят на работу машины их партийных папаш и мужей, а ей ради дубленки придется еще три месяца сидеть на одном «Геркулесе», и она так похудела, что сисек не осталось...

Боже мой, как она наелась! О чем он говорит, этот Винсент? Ведь она должна хоть что-то запомнить для своего рапорта! Тем более что на этот раз рапорт нужно сдать не в Первый отдел «Радиокомитета», а непосредственно Иванову, помощнику Андропова!..

— А другой стороной вампиризма, дорогая, является наша древняя вера в то, что кровь обладает целебными и даже омолаживающими свойствами. Гм, между прочим, тут замечательный кофе! И вообще мне тут нравится, давайте будем обедать тут каждый день... О чем я говорил? Да, вампиризм! Вы, конечно, слышали о нашем императоре Клавдии Нероне Тиберии, который правил нашей империей в начале первого века? Между нами говоря, это был ужасный мерзавец. Смолоду он устраивал у себя во дворце ночные оргии, а потом затаскивал юных девушек в постель, перегрызал им артерии и сосал их кровь, от которой пьянел больше, чем от вина. Брр, я понимаю ваше отвращение, меня и самого передергивает. К тому же, как ни странно, на пользу Тиберию это не пошло — очень скоро у него выпали все зубы и волосы, он превратился в инвалида. Однако веры в чудесную силу крови, которая должна обеспечить ему бессмертие, не терял, и каждое утро ему подавали на завтрак два громадных кубка со смесью женского молока и крови девочек, которым вскрывали артерии буквально за несколько минут до этого. Кроме того, он ежедневно принимал ванны в такой же смеси женского молока и крови. Но как мы знаем, бессмертия он все-таки не обрел, а, наоборот, захлебнулся в крови своих жертв. Так что все как в кино — порок наказан, тиран погиб. Однако маленький тиран сидит, конечно, в каждом из нас, и сейчас я на правах гостя попрошу вас погулять со мной по улице — я еще никогда не гулял по снегу, у нас снег если и бывает, то раз в десять лет, и то какой-то жидкий, мокрый...

15

> — ...пришли Моисей и Аарон и сказали Фараону: так сказал Господь, Бог Израилев: отпусти народ мой! И сказал Фараон: кто Господь, чтобы я слушался голоса его отпустить Израиля? Не знаю я Господа, и Израиля не отпущу.

Дорогие мои, золотые мои Белла и Асенька! Все эти дни я разговариваю с вами — почти каждый час. Я хожу в «Сохнут», читаю израильские русские газеты, выискиваю в них все, что может иметь отношение к Тель-Авиву и проблемам абсорбции, и мне кажется, что все это — мне в укор. Сегодня я ехал в трамвае, читал «Нашу страну» за 1 февраля и вздрогнул: «Представитель полиции сообщил, что сегодня в 10.30 утра произошел взрыв у остановки автобуса № 18 по улице Алия в Тель-Авиве...» Но ниже строкой — «никто не пострадал». Сердце застучало дальше... Я читаю эти газеты, и в каждой из них: «Фейгин в своем выступлении отметил, что правительство Израиля несет полную ответственность за провал алии из СССР... с чувством боли и обиды Фейгин говорил о дискриминации специалистов из СССР, о том, что положение с квартирами для прибывающих из России олим катастрофическое...»

Я читаю эти статьи, разговариваю с работниками «Сохнута», пытаюсь представить себе вашу жизнь в Израиле и — не могу. Потому что не знаю, в какую сторону направить свое воображение.

А что касается меня, то — донт трабл, я чудно устроился. Я живу в крошечном отеле, в чистеньком номере-клетушке с окном, выходящим в дворовый колодец, из этого окна рукой достать до окна общего туалета, и по утрам меня будит шум спускаемой в унитаз воды. Я сижу в этом номере на кровати, держа на коленях свою пишмашинку с выбитым на Шереметьевской таможне зубом, и в ногах у меня (тайком от администрации отеля) варится на плитке венская курица по девять шиллингов за кило.

Ну что еще нужно мне для работы?

Целыми днями я хожу по еврейским гнездовьям в пансионах мадам Беттины и смотрю, как живут там люди, потому что мне это важно для будущего фильма. Господи, Белла, ты бы видела эти «пансионы», из которых еще не выехали проститутки, их вчерашние обитательницы! Сотни семей — в тесноте, скученности. Орут малыши, галдят одесские женщины, а тощие австрийские шлюхи, брезгливо, как цапли, переступая своими обтянутыми джинсой ногами через ползающих по полу детей, ведут в соседние комнаты своих пузатых клиентов. Рядом на вытертом плюшевом диване сидят наши подростки — они уже все понимают, хихикают вслед проституткам и засекают время по своим советским часикам «Заря» и «Слава». Ровно через пять минут вновь появляется эта пара и, поигрывая ключами от машины, проститутка провожает клиента, садится в свой жучок-«фольксваген» и уезжает за новым гостем. Что успевают они за пять минут? Только пылкое воображение подростков может ответить на этот вопрос. А я...

Я не могу представить вас в этой обстановке! А когда заставляю себя, когда селю вас мысленно в «Зум Туркен» или «Вульф», то разом вижу перед собой огромные Аськины глаза, которые воззрились бы на меня с пугливым испугом: «Дядя Вадик, куда ты нас привез?» Белла Давидович, наша знаменитая пианистка, живет со своей мамой и теткой в двухместном номерушке, куда втиснули еще одну койку. Миша Фридман, победитель музыкального конкурса в Брюсселе, ютится с женой в одноместном номере, где вместе с ними еще одна семья из трех человек и какая-то шестая женщина, к ним не относящаяся. А я — один! — занимаю целую комнату, пусть и величиной со школьный пенал! Почему? Потому что, оказывается, мадам Беттина смертельно боится, что я покажу в своем фильме этот бардак! Ну, может быть, не смертельно, но — на всякий случай поселила меня от своего греха подальше...

Но если она меня убоялась, то, значит, у меня все-таки есть шанс сделать свой фильм!

Впрочем, Гарик К., работающий сейчас в венском «Сохнуте», — ты помнишь его по Баку? — увидев меня, изумился:

— Старик, я понимаю — сестра, я понимаю — другие, но почему ты эмигрировал? Разве ты не понимаешь, что здесь ты уже никогда не будешь режиссером?!

— Едрена вошь! — сказал я ему, обозлившись. — Как быстро вы забываете, откуда бежали! Да, я там делал кино, у меня была машина, любовницы и аплодисменты зрителей. Ну и что? Разве ты не помнишь, что все это — в концлагере, что все это — развлечения заключенных? Я думаю, что и в Дахау кто-то имел свои привилегии, а назавтра шел вместе со всеми в газовую камеру...

Но он эмигрировал пять лет назад и уже все забыл...

16

Как случилось, что она привела Винсента к себе домой? В первый же день! Сразу после ужина в Домжуре! Ну хорошо — пусть не сразу, пусть они час гуляли по морозной Москве, и он уже перестал стращать ее этими ужасами вампиризма, а только восхищался хрустом снега под ногами, заснеженным Тверским бульваром, памятником Пушкину у кинотеатра «Россия» и памятником Маяковскому возле гостиницы «Пекин». И пусть он замерз так, что у него побелели щеки, а все уже было закрыто — и «София», и «Баку», и ресторан в гостинице «Пекин». Но даже если она привела его погреться к себе на Вторую Миусскую, в комнату, которую снимала за тридцать рублей в месяц, как случилось, что они тотчас же оказались в постели — вместо чая и без всяких предварительных слов, объятий, нежностей и поцелуев?

Впрочем, теперь, изнемогая от наслаждения, взлетая от пронзительного жара его плоти и падая в пропасти от остроты пульсации собственной ластуши, Елена, конечно, не думала об этом.

— Еще, еще!..

Господи, что с ней творится?!

— Per favore, ancora!..

Да, вся ее чувственность и эротизм, запертые, оказывается, годами в панцире совкового бытия и забытые там, как потухший вулкан, вдруг хлынули наружу, изумляя ее саму обильными выбросами ее раскаленной магмы, бурным сотрясением всего ее тела и острым, неуемным вожделением нового извержения.

— Ancora! Ancora! Piu profondo!

— Come ti piace?

— E tanto buono! E merviglioso!

— Non fermare!

— Sprodami! Muoio! M'amazzi! Sfondatemi!

— Ancora! Ancora!

— Mi fai impazzire! Mi hai empito! Sono una fontana!

— Succhialo! Ingoialo! Piu profondo! E tanto buono!..*

Черт возьми, так вот почему эти итальянки столь крикливы и экспансивны! Еще бы — при таких мужчинах!..

Выпотрошенная, невесомая, никакая и абсолютно счастливая, она лежала, прижавшись к Винсенту своим тонким обессиленным телом. Где-то сбоку, на периферии ее сознания всплыла мысль о рапорте, который завтра утром нужно сдать Иванову, но она тут же лениво и небрежно, как муху, отмахнула эту мысль и шепнула Винсенту:

— Я мертвая. Можно я признаюсь тебе кое в чем?

— Конечно. — Он гладил ее по голове и остренькому плечу.

— Мне двадцать шесть лет, но у меня никогда такого не было. Я даже не знала, что такое возможно. Конечно, я читала про это в книжках, особенно в ваших, итальянских. Но думала, что это вранье, литература. А теперь...

Он усмехнулся:

— Тебе понравилось?

— Не издевайся. Знаешь, даже когда я была замужем, я относилась к этому, как к мытью холодильника — ну, нужно сделать раз в месяц. А теперь... Ну-ка повернись! Повернись на живот!

— Зачем?

— Я хочу проверить, нет ли у тебя хвоста. Я думаю, ты дьявол.

---

* Перевод этих выражений страсти автор доверяет творческому воображению читателей.

— Конечно, я дьявол. Но лучше ты повернись на живот.

— Как? Опять? Нет, я не могу, я умру!..

17

> *— И сказал Господь Моисею: те-*
> *перь увидишь ты, что Я сделаю с Фа-*
> *раоном: ибо настоянием сильным от-*
> *пустит он их...*

Мы встретились у собора Святого Стефана. Я пришел на полтора часа раньше назначенного на 8 вечера свидания — мне некуда было деться после ХИАСа, где я отдал Дэвиду Харрису свою статью «Как КГБ отомстило сенатору Джексону» в надежде, что он отправит ее в какую-нибудь американскую газету. Был морозный ветреный вечер, зовущие теплом окна венских кафе и магазинов на Кертнерштрассе, а я мерз на улице, проклиная себя за то, что позвонил этой Эльжбете, и пытаясь увидеть все это со стороны, с точки зрения кинокамеры — вот я стою, сорокалетний мудак в коротком монгольском кожаном пальто, мерзну у витрин, вдоль которых с таким восторгом шляются каждый день эмигранты, примеривая на себя эту импортную жизнь, мебель и шмотки, иногда захожу погреться в собор Святого Стефана, но сесть в нем на скамейку для прихожан не решаюсь — шут его знает, как отнесется к этому наш еврейский Бог, я стал в эмиграции не то чтобы набожным, но щепетильным в вопросах религии. И потому я просто стою и греюсь в этом гойском костеле, а затем опять выхожу на темную улицу и прохаживаюсь вдоль сияющих магазинных витрин походкой облезлого пса, твердо знающего, что вся эта роскошь, сытость и тепло по ту сторону дверей — это антимир, в существовании которого мы уже убедились, но перейти в который абсолютно «импосибл», то есть невозможно в нашем нынешнем собачьем положении. Как австрийцы живут в этом мире, хрен их знает! Как и откуда у них такие деньги — сидеть в этих дорогущих кафе, покупать эти роскошные вещи, жить в этих чистеньких фарфоровых домах и ездить в этих лакированных машинах? Да, там, в моей прошлой советской жизни, где не было этих витрин, а была только грязь Бескудниковского бульвара, грязный картофель в магазинах, очереди за мясом даже в буфетах «Мосфильма» и бездарь нашего киношного руководства, помноженная на их желание угодить только одному богу — ЦК КПСС, — там, повторяю, именно в той жизни осталась моя роскошная жизнь, то есть мой статус преуспевающего киношника, мой зеленый «жигуленок» и русские женщины, которые меня любили. То были красивые женщины — о да! уверяю вас! Любая из них, если одеть ее в эти венские шмотки, лучше всякой австрийской красотки, которые проходят и проезжают сейчас мимо, глядя сквозь меня целлулоидно-рыбьими глазами как сквозь ничто. А если не одевать их, а, наоборот, раздеть, то, Боже мой, куда этим австрийским плоскодонкам! Однако все мои русские дивы остались в России — все до одной, вот только Инна здесь, но с мужем и с дочкой, и это уже не твоя женщина, брось и думать, а твоя Инна тоже осталась там, в той абсолютно пустой комнате, которую я в юности снимал над магазином «Динамо» на улице Горького и где она так любила, раздевшись догола, забраться на подоконник и глазеть сверху на Москву, полыхая на солнце кулачками своих упругих грудок, а затем прямо с подоконника прыгнуть на мой шестирублевый, с выпирающими пружинами диван...

Но все Инны, Анны, Алены, Нины и Вали остались там, а ты стоишь здесь, на холодной каменной площади собора Святого Стефана, греешь руки в карманах пальто и, нищий поц, ждешь эту польскую выдру. Сорок лет, бутылка дрянного вина в крохотном номере дешевого отеля и маленькая статья, написанная в горячке первых дней эмиграции, — вот и весь багаж, с которым ты пришел на первое свидание с иностранкой. Не густо, мистер Плоткин, не густо.

(Господи, как одуряюще пахнет кофе из этого кафе!)

А может, послать ее, эту тощую польку? Не хватало, чтобы я, уже седеющий режиссер, ждал тут двадцатилетнюю вертихвостку с еще не высохшей меж ногами похотью толстопузого парижского тромбониста! Нет, хватит, к черту это унизительное ожидание! Даже если она придет — ну что за убогое начало новой жизни: потеть на узкой гостиничной койке в двух метрах от общего туалета! Разве так нужно вступать в новый мир, и стоило ли ради этого бросать всех тех, кого ты бросил?..

Так я шпынял себя и терзал, не уходя тем не менее никуда (Господи, запах этого кофе сейчас сшибёт меня на безумный поступок!), а было уже двадцать минут девятого, двадцать три минуты, двадцать пять... и магазины уже закрылись, и поток прохожих, гулявших по этим магазинам, давно иссяк, и Кертнерштрассе вконец опустела. И вдруг...

И вдруг в конце квартала появились четверо юных статных арийцев в длинных кожаных пальто до земли и с подчёркнуто широкими накладными плечами. Они шли на меня фронтальным строем, единой стеной и с единой презрительной усмешкой на губах. Они шли, громко и в унисон впечатывая сталь своих подкованных ботинок в мёрзлый асфальт, и чёрная кожа подолов их пальто легко отлетала от их стремительных шагов. А глаза... О, эти глаза я не скоро забуду! Весёлые, голубые, вызывающе-наглые, они надвигались на меня ледяной и всё сметающей волной, и противный предательский холод трусости вошёл в мою душу. Одинокий сорокалетний еврей в куцем монгольском пальто, я стоял в их городе, на их прекрасной Кертнерштрассе, как ничтожный гнус, нагло залетевший сюда из другого мира, — они должны были раздавить меня как ничто, как клопа. И они собирались сделать это — я видел это по их победоносной походке и взглядам. Бежать? Отступить? Сойти с тротуара? Вжаться в холодную витрину магазина? Но почему-то это вдруг оказалось страшнее, чем оказаться под их каблуками. В короткой — не дольше десяти секунд — дуэли наших взглядов мы обменялись не чувствами и не мыслями, нет, мы обменялись историей, и они сказали мне всё, что недосказали нам фашисты, а я им — всё, что недосказали им о фашизме их замечательные родители. А ещё точнее — я это чётко помню, — в моём мозгу ярко, как искра, пролетело и выстрелило им навстречу только одно слово: Сталинград. Конечно, я не был в Сталинграде в 1942 году, моим Сталинградом в том 42-м было замёрзшее картофельное поле под Иркутском, куда я, четырёхлетний, ходил с деревенскими пацанами копать картошку. У меня не было лопаты, да мне и не поднять было в то время настоящую лопату, и я копал ту картошку детским совком. Мороз был сибирский, не меньше тридцати, и ветер был резкий, колючий, пронизывающий, и пурга, я помню, уже опустила на землю тёмные страшные облака, отдаляя от меня деревню, в которой мы жили, и пугая меня надвигающейся темнотой. Но все пацаны копали, и я упрямо, до слез, бил крепкую землю своим замерзающим кулачком с детским совком. И я накопал — накопал! клянусь! — четыре картофелины, и теперь, тридцать шесть лет спустя, это детское упрямство поднялось во мне и выпрямило мне спину. Да, я не был в Сталинграде 1942 года, но в том же году на Курской дуге полегли Ося и Исаак, мои восемнадцатилетние дядьки, братья моей мамы, и теперь, я думаю, они стали рядом со мной на этой гребаной Кертнерштрассе, они поднялись во мне, потому что для меня они тоже — Сталинград. И когда это слово родилось в моей душе, съежившейся от страха перед этими арийцами, я уже понял, что не сойду с этого места, хоть тресни, хоть раздави они меня каблуками!

И — я не знаю, что случилось, я просто не помню, как это произошло, но буквально в шаге от меня, когда я уже напрягся в ожидании удара и сшиба, их стена вдруг разомкнулась и хромовая кожа их замечательных пальто презрительно прошуршала слева и справа от меня. Они что-то сказали, пройдя — что-то, конечно, оскорбительное и даже, наверное, матерное, чего я по незнанию немецкого не понял, — но я все равно торжествовал: они расступились! В их прекрасном мире, где они нас в упор не видят, где мы для них — досадное напоминание об их поражении под Сталинградом, они все-таки не посмели тронуть меня.

Еще не остыв от пережитого, я смотрел им вслед. Мать вашу так и раздэдак! И бабушку тоже! Так вот, оказывается, что ждет нас на этом вожделенном Западе — сияющая чистота Кертнерштрассе, Шанз Элизе, виа Венето и других центральных площадей и авеню Европы, и — полные собачьего кала прилегающие улицы, на которые каждый австриец, француз и итальянец выводит утром и вечером свою собачку покакать. Показная доброжелательность и улыбки при публичных встречах и неизжитая генетическая ненависть в любой другой обстановке.

Но, собственно, а на что ты рассчитывал? Это Австрия, это Вена и это швабы, мать их в три креста! Впрочем, дело не в них, нет, дело не в этих четырех неофашистах, зачатых куда позже Сталинграда и Нюрнберга! А в том, что это наш удел везде — в России и в Австрии, во Франции и в Испании, в Африке и в Японии, мы всюду изгои, везде...

— Вадим!

Я повернулся на этот окрик и вдали, в конце квартала увидел Эльжбету. В распахнутом пальто она чуть ли не бежала по Кертнерштрассе, а рядом с ней — нет, этого не может быть! Рядом с ней, раскрасневшись, распахнув от бега свой алый рот и огромные черные глаза, летела ко мне та самая жгучая брюнетка, «испанка» и «Кармен», которая дымковской игрушкой сидела рядом со мной в ночь джазовой «сэйшн»!

Я шагнул им навстречу, а они набежали на меня, извиняясь за опоздание торопливо, многословно и с тем милым и всегда приятным русскому слуху пшикающим и напевным польским акцентом.

— Жнакомься, — сказала Эльжбета. — Это Сильвия, моя коллежанка, она тилько тыждэнь як пшиехала с Польши.

Я посмотрел Сильвии в ее черные испанские глаза, утонул в них и, утопая, сказал:

— Пошли в кафе!

— Ты зваревалыш! З ума шъехал! — воскликнула Эльжбета. — Тэ задрого!

— Ничего, мы выпьем только кофе, я угощаю. Пошли!

Но она ухватила меня за руку:

— Почекай! Ты знаеш, сколько коштует кава у Вене?

— Ну, сколько может стоить кофе? Пошли!

Представьте себе матерого кинорежиссера, которого только что чуть не избили юные неонацисты и которому девушки говорят, что ему не по карману угостить их кофе! Я схватил их под локти и силой втащил в кафе «Империал». Они вошли туда, разом присмирев, как две крестьянки в барских покоях, скромно сели за столик на краешки золотисто-бархатных кресел, и к нам тут же подлетела хозяйка кафе:

— Битте!

— Three coffee, please.

— With milk?

— No, simple coffee.

И вот я опять смотрю Сильвии в глаза и растягиваю эту крохотную, как наперсток, чашку венского кофе, а Эльжбета жужжит и пшикает мне в ухо, думая, что говорит по-русски:

— Я ще вчора побачила, шо вона тоби подобається. Вона з Гданьска, перши дни на Западу, мы тут працюем по шисть мисяцив, нам дозволено ихать до Западу працювать, но не бильше шисть мисяцив у два года...

А я все смотрел в глаза этой Сильвии, и жаркое темное пламя ее глаз сжигало мне кости так, что я даже не чувствовал вкуса этого замечательного кофе по-венски, который, как было написано в меню, когда-то сюда приходили пить Рихард Вагнер и Густав Малер.

Нет, мне не было сейчас дела ни до Вагнера, ни до Малера, ни до тех сопляков-неонацистов, потому что не им, а мне — мне! персонально! — сияли эти сжигающие глаза.

Я вынырнул из них только тогда, когда хозяйка принесла счет — 66 шиллингов!

66 шиллингов — это в полтора раза больше пособия, которое мне выдают на день в «Джойнте»!

66 шиллингов — это семь куриц по 9 шиллингов за кило!

66 шиллингов — это такая мелочь за огонь, который обжег меня и согрел в морозной Вене...

18

Полковнику Иванову П.И. от Елены Козаковой, сотрудницы Главной редакции иновещания Госкомитета СССР по телевидению и радиовещанию, внештатной переводчицы КГБ СССР

В связи с Вашим поручением сопровождать по Москве профессора Винсента Корелли и помогать ему в работе сообщаю:
Вчера профессор Корелли побывал в Институте психиатрии имени Сербского, где на протяжении всего рабочего дня знакомился с материалами судебно-психиатрических экспертиз...

Елена смотрела на Иванова. Чем дольше он читал ее рапорт, тем страшнее ей становилось. Хотя по дороге сюда, на Лубянку, она восторженно изумлялась самой себе — в ней, в каждой клеточке ее тела, еще жили экстаз и невесомость прошедшей ночи, и она, ей казалось, ничего не боялась — даже КГБ! Шла ли она по улице, ехала ли в метро — радость, кайф и полное обновление всей ее плоти светились, словно огоньки под лапами новогодней елки, в ее глазах, походке, взмахе ресниц, поднятом подбородке, дерзком повороте плеча и в летящем шелке ее завитых волос, — светились с такой вызывающей и притягивающей силой, что все встречные мужики сворачивали головы ей вслед. Так вот, оказывается, что делает с женщиной настоящий секс! Вот его божественное предназначение! Еще вчера она была полной замухрышкой, одной из миллионов московских баб, замызганных остервенелой погоней за рублем, колготками, сосисками по рупь двадцать и поливитаминами по восемьдесят семь копеек. Еще вчера она горбилась под тяжестью авоськи с грязной картошкой и луком, еще вчера ее сапоги разъезжались в месиве снега на тротуарах, и взгляд не отрывался от земли, и очки съезжали с носа, и ни один мужчина не обращал на нее никакого внимания, их взгляды скользили по ней не останавливаясь, как по пустому месту или по лозунгу «Партия и народ едины!». Но стоило ей провести полночи с мужчиной — с настоящим мужчиной! — стоило ей испытать то, что она испытала с Винсентом, и словно кто-то наполнил ее кровь хмельными шампанскими пузырьками, выпрямил спину и зажег в ней светильник женственности и соблазна. И все мужики разом — глазами, ноздрями и даже животом — заметили и опознали в ней это волшебное волнение гона и эротизма...

Господи, ну сколько можно читать ее короткий рапорт? Этот Иванов перечитывает его, наверное, в десятый раз!

«...Из Института Сербского мы, согласно Вашей инструкции, поехали на такси в Дом журналиста на Суворовском бульваре, где поужинали. Счет за ужин на 12 р. 53 коп. и квитанцию за такси на 1 р. 50 коп. прилагаю. За ужином профессор Корелли говорил на научные и исторические темы и хвалил кухню ресторана Дома журналиста...»

Черт возьми, за то время, что он читает и перечитывает ее писанину, можно прочесть Большую Советскую Энциклопедию!..

В затянувшейся паузе пузырьки отваги выветрились из ее тела, и Елена вдруг почувствовала себя опустошенной и усталой от бесконечного молчания этого полковника, и весь его кабинет — большой, с тяжелой мебелью, с тремя правительственными телефонами, с портретом Дзержинского на стене, массивной гранитной скульптурой этого же Дзержинского за широким окном и многозначительной дубовой дверью в соседний андроповский кабинет — вдруг навалился на нее сверху. А внутрь, в ее разом сжавшиеся печень, сердце и легкие, вошел противный холодный страх. Идиотка! Как она могла забыть, выбросить из головы, исключить из вида и стереть из памяти, что КГБ не может вот так запросто и без слежки выпустить на московские улицы своего иностранного гостя — один на один с внештатной переводчицей и простой дикторшей Московского иновещания. Конечно, они вели их, вели все время — и в ресторане ДЖ, и на Тверском бульваре, и на улице Горького, и на Второй Миусской... Елена почувствовала, как от ужаса у нее непроизвольно свело колени — она вдруг отчетливо вспомнила серую «Волгу», которая торчала напротив подъезда ее дома в два часа ночи, когда они с Винсентом вышли искать такси, — в этой «Волге» тотчас погас свет, но Елена успела заметить в ней две мужские фигуры и удивиться — бандиты, что ли? Дура, какие к черту бандиты! Наружка то была, вот кто! Этот Иванов с точностью до минуты знает, сколько времени Винсент провел в ее постели и когда он вернулся на дачу! А она написала...

Поужинав, мы по просьбе профессора Корелли совершили пешую прогулку по Тверскому бульвару и улице Горького, после чего я на такси отвезла профессора Корелли на дачу в Горки-2 (квитанцию за проезд туда и обратно на сумму 7 р. 50 коп. прилагаю).

Подпись: Козакова Е.В.
Москва, 5 февраля 1979 г.

Иванов в третий раз перечел рапорт и поднял наконец взгляд от стола. Молодая женщина, которая сидела перед ним, была сегодня совершенно не той, какую он выбрал три недели назад из двух десятков кандидаток и инструктировал здесь же, в этом кабинете, всего десять дней назад. Тогда это была стандартная серая мышка с испуганными глазами за стеклами дешевых очков, с впалой грудкой, как у синих цыплят, которых продают в буфете, и с такой же тонкой цыплячьей шеей, болтающейся в вытянутом воротнике ее старенького свитерка-водолазки. То есть именно то, что нужно для операции, а точнее, чем не жалко пожертвовать. Потому что все остальные переводчицы с итальянского — и штатные, комитетские, и внештатные, с радио и из МИДа — были чьи-то дети: дочки послов, кремлевских аппаратчиков и партийных бонз. Если в ходе операции с такой что-то случится (а случиться должно обязательно!), то потом не оберешься шума и бед. А эта Козакова казалась просто находкой — родители какие-то трудяги бог знает где, в Ижевске, она сама в семнадцать лет прикатила в Москву и — серебряная медалистка! — пробилась сквозь блатной конкурс в Иняз, а затем и на радио, где, как он выяснил, ее буквально «схватили» за ее голос. Честно говоря, ничего особого, кроме глухой хрипотцы, он в ее голосе не услышал, но им, специалистам, конечно, виднее — они считают ее звездой эфира и утверждают, что на Западе слушают только дикторов и ведущих именно с таким тембром голоса и что, когда эта Козакова выходит в эфир, итальянская аудитория советского радио увеличивается вдвое. Но поди проверь!..

Впрочем, теперь он, кажется, начинает верить этому. Теперь перед ним сидела совершенно иная Козакова — напуганная, конечно, и съежившаяся от страха за содеянный грех, но чертовски соблазнительная — с приоткрытыми полными губками, с неизвестно откуда взявшимися упругими грудками под белой блузкой, с локонами волос над маленьким розовым ушком и дразнящей кремово-байковой шейкой. Так серый и невидный средь листвы стручок открывается ярким бутоном, так гадкий утенок вдруг превращается в царевну-лебедь. Блин, сука этот Корелли! Сволочь итальянская! Только позавчера прилетел и уже трахнул эту Козакову, да так, что она вся светится изнутри его итальянской спермой, даже губы еще не обсохли!

— Н-да... — произнес Иванов, барабаня пальцами по столу, на котором лежал ее рапорт, и стараясь не смотреть на ее влажные кремовые приоткрытые губы. — А что за документы он изучал в Институте психиатрии?

Елена смущенно потерла пальцами висок:

— Знаете, со мной что-то случилось. Я переводила ему эти документы, но потом у меня вдруг закружилась голова — может быть, от переутомления, я до этого ночь дежурила на радио. И я не буду вам врать — вы ведь все равно все знаете, —

она вдруг открыто улыбнулась, глядя ему прямо в глаза, — я на какое-то время отключилась. А когда очнулась, то оказалось, что я совершенно забыла все, что переводила. Но там не было никаких военных секретов, честное слово!

Иванов молча пожевал губами. Потом встал из-за стола и прошел к окну, уставился на площадь Дзержинского. Там, внизу, вокруг памятника основателю КГБ катил поток машин и завихрялась новая московская метель, и полу серой гранитной шинели Феликса Эдмундовича словно приподнимало этой метелью. В минуты стресса или гнева Иванов всегда прибегал к этому успокаивающему пейзажу. Но из-за чего, черт побери, он вздрючил себя сейчас? Ну трахнул Корелли эту Козакову, ну и что? Разве не о том же они договаривались с Разлоговым, когда обсуждали операцию? Итальянцу нужна ассистентка, полностью, как робот, подчиненная его власти. Вот он ее и получил — теперь эта Елена будет его рабыней, партнером, любовницей и... Ладно, что с ней будет потом — это вопрос десятый, профессиональный, и его решит тот же Разлогов. А сейчас важно другое — Корелли выполнил первую часть операции, он на практике доказал свое умение не то загипнотизировать, не то заворожить человека, да так, что эта Козакова забыла не только содержание документов, которые сама же переводила ему в Институте психиатрии, но даже элементарный страх в обращении с иностранцами, табу на личные, а тем более интимные контакты с ними без прямого указания КГБ! И следовательно, все прекрасно, все идет по плану и даже с некоторым, прямо скажем, опережением графика.

И все-таки что-то, какой-то червь грыз Иванова, и он знал какой. Патриотизм. Залетный итальянец, вшивая гниль, пижон в усиках, «полезный идиот» с ходу, не говоря по-русски ни слова, трахнул русскую женщину, и он, Иванов, полковник КГБ, первый помощник самого Андропова, своими руками подложил ему эту красотку. Но что же он сам не разглядел при инструктаже ее глаза, губы, кожу и стройные ножки? А грудь! Не за ночь же она у нее выросла! Ну как же он прошляпил такой кадр! Ведь, наверное, он мог бы ее и сам, еще тогда, три дня назад — ну не здесь, конечно, не в кабинете, но, слава Богу, есть у КГБ служебные конспиративные квартиры и в Москве, и за городом. А может быть, еще не поздно? Может, взять ее сейчас и под предлогом инструктажа повезти в...

Низкий негромкий гудок прервал эти колебания. Иванов быстро взглянул на дверь в кабинет Андропова. Шеф вызывает. Правда, гудок был один, и, значит, вызов несрочный, у него есть минута. Но что вы можете сделать за минуту?

Иванов горестно усмехнулся и посмотрел на Козакову:

— Хорошо. Можете идти. Продолжайте работать.

Он заметил, как у нее изумленно распахнулись и глаза, и эти порочные влажные губы.

— Я... я могу идти? — недоверчиво переспросила она.

— Да. — Он усмехнулся. — Прямо в кассу. Там получите деньги на следующие расходы.

— Хорошо... Спасибо... — Она словно не верила, что все обошлось. — Знаете, я забыла написать: профессор Корелли хочет переехать из загорода в Москву, в какую-нибудь гостиницу. Чтобы поближе быть к Институту Сербского.

«К тебе он хочет быть поближе, а не к институту!» — чуть было не уточнил Иванов.

Но усмехнулся и сказал, посмотрев ей прямо в глаза:

— Хорошо. Гостиница «Пекин» вас устроит?

И алая краска, разом залившая ее щеки от его многозначительно-множественного «вас», была его маленькой мужской победой и местью.

19

> *— Посему скажи сынам Израилевым: Я Господь, Я выведу вас из-под тягостей Египтян и избавлю вас от служения им, и спасу вас мышцею простертою и казнями великими. И приму Я вас себе в народ и буду вам Богом, и вы узнаете, что я Господь Бог ваш, изведший вас из-под тягостей Египетских...*

Была пятница, конец рабочего дня в канун субботы.

В ХИАСе на Брамсплац было непривычно тихо и пусто. Господин Леон пил чай за своей стойкой портье, и никто не толпился подле нее, не совал ему свои бумаги, и даже у двери комнаты № 5, где эмигрантам выдают пособие, не было очереди. За спиной у Леона висели списки отъезжающих завтра в Рим, но меня в этих списках не было, хотя Гриша, который запаял рычажок буквы «ф» в моей пишмашинке, сказал мне, что видел мою фамилию в этих списках. Видимо, ошибся. Я потоптался в раздумье, не взять ли мне интервью у мистера Леона, а затем на всякий случай заглянул в дверь комнаты № 4. Там молодые ребята — сотрудники и сотрудницы ХИАСа — собирали на столах свои бумаги, складывали их в ящики и портфели. Я пересек эту комнату и заглянул в следующую. Дэвид Харрис сидел за своим столом, с лицом, как обычно, небритым и усталым. Высокий, даже на стуле высокий, худощавый, с всклокоченной шевелюрой и в несвежем свитере, он обычно появлялся в коридорах ХИАСа с какими-то бумагами в руках и вызывал к себе того или иного эмигранта или всю его семью — выяснить какие-то подробности в их анкетах. Хотя здесь, в ХИАСе, никто из сотрудников нам не представляется при знакомстве, очень скоро и так становится ясно, кто есть кто. Дэвид тут вроде приказчика в лавке — со всеми вопросами, неувязками и проблемами отправляют к нему. И распоряжается порядком тоже он. И проводит инструктаж с отъезжающими. И решает вопросы транспорта, багажа, медицинской помощи и — я не знаю что еще. Когда он появляется в коридоре, возвышаясь над всеми ровно на голову, а то и выше, и оглядывает нас своими, как мне кажется, дальнозоркими глазами, поскольку всегда при разговоре чуть откидывает голову назад (а может, это та самая дистанция, на которой принято разговаривать с людьми в США?) — так вот, когда, повторяю, он появляется в коридоре, все спешат к нему, завихряются возле него, тянут шеи и головы, чтобы услышать, кого он позовет, или просто так, на всякий случай стремятся попасть ему на глаза:

— Здравствуйте, господин Дэвид!

— Гуд дэй, мистер Дэвид!

— Я здесь, мистер Дэвид!..

Я подошел к его столу, он поднял на меня глаза от своей электрической пишущей машинки и сказал по-русски:

— О, садитесь, нам надо поговорить.

Я сел напротив него.

— Я прочел вашу статью... — Он открыл ящик стола, моя статья «Как КГБ отомстило сенатору Джексону» лежала там на самом верху, он достал ее и положил перед собой. — Конечно, мистер Плоткин, вы теперь в свободном мире и можете напечатать ее где захотите. Но я хочу обсудить ее содержание. Во-первых, по поводу ваших претензий. Венские условия жизни эмигрантов действительно не очень хорошие. Дело в том, что всего несколько месяцев назад приезжало значительно меньше людей и к тому же больший поток был устремлен на Израиль. А те, кто ехал в Америку, останавливались тут на один-два дня и уезжали в Рим. А теперь, когда КГБ выпускает по 5—6 тысяч человек в месяц, и при этом основная масса — «прямики» из Одессы и Киева, мы оказались не готовы к этой волне. Но все равно люди имеют где спать и имеют деньги на питание. И конечно, мы видим, что состав эмигрантов резко изменился, он стал хуже — в духовном смысле. Если раньше в основном ехали прибалтийские евреи, воспитанные в религиозных традициях, и основная их часть ехала прямо в Израиль, то теперь эмиграция другая. Теперь приезжает много ассимилянтов — тех, кто не хочет быть евреем. Поэтому многие американские евреи теперь меняют свое отношение к вам и хотят, чтобы их деньги мы тратили только на тех, кто все-таки едет непосредственно в Израиль...

Я слушал его, пытаясь понять, куда он клонит. У него был очень хороший русский — не чистый, он все-таки явно переводил себя с английского, но — ясный, грамотный, точный. И он продолжал:

— А теперь представьте, что в какой-нибудь главной американской газете — например в «Нью-Йорк таймс» — появится ваша статья...

Тут он поднял мою статью и прочел то, что было отчеркнуто на полях синим карандашом:

— «Если присмотреться к тем, кого выпускает КГБ, а кого — нет, то в этой кажущейся неразберихе, рассчитанной когда-то на то, чтобы запугать все слои русского еврейства, теперь проглядывает другая тенденция. Большинство отказников — научные работники, инженеры, техническая интеллигенция. И каждый отказ волной испуга расходится по всему слою научной и технической молодежи, и в этом генеральная политика ЦК КПСС — удержать юную, образованную, с высоким КПД часть советского еврейства и выбросить на Запад весь балласт, и еще под сурдинку спровадить вместе с ними своих алкашей и уголовников. Словно сидит в КГБ некий хитрец и ухмыляется (а может, и вправду сидит и ухмыляется): ах, в обмен на зерно вы требуете увеличения эмиграции, так вот вам, получайте ваших жидов — одесскую шпану, киевских торгашей, кавказских головорезов. Хоть пять, хоть десять тысяч в месяц... И трудно поверить, что вся эта жирная и раскормленная публика — страдающий от антисемитизма народ-беженец. Как при нефтяном фонтане сначала летят в воздух грязь и камни, а только потом идет чистая нефть...»

Харрис прервал себя и отложил статью таким жестом, словно отстранился от нее.

— А вы думаете, мы не видим, что тут творится с утра до вечера? Мы сами видим, что с каждым днем евреи, которые приезжают, все хуже и хуже в смысле еврейского самосознания. Но если бы это зависело от меня, я бы увеличил эмиграцию, я бы хотел, чтобы они приехали — все. Поскольку еще одно поколение — и будет поздно, это уже будут не евреи или это уже будут неисправимые неевреи. Мне 29 лет, я почти доктор наук, я был в Москве и преподавал там английский язык, и я знаю, что в Союзе есть еще московская, ленинградская и другие еврейские слои интеллигенции, которые еще не поднялись, которые боятся эмигрировать или боятся, что им не разрешат эмигрировать. Наверно, это то, что вы называете «чистой нефтью». И мы знаем, что еще совсем не едет Сибирь и Урал — и это все проблемы нашей будущей работы, мы ждем их, мы готовимся решать эти проблемы, и у меня такое чувство, что я тут помогаю членам своей большой еврейской семьи. Ведь мои родители были в немецком концлагере, и еще неизвестно, что ждет советских евреев в СССР. Но теперь представьте, что ваша статья напечатана и американские евреи читают, что они оплачивают выезд, как вы сказали, «грязи и камней». Станут ли они давать деньги на продолжение вашей эмиграции? Станут ли они ходить на демонстрации в защиту тех, кто остался в СССР?

...Они приземлились в Тель-Авиве, вышли из самолета, и в огромном зале аэровокзала, у ленты багажного транспортера их

сразу же прихватил сохнутовец с минским акцентом и с каким-то списком в руках:

— Абрамовы Белла и Ася? Вы едете в Бер-Шеву.

— Мы едем в Тель-Авив, в консерваторию, — сказала Белла. — Мою дочку приняли в класс профессора Андриевского.

— Госпожа Абрамова, в Израиле эти советские штучки кончились. Вы едете туда, куда мы вас посылаем.

Белла стащила свои чемоданы с транспортера — этот мерзавец не помог ей даже в этом — и отвезла их на тележке в угол таможенного зала. Там она положила их на пол плашмя, открыла один из них, достала наш туристический спальный мешок, постелила его поверх чемоданов и уложила Асю спать. Ее война в Израиле началась с Израилем. Через несколько часов в уже пустом зале, который покинули все пассажиры, Белла достала из чемодана складной пюпитр, а Ася извлекла из футляра свою скрипку-четвертушку и стала заниматься. В отличие от шереметьевского аэропорта эти занятия никто тут не прерывал, но через двадцать четыре часа и после третьей Асиной репетиции «Сохнут» сдался — пришел какой-то начальник и сказал:

— Госпожа Абрааами, шолом! Вы едете в Тель-Авив, в ульпан Бейт-Бродетски.

Белла посмотрела ему в глаза и молча свернула спальный мешок. Первый бой она выиграла.

20

Сухо трещали три швейные машинки «Москва»...

Три ноги в кирзе давили на педали...

И три иглы ровными стежками прошивали брезент больших строительных рукавиц.

Но стоило в этом ровном шуме появиться какому-то новому звуку, как разом замирали и машинки, и кирзовые ботинки без шнурков, и иглы в стежках по брезенту.

И лица трех зеков-вэмээсников обращались к стальным дверям камеры, а их шеи напряженно вытягивались навстречу новым звукам в коридоре.

Каменный пол бывшего монастыря, приспособленного под тюрьму ВМС, то есть приговоренных к высшей мере, гулко отдавал приближающиеся шаги, и по числу идущих охранников можно было безошибочно сказать: если два охранника, то несут еду или почту, а если три, то...

Если три, то расстрел, ВМС, высшая мера наказания, конец! Вся тюрьма это знает, да охранники и не очень-то скрывают...

Шаги...

Все ближе и ближе...

Сколько же их?

Два или три?

Три!

Но за кем? Чья очередь?

Нервы натягиваются до звона, зубы сжимаются до хруста...

И некуда бежать, и некуда дернуть — стены в камере каменные, монастырские.

Ну? За кем они? В нашу камеру или в соседнюю?

Лязгнул, открываясь, «намордник» в стальной двери, за ним прозвучало:

— Богул — на выход!

Значит — за ним. Двое соседей облегченно выдохнули и встали из-за швейных машин, обратились лицом к тыльной бетонной стенке камеры и, подняв руки вверх, распластались на этой стене. А он все не мог встать, ноги не поднимали.

— Богул! Мать твою!

Он медленно поднялся, сунул руки в щель «намордника», и холодные стальные наручники защелкнулись на его руках.

После этого снаружи клацнули ключи, заскрипели два засова, и дверь открылась.

— Выходи!

Он шагнул наружу, там действительно стояли три охранника. Один из них снова закрыл дверь в камеру и запер ее ключом и засовами, второй приготовился ощупывать и проверять Богула, а третий стоял чуть в стороне, на стрёме. И Богул вдруг удовлетворенно усмехнулся — даже здесь, в зоне, перед расстрелом, они боятся его!

— Разувайся!

Он снял незашнурованные кирзовые ботинки, стянул с ног носки и стоял босыми ногами на ледяном каменном полу, пока охранник проверял, нет ли в ботинках и носках заточки или швейной иглы.

— Обувайся!

Натягивать носки скованными руками было неудобно, но это их не касалось.

— Разведи ноги! Руки на голову!

Он исполнил.

Охранник жесткими, как лопата, ладонями медленно прошелся вдоль его тела — руки, плечи, торс, подмышки, пах и ноги. Затем сковал ноги цепью, запер ее на замок, а конец цепи вручил Богулу.

— Куда меня?

— Заткнись! Пошел!

И они пошли по длинному, узкому и холодному монастырскому коридору — впереди, позвякивая ключами, один охранник, за ним — Богул, за Богулом — еще двое. «Вот и все, вот и все, сейчас шлепнут», — тоскливо думал он, когда они прошли мимо всех дверей в бывшие кельи, а ныне камеры ВМС. Он знал, что точную дату расстрела тут никогда заранее не объявляют, человек может и год просидеть за швейной машиной или, что еще хуже, просто в камере, а потом его вдруг берут вот так же буднично, словно на прогулку, и где-то не здесь, а в другом коридоре, расстрельном, кончают выстрелом в затылок.

Идущий впереди охранник, морозно дыша, свернул за угол, в колено другого коридора, и Богул мгновенно и цепко тут же зыркнул глазами по тутошним стенам и полу — нет! — отлегло у него от души, еще не здесь! В расстрельном коридоре полы и стены должны быть окрашены масляной и бурой, под цвет крови, краской, а здесь — побелка. И значит, еще минута жизни у него есть. Целая минута! Шестьдесят секунд, десять полных вздохов, пятнадцать шагов скованными цепью ногами. Сколько раз и наедине с самим собой, и в разговоре с сокамерниками он говорил и верил, что лучше пусть расстреляют, чем гнить на этом ледяном Огненном острове, в этом гребаном и холодном, как склеп, Белозерском монастыре. Но вот его ведут на расстрел, и вдруг эта последняя минута стала огромной, как жизнь, и каждый вздох и выдох, каждый глоток холодного воздуха — емким и пьянящим сильнее спирта.

Жить!

Жи-и-и-ить!..

Так, еще поворот и лестница вниз. Прекрасно, еще минута жизни! А если замедлить шаг на ступеньках, то... что это?

У него остановилось дыхание и опустилось сердце — сразу за лестницей были бурый пол и такие же бурые, выкрашенные масляной краской стены. Все! Сейчас! Здесь...

Он ощутил, как свело затылок и как натянулась на этом затылке кожа, ожидая пули.

— Иди, иди!

Охранник толкнул его в спину автоматом, но и это не помогло — ноги стали пудовыми и ватными одновременно, он не мог их поднять. Сейчас его грохнут, сейчас!

Нет!.. Нет!.. Не надо!..

Он вдруг вспомнил, как точно так же, таким же зажатым крольчачьим голосом кричали ему «Нет! Не надо! Дяденька, не надо!» два самых первых мальчика, о которых так и не узнало следствие...

— Да иди же, блядь! — снова толкнули его в спину, теперь уже с удвоенной силой, и он, споткнувшись о цепь, чуть не упал.

Куда они его ведут? И почему вдруг кончилась эта бурая краска на полу и стенах? Почему коридор стал снова белым? Неужели он не слышал, как его грохнули? Или он еще жив?

Жив!

Жи-и-и-ив!..

Ну конечно, он жив!

Они сворачивают в келью кума — начальника лагеря, открывают дверь, заходят. Боже мой, здесь тепло, здесь трещат дрова в голландской печке, здесь пахнет колбасой, водкой и сигаретами «ТУ-104», и от этих простых и почти забытых запахов свободной жизни у него кружится голова. Зачем его привели сюда? Что это за три хмыря сидят развалившись в кабинете кума? Не по его ли душу?

Оказалось — по его.

Оказалось — ему отомкнули цепь на ногах и передали его этим трем хмырям в гэбэшных погонах, настоящих хромовых сапогах и белых овчинных полушубках внакидку, а те, расписавшись в актах сдачи-приемки зека Богула Федора Егоровича, 1950 года рождения, осужденного по статьям 102, 103, 126 и 131 УК РСФСР, вывели его из монастыря и по длинному деревянному мосту повели с острова Огненный к берегу.

Вокруг был лед Белого озера, зелено-синий и припорошенный снегом, и деревянные доски моста были в наледях, и морозный ветер поддувал снизу и пылил в лицо сухим, как песок, снегом, а на нем были только ботинки да полосатая роба смертника — даже бушлат ему эти суки-охранники не дали, а зажали, конечно, и сфиздили вместе с шапкой, чтобы заломить на соседнем Сладком острове, где они живут со своими семьями, — но об этом он подумал куда позже, а сейчас он шел по мосту за своими новыми охранниками, хватал ртом, ноздрями и легкими чистый игольчатый воздух, смотрел в высокое небо, на этот гоголь-моголь облаков с желтком солнца, вспоминал гогольмоголь, который крутила ему в детстве мама, и думал: «Жизнь! Я живу, бля! Я еще живу!..»

И он почти любил этих сытых гэбэшников, которые вывели его из Белозерского монастыря смертников.

21

> *— И говорил так Моисей сынам Израилевым, но они не послушали Моисея от упадка духа и от тяжкой работы...*

Они жили на Гетрейдемарт, 18, в трех минутах ходьбы от Опернринга. Двухкомнатная квартира с кухней, весьма просторная по моим советским представлениям, но таящая непостижимую для меня загадку: как в этих двух комнатах могут жить «коммуной», как они мне сказали, две юные женщины — Эльжбета и Сильвия — и два молодых мужика — Владек и Болек? То есть как живут вчетвером, я, пожалуй, и мог бы себе представить, если бы... если бы Эльжбета и Сильвия сами не привели меня сюда и если бы сюда же, как я понял, не являлся во время своих венских гастролей тот парижский Эльжбетин тромбонист.

Но одно было ясно: только здесь, «дома», то есть в этой квартире, которую они, четверо наемных польских трудяг, снимали в складчину, Сильвия оживала, оттаивала, открывала свой алый рот и принималась щебетать, как птица. Хлопоча на кухне с ужином, в алом домашнем халатике, с огромными черными глазами, с черными распущенными волосами, она все равно оставалась для меня вожделенной Кармен — как бы ни пшикал ее низкий голубиный голос.

Конечно, я сразу же попытался определить, кто из этих мужиков — спокойный крупный тридцатилетний Владек или высокий мосластый сероглазый Болек — претендует по ночам на ее руки, шею, грудь и все остальное, от чего у меня останавливалось дыхание и голова шла кругом. Но они — все четверо — понимая это, держались чуть насмешливо, с легкой поддевкой, и мне не оставалось ничего другого, как принять этот тон и парировать их шутки ответными подначками. Черт подери, я совершенно не помню, что я нес и что я такого умного там говорил, но, наверное, нечто вдохновенное, потому что Сильвия то и дело заглядывала мне в глаза и восклицала:

— Как ты хорошо говоришь!

И я, тертый московский бабник, уже ликовал внутри, ведь я-то знаю эти глубокие женские взгляды в упор! Но даже я, видавший скорые победы во флирте и поседевший на этом фронте без флангов, — даже я оторопел, когда за ужином эта чертовка в ответ на какую-то мою очередную подначку вдруг сказала в присутствии всех:

— Я хочу поехать с тобой, чтобы ты был мой мужчина!

Я помню эту паузу — короткую, но насыщенную острым молчанием Эльжбеты, нейтральной улыбкой Владека, открытым изумлением на лице Болека и черными глазами Сильвии, глядящими на меня в упор.

Так это началось. На следующий день я пришел к ним уже не с вином, а с цветами — о, как долго я стоял у цветочного киоска на Опернринге, ужасаясь ценам на цветы, но в конце концов разорился на сорок из своих последних ста шиллингов и купил красные розы. Сильвия открыла мне дверь и, увидев цветы, охнула и вспыхнула от радости, а ее глаза и короткий наклон головы сказали мне, что она поняла серьезность этого букетика. Но я никак не мог решить — поцеловать ее сейчас, в прихожей, или отложить это на потом, и пока я колебался, время ушло, момент был упущен, она унесла цветы в комнату. Я вошел за ней и увидел, что я сглупил вдвойне — она была дома одна. Работая на фармацевтической фабрике, она, оказывается, освобождалась в восемь вечера, а остальные приходили позже. Но когда через пару минут я — уже на кухне, где она готовила ужин на всех — попытался обнять ее, ток не пошел,

120

она спокойно вышла из моих рук, а через несколько минут пришли Эльжбета и ее парижский тромбонист, а за ними явились и Владек с Болеком. Я, кажется, так и не узнал, как зовут того тромбониста, — они с Эльжбетой постоянно запирались во второй, поменьше, комнате в глубине квартиры, и оттуда до нас доносились какие-то странные всхлипы, словно Эльжбета уводила его туда не для радостей любви, а для скандалов со слезами. Впрочем, может быть, у нее это было проявлением высшего кайфа...

Короче говоря, мой роман увяз, как в глине, в этой общей столовой, куда меня зазывали каждый день на замечательные ужины, которые готовила Сильвия, но откуда я никак не мог увести ее, поскольку, оказывается, это было условием ее проживания в этой «коммуне» — готовить на всех. И за эти обеды я платил длинными дискуссиями с Болеком о социализме (этот мудак, вырвавшись на заработки из нищей Польши, был всетаки ярым социалистом), а в ответ получал долгие и глубокие взгляды Сильвии.

Я уже знал, что все поляки изучают в школе русский и, следовательно, она понимала все, что я говорил, даже самое заумное, и потому я еще больше заливался антисоветским соловьем. Однако дальше ее взглядов, пробивающих меня до печени, дело не шло, и, больше того, эти взгляды тоже обращались ко мне все реже...

22

История глазами психиатра еще не написана, а между тем вполне возможно, что все диалектические концепции развития человечества от феодализма к капитализму и еще выше — просто фантазии яйцеголовых догматиков, живущих за счет своей демагогии. Распутывая любой клубок революционных сдвигов в истории той или иной страны, дотошный исследователь рано или поздно вытащит на поверхность ту мелкую страстишку или психическую болезнь, которая и была пружинкой гигантских сдвигов, имевших историческое значение. Наполеоном двигало честолюбие, Гитлером — паранойя, а Лениным — вовсе не философские идеи Маркса, а мстительный характер байстрюкова брата и выблядка. Конечно, эти качества есть и еще у миллионов людей, но только у считанных единиц они сочетаются с талантом и волей. Не зря слово «воля» было чуть ли не главным в лексике Гитлера. И когда ребенку с таким талантом и волей выпадает родиться в царской семье, из него может вырасти Александр Македонский или Петр Первый. А когда в разночинной — то Муссолини, Гарибальди, Бисмарк или Сталин. И если с этой, психиатрической, точки зрения посмотреть на историю, то Шекспир, конечно, больше историк, чем все профессиональные историки, вместе взятые...

Я не могу поручиться за фотографическую точность этих размышлений профессора Винсента Корелли не потому, что не обладаю способностью проникать в мысли героев своего правдивого повествования, а просто потому, что профессор в эту минуту засыпал, а мысли у любого засыпающего человека, даже профессора, отрывочны и не до конца сформулированы. Единственное, что перед полным погружением в сон успел додумать профессор, — это небольшой практический вывод, который он должен сделать из своей оригинальной посылки. Во-первых, вернувшись в Рим, немедленно подобрать с десяток ярких исторических иллюстраций этого тезиса и тут же опубликовать статью под названием «Психоистория человечества». А во-вторых... Во-вторых, самым ярким примером этой психоистории будет, конечно, его собственная операция с российским маньяком, операция, которая изменит итальянскую историю...

На этой сладостной мысли профессор погрузился в сон и не видел, как рядом с ним приподнялась на локотке его русская неофитка Елена Козакова и с каким вниманием она принялась рассматривать его.

Рядом с кроватью, за высоким и двойным окном гостиничного люкса, шумело Садовое кольцо, там, внизу, вырываясь из туннеля под площадью Маяковского, ревели грузовики, гудели доисторические русские «фиаты» — «Жигули», и очередная московская метель срывала с их выхлопных труб черный дым разбавленного бензина, наметала снег в подъезды дома напротив «Пекина» и заставляла прохожих прятать носы в воротники пальто. В Москве в тот вечер было минус 26, а к ночи радио обещало и все тридцать.

Но здесь, в номере, было тепло, эту гостиницу строили в 45-м пленные немцы для МГБ, и толщина ее кирпичных стен была не меньше метра даже во внутренних переборках. А от широкой, под окном, батареи парового отопления несло таким жаром, что спать можно было и не укрываясь одеялом.

Подпирая голову ладошкой, Елена в упор разглядывала своего любовника — его черные, слегка вьющиеся волосы, большой открытый и не по сезону загорелый лоб, густые черные брови, римский нос, щеточку черных усов... Так вот ты какой, мой мужчина! Вот какие у тебя плечи, рыжеватые волосы на груди и животе и рыжий пух вокруг устало уснувшего члена... Минуточку! А почему такое странное сочетание — иссиня-черная шевелюра, такие же черные брови и усы, но рыжие волосы на груди и в паху? Н-да, это странно... Впрочем, она, кажется, совершенно не помнит, какого цвета волосы были в паху ее бывшего мужа. Муж-сокурсник был блондин, а волосы у него в паху, кажется, были темные... Но чтобы такой контраст! Это странно. И вообще, столько странностей началось в ее жизни после появления этого Винсента! Кто он такой на самом деле? И почему КГБ так стелется перед ним? Дача Сталина, переводчица, любые рестораны, Большой театр, люкс в «Пекине», книжка в издательстве и — Иванов, который делает вид, что не знает об их романе. И дежурные по этажу в «Пекине», которые почему-то не звонят в номер в 23.00 и не требуют, чтобы «посторонние покинули гостиницу». Но самое главное: почему она, Елена Козакова, позабывшая за два года воздержания даже запах мужской плоти, так легко, с ходу, чуть ли не в первый же день отдалась этому Винсенту? Нет, она не жалеет, упаси Бог, она только что летала в невесомости и стонала от наслаждения, а ее маленькая ластуша до сих пор поет и мурлычет от удовольствия. И все-таки что-то странное с ней происходит: этот припадок в Институте психиатрии, эти неожиданные провалы в памяти и эта уверенность Винсента в ее полном послушании.

— Я буду работать с убийцей, с маньяком? Да ты что! Никогда в жизни!

— Элен, не волнуйся. Это не так сложно, как ты думаешь...

Час назад они сидели в гостиничном буфете на шестом этаже и ждали, когда толстуха буфетчица поджарит Винсенту омлет с сосисками, сыром и помидором. Никогда в жизни никому из проживающих в гостинице, даже кинозвездам вроде Баниониса, тут ничего не жарят. Кефир (с сахаром или без),

123

яйца, варенные вкрутую, до синевы, сухие бутерброды с сервелатом и сыром, чай и сухие, как песок, миндальные пирожные — вот практически и весь прейскурант этажного буфета. Сколько раз, работая тут с другими иностранцами, Елена пыталась заказать для них что-нибудь иное — яичницу, горячие сосиски или хотя бы теплое яйцо всмятку. Никогда! Зато обсчитывать иностранцев вдвое и втрое — это тут было нормой, это как пить дать. Однако стоило Винсенту посмотреть этой буфетчице в ее наглые глаза и весело, пылко, с напором и улыбкой сказать на ломаном русском: «Красависа! Белла мия! Пер фаворе! Яйтса на сковоротка, сыр на сковоротка, салсисчэ тоше на сковоротка. Омэлэт, пер фаворе!», как эта 130-килограммовая корова вдруг кокетливо вильнула своей могучей задницей, извлекла из-под прилавка и электроплитку, и сковородку и уже по своей инициативе украсила омлет замечательным помидором из своего «НЗ».

«Так, может, он и меня гипнотизирует? — думала Елена, глядя на Винсента. — Впрочем, *так* пусть гипнотизирует, — мысленно усмехнулась она, — так я согласна». Но там, в буфете — как она могла так быстро согласиться?

— А что я должна делать с этим маньяком?

— Ничего особенного. Он будет рассказывать тебе свою жизнь, а я буду сидеть за стеной и слушать, я уже почти все понимаю по-русски. А у тебя будут наушники, ты будешь слушать меня и переводить ему мои команды.

— А почему ты сам не можешь давать свои команды?

— Потому что команды нужно отдавать совершенно правильными фразами.

— Но я не могу остаться с ним тет-а-тет! Это маньяк! Убийца!

— Ничего страшного. Я буду за стеной, охранники будут за стеной... — Винсент принюхался к запахам из-за буфетной стойки, повернулся к буфетчице и энергично взмахнул пальцами, взятыми в щепоть. — Белла донна! Брависсимо! Одоре бенне!

Буфетчица покраснела от удовольствия и спросила, нужно ли посыпать омлет перцем и сделать ли Винсенту хлебные тостики.

— Си, синьора! Аморе мия!

Так вот в чем его секрет, мысленно усмехнулась Елена. Никогда в жизни никакой Банионис не сыграет, конечно, такую пылкую любовь к буфетчице за омлет из двух яиц.

— Но почему? — спросила Елена, когда Винсент снова повернулся к ней. — Почему во время работы с этим маньяком ты не можешь сидеть рядом со мной? Ты его сам боишься!

Винсент усмехнулся и снова обратился к буфетчице, которая принесла к их столику омлет, тостики и чай:

— Спасипо, анжело! Милле грацие! E tanto beno! Это очень бьене! Я тепя лублю! Sei piu bella d'un angelo! Ты моя анжело! — И повернулся к Елене, сказал по-итальянски: — Потому, что в кабинете должно быть только два человека: объект и психиатр. И потому, что этот монстр должен привыкнуть только к одному человеку — к тебе.

23

— Господь наслал на них, Египтян, девять казней, одну за другой, но они все не отступали и не отпускали нас из Египта. И тогда опять пришел Моисей к фараону и сказал: так сказал Господь: около полуночи пройду Я посреди Египта. И умрет всякий первенец в земле Египетской, от первенца фараона, который сидеть должен на престоле его, до первенца рабыни, которая за жерновами, и все первородное от скота. И будет вопль великий во всей земле Египетской...

Карен ворвался в мой номер, словно пушечное ядро:

— Все! Они уже в Гамбурге!

— Кто в Гамбурге?

— Ну, московский оркестр! С моей виолончелью! Ты забыл?

— Откуда ты знаешь, что они в Гамбурге?

— Я звонил в Москву! Жена Кости сказала, что сегодня у них последний концерт, и дала мне телефон его отеля. Быстрей! Сколько у тебя денег?

— Триста шиллингов.

— Всего? Блин, куда ты тратишь деньги?!

— На женщин...

— Хорошо, одолжи мне триста! До завтра!

— Я не могу, я должен звонить сестре в Израиль.

— Ну до завтра же! Клянусь! Прошу тебя!

Я нехотя отдал ему деньги:

— Зачем тебе?

— На билет! — сказал он лихорадочно. — Значит, так: я сейчас уезжаю в Зальцбург, повезу Францу свою «кастрюлю». А ты будешь вечером сидеть внизу, в холле, и ждать звонка Кости из Гамбурга. С девяти вечера — ты понял?

— Карен, у меня свидание...

— Какое еще свидание? Ты с ума сошел? Моя виолончель стоит сорок тысяч рублей! Это семьдесят тысяч долларов! Ты понимаешь это?

(9 августа 2001 г.

Телефонный звонок прерывает мою работу, я беру трубку и слышу голос сестры:

— Алло, это ты?

— Я. Здравствуй. Что случилось?

— Ничего не случилось. Полтора месяца назад я морем послала посылку, подарок твоему сыну на день рождения. Вы получили?

— Нет еще... Морем — это всегда долго. Ты бываешь в Иерусалиме?

— Конечно, бываю. Я хочу снять там квартиру.

— Но ты видела, что там произошло вчера?

— А то ж! Конечно, видела!

— И все равно хочешь туда переселиться?

— А где у нас не взрывают? Так я живу тут двадцать два года! Разве я не видела такие взрывы своими глазами? Разве не бежала в Тель-Авиве с рынка, когда там был взрыв? И разве я не бежала как сумасшедшая за автобусом, который горел? Дочка пошла в школу, а через минуту взорвался автобус, которым она всегда ездила в школу, и я бежала как сумасшедшая, и этот автобус горел на моих глазах, и я думала, что она там. А потом оказалось, что на этот автобус она опоздала, она ехала следующим...

Минуту спустя я кладу трубку. Вчера палестинский камикадзе взорвал в Иерусалиме многолюдную пиццерию, там погибли

126

и были ранены почти две сотни человек, и моя сестра запросто могла быть среди них. Я откладываю свой лэптоп и принимаюсь ходить по комнате. Блин, какая тут может быть работа?!

А самое главное — узнав об этом «удачном» взрыве, вся Палестина высыпала на улицы, они стали танцевать и петь от радости. Нет, этим палестинцам просто повезло, что я не Шарон! Потому что, будь я Шароном, я бы в тот же момент приказал долбануть ракетами по всем этим танцующим и поющим!..

Н-да, я положительно не смогу сегодня работать, ну ее на фиг, эту главу про Карена и его виолончель...)

24

— Начинаем расслабление с большого пальца на левой ноге. Палец расслабляется... расслабляется... все больше и больше расслабляется палец... Следующий палец расслабляется...

Как ни странно, она довольно легко освоилась с новой ролью. Может быть, потому, что ее бархатный низкий голос радиодивы действовал на пациента буквально магически.

— Все тело расслабляется и наполняется теплом и покоем... Расслабляются глаза... лоб... язык... Все расслабляется, и вы засыпаете... Вы засыпаете покойным приятным сном, и ничто вас не беспокоит...

И он действительно засыпал — она видела это по его глубокому ровному дыханию.

В кабинете, отведенном им для работы в административном корпусе, было, по требованию Винсента, тепло и уютно. Зарешеченное и заиндевелое снаружи окно было задрапировано, а второе, в соседнюю комнату, окно, за которым дежурили Винсент, профессор Данилов и два охранника, было закрыто зеркалом, прозрачным с той стороны, и вообще в комнате ничто не напоминало больничную обстановку. Здесь, в центре, стояло большое кожаное кресло на манер кресел в первом классе авиасалона — с далеко откидывающейся спинкой, с подушечкой-подголовником и выдвигающейся опорой для ног. На этом кресле лежал Федор Богул, 28-летний ВМС — смертник, убийца, каннибал и вампир, привезенный из Белозерска. Елена медленно, в такт негромкой сублимирующей музыки ходила вокруг него, ее голос был мягок, тих, он обволакивал и внушал:

— Несмотря на то что вы спите, вы можете говорить и отвечать на вопросы. Рядом с вами близкий вам человек, с которым вы можете быть предельно откровенным. Итак, вы спите, вы спите глубоко, спокойно и приятно. Но вы меня слышите... Слышите, верно?

— Да, я вас слышу... — ответил Богул, не открывая глаз.

— Очень хорошо. Ваш сон углубляется, все клетки головного мозга погружаются в сон, ничто не возбуждает гипоталамус... — Теперь Елена уже синхронно переводила слова и команды Винсента, которые звучали в маленьком наушнике, вставленном в ее правое ухо. — Сейчас мы совершим небольшое путешествие в ваше прошлое... Итак, прошлое находится слева от вас, а будущее справа. И мы медленно уходим влево, мы погружаемся в это прошлое все дальше и дальше... Мы уплываем в прошлое... Мы уходим в него все глубже, и вместе с этим погружением отключаются все критические точки мышления, все формы активного сознания... А вот и начало, да, вот оно — год 1950-й, февраль, вы только что родились — 9 февраля... Что вы чувствуете? Расскажите, что вы чувствовали, когда родились?

И вдруг — Елена даже остановилась от изумления: высокий и потому длинно вытянутый в кресле мужчина, взрослый, плохо выбритый, какой-то мосластый, рано лысеющий, с тяжелой челюстью — вдруг этот мужчина искательно зашевелил головой, зачмокал губами, как грудной ребенок в поисках соски или материнской груди, и, не найдя ни того ни другого, заплакал, как младенец, без слез и засучил ногами.

Это было настолько дико и парадоксально, что Елена тут же забыла о своей роли, застыла на месте с открытым ртом, и только жесткий голос в наушнике вывел ее из этого состояния, отрезвил и заставил двинуться дальше, говоря:

— А теперь мы двинемся по линии вашей жизни на несколько лет вперед, но при этом вы уже не будете испытывать те чувства и ощущения, которые испытывали тогда. Вы будете смотреть на себя и события со стороны, как на телеэкране, и рассказывать мне все, что видите. Все, что видите. Итак, год 1960-й, вам десять лет, у вас только что умер любимый пес. Как его звали?

— Памир, — произнес Богул, вновь вытянувшись во всю длину кресла.

— Какой он породы?

— Никакой. Дворовый...

— Большой? Маленький? Какой масти?

— Маленький. Рыжий. Одно ухо черное...

— Вы его хорошо видите?

— Да.

— Отчего он умер?

— Он не умер. Его убили.

— Кто его убил? Он попал под машину?

— Нет...

— А вы видите, кто его убил?

— Да.

— Кто же? Вы сами?

— Нет. Мой отец...

— За что он его убил?

— Ни за что. Отец был пьяный, бил мать, а Памир схватил его за ногу, укусил. Тут отец со всей силы ударил его ботинком, Памир отлетел к стене, завизжал, не мог встать, а отец схватил топор и порубил его.

— Вы видите, как он его рубит топором?

— Да, вижу...

— То есть вам десять лет и вы при этом присутствуете. Что вы делаете?

— Я кричу. Мать меня держит, а я кричу, писаюсь и падаю в обморок.

— А потом?

— Потом я вижу, как я плачу, метлой собираю куски Памира в совок, заворачиваю в газету «Пионерская правда» и несу на кладбище.

— Далеко это кладбище от вашего дома?

— Нет. Четыре квартала и через пустырь.

— Кто-нибудь идет с вами? Мать? Друзья?

— Нет, никто. У меня нет друзей.

— И вы его хороните на кладбище?

— Да.

— А чем вы копаете могилу?

— Совком. Я специально принес из дома.

— И вы видите это место? Видите, где закопали собаку?

— Вижу.

— Где?

— Возле самой ограды, с наружной стороны, под березой...

— Посмотрите вокруг. Кто-нибудь видит, как вы это делаете?

— Нет.

— И никто не знает это место?

— Никто.

— И вы не сделали там никакой зарубки на березе, никакой надписи?

— Нет.

Елена не понимала, зачем Винсент с таким упорством выспрашивает эти подробности, но послушно переводила его вопросы:

— И вы никому не показывали это место, не рассказывали о нем?

— Нет.

— Никогда-никогда? Вы уверены?

— Да, уверен.

— Хорошо. А теперь слушайте меня внимательно. Пристально смотрите на эту могилу вашей собаки и слушайте меня внимательно. *Береза...* — Елена, по приказу Винсента, несильно ударила ребром ладони по ручке кресла, на котором лежал Богул, и повторила: — *Береза...* Сейчас мы берем всю пленку вашей памяти за первые десять лет от момента вашего рождения до гибели вашей собаки и сворачиваем ее так, как сворачивают фотопленку. На этой пленке все горькие эпизоды вашего детства, все обиды, все эпизоды энуреза, мастурбации, избиения отцом вашей матери — все там. Мы свернули эту пленку, вложили в черный футляр, закрыли крышкой и заклеили клейкой лентой. И теперь мы... *береза...* закапываем эту пленку рядом с Памиром, под этой *березой*. Видите? Мы ее закопали. Никто, кроме вас и меня, не знает, где закопана эта пленка, и без меня вы никогда не будете откапывать эту пленку, никогда не будете без меня заглядывать в нее и в свое детство. Вам ясно? *Памир!* — произнесла Елена, как заклинание, и снова несильно, но жестко, ребром ладони ударила по ручке кресла. — *Памир...* А теперь идем дальше... — Ее голос смягчился. — Откручиваем пленку еще на десять лет. Год 1970-й. Самое первое убийство. Как это случилось? Повторяю: вы не испытываете тех чувств, которые испытывали тогда, вы просто смотрите со стороны на то, как это произошло, и рассказываете мне, потому что я самый близкий вам человек. Что тогда случилось? Вы видите?

— Вижу... Ее зовут Рената. Такое странное имя. Может быть, она его себе придумала. Но она говорит, что она татарка и это татарское имя. Она приходит ко мне сама, когда хочет потрахаться. Только за этим. Она приходит, требует выпить — я всегда должен держать для нее бутылку кагора. Она не разрешает ни целовать себя, ни ласкать, ничего. Если я начинаю что-то рассказывать, она перебивает, не слушает. Выпьет на кухне бутылку кагора, встает, идет в комнату и ложится на диван. Я должен сам ее раздевать и трахать, она лежит колодой и ждет, когда я сам все сделаю. А в этот раз она пришла уже выпившая и сразу легла на диван, говорит: «Давай! Работай!» Я ее раздеваю и вижу у нее на ляжках синяки — пять синяков, как от пальцев. Я понял, что кто-то ее только что трахал, но не удовлетворил, вот она и пришла добрать кайфа. Я ложусь на нее, но у меня ничего не получается. Она начинает надо мной издеваться, смеяться. Я объясняю, почему у меня не получается, говорю: «Ты только что с другим трахалась, мне это неприятно, поэтому у меня не получается. Помоги мне». А она еще больше издевается: «Да ты вообще импотент! Мне подруга говорила, что ты к ним в больницу приходил, говорил, что у тебя член гниет. Неужели я буду твой гнилой член сосать?» Тут я разозлился, говорю: «Будешь!» Она говорит: «Не буду!» Я взял нож, приставил ей к лицу, говорю: «Будешь! Выбирай: нож или...» А она смеется: «Да у тебя и член гнилой, и нож ржавый!» И ногой меня в пах — хрясть! Да так, что я отлетел к стенке. Ну и тут мне в голову голос — мой голос, меня самого, десятилетнего: «Поруби ее!» Ясно так: «Поруби ее!» А я этого голоса никогда не мог ослушаться — ни в тот момент, ни потом в других случаях. Я вышел на кухню, взял топорик-секач, вернулся, а она уже сидит, чулки натягивает. Ну, я ее сразу — по голове. Но по темени не попал, попал по уху и в шею. Зато со всей силы, так, что кости хрустнули. Ну а дальше уже автоматом пошло — она на пол упала, дергается и хрипит, а я бью. Она хрипит, а я бью... Чувствую, что еще больше зверею и что у меня идет сексуальное возбуждение — ну так стоит, аж звенит!.. И когда она успокоилась, я уже кончил. И вижу, что порубил ее на части — руки отдельно, ноги отдельно, голову тоже. Кровищи из нее много вытекло, вся комната в кровище. Я в этой кровище поскользнулся, упал, палец вывихнул. Потом сажусь на пол, начинаю ее складывать, но по-разному, в разные композиции — ноги к голове, руки к заднице. Сижу так в ее кровище и чувствую, что снова возбуждаюсь. Думаю: это, конечно, от запаха крови — не от ее же обрубков! Я читал про такое, кровь кого хочешь возбуждает — что зверя, что человека. И тут я понимаю, что нашел средство, что теперь мой член никогда гнить не будет. Я взял ее голову за волосы, поднял, поцеловал в губы и сказал: «За это я тебя люблю!» И я правда ее люблю, ее одну, самую первую. Вы мне верите?

— Верю. Голос... — Елена ребром ладони несильно стукнула по ручке кресла. — *Голос...* Он отдал приказ, и вы не могли ослушаться. *Голос...* — И Елена ребром ладони опять несильно стукнула по ручке кресла. — А теперь мы берем всю эту пленку памяти, за все десять лет от похорон Памира до этого случая, сворачиваем туго-туго и снова закапываем в наше секретное место под березой на кладбище. Под *березой...* И больше никогда — никогда-никогда! — ни при каких обстоятельствах вы без меня к этому месту не приближаетесь, и никто, ни один врач, психиатр или гипнотизер, не сумеет подвести вас к этому месту. И без меня — никто и нигде в мире, ни в России, ни вообще, — не сможет открыть эти коробки с пленкой, потому что они открываются только моим голосом и словами *«береза», «Памир», «голос».* — И Елена снова несильным ударом ребра ладони стукнула по ручке кресла, в котором лежал Богул, отметила каждое из этих слов. — Это наш с вами секретный код замка: *береза—Памир—голос!*

25

— *...И было в полночь: Господь поразил всякого первенца в земле Египетской, от первенца фараона, который сидеть должен на престоле его, до первенца пленников, которые в темнице, и все первородное от скота. И встал фараон ночью сам и все рабы его и все* *египтяне, и был вопль великий в Египте, ибо не было дома, где не было бы мертвеца. И призвал он Моисея и Аарона ночью и сказал: встаньте, выйдите из среды народа моего, и вы, и сыны Израилевы. И мелкий, и крупный скот ваш возьмите и пойдите; благословите также меня...*

Дорогая Белла! После десяти дней пребывания в Вене у меня возникло такое чувство, словно я, не умея плавать, а только надеясь на законы физики, нырнул в океан и ухожу все глубже и глубже. Но еще есть воздух в легких, и я смотрю вокруг с любопытством и жду — когда же меня начнет выталкивать наверх? Однако помаленьку уже появляются робость и страх — а если не начнет выталкивать, если тут этот закон не действует?

Но я продолжаю ходить на Sudbahnhof, то есть на вокзал, куда прибывают поезда с эмигрантами, и по пансионам ХИАСа — смотрю, слушаю, разговариваю с людьми. Гриншпуты уже укатили в Италию, а их умирающего от лейкемии сына самолетом отправили в Бостон — Дэвид Харрис нашел там какого-то благотворителя, который взялся оплатить его лечение. Гриша — еврейский Левша с женой и девчонками, Валера Хасин с женой — у них в Шереметьево отняли серебряные вилки — тоже уехали. Кажется, в Италию уже отправили всех, с кем мы летели в Вену, а меня все держат — не знаю уж почему...

Вчера с Кареном были в «Данау», искали Лину — помнишь ее, простуженную, в самолете? Я хотел познакомить с ней Карена, своего нового приятеля, чтобы хоть как-то поддержать его в его горе. Он совершенно убит тем, что с ним тут случилось. Ты наверняка удивлялась, почему я долго вам не звоню. Теперь объясню. Эмигранты сказали мне, что звонок в Израиль стоит бешеных денег — 500 шиллингов, и я стал копить деньги на этот звонок, собирая получаемое в «Сохнуте» пособие. И почти собрал эту сумму, когда Карен занял у меня все деньги на свою поездку в Зальцбург, куда он отвез австрийским джазистам Францу и Ингрид свою советскую виолончель-«кастрюлю». А Франц и Ингрид тут же помчались с этой «кастрюлей» в Гамбург, где проходило последнее выступление Московского государственного симфонического оркестра. Одним из оркестрантов был Костя Жарков, друг

133

Карена, прибывший сюда с виолончелью Карена стоимостью 70 тысяч долларов (ее, как нам Асину скрипку, не разрешили вывезти). После концерта, в отеле, перед отбытием в Москву, Костя должен был позвонить мне в отель, а я из своего венского отеля должен был по телефону координировать этот обмен — сказать Францу, когда ему зайти в номер Кости за виолончелью Карена.

И вот я сидел весь вечер внизу, у портье, возле телефона, но — никакого звонка из Гамбурга!

Дважды звонил мне Карен из Зальцбурга, проверял, дежурю ли я у телефона, а потом и Франц позвонил из Гамбурга — уже полночь, что ему делать?

И тогда я сам позвонил в Гамбург, в этот отель «Хайат» (30 шиллингов), и на моем «прекрасном» английском попросил портье соединить меня с герром Жарковым. Убедившись, что говорю с этим Костей и что он один в номере, уже по-русски сказал ему, что Франц с «кастрюлей» ждет его по соседству, в номере 47. А в ответ услышал такой русский мат, какой слышал только в Салехарде, в лагере полосатиков.

Можешь представить состояние Карена в Зальцбурге, в квартире Франца, где он, худея от нетерпения, ждал свою вожделенную виолончель, когда я позвонил ему и сказал, что его друг послал на хутор и меня, и его? И можешь представить себе лица Франца и Ингрид, когда на следующее утро на их глазах советские музыканты, отправляясь из отеля в аэропорт, грузили в автобус свои чемоданы и инструменты, и этот Жарков пронес мимо них в автобус виолончель Карена стоимостью 70 тысяч долларов!

Карен вернулся в Вену черный от горя. Играть на советской «кастрюле» при поступлении на работу в какой-нибудь американский оркестр — это все равно, объяснил он мне, что гудеть в лужу. Все его мечты, вся его армянская изобретательность с вывозом своей замечательной виолончели, на которой он собирался играть в «Карнеги-холл», Линкольн-центре и на других знаменитых сценах, и все его жертвы — даже фиктивный брак ради израильского вызова — все пошло прахом! Глядя на него, я боялся, что он двинется умом, выпрыгнет из окна, повесится.

И тогда мне пришло в голову познакомить его с Линой и ее сестрой Раей — как-никак молодые симпатичные одинокие еврейки, мало ли что у них может выйти...

Но дальше вестибюля в «Данау» нас не пустили. Юный портье из эмигрантов хамским тоном советского постового сказал:

— А вы куда?

И тут мы увидели на стекле его конторки штук пять русских объявлений, начинающихся со слов «Категорически запрещается!». Категорически запрещалось все — шуметь, приглашать посторонних в гости, готовить в номерах, стирать в умывальниках, сушить белье на батареях, пользоваться электроприборами. Но самое милое объявление гласило: «Отель закрывается в 21 час до 8 утра». О, этот замечательный портье-эмигрант! Как должна была потрудиться советская власть над генами твоих вольнолюбивых предков, чтобы ты, сука, даже выехав за границу, начал тут, не раздумывая, жизнь со слов «категорически запрещается»!..

Но слава Богу, из-за этой истории со звонками в Гамбург и Зальцбург я узнал, сколько на самом деле стоят телефонные разговоры, и нашел вас, нашел! Оказывается, пятиминутный разговор с Израилем стоит не 500 шиллингов, а 250 (а я, честно говоря, боялся подойти к телефону!). И я решился на эту роскошь: в конце концов, 250 шиллингов — это половина того, что нам позволили вывезти из СССР, такую трату я могу пережить, я тут так разжирел на дешевой курятине, что проживу пару дней и на овсянке — big deal! И вообще, мы все, конечно, приехали сюда «с голодного края», но там, дома, я как-то не обращал на еду внимания — ну, поел дома вареной картошки с капустой или перехватил на бегу булку в булочной и побежал дальше дела делать. А тут какое-то постоянное обжорство из страха проголодаться в городе. И этот страх, это постоянное прислушивание к своей утробе вызывают, наверное, у желудка встречную реакцию — первые дни я постоянно хотел есть, и каждое кафе, в которое я, конечно, не имею права зайти, чтобы не разориться, — каждое венское кафе напоминало о еде и дразнило. Но теперь мне плевать, мне уже осточертело постоянно думать о своих продовольственных припасах и вычислять, что нужно купить, чтобы не оказаться без продуктов на субботу и воскресенье, когда закрыты все магазины. Теперь я перехожу на размоченную овсянку, это куда полезней курятины...

Короче, я пошел на почту, заказал Израиль, вызвонил Тель-Авивскую консерваторию и узнал, что Феликс Андриевский улетел в Лондон профессором школы Иегуды Менухина, но с Асей уже начал заниматься его ассистент — и у вас все в порядке, Асе даже светит стипендия, и вы в лучшем ульпане, Бейт-Бродетски, куда селят только крупных ученых и знаменитых еврейских активистов, вырвавшихся из советских лагерей. «У них даже своя комната!» — сказали мне в консерватории и дали адрес и телефон этого пансионата. Конечно, я тут же заказал второй разговор, с Бейт-Бродетски, но вас не было дома, вы куда-то ушли...

Белла, я так хочу услышать твой голос, и даже не столько голос, сколько дыхание! Если ты дышишь, а не хрипишь, то у меня просто камень с сердца, потому что в этом случае — все правильно, мы сделали правильно, ведь здесь зима, холод и сырость...

Но я боюсь загадывать, боюсь загадывать...

Асенька, ромашка моя! Как ты там? Наверное, вам с мамой сейчас очень трудно — ведь мама тоже должна учиться говорить на иврите. Помнишь, вы мне обещали, что в Израиле будете по утрам делать зарядку и дыхательную гимнастику? Обещали, правда? И что? Делаете? Пожалуйста, теперь, кроме тебя, Ася, некому смотреть за твоей мамой, так что поручаю тебе быть ей вместо меня братом и следить, чтобы она делала зарядку вместе с тобой. Ол райт?

И пожалуйста, запомни крепко-крепко: если ты хочешь, чтобы мы поскорей были все вместе, ты должна много-много заниматься музыкой, чтобы очень скоро поехать с концертами в Америку. Тогда я куплю билет в первый ряд, и ты увидишь меня со сцены и пошлешь мне воздушный поцелуй — договорились?

P.S. Хорошо, что вчера не успел отправить это письмо. Сегодня в ХИАСе с утра вывесили списки завтрашнего отъезда в Рим. Моя фамилия в списке. Теперь я буду звонить вам уже из Рима. Шолом!..

26

«...С двадцати одного года испытуемый Ф. Богул несколько раз знакомился с женщинами, пытался ухаживать за ними, покупал им цветы, стремился понравиться, но, натолкнувшись на отказ, приходил в ярость и после команды голоса десятилетнего Я совершал убийство с помощью ножа или топорика. В ходе убийства кусал свои жертвы, сосал и пил их кровь, от чего испытывал *сильное сексуальное возбуждение, которое заканчивалось эякуляцией. Стал искать этому «научное» объяснение, в поисках книг по вампиризму и каннибализму посещал библиотеку и букинистические магазины. В результате нашел подтверждение своему «открытию» в книге «Черная магия» издания 1877 года, где говорилось, что кровь невинных девочек излечивает импотенцию, а кровь мальчиков дает жизненную энергию и способствует омоложению. После этого в фантазиях пил кровь из прокушенного предплечья мальчика и представлял себе насильственную фелляцию и анальный коитус с ним. Затем стал ходить по улицам, искать одиноких мальчиков и девочек. Когда находил, хватал за руку, угрожал ножом, запугивал, затаскивал в подвал или на чердак, где при свете фонарика заставлял их «выбирать» — тянуть спички — наказание за то, что они бродяжничают, в одиночку ходят по улицам: удары по ягодицам, фелляцию или анальный коитус. По ходу исполнения наказания старался привести себя в сексуальное возбуждение, но добиться эрекции не мог и — подчиняясь голосу своего десятилетнего Я — связывал жертву, прокусывал ей или ему предплечье или шею, сосал кровь, возбуждался, насиловал жертвы живыми и мертвыми...*

В конце сеанса гипнотического сеггустивного программирования возбуждение и вампирический позыв испытуемого методом якорения привязаны к слову «бамбино» и зарыты с предыдущими «пленками» памяти...»

Записывая этот текст по-итальянски, Елена уже не испытывала того потрясения и эмоционального шока, как во время гипнотического сеанса, когда Богул во всех подробностях описывал ей, как «близкому другу», эти ужасающие картины. Теперь, когда она знала технологию создания ретроградной амнезии и деактивации памяти, она после каждого сеанса сама просила Винсента побыстрее избавить ее от этих впечатлений, но он требовал подробной и письменной регистрации работы — для своей будущей книги. И, сидя над этими отчетами, Елена старалась найти точные формулировки всему, что услышала во время сеанса, уставая от этого ничуть не меньше, чем от работы с Богулом, и чувствуя при этом, что если впечатления от его рассказов можно свернуть в трубочку, как кинопленку, и закопать от себя и от других, то ее собственные формулировки и тексты откладываются в ее сознании на каком-то другом уровне, который не поддается деактивации. Подавить их с помощью внушения, вытеснить в «долгий ящик», в «подпамять», пожалуй, можно. Но деактивировать, стереть целиком — нет, это не под силу даже Винсенту, с этим грузом ей придется теперь жить всегда.

Она подняла глаза и посмотрела на себя в зеркало. Это зеркало всегда беспокоило ее во время писания отчетов, она никогда не знала, смотрит из-за него кто-нибудь на нее или нет. Обычно, чтобы дать ей сосредоточиться, Винсент сразу после сеанса уходил в кабинет Данилова или к Морозову, директору института. Он уже довольно сносно говорил по-русски и мог обходиться без нее, во всяком случае — для бытового общения. Но она никогда не знала, в какую минуту он вернется или — возможно — уже давно вернулся и стоит за этим зеркалом, гипнотизируя и ее. Кто она ему? Любовница? Но она же видит, как он поглядывает на женщин в ресторанах, в Большом театре и даже на улицах. Ассистентка? Но почему он так быстро выдвинул ее впереди себя, почему так старательно и даже, как говорят итальянцы, «ультимативно» избегает встречи с Богулом? А может быть, она и сама тут подопытная и объект внушения? В конце концов, это же *Институт* психиатрии, здесь, если верить Би-би-си и другим «голосам», с людьми проводят и не такие опыты, здесь ломали психику даже генералу Григоренко*. А вчера она и сама видела, как в ворота института вкатил черный «во-

---

* Григоренко Петр Григорьевич, генерал-майор и правозащитник, объявленный в 1969 году сумасшедшим. Его судьба достойна не примечания или сноски в моем романе, а отдельной книги и фильма. Боевой генерал, награжденный орденом Ленина, двумя орденами Красного Знамени, орденом Красной Звезды и орденом Отечественной войны, член КПСС и заведующий кафедрой кибернетики Военной академии имени Фрунзе, с 1961 года стал публично выступать против создания культа Хрущева и организовал «Союз борьбы за возрождение ленинизма», за что был лишен всех званий и отправлен в Ленинградскую спецпсихбольницу. После этого работал грузчиком на товарной ж.-д. станции, принимал активное участие в правозащитном движении. За протест против избиения демонстрации крымских татар и призыв к выводу советских войск из Чехословакии был повторно арестован в мае 1969 года и доставлен в Институт судебной психиатрии имени проф. Сербского. Здесь экспертная комиссия в составе директора института, члена-корреспондента АМН СССР Г.В. Морозова, заведующего отделением по диагностике доктора и полковника КГБ профессора Даниила Романовича Лунца и аноним-

рон» и пятеро здоровенных мужиков — санитаров и милиционеров — буквально вышвырнули из кузова полузамерзшего парня в серой смирительной рубашке...

Дверь в комнату распахнулась, Винсент вошел стремительно, у него было недовольное лицо.

— Come va? Ну что? — спросил он резко и без своей обычной веселой обаятельности. — Ты закончила?

— Почти...

— Не важно. На сегодня хватит. Я вижу, что ты устала. Ложись в кресло, я с тобой поработаю, избавлю тебя от этих ужасов.

— Мне осталось совсем немного — резюме, выводы...

— Выводы я сделаю сам, в Риме. Вы, женщины, куда впечатлительней мужчин. То, что для нас маленький ушиб, для вас как удар бревном. — И, стоя позади нее, он наложил ей руки на голову. — Пошли. Вставай...

Она ощутила, что не может сопротивляться — какая-то сила разом, как мягкой подушкой, объяла ей череп, закрыла глаза и вошла в тело, поднимая ее со стула и ведя к креслу, где так удобно лечь, расслабиться, вытянуться и заснуть под негромкий голос Винсента:

— Твое тело расслабляется... Все глубже и глубже расслабление...

ного представителя ЦК КПСС поставила Григоренко диагноз «параноидная шизофрения». С этим диагнозом генерал был отправлен в психиатрическую больницу в г. Черняховске, одну из многих спецбольниц КГБ, где диссидентов (Наталью Горбаневскую, Валерию Новодворскую, Владимира Гершуни, Ольгу Йофе, Ивана Яхимовича, В. Никитенко, А. Статкявичуса, А. Кекилову и сотни других) подвергали принудительному лечению аминазином, сульфазином, барбатулитом, резерпином и прочими психотропными средствами, разрушающими здоровье и психику. (Аминазин вызывает депрессию, шоковую реакцию и может привести к разрушению памяти, кожным заболеваниям и потере контроля над двигательным аппаратом. Сульфазин поднимает температуру тела до 40 градусов и вызывает повреждения мозга...)

7 января 1971 года в Черняховской психбольнице Григоренко был подвергнут еще одному обследованию.

«Петр Григорьевич, изменили ли вы ваши убеждения?» — спросил психиатр.

«Убеждения — не перчатки, их нельзя так просто менять», — ответил генерал.

27

> *— И двинулись сыны Израилевы из Раамсеса и Суккота, до шестисот тысяч пеших мужчин, кроме детей. И также многочисленная орава вышла с ними, и мелкий и крупный скот, стадо весьма большое...*

Это был готовый эпизод для фильма: вечерний и продуваемый морозным ветром венский вокзал Сюдбанхоф и орда наших эмигрантов на сером перроне в окружении австрийских автоматчиков с немецкими овчарками. Да, в двадцатом веке, в 1979 году, то есть на 5740 году еврейской истории, — мы снова в загоне, под охраной немецких овчарок и автоматов! И хотя теперь они были тут для того, чтобы защищать нас от арабских террористов, ощущение от их короткоствольных автоматов, их

Григоренко провел в гэбэшных психушках около пяти лет и в 1977 году был выслан из СССР. В эмиграции написал замечательную книгу «В подполье можно встретить только крыс...». Умер в Нью-Йорке в 1987 году.

Сегодня, когда я пишу эти строки, я поражаюсь, как мало мы знали в семидесятые годы о том, что происходило у нас под носом и что могло случиться с каждым из нас в любую минуту на любой социальной ступеньке нашей советской жизни. Мы гуляли с девушками по улицам, пили пиво, болели на стадионах за «Спартак», парились в банях, рассказывали анекдоты про Чапаева, смеялись над китайскими хунвейбинами и смотрели по телевизору «Семнадцать мгновений весны», а рядом с нами, буквально рядом — в Москве, в Белых Столбах, в Ленинграде, Казани, Минске, Днепропетровске, Орле, Полтаве, Киеве и в десятках других городов — за заборами психбольниц тысячи людей (тысячи — это не преувеличение!) месяцами и даже годами подвергались избиениям, их пытали мокрыми смирительными рубашками и истребляли аминазином, сульфазином, барбатулитом и резерпином только за то, что они посмели вслух заявить о своих гражданских правах...

Как Татьяна К-ва, с которой я в юности работал в «Комсомольской правде» и которая написала уже три теплые рецензии на мои книги, — как сказала Таня, прочитав мой роман «Любожид»: «Неужели так было? Неужели у нас был антисемитизм? Я этого совершенно не замечала!»...

Но еще больше поражает (или, как теперь говорят, достает) меня наша нынешняя индифферентность к прошлому. Ладно, думаю я, лающего немецкого и их молчаливых овчарок на стальных ошейниках было знобящим. К тому же и наши вели себя как мешочники 42-го года при штурме поездов — выхватывали из тележек с багажом свои чемоданы и сломя голову тащили их в четыре последних вагона, отведенных для нашего брата-эмигранта. Тут женщины и дети стремительно бросались в вагоны захватывать купе, а мужчины забрасывали им чемоданы и баулы через окна, чтобы опередить других, менее расторопных. Крик, мат, чуть не драки из-за купе, хотя ехать-то до Рима всего одну ночь. Дэвид Харрис и еще несколько ребят из ХИАСа бессильно отошли в сторону, горестно наблюдая за этим остервенелым варварством. *«Евреи — лучшая кровь!»* Я подошел к Дэвиду, мы посмотрели друг другу в глаза.

— Well... — сказал он. — It's okay. Good luck to you in USA*.

— Thank you. — И я потащил в вагон свой чемодан и пишмашинку, полагая, что ночевать мне придется где-нибудь в тамбуре, на полу, в своем туристическом спальном мешке.

пусть тогда КГБ и ЦК КПСС, обладая феноменальными ресурсами и тотальной властью, выстроили гигантскую систему заключения всех диссидентов, правозащитников и просто критически мыслящих людей не только в лагеря, но и — без всякого суда (разве можно судить психически больных людей?) — в психические больницы. Но почему теперь нет экскурсий по местам этой «боевой славы» КПСС и КГБ? Почему изо всех этих лагерей, зон, тюрем, «крыток» и спецпсихбольниц для политических музеем стал лишь один лагерь — где-то, насколько я помню, под Вологдой? Да и то стараниями не новой демократической власти, а местного школьного учителя, которому новые власти постоянно отказывают в финансовой помощи.

И почему все телеканалы, даже самые свободомыслящие, демократические и независимые, тратя миллионы долларов на «Марш Турецкого», «Каменскую» и прочую муру, не сделали ни одного фильма о диссидентах — Буковском, Григоренко, Якире, Красине, Галанскове, Есенине-Вольпине, Жоресе Медведеве, Марченко, Амальрике? Почему государственное телевидение — ВГТРК, ОРТ и прочие — с такой же щедростью тратит деньги на телесериалы о бандитах, с какой раньше коммунисты финансировали фильмы о Котовском, Камо, Красине, я уж не говорю о Сталине и Ленине? Когда-то, на заре советской власти, Сергей Герасимов по заказу Госкино СССР снял первый советский блокбастер «Семеро смелых». Почему бы сегодня, на заре демократии, министерству культуры новой России не сделать новый фильм «Семеро смелых» — о судьбах Ларисы Богораз, Павла

* Ладно... Это ничего. Успехов в США.

Но оказалось, что все эти бои за места были совершенно зряшными — Харрис, что ли, постарался? — на каждую семью вышло по отдельному купе, а после того как все разместились, остались даже лишние. Одно из них я и занял и вышел в коридор посмотреть, с кем теперь свела меня эта эмигрантская дорога. И вдруг... каким-то боковым зрением, просто краем глаза я засек бегущую по перрону фигуру. Сильвия? Не может быть! Я ринулся из вагона и увидел, как она, удаляясь от меня, бежит все дальше по перрону, заглядывая в окна вагонов.

— Сильвия!!!

Она развернулась по дуге, словно утка на плаву, побежала ко мне, и...

Вся эмиграция, весь поезд, ехавший в тот день из Вены в Рим, был свидетелем того, как эта польская Кармен с алым ртом, огромными черными глазами и распущенными волосами целовала меня и прижималась ко мне в своем сером тоненьком демисезонном пальтишке прямо при всех — при эмигрантах, торчащих в окнах вагона, при американце Дэвиде Харрисе и его сотрудниках, при австрийских полицейских в их зеленых бронежилетах и с израильскими автоматами «узи» наперевес и при немецких сторожевых овчарках.

— Я буду чэкать на тебэ...

— Пошли! — Я схватил ее за руку и потащил в вагон.

— Куда?

Литвинова, Константина Бабицкого, Натальи Горбаневской, Владимира Дремлюги, Виктора Файнберга и Вадима Делоне, которые в полдень 25 августа 1968 года вышли на Красную площадь с плакатами протеста против оккупации Чехословакии? Они простояли со своими самодельными плакатиками меньше минуты, а затем Горбаневская и Файнберг (с выбитыми зубами) оказались в психушке, остальные получили сроки...

Сегодня в Вашингтоне генерал КГБ Калугин водит экскурсии по «шпионским местам» — тайникам и явкам агентов КГБ и ГРУ, которых он сам и его гэбэшные и гэрэушные коллеги засылали в Америку.

Так почему бы генералу Филиппу Денисовичу Бобкову, бывшему начальнику Пятого (политического) управления КГБ СССР, занимавшемуся арестами и изоляцией всех вышеназванных правозащитников и еще тысяч и тысяч неназванных, — почему бы ему не стать экскурсоводом по подчиненным ему когда-то тюрьмам и спецпсихбольницам?..

Впрочем, извини, читатель. Ты ждешь от меня не публицистики, а развлекательного чтения и интригующего сюжета. И потому продолжаю...

142

— Я хочу тебе что-то подарить. У меня в чемодане. Пошли...

Я еще не знал, что я ей подарю, но что-то я должен был ей оставить — хоть свитер свой! Конечно, свитер! У нее под худеньким пальто лишь тонкая кофточка...

Но когда я откинул крышку чемодана и лихорадочно сунул руку в его глубину за свитером, я вдруг услышал, как лязгнула за мной дверь купе, клацнула дверная защелка, и тут же руки Сильвии с силой стянули с меня мое дубовое монгольское кожаное пальто, а за ним и поясной ремень...

И только в этот момент я понял и поверил, что она меня — любит!

Но как!

Это был не секс, это был один миллионнократный поцелуй, который покрыл все мое тело и поглотил мою плоть.

Это было остервенение ласки и страсти, любви и темперамента.

Это было полное соитие двух наших таких разных, таких полярных сутей и тел!

Это были какие-то странные, немыслимые слова сразу на всех языках:

— Я тебе кохам!..

— Я приеду к тебе!..

— Ни, я до тебе пшияду!..

— I love you!..

— Я буду чэкать на тебэ!..

Стук в дверь привел нас в себя.

— Мистер Плоткин, поезд отправляется!

Но и одеваясь, она плакала и обещала:

— Я пшияду до тебе! Я хцем быть з тобою!..

Мы были в свободном мире, но мы еще не были свободны — в ее польском паспорте стояла шестимесячная рабочая австрийская виза, а у меня, кроме зеленой бумажки советской выездной визы, не было вообще никаких документов. Приколотые к нашим визам, мы могли быть вместе только до того мига, когда поезд тронулся, и Сильвия — растягивая этот прощальный миг — все шла и шла рядом с подножкой вагона, не отпуская моей руки...

Совсем как в этом проклятом кинематографе, который часто правдивее жизни.

Чья-то рука тронула меня за плечо, и я оглянулся. Маша, юная и прелестная фиктивная жена Наума и возлюбленная эстонца Клауса, который тоже выехал по фиктивному браку и жил теперь с Машей в нашем отеле «Франценсгоф», стояла в тамбуре с узким синим конвертом в руке.

— Вы Плоткин? — спросила она.

— Да...

— Мы последними уезжали из отеля, когда принесли почту. Это вам. Из Израиля.

Я взял письмо и тут же высунулся во все еще открытую дверь вагона. Но, даже высунувшись, я уже не увидел ни перрона, ни Сильвии.

28

Яша Пильщик никак не мог понять, за что его взяли. Он не писал писем в ООН, израильскому правительству или лично Леониду Ильичу Брежневу. Он не ходил на демонстрации еврейских активистов к ОВИРу, не участвовал в сионистских «сборищах» и не так уж громко включал по ночам «Голос Америки», чтобы на него могли настучать соседи. Недоучившись в скучнейшем Институте пищевой промышленности, он работал простым радиотехником в мастерской по ремонту радиоаппаратуры на Хорошевском шоссе, когда Изя Видгопольский, его дружок и одноклассник, вдруг прислал ему израильский вызов, и Яша подумал: «А почему нет? Что мы теряем?» Но, как человек вдумчивый, Яша не любил принимать решений с кондачка и для начала отправился на разведку в синагогу.

Московская синагога на улице Архипова сейчас представляет собой довольно тихое место даже во время еврейских праздников. Ну, собирается сотня-другая евреев и молятся тихими голосами, по-голубиному раскачивая головами взад и вперед. Но в том 1979 году московская синагога была единственным в СССР местом, где евреи имели право собираться *публично* и именно как *евреи*, а потому и синагога, и особенно прилегающий к ней покатый квартал улицы Архипова стали еврейским Гайд-парком, клубом и местом закваски всех и всяческих слухов, анекдотов и новостей. Здесь постоянно роился улей ужасно энергичных, оживленных, нервных, вздрюченных мужчин и женщин, которые разговаривали между собой старательно приглушенными голосами, но при этом отчаянно жестикулировали и постоянно оглядывались по сторонам. Они составляли какие-то списки, обменивались «совершенно достоверными» сведениями «оттуда» (палец кверху), диктовали новичкам, что нужно «для венского чемодана», что «для римского» и что пропускают на Брестской таможне, а что в Шереметьево. Они знали, какое пособие «на подъем» дают семейным в голландском посольстве, сколько отказов было в прошлом месяце и сколько будет в следующем. И самое главное, они совершенно точно знали, когда прекратится эмиграция. «Осталось максимум три месяца! Это предел! Потом, перед Олимпиадой, все закроют! Кто сейчас не подал — все, застрянет на три года! А если Брежнев отдаст концы, то вообще крышка! Вы что думаете — Романов или Андропов будут евреев выпускать? Сейчас! В другую сторону!»...

Постояв на Архипова всего с полчаса, Яша заразился этой лихорадкой. И действительно, что тянуть? Чего ждать? Ехать — так ехать!

Правда, было два обстоятельства. Первое — родители. Отец, конечно, потеряет работу, у него секретность, он работает инженером по технике безопасности Казанской железной дороги и, таким образом, знает точные координаты всех железнодорожных мостов от Москвы до Волги. Почему в эпоху космической фотосъемки эти координаты продолжают оставаться государственным секретом и почему на всех географических картах, выпускаемых в СССР, координаты всех мостов, железных дорог и аэродромов по-прежнему, как в эпоху Сталина, смещены, это, как говорится, «другой вопрос». К тому же отец и сам его подталкивает к отъезду — «езжай, пока не женился, только скажи мне, как решишь, чтобы я успел с работы уволиться...». А вот второе обстоятельство было куда щепетильнее, и Яша, сколько ни прислушивался к разговорам в толпе, все никак не мог найти ответ на мучивший его вопрос. Наконец, не выдержав, он изловил, как ему казалось, подходящий момент и обратился к старому бородатому еврею — синагогальному служке, который торчал в двери синагоги, не принимая участия в общих разговорах.

— Извините, вы не скажете, как мне найти резника?

— Что? — Еврей приложил ладонь к своему волосатому уху, и Яша тут же пожалел, что выбрал этого глухаря.

Но делать было нечего, и он сказал чуть громче:

— Резник. Я ищу резника...

— Обрезание? — переспросил старик.

И тут же от толпы повернулась к ним женщина с заостренным лицом и категорическим тоном объявила:

— Без обрезания в Америку не пускают! Только в Израиль! Там делают обрезание прямо в аэропорту за счет «Сохнута». А «прямиков» проверяют на обрезание в Вене и отсеивают необрезанных как гоев...

Яша ужасно покраснел, но тут старик служка взял его за руку и завел в синагогу.

— Адрес, — сказал он.

— Какой адрес? — не понял Яша.

— Твой адрес. Домашний. Для резника.

— Нет, я это... я еще не решил... — стушевался Яша.

— А что тут решать? Что у тебя — на носу не написано, что ты аид? Как отца звать?

— Аркадий.

— Это по-советски. А по-нашему?

— Аарон...

— Так. Обрезан?

— Конечно.

— А мать как звать?

— Римма...

— А при рождении ее как назвали?

— Ривка.

— Ну, видишь! Ты же чистый аид! Говори адрес, не бойся.

Яша назвал свой адрес и телефон, и через два дня, вечером, к ним действительно пришел резник — толстый лысый еврей с длинными завитыми бакенбардами, огромной рыжей бородой и одетый во все черное — черный костюм, черная широкополая шляпа и черные туфли. В руке у него был черный чемоданчик с медицинскими инструментами, тфелином, Торой и молитвенником. Яша впервые в жизни увидел хасида — у него оказались пухлые конопатые руки, веселые командные интонации и высокий громкий голос: отцу он приказал читать по молитвеннику «Шма, Израэл!», мать выставил из комнаты на кухню, Яше намотал на лоб и на левую руку черные кожаные ремешки тфелина, а когда Яша спросил: «Что это — общий наркоз?», звучно рассмеялся и велел повторять за ним непонятные слова: «Барух... Ата... Адонай... Элохейну...»

Яша послушно повторял, не теряя надежды на наркоз.

Но наркоза не было — ни общего, ни местного. «Ты что? Неужели можно колоть в *такое* место?!» — возмутился хасид, а вместо общего наркоза налил Яше бокал красного вина, приказал выпить и лечь в кровать. Потом долго мыл руки, скороговоркой прочел, закрыв глаза, какую-то молитву и...

Когда все было кончено, забинтовано и боль чуть-чуть отошла, Яша услышал, как хасид поздравляет родителей и говорит, что дней пять Яша ходить не сможет, придется полежать в постели. «Пять дней! — испугался Яша. — А кто же мне даст больничный? Что ж ты раньше не сказал?»

Он хотел возмутиться вслух, но боль в паху была еще такой, что сил на возмущение не было.

А на шестой день, когда он снял бинты и уже стал ходить по комнате, испытывая при каждом шаге боль от трения заживающей кожицы о штаны, за ним приехали сразу три санитара, врач и два милиционера. Они вломились в квартиру так, словно должны были брать медвежатника или вооруженного бандита. «Стоять! К стенке! Руки за голову!» — закричали они родителям, а на Яшу стали натягивать смирительную рубашку.

— Минуту! В чем дело? За что? — начал вырываться Яша.

— Молчать! Мы органы власти! За сопротивление властям!..

Скрутив ему руки длинными рукавами смирительной рубахи, они выволокли Яшу на улицу и сунули в «стакан» арестантского черного «ворона». В «стакане» было тесно, темно, морозно. Машина тут же тронулась, и от тряски тело стало биться о стальные ледяные стенки, а выхлопные газы, которые задувало сквозь щели из выхлопной трубы, дурманили голову. И все-таки он успел заметить, что сначала его везли к центру, а затем свернули на Садовое кольцо. Но на Зубовском бульваре ему стало так плохо, что он уже ничего не соображал, и когда машина, миновав какие-то ворота, въехала в заснеженный двор и стальные дверцы черного «ворона» распахнулись, Яша просто кулем вывалился на снег. От этого удара он чуть пришел в себя, попытался вскочить, очумело хлопая глазами, но вскочить с завязанными за спиной руками не удалось, и он, оскальзываясь, снова больно плюхнулся лицом в жесткий и грязный снег.

— Вот потрох жидовский! — услышал он над собой, потом хваткие руки взяли его за шкирку, как щенка, и поставили на ноги. — Стой, сука! Иди!

Идти, впрочем, было недалеко — шагов десять.

За эти десять шагов он успел ухватить взглядом, что машина миновала только наружные ворота, а во дворе был еще один забор и в нем калитка, ведущая к большому серому пятиэтажному зданию с зарешеченными окнами. А над всем этим, справа, но очень близко — ну, триста метров — нависала громада МИДа. «Тюрьма рядом с МИДом?» — изумленно подумал Яша, стараясь, как урожденный москвич, припомнить, какая же тут тюрьма, вроде нет никакой тюрьмы в центре города. Но тут тяжелый удар по уху прервал его мысли и бросил прямо в дверь внутреннего КПП больничного корпуса Института Сербского.

— ...За обрезание в психушку? Это что-то новое! Такого еще не было...

Впрочем, эти человеческие слова Яша услышал лишь на восьмой день пребывания в Сербского, когда его из общей «наблюдательной» палаты перевели к политическим. Услышал и впервые всерьез ужаснулся своему положению, хотя и «наблюдательная» была адом, который сейчас именовался бы по-гайдаровски «шоковой терапией». В этой «наблюдательной» новичка с первой минуты оглушало и подсекало соседство с дюжиной натуральных психов и дебилов, запертых в тесной, как карцер, комнате. Одетые в серое больничное тряпье, они были похожи на скопище пауков в банке. Один, самый ближний к двери, сидел на своей койке и обсасывал свои кулаки до кости — так, что из них сочилась сукровица. За самоедом, стыдливо отвернувшись к стене, копошился и дергался на койке онанист. Как потом понял Яша, он стеснялся не своего онанизма, а того, что у него ничего не получается — несмотря на то что вся стена у его койки была увешана фотографиями кинозвезд, вырезанных из журнала «Советский экран» и приклеенных к стене жеваным хлебом. Рядом с онанистом проживал Адольф Васильевич Гитлер-Божко, который каждые двадцать минут вскакивал на свою койку, вытягивал руку кверху и орал не своим голосом: «Хайль! Майн кампф! Остен брюмер! Шнель, цвайн, драй!» Как выяснилось позже, Адольф Васильевич закосил под Гитлера в Нарьян-Маре, когда его, проворовавшегося бухгалтера, бросили к уголовникам, которые собрались его опустить. Немецкого он не знал, поэтому залепил то, что пришло в голову, и теперь уже не мог изменить «легенду». Еще двое психов постоянно, днем и ночью, канючили еду у своих соседей.

Впрочем, все это были тихие, то есть неагрессивные больные. Куда страшнее были буйные, которые почему-то содержались (или наблюдались) вместе с тихими. Командир атомной подводной лодки каждый час «бил склянки», командовал «полное погружение» и тут же обегал всю палату, требуя, чтобы все прятали головы от «ядерного удара США», а непокорных осыпал нецензурной бранью и грозил «расстрелять на месте». Кастрат подкрадывался к спящим и пел им на ухо репертуар Карузо. Грузин вышагивал от стены к стене с воображаемым шампуром в руках, вращал его и тыкал всем, кто попадался ему на пути, выкрикивая: «Пратыкаю глаза! Пратыкаю!» Мнимый сифилитик лез ко всем целоваться. Еще один — бывший футболист, которого упек в психушку его же тренер, застав с ним свою жену, — бился головой о стенку, выл от каждого удара, но спустя минуту забывал о боли и бился снова. Но больше всех допекал Яшу Богдан Хмельницкий, который рубил воздух рукой, как саблей, и кричал: «Брежнев — жид! Порубить как капусту! Яйца отрезать!» Увидев Яшу, он подскочил к нему и закричал:

— Ага! Явился, жидок! Порубить как капусту! Яйца отрезать!

Поскольку этот спектакль шел без антрактов, круглосуточно, Яша не спал первые трое суток, боясь то грузина, то Хмельницкого, то мнимого сифилитика, то кавторанга, и только после того, как с тихой подсказки Гитлера Яша вмазал Хмельницкому по уху, тот отвязался...

Конечно, Яша понимал, что произошла трагическая ошибка — его явно с кем-то перепутали. Его арестовали вместо кого-то другого, неизлечимого, и не собираются ни лечить, ни обследовать, а протестовать или звать врачей бесполезно — стоило постучать в дверь и потребовать врача, как в палату радостно врывались санитары-уголовники, отбывающие здесь свои лагерные сроки, и принимались отводить душу — избивать всю палату. А на зачинщика тут же натягивали мокрую смирительную рубашку и привязывали к койке, плотно прибинтовывая его к этой койке еще и длинными мокрыми полотенцами. Высыхая, эти полотенца сдавливали тело так, что останавливалось дыхание...

На седьмые сутки, после двух таких пеленаний, Яша перестал звать врача и начал, как футболист, сходить с ума и тихо плакать...

На восьмые его вывели из палаты, провели через коридор и втолкнули к «политикам». Среди них не было никаких знаменитостей, о которых Яша слышал по «голосам», — ни Буковского, ни Григоренко, ни кого-то еще. «Политиками», которых объявили шизофрениками, были тут двое приятелей-студентов (у них нашли «Архипелаг ГУЛАГ» и «Хронику текущих событий»), один литовец (он пытался на надувном матраце переплыть Финский залив) и два донбасских шахтера (вместе с Владимиром Клебановым они хотели создать «Независимый профсоюз трудящихся СССР»). Кроме этих, были тут два иностранца — юный марксист из Бразилии, который в поисках коммунистического рая «зайцем» проник в Монтевидео на советский сухогруз «Красин», двадцать шесть дней провел в трюме и был обнаружен полумертвым во время разгрузки «Красина» в Ленинградском порту. После шести месяцев допросов в Ленинградском КГБ, где из него выбивали признание в шпионаже, а выбили только зубы и барабанные перепонки, возвращать его в Бразилию сочли непрезентабельным и упрятали в психушку. А вторым был француз — прибыв в Москву легально, как турист, он влюбился тут в русскую девушку настолько, что, женившись на ней, каким-то немыслимым образом сумел остаться в СССР, устроился токарем на шарикоподшипниковый завод, спокойно произвел на свет двух детей и несколько тысяч колец для шарикоподшипников, но затем стал обивать пороги заводского профсоюза с вопросом: «Что вы тут делаете? Почему столько лет не проводите забастовку с требованием повысить рабочим зарплату?» Добродушный председатель заводского профсоюза сначала посылал этого француза по одному общеизвестному в России адресу, а когда это не помогло, тяжело вздохнул и позвонил в КГБ...

150

Выслушав Яшину историю («За обрезание в психушку? Это что-то новое...»), «политики» объяснили Яше, что КГБ не ошибается, но что Яше еще повезло — обычно в «наблюдательной» новобранцев прессуют по месяцу и больше, причем с уколами в задницу аминазина в таких дозах, что трое суток после этого ни лечь, ни встать. Так что у Яши режим щадящий, подготовительный, вот только к чему его готовят, этого «политики» не знали. Одно стало ясно Яше — попасть в психушку куда проще, чем думают те, кто беззаботно прохаживается по той же, за окном, Кропоткинской улице. Оказывается, стоит сделать даже не шаг в сторону от курса партии, а только подумать, туда ли мы идем, или если туда, то верной ли дорогой, и — пожалуйста, по всей стране есть сеть учреждений, где тысячи людей за счет любимого государства, в специальных условиях посвящают этим размышлениям круглые сутки, месяцы и годы. И сотни врачей, химиков и фармацевтов в погонах и без таковых постоянно работают над созданием препаратов, способствующих этому мыслительному процессу, — аминазин, сульфазин, барбатулит, трифтазин, тизерцин, галоперидол, мелипрамин, циклодол...

Когда Яша, как человек вдумчивый по природе, но с пылким национальным воображением и начальным химическим образованием, полученным в пищевом институте, представил себе армию этих специалистов, денно и нощно создающих на основе фенотиазина и бутирофенона все эти средства для резкого повышения температуры тела и кровяного давления, токсического воспаления печени, лихорадки, напряжения и судорог мышц, слабости, спазмов мозговых сосудов, потери координации движений и пр. и пр., — ему стало страшнее, чем в «наблюдательной». Там хотя бы была надежда на то, что рано или поздно врачи выяснят свою трагическую ошибку, извинятся и выпустят Яшу на волю. Но когда он понял, что попал *в систему*, когда своими глазами увидел целую палату совершенно здоровых людей, которым сами Морозов и Лунц — эти светила психиатрии — поставили диагноз «вялотекущая шизофрения» только потому, что один из них пытался бежать из СССР, а второй, наоборот, прорвался в СССР, а третий и четвертый читали Солженицына, а пятый и шестой в своем собственном пролетарском государстве хотели создать свой пролетарский профсоюз... Боже мой, но ведь тогда все, что угодно, можно назвать шизофренией, даже и обрезание! И — все, и — крышка, конец, отсюда нет выхода!..

Но — за что? И почему именно его? Разве мало в стране обрезанных? Или был какой-нибудь указ, что обрезание наносит урон советской власти? Неужели он пропустил этот указ?

Яша метался по ночам в койке, мысли скакали с одного на другое. Господи, каким нужно быть отпетым мерзавцем, чтобы создать сульфазин — раствор очищенной серы в персиковом масле, который при внутримышечном введении вызывает резкий скачок температуры и тяжелую лихорадку! И ведь создают, работают, изобретают, получают за это зарплаты и премиальные, а потом идут домой, к любимым женам, детям, к своим родителям и любовницам... «Папочка, как твои дела? Что ты сегодня делал?» — «Сегодня, доченька, у меня очень удачный день. Я получил мелипрамин — чистый гидрохлорид иминодибензола! Он так повышает глазное давление, что у врагов советской власти глаза будут вываливаться из орбит!»

И — вываливаются!

Но если такие специалисты правят бал, если у них вся власть, то... Барух Ата Адонай! Какому Богу молиться? Кто спасет? Даже Гитлер не додумался сажать своих врагов в психушки! Устраивал процессы над коммунистами, сажал их в тюрьмы, а евреев и цыган сжигал в печах, но ведь это же старо, как чистое варварство и инквизиция! Психушки для инакомыслящих — вот прогресс! Никаких следственных процедур, судов, приговоров, сроков, обжалований, амнистий! Профессор Лунц, доктор Линдау или любой другой психиатр могут — по анонимке соседа, которому приглянулась ваша жилплощадь, по доносу ревнивого мужа или по указанию КГБ — поставить тебе диагноз «вялотекущая шизофрения», «параноидный синдром», «психопатоподобный распад личности» или просто «снижение интеллекта» — и все, кранты, и ты в этой психушке навсегда, и выход, как говорят «политики», отсюда только один: раскаявшихся могут квалифицировать выздоровевшими и отдать под суд за совершенные (в безумном состоянии!) антисоветские действия. А суд, естественно, отправляет вас в лагерь по статье 58 прим, 70 или 190...

Конечно, «политики», как люди принципиальные, не желали ни в чем раскаиваться, хотя отсюда, из психушки, лагерь кажется чуть ли не санаторием — там никого не колют аминазином, там сосед-уголовник не носит халат санитара и, следовательно, ты можешь постоять за себя, там зеки работают на свежем сибирском воздухе лесоповалов и знают, сколько дней или лет осталось до освобождения. Рай!

У Яши не было амбиций и принципов этих «политиков», но в чем ему раскаиваться, в чем признаваться и за что идти в лагерь? Разве он занимался пропагандой обрезаний, бегая со своим обрезанием по улицам? Разве он расклеивал листовки с призывом «Долой крайнюю плоть!»? Разве он вышел с этим обрезанием, не дай Бог, на Красную площадь, как тот татарин, который облил там себя бензином и поджег? Разве он обрезался в знак протеста против ввода советских войск в Чехословакию? Или он навязывал обрезание своим русским корешам в радиомастерской? А что, если Лунц и Линдау сами обрезаны?..

Так за что ему идти в лагерь?

Терзаясь этими раздумьями, Яша ворочался в своей койке у параши, пытаясь согреться под тонким суконным больничным одеялом. По вечерам, когда Морозов, Лунц, Печерина, Тальце, Табанова, Линдау и другое начальство отбывали по домам, котельная, то ли ради победы в соревновании по экономии мазута среди психбольниц, то ли с целью продажи этого мазута налево, резко снижала температуру батарей отопления, заставляя пациентов больницы мерзнуть, а обслуживающий персонал согреваться медицинским спиртом и интимными отношениями друг с другом.

Не приняв никакого решения и свернувшись клубочком, Яша уже собрался уснуть, когда дверь в палату открылась, вошли два санитара и, не сказав ни слова, грубо, за ворот, подняли его и повели к двери.

— Куда? В чем дело?

— Иди, сука! Не спрашивай!

Коридор с охранниками, лестница, еще один коридор с охранниками, дверь в палату. Неужели опять к психам?

— На, жри!

— Что это?

— Таблетки. Доктор прописал. Ну!

— Как прописал? Меня еще никто не смотрел!

— А чё на тебя смотреть, бля! Жид — он и есть жид! Жри, говорю, пока силой не запихали!

— Да что за таблетки? Как называются?

— Сыворотка правды. Чтоб не физдел! Глотай, сука!

Яша, давясь, проглотил шесть таблеток.

— Открой рот!

Яша открыл.

Убедившись, что он не спрятал эти таблетки за щеку, а действительно проглотил, санитары открыли дверь и втолкнули его в полутемную палату. Слыша, как дверь за его спиной запирается наружным засовом, Яша присмотрелся — в узкой палате было всего лишь две койки, одна пустая, а на второй лежал длинный мосластый парень примерно Яшиных лет, но с залысиной, лошадиным лицом и тяжелым взглядом. «Буйный? Тихий? Будет бить или насиловать?» — лихорадочно думал Яша, сжавшись в темноте на своей новой койке и держа наготове кулаки и колени. Зачем санитары дали ему эти таблетки? Целых шесть! Что эти таблетки сделают с ним? Поднимут температуру? Ударят по сосудам? Отключат координацию, чтобы он не смог сопротивляться нападению этого дебила?

29

— И будет, когда выведет тебя Господь в землю Хананеев и Хиттеев и Емореев и Хиввеев и Иевусеев, которую Он клялся отцам твоим дать тебе, — землю, текущую молоком и медом, то совершай служение в сем месяце: семь дней ешь опресноки, а в день седьмой праздник Господу. И скажи сыну своему в тот день так: это ради того, что сделал со мною Господь при выходе моем из Египта... Этот праздник называется Песах...

Вадинька! Не знаю, поймает ли тебя это письмо в Вене, но все равно пишу. Мысленно я написала тебе много подробных

154

писем, но изложить их на бумаге невозможно, к тому же плата за письма — от веса.

Вчера получила твое письмо и сегодня впервые почувствовала себя в своем обычном рабочем состоянии, т.е. встала в пять утра. А то спала до семи — плюс отсыпалась. Села писать тебе, перенесла с Асиного стола настольную лампу на свой стол и тут же получила первый урок израильского быта — лампа перегорела и разлетелась вдребезги у моего носа. Пришлось ждать рассвета. Сейчас шесть утра, можно свободно писать и следовать пунктам твоего письма.

1. НЕ ЧИТАЙ ГАЗЕТЫ! Я тоже не читаю. Во-первых, единственную русскую газету «Наша страна» достать трудно, да и покупать дорого. Поэтому ее тут читают, передавая из рук в руки. Во-вторых, я нервничаю, читая в газете, что и как тут плохо. Вероятно, и в Союзе кого-то убивали, насиловали, надували и грабили каждый день. Но там об этом не писали в газетах, а здесь это на самых первых страницах.

2. Мы с Асей по быту находимся на уровне санатория или вашего киношного Дома творчества в Болшево. Поэтому всякое беспокойство о нас выкинь из головы! В богатом районе Тель-Авива, на богатой улице, среди дорогих магазинов и зелени стоит семиэтажное строение вроде гостиницы. У нас номер на пятом этаже: комната, в комнате две лежанки (о счастье — с жесткими поролоновыми матрацами, как у меня в Москве!), два рабочих стола (то есть у Аси тоже счастье — свой письменный стол!), холодильник, три стула, четыре книжных полки и отопительная батарея — пока холодная. У комнаты есть эдакий аппендикс — кухонька со шкафами, полками и газовой плитой; в прихожей стенные шкафы и рядом — туалет с умывальником, зеркалом и душем, все в кафеле. Еще у нас есть балкон, а на окне — жалюзи. Мы сделали в комнате перестановку, создали уют. Из одной книжной полки соорудили классную доску, и Ася пишет на ней мелом новый алфавит, играя опять в школу со мной или с воображаемыми подругами. (Помнишь, мы перестали ее водить в школу на Алтуфьевском шоссе, когда учительница там назвала ее жидовкой, и она до самого отъезда играла в школу дома. Здесь она в школу пойдет со дня на день, и эта школа рядом, мы ее видим из нашего окна и даже слышим звонки на переменки...)

На первом этаже у нас столовая — там самые дешевые обеды по сравнению с другими ульпанами: семнадцать лир обед, и его можно брать с собой в комнату. Мы берем один обед (повариха льет в кастрюльку больше, если брать домой), и нам хватает на двоих... — на два дня! Остальное прикупаем в магазинах — фрукты, овощи, молочные продукты и сладости. Но часто обедаем внизу, потому что Асе нравится там кушать...

Получили первое пособие — 2230 лир на месяц и 550 лир на Асину школьную форму. Потом начну ходить по разным обществам, просить деньги — все ходят, и всем дают по-разному. Вчера поехали первый раз на рынок, там все дешевле, чем в магазинах. Купили Асе портфель (100 лир), пенал (23 лиры), джинсы USA (80 лир), а также брюки и голубую блузку — это тут школьная форма. Цены, конечно, ой-ой! Сумка для меня — 100 лир, и это хозяин магазина меня еще пожалел, я же «олим» — новая...

3. О Вене и Риме. Я еще в Москве боялась попасть в эту венско-римскую мясорубку и обречь Асю на такую эвакуацию, какую мы с тобой прошли в 1942-м. И оказалась права, выбрав, слава Богу, наименьшие трудности. Я с ужасом представляю Асю со скрипкой в этом бардаке. А здесь мы имели урок с ассистентом Андриевского уже через шесть дней после урока на Мерзляковке в школе при Москонсерватории. Хотя все вокруг говорят, что я попала в одно из немногих приличных мест, что и здесь я могла принять много мук, попади мы, например, в зону заселения сельских районов, где людей селят в вагончиках и черт-те как... Но мы тут как на курорте, если не считать, конечно, что вчера в Сирию прибыли кубинские войска — как ты думаешь, зачем?

4. Твоя жизнь меня беспокоит по двум направлениям. Первое, чтобы ты не полез за своим «материалом» на самое дно, в какую-нибудь итальянскую мафию, о которой здесь пишут в газетах. И второе, чтобы ты не подцепил какую-нибудь неприличную болезнь...

30

— Кто ваш сосед по палате?
— Не знаю. Какой-то псих...
— Что он делает?

— Несет какую-то чушь.

— Какую?

— Ну, всякую.

— Например?

— Ну, про свое обрезание, про то, что никогда не был против советской власти...

— А про себя он рассказывает?

— Да он все рассказывает. Идиот же! Недержание речи!

— А что он рассказывает? Вы можете пересказать? Как его звали?

— Яша Пильщик. Яврей. Институт бросил, работал в радиомастерской на Хорошевском шоссе. Сделал себе обрезание, чтобы уехать в Америку, а его взяли.

— Еще что?

— Да все! Папа Арончик — инженер на железной дороге, имеет любовниц в Горьком и в Казани, но мама Ривка об этом не знает. У самого Яши тоже две любовницы, одна русская, вторая яврейка, обе хотят его на себе женить. Он мечтал слинять от них в Америку, а залетел в Сербского...

— Очень хорошо... Ваш сон углубляется, все клетки головного мозга погружаются в сон, ничто не возбуждает гипоталамус... Вы спите... Вы спите глубоко и спокойно. И слушаете меня очень внимательно. Сейчас мы приступаем к самому главному в нашей работе. Но сначала вы должны честно ответить мне на один вопрос. Любите ли вы свою родину?

— Конечно...

— Нет, это общий стандартный ответ. А я спрашиваю глубже и полней: любите ли вы свою страну всем своим сердцем и всей душой?

— Да, люблю.

— В таком случае я вас поздравляю: у вас есть замечательная возможность доказать родине свою любовь... — Елена в изумлении повернулась к зеркалу на стене, словно сама не веря тому, что она говорит, но в ответ на это в наушнике прозвучал властный приказ Винсента продолжать перевод его слов, и она продолжила: — Родина выбрала вас для очень важной миссии. Очень важной, запомните это! Этот Яков Пильщик, ваш сосед, — хитрый и крайне опасный враг нашей страны. Но разоблачить мы его не можем, это можете сделать только вы. Вы должны внимательно слушать все, что он вам рассказывает о себе, и запоминать до мельчайших подробностей, как будто это произошло с вами! Вы должны расспрашивать этого Яшу о его детстве, юности, о его родителях и родственниках и запоминать так, как будто это ваши родители и родственники...

Елене показалось, что она начинает постигать смысл затеянного Винсентом эксперимента. Господи, да ведь он гений! Гений! Если можно стереть криминальную биографию преступника вместе со всеми эпизодами, которые сформировали его характер, и вместо этого вписать на пленку его памяти совершенно другую биографию, мирную, без криминальных наклонностей, то отпадет нужда в тюрьмах, лагерях, исправительно-трудовых колониях. Людей не нужно будет ссылать в Сибирь, держать в камерах...

«Элен, работай, не отвлекайся!» — прозвучало в наушнике, и она, мысленно послав Винсенту восхищенный поцелуй, вдохновенно продолжила переводить его команды Богулу:

— Чем больше вы вызнаете у этого Яши подробностей о его жизни, тем лучше. Вы запомнили свою задачу?

— Запомнил.

— Замечательно. Когда вы проснетесь, вы почувствуете прилив сил и энергии, у вас будет бодрое, радостное настроение, и вы с гордостью отправитесь в свою палату выполнять это важное и почетное задание Родины. Просыпайтесь...

...В эту ночь она любила Винсента так, как может любить мужчину только влюбленная русская женщина. Тем, кто не познал этого, автор выражает свое сочувствие, а желающих просветиться адресует к романам «Русская дива» и «Новая Россия в постели», где этой теме посвящены целые главы. А в этом документально-историческом повествовании мы не будем скатываться в эротику (которую некоторые критики по незнанию предмета часто путают с порнографией) и скажем только, что Винсент, который, как каждый итальянец, считал себя большим докой по части секса (тем паче что дома, в Италии, он не испытывал недостатка в постельных играх с темпераментными итальянскими студентками, продвинутыми в этом искусстве француженками и чувствительными немками), — этот Винсент, повторяю, был совершенно потрясен. При всем его

158

итальянском самомнении и амбициях всезнающего психиатра, он вдруг обнаружил, что на самом деле знает о любви только одну — техническую — часть этого высокого искусства. И что эта часть отличается от полной и настоящей женской любви точно так же, как плоская фотография — пусть даже самая художественная — отличается от картин Рафаэля, Тициана и Караваджо. Когда Елена, которую он освободил от комплекса *советской* женщины, вдруг окутала его своим природным вожделением, нежностью, страстью, трепетом и лаской, Винсент впервые в жизни ощутил не только привычный экстаз эрекции и традиционное наслаждение оргазмом, но и совсем другое, качественно другое наслаждение полнотой и глубиной секса *по любви*. Вы можете передать словами весомость и плотскую силу картин Рембрандта или скульптур Родена? Вы можете передать словами ощущения замирания, страха и восторга при свободном прыжке с парашютом? Даже Антон Павлович Чехов, хвоставший, что способен написать рассказ о чем угодно, вплоть до чернильницы, никогда не дерзал описать плотскую и возвышенную, грешную и невинную, бешеную и трепетную любовь русской женщины. И — правильно делал, потому что описать это — невозможно. Но зато можно совершенно точно, с фактами и статистикой в руках, доказать, что любой иностранец, на которого вольно или невольно, с подставы КГБ или по прихоти случая обрушилась любовь русской женщины, уже не может отказаться от этого наркотика и готов ради него абсолютно на все — выдать секреты своей страны, пожертвовать карьерой, западным благополучием и вообще всем, чем угодно. Сколько иностранцев, испытав любовь русской женщины, пытались остаться в России или вывезти этих женщин с собой! И на какие только подвиги и ухищрения они не шли ради этого — даже, рискуя жизнью, перелетали через советскую границу на крошечных самолетах!..

Но стоп, остановите меня, пожалуйста, я и так написал о русских женщинах уже пятнадцать романов, вернемся к Винсенту.

...Лежа в «Пекине», в номере на пятом этаже, ощущая на своем плече легкую голову спящей Елены и чувствуя, как доверчиво и полно прильнуло к нему ее тонкое теплое тело, он — то ли поддавшись естественному физическому удовлетворению, то ли по иной, неизвестной нам причине — вдруг проник в другую реальность, в другое ощущение времени и пространства. Он вдруг представил себе эту огромную холодную страну Россию, грубую, грязную, с холодными туалетами, не знающую биде и не пользующуюся дезодорантами, занесенную снегами и накрытую тяжелыми свинцовыми облаками от Балтики до Японии, — Россию, которая находится бог знает где, на краю глобуса! Еще вчера она была для него ничем, бескрайним снежным пятном на самом верху географической карты, удобной ретортой для его гениального эксперимента. И эта Елена тоже была никем — подсобным средством, ингредиентом и ассистенткой, которая приведет его к избранной цели. Но теперь — эта нежность ее щеки... эти доверчиво приоткрытые губы... это ровное теплое дыхание... эти шелковые волосы... и самое главное, эта — минуту назад — затягивающая, как омут, ласка ее пульсирующей плоти... Черт возьми, так вот что такое Россия! Вот где момент истины! Вот зачем рвались в Россию Бальзак и Бисмарк! Вот почему еще в прошлом и позапрошлом веках французы, немцы и итальянцы, уезжая в Россию учителями, поварами и коммерсантами, никогда не возвращались домой...

Винсент вдруг испугался своего открытия. Нет! Он не имеет права попасть в эту русскую западню! Его цель выше, его амбиции и задачи исторические! Он революционер, и разве не русский революционер Нечаев сказал, что у революционера «все нежные, изнеживающие чувства родства, любви, благодарности и даже самой чести должны быть задавлены единой холодной страстью революционного дела»? А эта Елена ласкает и любит его с такой материнской нежностью просто потому, что она *гипнотабельна* и он приказал ей быть его любовницей, он запрограммировал ее на эту любовь. Вот и все, и к черту эти дурацкие сантименты, они удел примитивных Homo sapiens, а он, слава Богу, выше этих недостатков, он их сам программирует в других, подопытных...

Винсент снял голову Елены со своего плеча, встал с кровати и вышел из спальни в гостиную. И это называется у русских номер-люкс — ни холодильника, ни бара! Он открыл шкаф и из глубины полки, из-за стопки своих рубашек и набора русских сувениров — матрешек и дымковских игрушек, которые надарили ему в Институте Сербского, — достал бутылку вис-

160

ки. Но, ощутив в руке ее легкость, тут же возмутился — как, опять? Merda! Нет, это просто черт знает что такое! ...Bastardi! Мерзавцы! Сначала на даче Сталина охранники вылакали пол-бутылки парфюма «Армани» и почти всю бутылку его любимого коньяка, а теперь — даже в гэбэшной гостинице, где на каждом этаже сидит дежурная с телефоном! — у него все время половинят спиртное! Figli di putana! Сукины дети! Даже когда он купил виски, которое, как ему сказали, русские в рот не берут...

Горестно вздохнув и усмехнувшись — вот что такое Россия! вот где момент истины! — Винсент свинтил пробку с бутылки и понюхал то, что ему оставили. Слава Богу, хоть не чай! А то ведь три дня назад в бутылке французского коньяка, который он купил в «Березке», оказался чай...

Глотнув прямо из горла (где тут достанешь содовую, чтобы разбавить!), Винсент подошел к окну и прижался лбом к холодному стеклу, за которым — по ту сторону темного и заснеженного Садового кольца — горела на доме огромная красная неоновая надпись: «НАРОД И ПАРТИЯ ЕДИНЫ». Нет, конечно, в Италии они построят другой коммунизм, настоящий...

Пара голубей села снаружи на жестяной подоконник, и толстый воинственный голубь, недовольно гулькая, тут же взгромоздился на щуплую голубку и принялся жестоко, что есть силы клевать ее в голову, тыча при этом своим крохотным алым пенисом ей куда-то под хвост.

— Vaffanculo! — возмущенно стукнул в окно Винсент. — Discraziato!

Голубь скосил на него красную бусину глаза.

— Иди на фуй! — перевел себя на русский Винсент и для убедительности еще раз стукнул ладонью по стеклу.

Голубь нехотя взлетел с подоконника, а следом за ним полетела голубка.

— Милый, с кем ты тут воюешь?

Винсент оглянулся.

Елена, кутаясь в его рубашку, подошла к нему по вытертому гостиничному ковру и прижалась головой к его груди. Он стоял над ней и вдруг ощутил в себе странное и садистское, как у голубя, желание...

31

Personal to:
Prof. Felix Andrievsky,
Yehuda Menuhin' Academy of Music,
Stoke d'Abernon, Cobham Surrey,
England*

Дорогой Феликс Аркадьевич!

Теперь я могу написать Вам то, что невозможно было написать из Союза или сказать по телефону. Теперь я могу представиться Вам наконец и рассказать о Ваших московских друзьях — Наташе и Саше. Потому что я уже еду из Вены в Рим, а моя сестра Белла с дочкой Асей, из-за которой весь сыр-бор, — они уже в Тель-Авиве.

Но сначала о Саше и Наташе, Асиной учительнице в школе для одаренных детей при Московской консерватории. Когда мы получили разрешение на эмиграцию и решились наконец сказать им, что уезжаем, Наташа всплеснула руками: «Ой! Эту девочку вы имеете право везти только или в Нью-Йорк, в «Джульярд-скул», или к Феликсу Андриевскому. Но лучше к Феликсу! Это мой профессор, я была его ученицей, а потом ассистенткой в консерватории. И он — лучший в мире мастер по работе с вундеркиндами. Если бы я знала раньше, что вы собираетесь ехать, я бы занималась с ней каждый день и приготовила для него такую программу!..»

Оказалось, Наташа и Саша спят и видят выбраться из Союза, но у них крепкий якорь — Наташин папа работал когда-то в органах. Сейчас они наконец построили себе кооперативную квартиру, сделали большой ремонт, купили хорошую мебель и машину, но — «если бы Феликс Аркадьевич сказал, что мы должны ехать — мы бы бросили все и поехали за ним куда угодно, хоть на край света!». Такое у них настроение. Чудные ребята, замечательные!

— Сколько вам осталось до отъезда? — спросила Наташа.

— Двадцать четыре дня, больше теперь не дают на сборы...

---

* Лично профессору Феликсу Андриевскому, Музыкальная академия Иегуды Менухина, Англия.

— Ну что ж! Ищите Феликса, и, если найдете, он возьмет ее, я уверена. Потому что они стоят друг друга — Ася и Феликс Аркадьевич! А пока вы будете искать его, мы начнем с ней учить Концерт Вивальди ля минор. Это будет мой музыкальный привет Феликсу Аркадьевичу!..

Теперь попробуйте представить себе ситуацию: Москва, январь, морозы под тридцать, ОВИР дал на сборы двадцать четыре дня, адреса Андриевского у Наташи нет, как Вас искать, неизвестно, и даже неизвестно, где Вы — в Париже, в Лондоне, в Тель-Авиве? Мы давно продали всю мебель и вообще все, что не нужно для США, и запаслись полным еврейским набором для Рима, дома полный кавардак, и еще масса беготни за австрийскими визами, билетами и прочее — а нужно срочно найти в Европе Андриевского и решить с ним, куда же ехать. Хороша задача?

Я нашел Вас на шестой день после того, как обзвонил Ваших и своих друзей-музыкантов в Бостоне, Париже, Душанбе и Тель-Авиве. И когда Ваша лондонская ассистентка передала Ваши слова: «Пусть едут в Израиль, все будет хорошо, я приеду туда и буду заниматься с этой девочкой», Наташа радостно сказала: «Вот! Я же говорила: Феликс Аркадьевич — это Феликс Аркадьевич! Он остался таким, как был! А вы знаете, что он за человек? О-о!..»

Дорогой Феликс Аркадьевич! Двадцать дней я слушал, какой Вы человек, и мне кажется, я знаком с Вами двадцать лет. Я знаю, какой у Вас был «Запорожец», и как Вы ездили на нем без тормозов, и какая у Вас была квартира, — иногда мне кажется, что Вы уже не помните того, что помнят о Вас Саша и Наташа. Каждый раз, когда мы приезжали на Центральный телеграф, и заказывали Вас, и ждали по часу-полтора, пока телефонистки сообщали, что ваш телефон не отвечает ни в Лондоне, ни в Тель-Авиве, — они рассказывали мне о Вас. Наташа и Саша так хотели поговорить с Вами!

Ну вот. А когда прозвучали эти слова: «Пусть едут в Израиль...» — можете себе представить, что пришлось нам проделать, чтобы собрать для Беллы и Аси хоть какой-нибудь багаж в Израиль! Пришлось в два дня продать все, что мы накупили для США, и на эти деньги доставать (Вы помните это слово «доставать»?) какую-то кухонную мебель, швейную машину, ковролин и еще черт-те что! Да, и пианино, поскольку Белла же пианистка, двенадцать лет работала в музыкальной школе в Шатуре. Тут оказалось, что импортные пианино вывозить не разрешают (почему? они же импортные? — изумлялся я), а разрешают вывозить только советские (sic!), но, как сказал мне сам директор пианинной фабрики, ни одно советское пианино, даже «Заря» 1934 года выпуска, не соответствует самому низкому порогу мирового стандарта звучания фортепиано.

А параллельно нужно было найти вывозную скрипку для Аси, она в Москве играла на скрипке 1660 года, сделанной итальянским мастером, — конечно, эту скрипку вывезти не разрешили. И Саша на своих «Жигулях» объездил пол-Москвы в поисках приличных детских скрипок, и мы сдавали на экспертизу по три скрипки каждые пять дней, но эти сволочи в Минкультуры не разрешили нам вывезти ни одну из них!

И вот во всей этой кутерьме Наташа учила с Асей Концерт Вивальди ля минор. Специально для Вас.

Наконец удалось найти какую-то экспериментальную советскую скрипочку, которая, как сказала Наташа, с грехом пополам может выдержать Асину программу. Когда эту скрипку разрешили к вывозу и опломбировали, Ася, глядя на эти свинцовые пломбы, сказала:

— Мама, а когда мы поедем в Израиль, на меня тоже пломбочку повесят?

А услышав, что мы собираемся отнести в голландское посольство свои дипломы и прочие документы (почему их не разрешают вывозить в чемодане, непонятно!), Ася заявила:

— А я в Голландию не поеду!

— Почему, Ася?

— Потому что там все ходят голые, это неприлично!

Как видите, Феликс, у вас будет очень серьезная ученица!..

Рассказывать ли Вам о том, что это такое — прощаться с сестрой и племянницей в Вене, прямо в аэропорту, когда работник «Сохнута» грузит ее вещи в одну машину, а ваши вещи несут в другой автобус, и вы не знаете, когда вы увидите свою сестру снова? И даже не знаете, куда их сейчас повезут. Рассказывать ли Вам, что это такое — жить в Вене в пансионатах мадам Беттины для еврейских беженцев, гулять по Вене и не знать, где ваша сестра сейчас — в израильском посольстве, на которое совершили налет арабские террористы, или уже в Израиле?

Я мог бы многое рассказать Вам, но надеюсь, когда-нибудь Вы увидите это в моем фильме. Потому что я по профессии киношник, и один из моих фильмов, запрещенных соввластью, — о моей сестре. Да, даже в СССР я сделал о ней фильм — кинокомедию «Любовь с первого взгляда», но оказалось, что и любовь с первого взгляда в СССР могут запретить! Хрен с ними, я сделаю вторую серию — на Западе, без цензуры...

Как видите, я действительно люблю свою сестру, мы с ней одни в мире, никаких больше братьев-сестер, и если я отпустил ее одну с ребенком в Израиль, то только из-за той магической фразы: «Я буду с ней заниматься, все будет хорошо». Как сказал мне один армянский музыкант, который тоже слышал о Вас, «Феликс Андриевский стоит Израиля, а эта девочка, видимо, стоит Андриевского»...

Только что я получил наконец письмо от Беллы. Они живут в Бейт-Бродетски и ждут Вас. Конечно, я знаю, что Вы крайне заняты, что школа Менухина — это top, выше не бывает, и у Вас там много работы (выходит, Наташа была права, определив Вас в лучшие из лучших, — ее мнение, как я понимаю, совпало с мнением самого Менухина!). И все-таки как было бы славно, если бы Вы черкнули им пару слов! Право, этот их перелет из Москвы в Тель-Авив по одному Вашему слову стоит того, чтобы Вы написали им несколько ободряющих слов! Это дало бы им силы и терпение ждать Вас спокойно и с твердой верой в то, что они все сделали правильно, — несмотря даже на то, что три дня назад кубинские войска прибыли в Сирию. Когда я услышал об этом, у меня сжалась душа...

Не знаю, есть ли на рейсах Лондон — Тель-Авив посадка в Риме, но если есть, я буду очень рад поглядеть на человека, который одним словом меняет маршруты людей и их судьбы. А самое мое большое желание — простое и чисто русское: сесть с Вами за стол и хорошенько выпить. Выпить и поговорить по душам. Думаю, что это произойдет рано или поздно. Я буду *рад встретить Вас в римском аэропорту, пока я буду в Италии, и я буду рад встретить Вас в любом аэропорту мира, как только доберусь до Америки и стану на ноги — хотя бы даже на одну ногу, черт с ним, этого мне будет достаточно для прыжка в любой аэропорт, и уж тем более — тель-авивский, куда я прилечу при первой возможности повидать мою сестру, Асю и Вас, маэстро.*

С уваже...

Удар, резкий скрип тормозов, визг колес по стальным рельсам.

Чемодан рухнул с верхней полки, машинка чуть не свалилась с коленей.

Я ринулся к окну — в чем дело?

За окном, вдоль железнодорожного откоса, в рассветной сизости и сырости стояли какие-то солдаты в черной форме, с автоматами за плечами, в кожаных портупеях и с серебряными эмблемами на груди, на погонах и на тульях высоких черных фуражек. И мегафонный голос гремел:

— Uscita! Uscire! Portare fuori! Take off your luggage to carabineri! Rapirdamente!

А за дверью купе, в коридоре — топот ног, испуганные голоса, крики.

Я распахнул дверь:

— В чем дело?

— Выгружаемся! Быстро! — крикнул мне на бегу Наум, фиктивный муж красотки Маши.

— А что случилось?

Но кто-то могучий, толстый уже оттолкнул меня, влез в мое купе, опустил окно, а еще кто-то уже подтаскивал ему из коридора свои чемоданы, и они прямо через окно сбрасывали эти чемоданы на руки карабинерам.

— Да что случилось?

— Пересадка в автобусы. Быстрей! Это Италия!

— В автобусы? Почему?

— Итальянцы боятся, что на подъезде к Риму арабы взорвут наш поезд.

166

32

Председателю Комитета государственной безопасности
тов. АНДРОПОВУ Ю.В.

ДОКЛАДНАЯ

*В связи с Вашим поручением разработать и курировать
операцию «Троя» сообщаю:*

Профессором В. Корелли, с помощью и при участии наших
сотрудников в Институте судебной психиатрии им. Сербского,
проделан и завершен первый этап операции, а именно:

— выбран гипнотабельный объект с ярко выраженным комп-
лексом вампиризма — з/к Богул Федор Егорович, 1950 года рождения, осужденный по статьям 103, 102, 126 и 131 УК РСФСР —
преднамеренное убийство 18 человек с отягчающими обстоятельствами (вампиризм);

— у объекта полностью убраны из памяти его биография и
все комплексы и привычки; методом гипнотического якорения
эта информация «зарыта» в подкорку, откуда может быть извле-
чена только с помощью кода, известного нам, профессору Корелли и его ассистенту-переводчице Козаковой Е.В.;

— по возрастным и профессиональным данным Ф.Е. Богула
ему подобран биографический донор еврейской национальности, обладающий приглашением на постоянное место жительства в гос. Израиль и собиравшийся эмигрировать в США, —
Пильщик Яков Аркадьевич (Ааронович), 1950 года рождения, холостой, радиомастер;

— с помощью гипноза и нейролингвистического программирования биография Пильщика Я.А. полностью усвоена
Богулом Ф.Е. как его собственная, более того — на последних
сеансах Богулу методом внушения имплантировано осознание
себя Пильщиком Яковом Аркадьевичем (Ааороновичем), внедре-
ны в память фотографии его еврейских родителей (Пильщики
Аркадий-Аарон и Римма-Ривка), а также стремление эмигрировать в США;

— для достоверности еврейской идентификации Федору
Богулу (ныне Якову Пильщику) сделано обрезание.

В настоящее время биографический донор Пильщик Я.А. переведен из Института судебной психиатрии им. Сербского в спецпсихбольницу в г. Черняховск с диагнозом «глубокое расстройство психической деятельности, маниакальная шизофрения», а новосозданный Яков Пильщик (бывший Богул) — в больницу им. Кащенко, где оправляется после ритуальной операции.

В связи с успешным завершением первой фазы операции прошу Вашего разрешения на отправку проф. Корелли в Рим сразу после выхода из типографии сигнальных экземпляров русского издания его книги «Гипноз и программирование информативного человека», которые он увезет домой (остальной тираж печататься не будет, набор будет уничтожен).

Прошу также рассмотреть и утвердить прилагаемые к этой докладной план и бюджет второй фазы операции...*

---

* Настоящий документ отсутствует в книге «Архив Митрохина» по не зависящим от полковника Митрохина обстоятельствам. Приводится не полностью. — Э. Т.

ХРОНИКА СВИНЦОВЫХ ЛЕТ

1978 год

4 ЯНВАРЯ — итальянские коммунисты, получившие на парламентских выборах 34,5 процента голосов избирателей, заявили, что без их участия в правительстве невозможно регулировать порядок в стране.

11 ЯНВАРЯ — руководство правящей Христианско-демократической партии Италии проголосовало против участия коммунистов в правительстве.

16 ЯНВАРЯ — в связи с поддержкой нижней палатой итальянского парламента требований коммунистов об участии в правительстве правительство Джулио Андреотти ушло в отставку.

16 ФЕВРАЛЯ — в центре Рима двенадцать террористов совершили нападение на нового премьер-министра, президента Христианско-демократической партии Италии Альдо Моро. Пять телохранителей Альдо Моро расстреляны из автоматов, Альдо Моро похищен и увезен в неизвестном направлении. Ответственность за похищение взяла на себя террористическая марксистская организация «Красные бригады». Розыски Альдо Моро поручены министерству внутренних дел Италии и департаменту военной контрразведки.

ФЕВРАЛЬ — МАРТ — в связи с ожесточенными боями между Эфиопией и Сомали советские военные поставки промосковскому режиму Эфиопии возросли настолько, что советские транспортные самолеты с оружием садились в Эфиопии каждые двадцать минут на протяжении трех месяцев. С января 1976-го по декабрь 1980 года объем советских военных поставок в Африку к югу от Сахары составил почти 4 млрд долларов.

12 МАРТА — в день отлета Менахема Бегина, премьер-министра Израиля, в США на встречу с Анваром Садатом и Джимми Картером палестинские террористы взорвали в Тель-Авиве рейсовый городской автобус. 37 человек погибли, 82 ранены.

25 МАРТА — в Риме «Красные бригады» опубликовали заявление о том, что Альдо Моро предстанет перед судом «Народного трибунала».

7 АПРЕЛЯ — Папа Римский обратился к «Красным бригадам» с просьбой освободить Альдо Моро.

15 АПРЕЛЯ — «Красные бригады» объявили, что Альдо Моро приговорен к смерти.

27 АПРЕЛЯ — в Кабуле свергнут и убит президент Афганистана Мухаммед Дауд.

30 АПРЕЛЯ — Революционный Совет коммунистической партии Афганистана объявил о захвате власти. При личной поддержке Л.И. Брежнева главой Афганистана стал Нур Мухаммед Тараки.

4 МАЯ — Жоржио Амендола, один из руководителей компартии Италии, нанес визит послу Чехословакии в Италии Владимиру Куки и выразил озабоченность тем, что в случае ареста похитителей Альдо Моро связь «Красных бригад» с чехословацкими спецслужбами может выплыть наружу.

9 МАЯ — в Риме, в багажнике автомашины, брошенной на улице между штаб-квартирами коммунистической и Христианско-демократической партий Италии, найдено тело убитого Альдо Моро.

26 ИЮЛЯ — Англия выслала 11 иракских дипломатов в связи с их участием в террористических актах. Правительство Великобритании заявило, что посольство Ирака стало центром международного терроризма.

3 АВГУСТА — в Париже боевики иракского «Черного июня» убили официального представителя ООП во Франции.

5—7 АВГУСТА — в Ливане произошли бои между группами ООП и «Черный июнь».

20 АВГУСТА — в Лондоне боевики «Черного июня» совершили нападение на автобус израильской авиакомпании «Эл-Ал». Одна израильская стюардесса убита, вторая ранена.

17 СЕНТЯБРЯ — в Кэмп-Дэвиде, США, Менахем Бегин, премьер-министр Израиля, Анвар Садат, президент Египта, и Джимми Картер, президент США, подписали соглашение о мире на Ближнем Востоке.

29 СЕНТЯБРЯ — умер Папа Римский Иоанн Павел Первый.

16 ОКТЯБРЯ — польский католический архиепископ Войтыла избран Папой Римским.

5 ДЕКАБРЯ — правительство Тараки подписало с СССР договор об афгано-советской дружбе и сотрудничестве.

КОНЕЦ 1978 года — сбежавший на Запад заместитель начальника румынской разведки Ян Михай Пачепа сообщил, что перед похищением Альдо Моро члены «Красных бригад» проходили тренировку в Болгарии. Он же подтвердил, что после того, как в машине двух советских шпионов, попавших в автокатастрофу в Брюсселе, были обнаружены документы венского координационного центра КГБ, курировавшего итальянские «Красные бригады», японскую «Красную армию» и других террористов, этот центр был закрыт и переведен из Вены в Ливию.

1979 год

1 ФЕВРАЛЯ — аятолла Хомейни вернулся в Иран.

14 ФЕВРАЛЯ — американский посол в Афганистане похищен и убит в Кабуле.

22 МАРТА — британский посол в Голландии убит в Гааге.

26 МАРТА — Израиль и Египет подписали мирный договор в Вашингтоне.

27 МАРТА — в ответ на подписание мирного договора Египта с Израилем ОПЕК подняла цены на нефть.

7 АПРЕЛЯ — в Италии арестованы организаторы убийства Альдо Моро профессор Антонио Негри и его соратники Франко Пиперно, Орест Скалзони, Лучано Феррари-Браво — всего двадцать известных интеллектуалов — руководителей марксистского «Фронта новых левых». Как показал судебный процесс, Антонио Негри, профессор Падуйского и Сорбоннского университетов, автор книг «Маркс поверх Маркса», «Восстание» и цикла лекций о возрождении марксизма, исповедовал ленинские принципы — саботаж и развал существующего строя и вооруженный захват власти. Средства на закупку вооружения добывались с помощью похищения детей итальянских миллионеров и экспроприацией денег налетами на банки.

20 АПРЕЛЯ — в ответ на арест Антонио Негри и других руководителей «Фронта новых левых» в Риме во Дворце сенаторов взорвана бомба с зарядом 4 кг тротила. Ответственность взяли на себя «Вооруженные революционные отряды» и «Итальянское Народное Движение».

1 МАЯ — несколько бомб взорваны в Париже.

3 МАЯ — в Риме 15 террористов ворвались в штаб-квартиру правящей Христианско-демократической партии, нарисовали на стенах звезды «Красных бригад» и взорвали здание.

Всего в Италии насчитывалось в это время 215 левых групп и организаций («Красные бригады», «Передовая линия», «Организованные пролетарские коммунисты», «Вооруженные пролетарские отряды» и пр.), которыми в 1979 году было совершено 2750 террористических актов.

16 ОКТЯБРЯ — Тараки снят в Афганистане, Амин у власти.

27 ДЕКАБРЯ — Амин казнен. Советский Союз вторгся в Афганистан.

Этот период в Италии называли «Свинцовые годы».

Часть вторая

Римские каникулы

Евреи встали во весь рост и неосторожно распахнулись, и все в России увидели и очень скоро увидели во всей Европе черное тело и черную душу еврейства. Суть в беспардонном эгоизме всего решительно в жертву своему единственному, родовому, национальному Я. Требуя от нас, от немцев, от французов космополитизма и общечеловечности, они даже не едят одной пищи с нами... вводя знаменитое «кошерное» мясо, строжайше запрещают всем своим даже есть из одной миски суп с христианами... Явно, что ни просвещение европейское, ни республики европейские, ни родное русское братство им не нужны. На самом донышке у самого образованного еврея лежит затаенное чувство: «Россия все-таки пройдет, а евреи останутся». Примеры Греции, Рима, Египта не могут не действовать.

Вас. Розанов

Что касается евреев, то... я как-то и почему-то «жида в пейсах» и физиологически (почти половым образом) и художественно люблю... Это вытекает из большой моей fall'ичности, то есть интереса к полу и отчасти восторга к полу — в отношении сильного самочного племени. Мне все евреи и еврейки инстинктивно милы... Еврей ругается, горячится, но смотрит в глаза всегда полным глазом, очень прямым... Это самая на свете человечная нация, с сердцем, открытым всякому добру, с сердцем, «запрещенным» ко всякому злу. И еще, верно, они спасут и Россию, спасут ее, замотавшуюся в Революции, пьянстве и денатурате. Вообще «спор» евреев и русских или «дружба» евреев и русских — вещь неоконченная и, я думаю, — бесконечная. Я думаю, русские евреев, а не евреи русских развратили политически, развратили революционно...

Вас. Розанов

33

— Знаете, Винсент, мы еще не можем отпустить вас домой...

Винсент изумленно взглянул на Иванова. Они сидели в полупустом ресторане «Седьмое небо» на Останкинской телебашне, за столиком у стеклянной стены, и внизу, за подмороженным стеклом стены вращающегося зала, медленно плыла занесенная снегами Москва. Но еда в ресторане была отвратительная — салат «Столичный» и резиновый эскалоп, а шампанское только советское. Иванов смущенно сказал:

— У нас последнее время некоторый дефицит с продуктами.

— Но я тут при чем? — по-английски спросил Винсент. Он и так был в плохом настроении, три недели в Москве весьма поколебали его романтический пыл, а отсутствие солнца и постоянные морозы, перемежающиеся слякотными метелями, угнетали его пылкую южную психику. А тут еще эти глупости — какое он имеет отношение к их дефициту с продуктами?

— Нет, это я так, по поводу эскалопа, — сказал Иванов. — А насчет вас... Понимаете, руководство считает, что мы не имеем права посылать этого Богула в Италию, не проверив его на деле...

— То есть?! — даже опешил Винсент. — Что вы имеете в виду?

— Ну посудите сами, Винсент! — как можно мягче сказал Иванов. — Что такое этот Богул? Образно говоря, это наш снаряд или пуля. А Елена — курок, который должен этим снарядом выстрелить. Правильно? Но что же получается? Мы с вами произвели такое уникальное орудие и отправляем его в Италию без проверки? А вдруг оно не выстрелит?

— То есть вы мне не доверяете?

— Мы вам доверяем, Винсент. — Иванов для убедительности даже коснулся рукой руки Винсента. — Но мы — серьезная организация. Мы обязаны проверить каждую деталь. Тем более в такой операции. Вы знаете, на какой риск мы идем?

— Нет никакого риска... — Винсент в досаде отвернулся.

— Не будьте ребенком, Винни! — укорил его Иванов. — Вы прекрасно понимаете, что Юрий Владимирович прав.

— Послушайте, вы! — вдруг резко повернулся к нему Винсент. — Вы даете Берлингуэру миллионы долларов — это не риск? Вы снабдили его подпольными радиостанциями — это не риск? А «Красные бригады»? А убийство Моро?..

— Тихо! — испуганно перебил Иванов. — Тише!

— Ерунда! — нервно отмахнулся Винсент. — Тут никто не понимает по-английски! Дайте мне сказать. Все, что вы делаете, имеет одну цель — создать у нас хаос, чтобы коммунисты взяли власть так, как вы это сделали здесь в семнадцатом году. Правильно?

Иванов, побледнев, в упор смотрел ему в глаза. Кажется, он впервые за три недели увидел в этом эксцентричном итальянце серьезного человека.

— Откуда вы знаете про деньги и радиостанции? — спросил он негромко.

Винсент мстительно усмехнулся:

— Знаю. Даже жены марксистов ходят к психиатру. Похищение Моро было сделано гениально — могу представить, как вы его репетировали! Но — толку нет! Хаоса не случилось! — Он широко развел руками. Теперь, разозлившись, он стал снова жестикулировать, как все итальянцы. — Вы тратите миллионы, вы тренируете боевиков здесь, в Болгарии, в Чехословакии и — что? Пшик, как говорят в России! Пукнули в лужу! А я один могу сделать то, что не могут сделать ни ваши шпионы, ни «Красные бригады»! А вы мне не доверяете...

— Винсент, все-таки говорите потише. Если бы мы вам не доверяли, вы бы тут не сидели. Но именно потому, что мы верим в ваш успех...

— Вы не должны «верить», — снова отмахнулся Винсент. — Верят в церкви и в синагоге. А здесь все просто: акция Богула вызовет погромы? Вызовет! Погромы — это хаос? Хаос! При хаосе кто должен прийти к власти? Коммунисты! Это как раз-два-три! Вы должны меня на руках носить!

— Винсент, мы носим, вы же видите! — Иванов отечески улыбнулся. — И любое место в коммунистическом правительстве Италии будет ваше. Но тем более у нас не должно быть осечки.

— А как вы собираетесь сделать проверку этому вампиру? Вы что — подставите ему ребенка для убийства?

Иванов молчал.

Винсент изумленно кивнул за стеклянную стену:

— Здесь? В Москве? I can't believe it!*

— Винсент, — негромко проговорил Иванов, — я же вам сказал: мы серьезная организация.

34

Толкая перед собой тележки со скарбом — чемоданами, узлами и баулами — и ведя за собой стариков и детишек, идут эмигранты по солнечным улицам крохотного римского пригорода Ладисполи — ищут, где поселиться.

— Синьор, апартаменто?

— Синьора, аренда апартаменто?

Отправив открытки Сильвии и Белле, я вышел с почты на виа Санта-Мария, и что-то вековечное и наследственное, как «Хава нагила», вдруг привиделось мне в этом библейском шествии наших евреев — словно они только что вышли из Египта или Испании и вошли в Италию.

— Синьор, аренда апартаменто?

— Шлимазл! Ты шо, не видишь, шо это наш?! Товарыш, дэ тут квартиру снять?

И сразу — как толчком из сердца или как наплывом в кино — я вспомнил Полтаву 1947 года и точно те же слова:

— Идышер коп, чи ты знаеш, дэ тут притулыться?

Полтава, знаменитая крутыми украинскими погромами и шведской битвой, была в руинах и через два года после окончания войны. Фрунзе, Октябрьская и все остальные централь-

_____
* Я не могу в это поверить! *(англ.)*

ные улицы стояли шеренгами четырехэтажных кирпичных остовов с проломленными при бомбежках кровлями и выбитыми окнами, и завалы битого кирпича да красная кирпичная пыль лежали на искореженных мостовых.

И вот по этим улицам, вдоль разбитых, как черепные коробки с пустыми глазницами, домов возвращались евреи на свои пепелища, толкая перед собой тележки со скарбом — фибровыми чемоданами, узлами и баулами. Сверху на узлах сидели дети, сзади, держась за юбки матерей и пиджаки стариков, тоже шли дети, и я никогда не забуду того старика и старуху с жалким скрипучим столиком от швейной машины, нагруженным каким-то дырявым барахлом, — они шли, плакали и пели. Я не знал тогда, что они поют, это было что-то гортанное и совершенно непонятное мне, мальчишке из подвала, где в одной комнате, освобожденной нами от битого кирпича, жили четыре семьи. Я смотрел на них с высоты разбитой кирпичной стены и не понимал, как тут можно петь («Мама, они что, мишигине*, что ли?»), но этот гортанный мотив и вся эта картина с плачуще-поющими еврейскими стариками, толкавшими перед собой станок швейной машинки «Зингер» с нищенским багажом, — эта картина упала мне в сердце. У старика были почти слепые глаза, куцая борода, но хороший, звучный голос. И на этот голос мы, пацаны, вылезали из подвалов и бомбоубежищ:

— Эй, мишигине коп**! Ты шо, здурив?

А потом из этих подвалов, из этой почвы, которую так щедро удобрили кошерной еврейской плотью их величества Богдан Хмельницкий, Петлюра, Гитлер и еще бог знает кто, росли мы — рыжие, веснушчатые, золотушные еврейские дети, росли без еврейских песен и еврейских школ, и первым вкусом моего еврейства был шматок сала, который, скрутив мне руки и повалив меня на землю, совали мне в рот украинские пацаны, говоря: «Йыш, жиденок! Йыш нашэ сало, жид пархатый!»...

Тридцать лет спустя другой великий старик — Леонид Утесов напел мне песню, которую пел тот старик в Полтаве 47-го года. И оказалось, что эта песня — «Хава нагила».

Теперь в Ладисполи под эту мелодию, ожившую в моей душе голосом Леонида Осиповича, шли евреи по виа Санта-Мария, как тогда они шли по улице Фрунзе. Но вдруг...

---

* психи *(евр.)*.
** больной на голову *(евр.)*.

178

Что-то сломалось в этой процессии, какие-то машины остановились рядом с ней, какие-то люди выскочили из них, налетели на наших. Неужели погром?

Нет, успокойтесь, это свои, это перекупщики — несостоявшиеся граждане Израиля, сбежавшие из Тель-Авива и застрявшие в Италии без работы и надежды, что их пустят в США, Канаду или вообще куда-нибудь — даже назад, в СССР. Теперь они скупают привезенные эмигрантами льняные простыни, полотенца, скатерти, кораллы, фотоаппараты, фотообъективы, водку, икру, шампанское и даже стиральные и швейные машины. Обычно они покупают это не намного дешевле, чем сами новоприбывшие, освоившись, смогут продать итальянцам, но вечно напряженный и боящийся подвоха эмигрант в каждом из них видит своего родного еврейского жулика, и одесский торг начинается сразу, с первых слов:

— А сколько вы дадите за простыни?

— Ну это же ваши простыни. Называйте свою цену.

— Свою цену! Вы скажите, сколько вы можете дать, так я вам скажу свою цену!

Спустя час перекупщики, увешанные фотоаппаратами, как бананами, загружают в багажники своих «фиатов» кипы льняных простыней и скатертей и отбывают к следующим эмигрантским становищам. Где и кому, в каких Неаполях и Соррентах продают они эти сотни «Зенитов» и тысячи русских простыней, я не знаю, я никогда не видел такого количества кораллов, янтаря, черной икры, финифти, палеха, мсты, хохломы, фотоувеличителей и фотоаппаратов «Зенит», какое увидел в первые дни в Италии. Каждый еврейский чемодан, пересекший границу СССР, — это наверняка «Зенит». Сорок тысяч евреев эмигрировали из СССР в 1979 году, и я могу поспорить, что 39 000 фотоаппаратов «Зенит» выехали вместе с нами.

Сбыв перекупщикам «римский набор», кровью и зубами вырванный у советских и австрийских таможенников, эмигранты спешат в ближайшие итальянские лавки обрести наконец самое вожделенное для советского человека — американские джинсы «Леви» и еще более вожделенное для каждого советского еврея — могендовид* на золотой цепочке. Только жгучая необходимость отсюда, из Италии, помогать сестре и племяннице в Израиле удержала и меня от этих покупок. Я тоже хотел (и хочу, не скрою!) американские джинсы и могендовид — а что, разве я не советский еврей, господа?

* шестиконечная звезда Давида.

35

— В двадцатые годы СССР не знал официального антисемитизма, а проявление бытового антисемитизма подвергалось преследованиям. На то были две причины. Во-первых, официальной линией власти по отношению к евреям была линия на «добровольную ассимиляцию», определенная Лениным. Во-вторых, евреи, вырвавшиеся из гетто в чертах оседлости, приняли непропорционально высокое участие в революции, заняли высокие посты и, что самое главное, заменили ту старую интеллигенцию, которая была изгнана революцией из России. Можно сказать, что в то время сложилась новая, русско-еврейская интеллигенция, которая играла ведущую роль в советской жизни. Возрождение антисемитизма произошло в годы Второй мировой войны...

Яков Пильщик (он же Богул) боялся открыть глаза. Что это? Бред? Сон?

Но голос был четкий, внятный, лекторский:

— Это возрождение шло сверху и снизу. Сверху, потому что Сталин взял курс на превращение страны в империю...

Пильщик (Богул) открыл глаза. Прямо над ним была металлическая сетка и ватный матрац, с которого свисали чьи-то босые ноги, а слева, буквально в метре, по узкому проходу меж стеной и рядом двухъярусных коек расхаживал высокий горбоносый брюнет в тапочках и серой пижаме.

— А снизу, — говорил этот мужчина типично лекторским тоном, — этот курс получил поддержку в народном антисемитизме, пробудившемся за годы войны под влиянием гитлеровской пропаганды. Причем поначалу этот антисемитизм был лишь способом замены евреев на высоких должностях носителями идеи создания национал-большевистской империи...

— Погоди, Рафик! — перебил лектора чей-то голос. — Кажется, он проснулся.

— Это не важно! — отмахнулся лектор. — Прошу не перебивать...

— А если он стукач?

— Ну и на здоровье!

— Мы же в психушке... — весело зашумели вокруг. — Здесь свобода слова!..

— Тише, евреи! Дайте человеку сказать!

— Гинук!* — приказал лектор. — Дайте закончить мысль!..

Так, подумал Пильщик-Богул, опять психушка. И повернулся на бок, чтобы разглядеть своих соседей, но при первом же движении ощутил резкую боль в паху. Господи, что это? Ах да, обрезание... Значит, шевелиться нельзя... Но можно слушать, это отвлекает от боли...

— В настоящее время, — снова зашагал лектор в стоптанных больничных тапочках, — советский строй ускоренно сбрасывает с себя лохмотья марксистской идеологии, превращаясь в откровенный русско-великодержавный тоталитарный строй. Антисемитизм становится естественной составной частью государственной идеологии и помогает правительству решить сразу несколько задач: объявить, что главными виновниками всякого диссидентства являются евреи...

Осторожно повернув голову, Пильщик все-таки оглядел свою новую палату. В ней тесным строем стояли одиннадцать двухъярусных коек, на каждой из них сидели и лежали больные с ярко и неярко выраженной внешней принадлежностью к еврейской нации. Один из них — кругленький толстячок — поднял руку:

— Минуточку, Рафик! Я с тобой целиком согласен, но! Мне кажется, что антисемитизм нынешний, советский сильно отличается от антисемитизма, который существовал на протяжении последних двух тысячелетий. При всех проявлениях старого антисемитизма Европа тем не менее исповедовала иудейские понятия добра и зла и иудейские моральные принципы: не убий, не возжелай жены ближнего своего и прочие. Христианство переняло эти заповеди и даже усугубило чувство греха за их неисполнение. То есть христиане постоянно жили в страхе перед грехом за неисполнение наших моральных законов и заповедей. А советское общество стало открытым антиподом этой цивилизации, здесь понятия совести и греха в их религиозном, божественном смысле отброшены, а вместо них введен принцип релятивизма — хорошо то, что полезно тебе, власти и делу построения советской империи. Но в таком государстве антисемитизм неизбежен, потому что иудаизм и еврейство в корне отрицают культуру безбожия...

---

* Прекратите! *(евр.)*

181

Яша Пильщик обреченно закрыл глаза. Боже, что они несут! Все, сейчас сюда ворвутся санитары, всех изобьют, закатают в мокрые смирительные рубашки и исколют аминазином и сульфазином.

Но время шло, диспут продолжался, докладчики выступали, стоя и сидя на своих койках или расхаживая по узкому проходу меж кроватей, спорили, хохотали и даже кричали, но никто не врывался в эту палату, никто не останавливал этих умников, и Яков, позабыв о боли в паху и не обращая внимания на особо мудреные термины вроде «релятивизм» и «эскалация», с удивлением узнавал совершенно необычные вещи.

— Минуточку! Товарищи евреи! Раз уж мы сидим в психушке, то давайте разберемся с точки зрения психиатрии — что такое российская ментальность? История показывает, что это ментальность губки, которая впитывает в себя абсолютно все — начиная от христианства и татарского мата до французской кулинарии, прусской маршировки и немецкого марксизма. Причем все это тут же гиперболизируется, всему этому немедленно придается экстремальная форма — русские христиане объявляют себя богоборцами и строят под Москвой Новый Иерусалим, русские цари называют себя императорами и мечтают сделать Москву вторым Римом, русские марксисты устраивают революцию, а русские антисемиты — кровавые погромы. Поэтому ждать тут спада антисемитизма не приходится...

— А что, разве антисемитизм тоже пришел сюда из-за границы?

— Конечно!

— Не выдумывай! Еще в Киевской Руси князь Владимир брал десять гривен штрафа с мужей, чьи жены бегали к жидам трахаться!

— Ну, то в древности! А в новой истории мы российским антисемитизмом обязаны французским писателям. Да, да! Сначала Шарль Фурье, Альфонс Туснель и Анри Дрюмон, а следом за ними Бальзак, Золя и Анатоль Франс создали в литературе галерею самых отвратительных персонажей еврейской национальности — вспомните Гобсека у Бальзака и Гундермана у Золя. Причем антисемитизм этих писателей вырос на чисто французских проблемах — сначала республиканское правительство, где министром финансов был еврей Поль Бер, обанкротило католическую церковь, а потом, после поражения Франции во франко-прусской войне, в чем евреи уж никак не были виноваты, — французам просто нужно было на ком-то сорвать свое зло. И вот на этой французской литературе как раз и воспитывалось тогда все российское дворянство, и вместе с французским букварем дети русских дворян усваивали французский антисемитизм...

36

Вы когда-нибудь видели летнюю грозу в феврале? Чтобы теплый ливень сек оконное стекло, чтобы молнии белыми грифами раскалывали тучи над чернильным морем, чтобы гром трещал, как тысячи разом разрываемых простыней, и чтобы ветер гнал по пляжу взбитую пену прибоя, колотящего в берег многотонными волнами...

Я сижу за своей пишмашинкой в идиллии пустого зимнего итальянского курорта, о которой мечтали все русские писатели — от Достоевского и Гоголя до Максима Горького. Я сижу в маленькой комнатушке с полированным мраморным полом, с католическим распятием на стене и с односпальной кроватью под окном, выходящим на Средиземное море. На **Средиземное** море — каково, господа-товарищи? Моя походная электроплитка варит мне кофе в турке — настоящий колумбийский кофе, который утром мне в пыль смолол синьор Марио в «Mario Supermercato», а возле моих ног лежит полный таз мандаринов, которые тут дешевле грибов, — на Круглом, возле центрального римского вокзала, рынке их продают не поштучно и не килограммами, а — ведрами! Как яблоки на Украине!

Боже мой, неужели я сейчас будут писать что хочу — без цензуры, без оглядки на редакторов «Мосфильма» и Госкино? Витя Мережко, Эдик Володарский, Толя Гребнев, Валерий Фрид, Женя Григорьев, Валя Ежов, Вадик Трунин, Андрей Смирнов — вы даже не представляете, какой это, оказывается, кайф писать все, что душа желает! И где? В солнечно-лимонной Италии!

Горький, став миллионером на своей пролетарской литературе, поселился в Италии, на Капри.

Гоголь выклянчивал у своей мамы деньги, чтобы подольше сидеть в Риме и писать тут «Мертвые души».

Достоевский проживал тут все свои гонорары и выскабливал из издателей еще и еще — лишь бы во Флоренции и Венеции работать своего «Идиота».

Тургенев в Италии начал писать «Дворянское гнездо».

Пушкин рвался сюда, да что Пушкин — сам Александр Первый инкогнито срывался в Рим «оттянуться» на римских карнавалах!

А я — и не Пушкин, и не Гоголь, и даже не Витя Мережко — вырвался из СССР и сижу на курорте под Римом, и ХИАС дает мне 150 миль в месяц — это огромные деньги, это почти 130 долларов, — просто так дает, ни за что, или, точнее, только за то, что я еврей! Блин, вот, оказывается, сколько я стою! Они выкупили меня у ЦК КПСС или выменяли на зерно и бурильные станки и еще приплачивают мне, чтобы я пару месяцев отдыхал тут от СССР в ожидании въездной американской визы. Вот, оказывается, сколько я стою! Без своих фильмов, без вгиковского диплома, без ничего... А когда там, в СССР, я, автор семи художественных фильмов, попросил у Моссовета разрешения на московскую прописку — что мне сказали? Что комиссия старых большевиков при Моссовете, рассмотрев мое заявление, не сочла возможным удовлетворить мою просьбу. *Не сочла...*

Ну так пошли они в жопу, эти большевики!

Да, представляете, братцы, теперь я могу писать даже так и еще крепче — матом!

Но я не буду больше о них писать, не буду! Пусть их смоет дождем, пусть унесет их от меня как пену...

И даже о своих евреях я сегодня писать не буду, хватит публицистики!

Сегодня я буду писать о себе.

Потому что я — идеальный герой для фильма об эмиграции. Холостой сорокалетний еврей с немереным честолюбием и всеми остальными еврейскими комплексами. С сестрой, улетевшей из Вены в Израиль столь драматическим образом. (Даже когда я бежал за микроавтобусом, увозившим ее и Асю в израильский лагерь, рядом со мной бежал киношник и запоминал четко, как

184

профессиональный убийца: вот так это надо снять в кино — изгиб дороги... крыша удаляющегося микроавтобуса... солнце слева, над лесом... и герой, который, бросив вещи, бежит за сестрой в потоке лакированных холодных машин...) А потом этот герой (в исполнении Ричарда Дрейфуса или Дастина Хоффмана, не меньше!) стирает свои носки в номере дешевого венского отельчика и варит курицу на походной электроплитке... И делает по утрам зарядку возле ежеминутно громыхающего сортира... И на трамвайных остановках засматривается на отмытых и откормленных австрийских девчонок в надежде увидеть в их глазах тот знакомый ёкающий сигнал готовности, который он так часто ловил в глазах московских див...

Но глаза австрийских див — пустые и по-рыбьи холодные. Или этот сигнал пишется по-немецки совсем другим знаком? Или я разучился читать в женских глазах?

Да, сытые юные австрийки открыто целуются со своими парнями в метро и на улицах, но даже это у них — как-то бесполо, как-то формально и без вожделения, словно утренний «Гутен таг». И вся их западная жизнь для меня — как за стеной аквариума...

И вдруг — Сильвия, этот блицроман без гроша в кармане, а теперь вот — Инна.

Инна! Конечно, раз уж она появилась в Вене в один день со мной, то рано или поздно мы должны были встретиться — жизнь такой неловкий драматург, что порой меня просто оторопь берет от примитивности ее сюжетных ходов. Но должен ли я поправлять их или оставить в своем фильме все так, как было?

А было так...

Темный итальянский вечер, все та же центральная виа Санта-Мария в Ладисполи, и они идут мне навстречу — Инна со своим громадным мужем и маленькой дочкой.

Светлые волосы — но разве тогда, шесть лет назад, у нее были светлые волосы?

Я приближаюсь к ним и говорю:

— Ага! Наконец-то! Привет!

Я произношу это подчеркнуто приятельским тоном, словно мы старые добрые друзья и я могу обнять их обоих за плечи.

— Привет! — говорит она мне в тон. — Я уже издали вижу, что это ты — такая стремительная походка, как будто сбежал от какой-то женщины!

В ее голосе нотка ревности — не знаю, заметил ли это ее муж, но я заметил и не стал их разуверять. В конце концов, если ее муж будет уверен, что у меня тут есть женщина, ему будет спокойнее. И я пропускаю ее укольчик мимо ушей и спрашиваю:

— Ну и где же вы тут живете?

Инна тут же перехватывает мой вопрос, на лету перехватывает, как теннисный мяч:

— А пойдем к нам!

— Пойдем, — разом соглашаюсь я, потому что мне давно пора знать, где они живут, и потому что он, ее муж, еще не успел возразить.

И мы идем по пустому, как театральные декорации, Ладисполи, с непривычно низкой и яркой, как мандарин, луной над плоскими крышами итальянских casa, то бишь домов; мы идем от моря на окраину города, но это дорогая окраина с виллами и богатыми трехэтажными домами, с плавательными бассейнами и цветными гипсовыми гномами за узорчатыми заборами. В одном из таких домов поселились Илья и Инна — просторная меблированная квартира с мраморным столом, с кожаной мебелью и мраморными амурчиками у балкона. Но я вижу, как нервно и резко ломается тонкая Иннина фигура, когда она стремительно огибает этот мраморный стол, чтобы поспеть на кухню к закипевшему чайнику, и одновременно старается не пропустить ни слова из моего трепа с ее мужем, чтобы я, не дай Бог, не ляпнул ему чего не нужно. И при этом ей еще нужно занять трехлетнюю дочь, чтобы та не приставала ко мне. Но девочка все равно пристает, потому что я общаюсь с ней как с равной, ведь в этой ситуации она для меня как палочка-выручалочка. И я говорю:

— Юля, ты сегодня собирала грибы? Не собирала? Ну вот, я же вижу, что не собирала! Смотри, сколько их тут выросло под столом! Ну-ка давай соберем и пожарим, ведь нужно же кукол кормить!..

Дети, как известно, куда сообразительнее взрослых, и вот мы с Юлькой уже собираем воображаемые грибы, воображаемо жарим их на воображаемой плите (диване) и воображаемо пробуем их и воображаемо кормим кукол и мраморных амуров у балкона.

Заодно я болтаю с Ильей о нравственных проблемах нашей эмиграции (оказывается, он социолог-психиатр, надо же, кого она себе оторвала!) и только изредка взглядываю на Инну в минуты, когда она прибегает с кухни, но... Но по ее трепещущим тонким пальцам, по взмаху ее ресниц и резкой отмашке волос за спину я чувствую, что она напряжена, как струна.

— Илья, скажу вам откровенно, как еврей еврею: я в жизни не видел столько жидов! Откуда? Это какое-то половодье!..

— А я к тебе заходила несколько раз, но тебя все нет и нет, — вдруг вставила Инна. — Разве твой сосед тебе не сказал?

Я шутливо развел руками:

— Нет. Если бы я знал, что ты придешь, я сидел бы, не выходя из дома!

— А я гуляю с Юлькой — что мне тут делать? — гуляю к морю и от моря, к морю и от моря. И зашла к тебе. Мы тут первые дни жили совсем одни в доме, это же фашистский район, наши тут селиться боятся. Но теперь уже столько понаехало, сегодня и у нас появились соседи. Тебе нравится наша квартира?

Вот мы и объяснились — прямо при муже. Я знал, что она должна была зайти. Еще неделю назад, днем, я шел по улице со своим «сыном полка» Мишей Нихельспуном и увидел ее возле обувного магазина «Leone Calzatura». Она стояла спиной ко мне, в джинсах и легкой кофточке, светлые волосы распущены по плечам — на вид двадцать лет, ну, двадцать три. И Миша — мой завистливый 28-летний кобелек, — издали увидев ее стройненькую фигуру, тут же пустил слюну.

— Это кадр! Неужели наша?..

И опять, как в Вене, я не стал ее окликать, я подошел со спины и стал смотреть ей в затылок, ожидая, когда она повернется. А она на ломаном итальянском общалась с хозяином магазина, и тот старательно игнорировал мое присутствие, как бы защищая свои эксклюзивные права на эту роскошную женщину.

Но я и не посягал, я только стоял и ждал, растягивая неловкость этой ситуации и получая удовольствие от этого натяжения.

Наконец, почувствовав нервозность своего собеседника, Инна удивленно повернулась:

— О, Вад! Ты здесь? Здравствуй! А мы приехали сюда из Рима искать квартиру. В Риме все ужасно дорого! Ты не знаешь тут никакой квартиры в аренду?

— Не знаю, но могу узнать. Миша, мы можем узнать?

— Еще бы! — сказал Миша. — Запросто! У меня такие контакты!..

Никаких контактов у него, конечно, не было, этот бородатенький козлик прилип ко мне еще в венском ХИАСе, рассказывая о своем детдомовском детстве и о том, как учитель физкультуры оставлял его после урока в спортзале, запирал дверь, приказывал ложиться на маты и с упоением бил ремнем по голой заднице, приговаривая: «Вот тебе, жиденок! Еще тебе, жиденок!» А позже выяснилось, что этот учитель был при немцах полицаем...

Ну как было после этого не «усыновить» еврейского сиротку?

Хотя когда мы с ним в складчину стали снимать эту квартирку у моря, оказалось, что сиротка — чудовищный лентяй, неряха, ни разу не подмел полы даже в своей комнате и не умеет не только готовить, но даже яичницу пожарить, даже овсяную кашу сварить! А единственный раз, когда он влез под душ, он затопил водой всю квартиру; честное слово, у меня уже руки чесались последовать примеру того полицая...

Зато гонору у мсье Нихельспуна — как у шпица, который, выбежав из дома, должен немедленно окропить своей желтой струйкой все столбы и деревья вокруг.

Вот и теперь он тут же распустил хвост:

— У меня такие контакты!..

— Ладно, не трепись! — перебил я и повернулся к Инне: — Мы живем тут рядом, виа Санта-Елена, 28, квартира 2. Если ты придешь через час, мы что-то узнаем у нашего хозяина. Хорошо? — Я смотрел ей в глаза, да практически мы с ней все это время смотрели друг другу в глаза не отрываясь, а эти двое — хозяин обувного магазина и мой козлик — были только на окраинах нашего зрения.

— Нет, вряд ли я смогу через час, — сказала она и позвала через витрину соседнего магазина: — Илья! Юлька! — И повернулась ко мне: — Мы сейчас едем с этим итальянцем смотреть его квартиры, за час мы не успеем.

— Хорошо, — согласился я. — Приходите через два часа.

— Давай через три, — сказала она.

— Вы запишите наш адрес. У вас есть чем записать? — вставил мой козлик и полез в карман пиджака за своей гордостью — новенькой авторучкой с плавающей русалкой в корпусе.

Инна улыбнулась куда-то в себя и остановила его:

— Виа Санта-Елена, 28, квартира 2. Я запомнила. — Она чуть вскинула головой, и волосы улетели с ее плеча за спину, и этим жестом она словно сбросила в память мой адрес. и я уже знал, что она придет.

А итальянец — молодой и суетливый, но с правильным мужским взглядом, которым он все ширял по ее стройной фигуре, — опустил тем временем железные жалюзи своего обувного магазинчика, сел в свой «фиатик» и изнутри открыл правую дверцу:

— Prego, segnora!

Ему так не терпелось увезти эту синьору!

— Моменто! — сказала Инна и снова позвала: — Илья! Юлька! Поехали!

Громадный Илья, увенчанный сидевшей у него на плечах Юлькой с новой куклой в руках, вышел из магазина, помахал мне рукой, и они сели в машину обувщика, почему-то разом потемневшего лицом. Однако бизнес есть бизнес, и, вздохнув, он увез их в свои «casa» и «апартаменто», которых тут у каждого итальянца по десятку для сдачи во время летнего сезона. А мой козлик Миша, глядя им вслед, сказал:

— Красивая женщина! Интересно, у нее под джинсами такие же красивые ноги?

— Да, Миша, такие.

— Откуда вы знаете?

— Знаю. Пошли к Лоренцо. Нужно найти ей квартиру.

— Рядом с нами. Представляю, что это будет! Такие ноги!

— Сейчас ты получишь по шее!

Мы нашли им квартиру, и я прождал ее три или четыре часа, но она не пришла — «Leone Calzatura» сдал им, конечно, одну из своих лучших квартир. К вящему и злорадному удовольствию моего придворного козлика.

Однако я не переживал, я давно понял, что жизнь и судьба рано или поздно любой роман приведут к развязке. К тому же поспешное развитие событий свело бы эту историю к проходному дорожному адюльтеру, а куда нам теперь спешить, ведь у нас впереди вся эмиграция...

— А я к тебе заходила несколько раз, но тебя все нет и нет. Разве твой сосед тебе не сказал?

Значит, она пришла сразу, как только они переехали из Рима в Ладисполи (или они переехали из Рима в Ладисполи сразу, как только она встретила тут меня?), но меня не было дома, а этот козел Нихельспун ничего мне не сказал и, наверное, еще пытался кадрить ее, сопляк!..

И вот я сижу у нее в гостях, пью чай с ее мужем, играю с ее дочкой и поглядываю на нее — как она нервничает, как двигается.

Это мог быть мой ребенок, и ей было бы сейчас шесть лет.

Это могла быть моя жена, и я должен тебе сказать, мудила, у тебя была бы совсем неплохая жена!

Я смотрю на ее мужа — это тоже мог быть я, между прочим.

А потом они втроем провожают меня до калитки их красивого, в узорчатой ограде дома, и Юлька настойчиво твердит: «А когда ты придешь? А ты придешь завтра?», и Инна удивляется:

— Надо же, ты и ее закадрил! У нас с ней проблемы ужасные, она каждый день плачет: «Папочка, мамочка, увезите меня домой, меня тут солнышко не греет, мне тут цветочки не пахнут!» Представляешь?!

Я вру Юльке, что обязательно приду, и ухожу от них по тихой, с лимонными деревьями улице фашистского района, зная, что не должен больше переступать их порог. Во всяком случае, завтра не должен, потому что завтра Илья едет в Рим на рынок, а я уже давно собирался в Ватикан посмотреть папскую службу.

Да, я знал, что завтра — то бишь уже сегодня, когда я это пишу, — я не должен идти к ней, но я знал, что пойду.

И дождь помог мне остаться в Ладисполи. Всю ночь над морем полыхала гроза, ливень бил за окном по мостовой, по пляжу и перевернутым лодкам, то и дело хряпал гром и трещали молнии, вода рокотала в дождевых желобах, и я не спал, конечно, а вставал, то открывая окно, то закрывая его, и убеждал себя не быть мерзавцем и не ходить к ней — ведь говорил же мне мой первый мосфильмовский ментор: «Вадим, никогда не возвращайтесь к брошенным любовницам!»

Утром, проснувшись и поглядев в окно, я лукаво решил: ну какой Ватикан, когда такой дождь! Вон даже Петя Рабинович, уж на что спортсмен, каждое утро по часу делает на пляже зарядку в любую погоду, словно не в адвокаты собирается пробиваться в Америке, а в олимпийскую сборную, — и тот сегодня на зарядку не вышел. Нет, лучше я останусь дома и поработаю над сценарием своего заветного фильма.

Но и работа не шла, и маета со стиркой рубах не занимала голову, и в три часа дня я не выдержал и пошел к ней сквозь дождь.

Я подошел к их дому, к решетчатой калитке, нажал кнопку на табло и услышал голос из динамика:

— Вадим, это ты? Открываю.

Она ждала меня — меня, и никого больше.

Но если вы уже изготовились к порнухе или эротике, расслабьтесь — ведь там была Юлька, которая не отходила от меня ни на шаг, считая, что я пришел только к ней, персонально. И если бы я писал сейчас сценарий своего фильма, я должен был бы потратить на эту сцену дня три, не меньше, — потому что в ее недосказанностях, полусказанностях и (при ребенке) иносказаниях был огромный кусок моей жизни и почти вся ее, Иннина, жизнь.

Но сегодня я эту сцену писать не стану — за окном по-прежнему так гремит средиземноморская гроза, что свет уже выключался четыре раза и вот-вот вырубится совсем. Да и устал я от этого изматывающего душу дня больше, чем от любой эротики...

37

Мощные «Т-64» боевым строем рокотали сквозь морозную метель по брусчатке Красной площади, гулкий голос мегатонных динамиков летел над их колонной:

— Да здравствуют наши могучие и непобедимые бронетанковые войска!..

И танкисты, сидя на башнях танков, кричали в полный голос:

— Ура-а-а!..

И гигантские зеленые туловища ракет «СС-20» на огромных тягачах «Урал» выплывали на площадь из-за здания Музея Революции, и морозная чаща площади вновь заполнялась мегатонным призывом:

— Да здравствуют наши ракетные войска, надежно охраняющие мир во всем мире!

И ракетчики зычно кричали:

— Ура-а-а!..

И популярный русский телеведущий, стоя на трибуне Мавзолея, набирал воздух в легкие и наклонялся к микрофону:

— Да здравствует непобедимая Советская Армия!

— Ура-а-а! — хором выдыхали артиллеристы, минометчики и десантники.

— Да здравствует наша родная Коммунистическая партия во главе с мудрым Центральным Комитетом и выдающимся деятелем международного коммунистического движения Леонидом Ильичом Брежневым!

— Ура-а-а!.. — рокотало над ГУМом, собором Василия Блаженного и Мавзолеем вождя мирового пролетариата Владимира Ленина.

Стоя среди именитых, со всего мира, гостей на гостевой трибуне у Мавзолея, Винсент притопывал замерзающими ногами, растирал перчаткой щеки и подбородок и поглядывал на Мавзолей. Вот они стоят — Брежнев, только что через силу прочитавший по бумажке свое «соссилиссиссеское» приветствие непобедимой Советской Армии в день ее праздника и юбилея, и по обе стороны от него — шеренга главных марксистов планеты в каракулевых шапках: мистер «нет» Громыко, «серый кардинал» Суслов, рыжеватый министр обороны Устинов, бабьелицый Черненко, всемогущий Андропов, толстенький Кириленко, высокий остролицый Гришин, дряблый Тихонов... Все русские, конечно, и все-таки есть какой-то монгольский, что ли, атавизм в том, что Ленин, Сталин и Троцкий назывались у них вождями, как при племенном строе, а теперь эти преемники взгромоздились над засушенным трупом своего главного вождя и выкрикивают свои заклятия:

— Да здравствует всепобеждающее учение марксизма-ленинизма!..

— Да здравствует мудрая политика Центрального Комитета!..

— Слава труду!..

И этим пещерным старикам принадлежит полмира! Даже больше...

Винсент вспомнил своего земляка Марко Поло, который из своих путешествий по Азии привез легенду о могущественном «старце гор» Алаодине. Этот старец построил в горах великолепные дворцы с пышными садами, похожими на райские кущи, в них обитали прекрасные гурии. У входа в страну Алаодина стояла неприступная крепость. Могучие и жестокие воины этой крепости держали в страхе все окрестные племена и во время своих беспощадных набегов уводили в крепость самых красивых, выносливых и сильных мальчиков в возрасте от 12 до 20 лет. Там Алаодин опаивал их каким-то снотворным напитком. После долгого и глубокого сна они просыпались, окруженные райскими гуриями. Юноши были уверены, что попали на небеса, и Алаодину, гласила легенда, ничего не стоило уговорить их стать его воинами, посулив им вечную жизнь в раю. А вскоре он превращал их в бесстрашных и безжалостных убийц, которые держали в повиновении все окружающие племена и народы.

Конечно, Алаодин был первым гипнотизером, программировавшим психику этих юношей в просоночно-фазовом состоянии, вызванном каким-нибудь сильным наркотиком. Он полностью стирал в их памяти информацию о родителях, детстве, своей стране и на чистые матрицы их сознания методом внушения записывал новую поведенческую программу. Он их зомбировал и с их помощью завоевывал мир.

Но одна деталь этого зомбирования была непреложной — в перерывах меж экспедициями по завоеванию новых территорий эти зомби действительно жили среди райски плодоносящих садов, с самыми нежными, прелестными и вечно юными гуриями.

А ради чего завоевывают мир для этих кремлевских старцев марширующие сейчас по площади солдаты? Конечно, несколько гурий в этой figlio Москве есть, но райские кущи и сады? Куда там! Тут даже за деньги не купить самых простых фруктов, овощей, колбасы, сыра, масла, витаминов, соков, приличной обуви и одежды...

Нет, Винсент не станет одним из зомби и не принесет кремлевским старцам свою солнечную Италию на инкрустированном неаполитанском столике! Пусть этот Андропов и «просто Петр» хотят использовать его, как в свое время немцы хотели использовать Ленина и как сейчас Брежнев использует Тараки в Кабуле. Но они забывают, что он не Тараки, не Берлингуэр и даже не Фертинелли или Тони Негро! Он психиатр, он видит их насквозь, у него, как у истинного революционера, нет сантиментов, чувства долга и прочих мелких человеческих слабостей. Как Ленин использовал немцев, чтобы взять власть в России, так он использует этих русских...

— Слава Коммунистической партии Советского Союза — вдохновителю наших побед!

— Ур-ра-а-а!!! — ревели солдатские шеренги, единым выдохом выдыхая клубы морозного пара из мощных глоток.

Натянув на уши отвороты своей новенькой пыжиковой шапки, Винсент стал протискиваться к просвету в деревянном барьере гостевой трибуны.

— Пардон, мсье... Скьюзито... Эскюз ми...

Любопытно, что на этот военный, в честь Дня Советской Армии, парад сюда не прилетели ни Берлингуэр, ни Кьяромонте — сообразили, видимо, что ради голосов своих избирателей должны как можно сильнее дистанцироваться от русских и даже открыто конфликтовать с ними, как с китайскими догматиками и консервативными монстрами.

Дюжий краснощекий охранник в белом овчинном тулупе преградил Винсенту выход с трибуны:

— Нет, сейчас нельзя.

— Пер ке? Why?

Конечно, Винсент мог спросить и по-русски, но он уже усвоил, что в Москве куда удобнее быть иностранцем и прикидываться, будто не понимаешь по-русски ни слова.

— Во время парада по площади ходить нельзя! — сказал охранник.

— I need a restroom. Gabinetto signori. Tualetto...

Охранник, поколебавшись, отступил на шаг:

— Ладно, идите. Только вот здесь, вдоль елок...

Винсент — вдоль заснеженных елок и кремлевской стены с медными табличками захороненных в этой стене вождей революции — вышел к Манежу. В плотном окружении милиции здесь, как в накопителе, ждали своей очереди знаменитые русские «катюши» и гигантские межконтинентальные баллистические монстры.

Пройдя по подземному переходу на улицу Горького, Винсент хотел поймать такси, но оказалось, что и по Горького проезда нет — здесь, перед выходом на Красную площадь, томились русские «голубые береты», замыкающие военный парад. Их амфибии и бронетранспортеры были украшены кумачом, транспарантами «СЛАВА КПСС», «ДА ЗДРАВСТВУЕТ ЛЕНИНИЗМ!» и портретами Брежнева.

Чувствуя, что у него уже коченеют руки и ноги, Винсент пешком пошел вверх по Горького к своему отелю. Un merdonassio! Черт побери! Как можно жить в таком климате? Да еще при таких магазинах, в которых, кроме консервных банок с протертыми баклажанами, свиной тушенкой и сгущенным молоком, ничего нет — вообще ничего! Голые полки... Правда, Елена говорит, что такое положение с продуктами — недавно, что три-четыре месяца назад в магазинах были и колбаса, и масло, и сыры, но мамма миа! — если бы в Италии вдруг исчезли в магазинах все продукты, да что там все, даже половина, — кто бы стал терпеть это четыре месяца? Не нужно было бы никаких «Красных бригад», «Нового левого фронта» и даже его, Винсента, гениальной идеи...

Сколько же ему придется еще сидеть в этом русском морозильнике? Неделю? Две? Только потому, что они, видите ли, хотят проверить качество его работы! Cretini! Этот Пильщик-Богул до того вошел в свою новую биографию, что вчера выбил зубы санитару, который назвал его «жидом». Так что же тут еще проверять?

Но ладно! Он им устроит проверку! Он им такую проверку устроит...

Так, согревая себя злостью, Винсент широким шагом взошел по улице Горького вверх до площади Маяковского и, почти согревшись от быстрой ходьбы, вошел в гостиницу «Пекин», лифтом поднялся на пятый этаж.

— С праздничком! — по-свойски сказала ему дежурная по этажу, сидя за своим министерским столом в торце коридора, откуда ей видны были все двери гостиничных номеров. — А вашего ключика у меня нет, у вас гости.

— Гости? — переспросил Винсент. — Елена?

— Не только, — загадочно улыбнулась дежурная.

Винсент прошел по коридору, открыл дверь в свой номер. Здесь за столом сидели улыбающиеся Елена и Иванов, а на столе...

На столе, перевязанная красной ленточкой, возвышалась стопка новеньких, в глянцевых переплетах книг с крупным заголовком:

Проф. Винсент КОРЕЛЛИ
ГИПНОЗ И ПРОГРАММИРОВАНИЕ
ИНФОРМАТИВНОГО ЧЕЛОВЕКА

А на этой стопке стояла большая бутылка «Хеннесси» — самого любимого коньяка профессора Винсента Корелли.

— А вот и автор! — воскликнул Иванов и встал, произнес церемонно: — Дорогой Винсент! От имени нашей скромной организации этим маленьким подарком мы поздравляем вас с Днем Советской Армии! Позвольте открыть бутыль...

Винсент всплеснул руками от счастья:

— Мамма миа! Моя книга! По-русски!

Но и обнимаясь благодарно с Ивановым, он мысленно усмехался: нет, полковник, ты хочешь меня купить билетом на гостевую трибуну? мощью вашей армии? изданием моей книжки? — не выйдет, я же тебя насквозь вижу...

38

Вадинька, я не знаю, откуда у тебя эта информация, но она правильная — у нас действительно холодно по ночам. То есть днем +17—18, но ночью приходится включать газ, поскольку батарея не работает в холодное время суток, а работает только днем, когда и без нее жарко. Такие порядки. В школах тоже нет отопления, с ночи сырой холодный воздух стоит в классах, как в погребе, а потому с восьми утра все дети сидят в пальто, кашляют и чихают. И даже когда на улице к 12 часам дня становится тепло, в домах еще очень холодно. У всех, у кого я была в квартирах, — собачий холод, ходят дома в десяти одежках и выходят днем на улицу погреться. При этом все дома приспособлены к жаре — в коридорных стенах дырки и проемы для вентиляции, в квартирах форточки незакрывающиеся. По возможности стараюсь не пускать Асю в школу, так как кашель пока не отступает. Я тебе об этом не писала, чтобы ты не нервничал, но ты, наверное, получил информацию от израильских туристов или от евреев, которые из Израиля сбежали. Не знаю, что ты отправил нам в своей бандероли, она еще не пришла, но учти, что за все вещи, которые приходят по почте, тут нужно платить очень большую пошлину. Поэтому многие находят другие пути — передают вещи с израильскими туристами. Нам с Асей нужно пару свитеров, теплые юбки и колготы — мне любого цвета, а ей белые для школы. Я бы и тут разорилась на эти шмотки, но, во-первых, хорошие вещи здесь очень дороги, а во-вторых, нас, новеньких и с плохим ивритом, всюду обсчитывают — в автобусе, в магазине, в лотке...

Ладно, разнюнилась! На войне как на войне. Ася в магазине теперь протягивает хозяину лиру и бодро произносит на иврите: «Дайте, пожалуйста, жвачку!», и он дает ей ту же жвачку, за которую месяц назад бессовестно драл с нас четыре лиры.

Вообще цены никто не контролирует, ведь все магазины частные. Поэтому в одном магазине цена на вещь одна, а буквально через дорогу на ту же вещь цена другая. Свободный мир! Зато нет черного хлеба, нет художественной гимнастики для Аси, нет танцевального кружка, а есть балетная студия за большие деньги.

Правда, я здесь слышу разные комплименты на свой счет — что я такая интересная, с такой специальностью и т.д.! Но это тут же оборачивается тем, что все жены видят во мне опасность и всякие дружеские отношения с семейными парами прерываются, едва начавшись. И вообще такое впечатление, что здесь каждый второй — неудачник, все рассказывают, кем они были в Союзе, а кем стали здесь...

Впрочем, если посмотреть с другой стороны, то каждый второй — удачник...

Вот у Аси тут тьма поклонников, и сейчас ее опекают старики израильтяне, которые живут буквально напротив нашего дома. А Изя, ассистент Андриевского, сказал, что Андриевский ему звонил по поводу Аси, — я думаю, это ты достал каким-то образом Феликса в Лондоне, да? Короче, Изя начал репетировать с ней новую программу.

Между тем в Сирию продолжают прибывать кубинские десантники, у нас армии объявлена готовность номер 1, и все вокруг говорят о войне. Вчера Ася пришла из школы и спросила: «Мама, а война будет?» Так мы приобщаемся...

ХЭЛОУ, ДЯДЯ ВАДИК-ТЮЛЬПАН! ЭТО РОМАШКА АСЯ. Я ПО ТЕБЕ СКУЧАЮ. КОГДА МЫ ПОЛУЧИЛИ ТВОЕ ПЕРВОЕ ПИСЬМО, Я ПЛАКАЛА. МНЕ НРАВИЦА ТЕЛЯВИВ, Я ЗДЕСЬ ХОЖУ В ШКОЛУ, УЧУ ИВРИТ, И Я УЖЕ НЕМНОЖКО ЗАБЫВАЮ ПИСАТЬ НА РУССКОМ. В ШКОЛЕ БЫЛ ТАКОЙ СЛУЧАЙ: УЧИТЕЛЬНИЦА СКАЗАЛА ЗАПИСАТЬ ДОМАШНЕЕ ЗАДАНИЕ, Я ЗАПИСАЛА ЕГО ПО РУССКИ, НО В ДРУГУЮ СТОРОНУ, ТО ЕСТЬ С ПРАВО НА ЛЕВО КАК ПИШУТ ИВРИТ. А ПОТОМ НЕ СМОГЛА ПРОЧИТАТЬ. Я В ШКОЛЕ СДЕЛАЛА КРУЖОК ТРУДА. А СЕГОДНЯ КО МНЕ ПОДОШЛИ МАЛЬЧИК И ДЕВОЧКА И ПОПРОСИЛИ МЕНЯ, ЧТОБЫ Я НАУЧИЛА ИХ ГОВОРИТЬ ПО-РУССКИ. МНЕ ОЧЕНЬ ХОЧИЦА СПРОСИТЬ КАК У ТЕБЯ ДЕЛА? В ТЕЛЯВИВЕ СЕЙЧАС ЗИМА, И НЕМНОЖКО ХОЛОДНО. ЕСЛИ МОЖЕШЬ КУПИ МНЕ ПОНЧО. А МАМА НЕ ЗНАЮ КОГДА БУДЕТ ГОВОРИТЬ НА ИВРИТЕ. МНЕ МАМА КУПИЛА ПРОИГРЫВАТИЛЬ НЕ СТЕРЕО, НО СТОИТ ТЫЩЮ ДВЕСТИ. ВООБЩЕ У МЕНЯ ВСЕ ХОРОШО, ТОЛЬКО Я НЕМНОЖКО ЧИХАЮ И МНОГО КАШЛИЮ. СКОРО ПРИЕЗЖАЕТ ФЕЛИКС АНДРИЕВСКИЙ, ПРИБЛЕЗИТЕЛЬНО ЧЕРЕЗ ДЕВЯТЬ ДНЕЙ. МЫ С ИЗЕЙ ГОТОВИМ ДЛЯ НЕГО СПЕЦИАЛЬНУЮ ПРОГРАММУ. Я ИГРАЮ ВАРИАЦИИ ДАНКЛА НА ТЕМУ ПАЧИНИ И НА ТЕМУ ВЕЙГЛЯ ЭТЮД 64 И 52. ПРЕРЫВАЮ ПИСЬМО ПОТОМУ ЧТО ХОЧУ СПАТЬ. ЗУБЫ У МЕНЯ УЖЕ ШАТАЮЦА, СКОРО БУДУТ НОВЫЕ. ЕЩО НАС В ШКОЛЕ НАУЧИЛИ НАДЕВАТЬ ПРОТИВОГАС НА ГОЛОВУ, НО ЭТО БОЛЬНО И ЖАРКО. ФИДЕЛЬКАСТРО Я НЕ ЛЮБЛЮ. ЦЕЛУЮ ТЕБЯ. РОМАШКА.

39

Полигоном для эксперимента с Богулом-Пильщиком была выбрана станция Михнево по Рязанской железной дороге — и от Москвы недалеко, и обзор отличный, вся площадь между станцией и рынком просматривается как на ладони.

За «объектом» заехали в полдень на двух машинах — в одной, серой «Волге», полковник Иванов и профессор Корелли, во второй, в «уазике», Елена Козакова и двое спецназовцев.

В «Кащенко» Иванов и Корелли остались в «Волге» у проходной, а Елена с провожатыми направилась в больничный корпус номер 7. «Кащенко», не в пример Институту Сербского, был целым городом за глухим забором — многоэтажные больничные корпуса стояли тут среди заснеженного парка, от корпуса к корпусу вели узкие, протоптанные в глубоком снегу тропинки и дорожки. На этих тропинках и дорожках не было людей, и это создавало ощущение пустоты и необжитости, но, приглядевшись, можно было понять, в чем дело — все окна в больничных корпусах были закрашены белой краской. А при еще большей внимательности можно было углядеть крытые машины у служебных подъездов этих корпусов и дым над кочегаркой...

В седьмом корпусе Елену и ее спутников, конечно, ждали главврач больницы и лечащий врач Якова Пильщика (Богула).

— Ну как он? — спросила Елена, поздоровавшись и направляясь за врачами по коридору к палате «узников Сиона», куда после ритуальной операции был помещен Пильщик-Богул для укрепления его веры в свое еврейство.

— В общем, все нормально. Но... — замялся главврач.

— Но что? — удивилась Елена. После перевода в «Кащенко» Винсент (через Елену) провел с Пильщиком-Богулом еще шесть сеансов сеггустивного программирования, после которых никаких сомнений в успехе эксперимента уже не оставалось — Богул сознавал себя Пильщиком и никем другим. Что могло тут случиться?

— Не знаю, как сказать... — смущенно ответил главврач. — Вам, как даме, мне несколько неудобно об этом говорить...

— Говорите. Что случилось?

— Нет, лучше вы сами посмотрите...

Они подвели ее к окошку в двери в палаты, забранному белой покрашенной решеткой. Елена заглянула в палату и тут же отвернулась.

— Видите? — сказал главврач. — И так он часами сидит в койке, разглядывая свой член. И улыбается как блаженный.

— Но он же не онанирует, — заметил лечащий врач.

— Да, в остальном он тихий и нормальный, — сказал главврач. — Будете забирать?

— На несколько часов, — сообщила Елена.

— Куда мы едем? Неужели меня выпустили? А за что меня вообще посадили в психушку? А почему ко мне не пускают родителей?

Елена добросовестно отвечала и следила за его реакцией. Он сидел на заднем сиденье «Волги» с двумя спецназовцами по бокам. Конечно, он возбужден, но кто не был бы возбужден выходом из психушки?

— Яша, вас поместили в больницу по просьбе ваших родителей. Я же вам объясняла: вы хотели сами сделать себе обрезание, это их напугало. А в больнице вам пошли навстречу, сделали все профессионально...

Это было частью легенды, внушенной ею новому Пильщику с подачи Винсента.

— А куда вы меня везете? Домой?

— Нет, пока — нет. Мы с вами совершим пробную прогулку. И если вы будете себя хорошо вести...

— Прогулку с охранниками? — удивился он.

— Нет, они с нами только на первые минуты. Скажем, до Павелецкого вокзала. А там мы с ними расстанемся. Они, конечно, немножко боятся оставлять меня, но...

— Боятся? Почему? Я же совершенно нормален!

— Я вижу...

Она и вправду видела, что он безопасен. Больше того — второго такого безоблачно-счастливого и сияющего благодушием лица она не видела в своей жизни. Возможно, родители Пильщика и не узнали бы в нем своего сына, но и родители Богула не узнали бы в нем своего Богула. Да что там родители! Даже сам Богул прежний не узнал бы себя! Это каким-то странным манером округлившееся лицо, эти сияющие глаза, эта открытая улыбка человека, который наивно ждет от мира только добра и радости... Хотя всего пару дней назад Елена сама внушала ему этот позитивно-положительный настрой к жизни, но кто мог подумать, что он усвоит его до такой степени! Действительно блаженный...

— Я думаю поехать с вами за город, — сказала она. — Вы не против?

— Я — против?! Да с вами я куда угодно!..

И все-таки на вокзале, когда она отпустила спецназовцев и отправила Яшу Пильщика в кассу за билетами до Михнево, Елена занервничала. Конечно, она знала, что она тут не одна, что где-то рядом должна быть «наружка» — Иванов заверил ее, что лучшие кадры наружной службы КГБ будут не спускать с нее глаз и в случае, не дай Бог, чего...

Но сколько она ни озиралась по сторонам, она не видела среди пассажиров, спешащих к кассам и от касс, ни одного человека, который не только бы не спускал с нее глаз, а вообще смотрел в ее сторону. Какие-то женщины с тяжелыми авоськами и сумками, какие-то мужики с мешками — обычная московская толпа. Впрочем, не совсем обычная — в последнее время, и особенно после Нового года, когда в стране непонятно почему вдруг подняли цены и стало тяжело со снабжением, в Москву ринулось за продуктами не только все Подмосковье, но и жители Иванова, Калуги, Тулы, Смоленска, Владимира и Рязани. Причем к февралю это стало уже не стихийным приездом нескольких сотен человек, а массовым и организованным движением — целые предприятия сообща направляли в Москву своих заготовителей и охотников за продуктами, и днем, пока москвичи были на работе, приезжие сметали с прилавков все, вплоть до хлеба, который увозили буквально мешками.

Вот и сейчас эта толпа мешочников волокла к платформам электричек тяжеленные мешки, рюкзаки, сумки и чемоданы с хлебом, колбасой, сосисками, мороженым мясом, крупами, мукой, сахаром, кубинскими апельсинами и зелеными арабскими бананами. Елена с типичной для москвичей неприязнью смотрела на них, а они бесцеремонно толкали ее и еще крыли при этом:

— Ну чё стала тут поперек? Кыш с дороги!..

Пильщик-Богул прибежал с билетами:

— Пошли! Нужно места занять! Восемь минут до поезда...

Но только когда Елена увидела, что следом за ними вошли в вагон сразу несколько рослых мужчин и сам Иванов с профессором Корелли, она успокоилась.

А Пильщик возбужденно рыскнул вперед по вагону и, опередив каких-то теток, занял два места у окна, замахал ей руками:

— Сюда! Сюда!

Елена села возле него и, скосив глаза, увидела, что несколько плечистых мужчин с невероятной проворностью тут же оказались по соседству с ними, а Иванов и Корелли устроились в глубине вагона.

40

Что было в Белкином письме? Что такого было в ее письме, что я стоял как оглушенный в пыльном зале Posta Centrale — римской центральной почты — на площади Святого Сильвестра?

«В Сирию продолжают прибывать кубинские десантники, у нас армии объявлена готовность номер 1, и все вокруг говорят о войне. Вчера Ася пришла из школы и спросила: «Мама, а война будет?» Так мы приобщаемся...»

Блин! Почему я не утопил Рауля Кастро, когда в качестве корреспондента газеты сопровождал его в 1962-м на Нефтяные камни? Ахундов, бывший тогда партийным монархом Азербайджана, приказал показать 24-летнему министру обороны революционной Кубы эту «жемчужину» своей республики, и на трех торпедных катерах мы носились по Каспию со скоростью сорок узлов в час. Одним толчком я мог выбросить Рауля за борт, под винт соседнего катера...

Но это, конечно, пустая бравада, ничего я не мог.

На тяжелых ногах я вышел из зала почты на улицу. Залитый солнцем Рим — роскошный в своей истомно-имперской архитектуре, с бесконечным потоком гудящих машин и двухэтажных автобусов, с голенастыми черноглазыми итальянками, со шпаной на оглушающих мопедах и с развалами невероятного количества одежды, вываливающейся из магазинов на уличные прилавки, — этот громадный и тысячелетний Рим лежал передо мной в своем вековечном и умиротворяющем спокойствии. Я так полюбил его за эти недели! Я вставал на рассвете, наспех завтракал овсяной кашей, набивал заплечную сумку мандаринами и хлебом и «зайцем» уезжал на электричке из Ладисполи в Рим — на весь день, до ночи. Я не пользовался ни картой, ни путеводителем, я не знаю итальянского, и у меня не было никакой цели и денег даже на кусок пиццы или чашку кофе, но я бродил по Риму часами и сутками, я вышагивал по набережным Тибра, по каким-то via и piazza и не то чудом, не то по наитию выходил к Колизею, к развалинам Форума, к Волчице, к Пантеону и к «Устам Правды» в часовне Temple de Vesta. Впрочем, в Риме не нужны ни чудеса, ни наитие, тут куда ни пойдешь, выйдешь на пьяццу Навона, пьяццу Венеция, пьяццу Святого Петра, пьяццу дель Пополо, виллу Боргезе или еще куда покруче!

Впрочем, я не такой идиот, чтобы вслед за сонмом писателей в тысячный раз описывать прелести Рима. Я скажу проще: если у вас паскудно на душе, если все вразброд и мелочи жизни одолевают и сосут душу, если хочется напиться и повеситься — да что перечислять! — я вам говорю: во всех паскудных случаях жизни езжайте в Рим, он вылечит и спасет. Если неизвестно кто и как разрушил вашу жизнь или вы потеряли Женщину жизни (или Мужчину жизни) — езжайте в Рим, он поднимет вас из праха. Если у вас есть глаза, уши и чувство юмора — Рим лечит юмором. Если у вас есть душа, печальное сердце и элегический характер — Рим лечит древностью своих камней и фресок. Если у вас есть Незавоеванная Женщина — везите ее в Рим, Рим завоюет для вас весь мир. Говорят, что Париж стоит обедни, — может быть, не знаю, но в таком случае Рим стоит месячного питания, и я уже через неделю перестал таскать с собой заплечную сумку с едой, а, сунув в карман кусок хлеба, спокойно обходился и этим и еще делил этот хлеб с наглыми римскими голубями. Конечно, порой я натыкался на краснознаменные демонстрации римского пролетариата и громкоголосые студенческие митинги, но они мне не мешали — я презрительно отворачивал от них в боковые улицы, и снова виа Кондоти, лестница у церкви Trinita dei Monti, Аппийская дорога и еще сотни знаменитых, малоизвестных и совершенно неизвестных туристам мест были моими слушателями и оппонентами. Им, наперсникам и судьям безгрешного итальянского неореализма в кино, им, кому молились и плакались Роберто Росселини, Чезаре Дзаватини, Витторио де Сика, Джузеппе де Сантис и Пьетро Джерми, я рассказывал и показывал эпизоды своего будущего фильма, хвастаясь, как Буратино своими золотыми монетками.

О, у меня уже было чем похвастать! Помимо эпизодов моей собственной истории — разлука с сестрой в венском аэропорту и тут же налет арабских террористов на израильское посольство в Вене, встреча с Инной в ХИАСе и отъезд еврейских эмигрантов из Вены под охраной немецких овчарок и австрийских автоматчиков с финальной сценой моего романа с Сильвией, — помимо этого, у меня еще была история Карена Гаспаряна: феноменальный «сэйшн» венского джазового ансамбля, неудачная попытка подмены его виолончели в Гамбурге и продолжение его истории здесь, в Риме. В день провала его гамбургской операции он приехал из Зальцбурга трупом, покойником, самоубийцей, я боялся, что он повесится в своем номере или выпрыгнет из окна. За одну ночь он потерял не только 70 тысяч долларов, он — музыкант! — остался на Западе без инструмента. Небритый, черный от горя, с синими отеками под глазами, он лежал на койке, уставившись в потолок, и даже не матерился. И только когда я пошел к соседям, взял в долг бутылку «Столичной» и поставил перед ним полный стакан водки, Карен посмотрел мне в глаза, выпил залпом и выдохнул — выдохнул всю свою боль, горечь и злость.

Но уже наутро он был прежним Кареном — сгустком энергии весом в 180 килограммов. Он оформил свой развод с еврейской «невестой», а вечером с еврейским эшелоном укатил в Рим, таща на себе свою чудовищную, без звука, сырую советскую пятидесятирублевую виолончель, к которой он даже прикасаться себе не разрешал, чтобы, как он говорил, «не портить уши».

А через неделю, когда я догнал его в Риме, у него уже была новая виолончель стоимостью в 1000 долларов! «Как? — изумился я. — Ты же уехал из Вены с двадцатью шиллингами в кармане! Моими, кстати!»

Оказалось, что буквально на второй день пребывания в Риме он, не зная ни слова по-итальянски, нашел здесь своего бывшего сокурсника по Московской консерватории — пианиста

Виктора Кожевникова, двенадцать лет назад сбежавшего из СССР в Италию на своем первом зарубежном концерте. Виктор, ныне профессор музыки университета в Перуджи и ведущий русской программы «Радио Италии», познакомил Карена со своими итальянскими друзьями-музыкантами, которые давали благотворительный концерт в еврейской синагоге. Там во время концерта Карен взял «на минутку» виолончель у одного из музыкантов и стал играть. Можете представить, КАК он играл, если после концерта одна еврейская журналистка выписала ему в долг чек на тысячу долларов и еще пятьдесят миль положила ему в конверте в карман, чтобы он перед отлетом в США купил себе хороший костюм, потому что нельзя же такому замечательному артисту ехать в Америку в таком ужасном костюме!

Нет, я повторяю: вы только представьте себе, КАК — КАК!!! — нужно было играть, чтобы старая еврейка вытащила из сумочки чековую книжку и дала 1050 долларов даже не еврею, а армянину в костюме фабрики «Большевичка»!

А теперь вообразите, как этот же эпизод можно сделать в кино, если Карена будет играть, скажем, Омар Шариф!

Но и это не все! Те же музыканты сказали Карену, что, несмотря на все его таланты, стать солистом класса Ростроповича ему в США не светит (да Карен это и сам знал), а вот попасть в хороший американский оркестр он может, но только при одном условии: он должен знать наизусть практически весь мировой музыкальный репертуар. «Как это весь?» — изумился Карен. «А так, — сказал ему Виктор Кожевников, — ты думаешь, за что у нас оркестрантам платят по пятьдесят тысяч долларов в год? За то, что у тебя звук хороший? Нет, этого недостаточно! Это тебе не Россия, где можно ваньку валять и по месяцу репетировать увертюру к «Борису Годунову». У нас публика идет на знаменитого дирижера, а этот дирижер прилетает на один-два дня со своей программой, и оркестр должен быть готов играть сегодня с одним дирижером одну программу, завтра с другим — другую, а послезавтра третью...»

И Карен, приютившись в какой-то каморке бывшего борделя у вокзала Термини, сел «пилить» мировой репертуар...

А история Анны Сигал, возлюбленной легендарного Раппопорта, который в Москве, перед отлетом в эмиграцию, сжег в камине миллион долларов? Легенды об этой женщине преследовали меня всю дорогу от Москвы до Рима. А точнее, это я шел по ее легендарным следам. Она прилетела в Вену со своим уникальным золотистым эрдельтерьером, но в первый же день ей сказали в ХИАСе, что собак в Америку не пускают. И это было правдой — сегодня у нас в Ладисполи беспризорно бегают чемпионы и медалисты московских собачьих выставок — чистокровные сеттеры, пудели, боксеры и спаниели, которых эмигранты правдами и неправдами провезли от СССР до Италии, но бросили здесь, поскольку оказалось, что в США их с собаками не впустят. Однако Анна не могла бросить своего эрделя! Шесть лет назад она разлучилась с сыном — муж увез его в эмиграцию, а Анну не выпустили, поскольку она имела глупость сразу после окончания юрфака МГУ год проработать юрисконсультом какого-то «почтового ящика» и на ней висела секретность. Но теперь она вырвалась из СССР, оставила в Москве второго мужа, друзей, квартиру на Фрунзенской набережной, машину, деньги, наряды, статус члена Коллегии московских адвокатов и одной из самых ярких женщин московского бомонда, но Чарли — Чарли, которого она вырастила как родного ребенка (или даже взамен родного ребенка), — она забрала с собой. Они прилетели в Вену, и тут — такой удар! Что же делать? Оставить Чарли австрийцам? Да он тут умрет...

И Анна из Вены позвонила в Москву своему бывшему мужу и сказала, что отправляет ему Чарли обратно — на срок, пока доберется до США и выбьет там разрешение ввезти собаку прямо из СССР.

И что вы думаете? У нее было 136 долларов — столько, сколько нам разрешают вывезти из «совка», а собачий билет от Вены до Москвы стоит 240. Так Анна пошла к ювелиру, сняла из ушей золотые серьги, а с руки золотые часы и получила за них 200 долларов. На все свои деньги она купила для Чарли билет и специальную клетку, доплатила в венском аэропорту за усыпление собаки, и спящего эрделя уложили в самолет, а там, в Шереметьево, бывший муж Анны встречал этого пса.

Это был единственный в истории нашей эмиграции случай, когда советская власть без всяких проволочек разрешила беженцу вернуться в СССР буквально через два дня после эмиграции...

206

Проводив своего Чарли, Анна заболела. «Я не хочу, — говорил мне в Вене доктор Трончак, — чтобы вы заподозрили ее в каких-то дурных наклонностях. Просто это женщина с таким темпераментом! Когда в Москве крупный гэбэшник вербовал ее в стукачки, она провела свое приватное расследование и выяснила, что этот полковник страдает импотенцией. Как по-вашему, что она сделала? Она нашла под Москвой, в Подольске, гениального сексопатолога Лифшица, который помогает импотентам хирургическим способом, и в обмен на адрес этого мастера получила у гэбэшного полковника разрешение на эмиграцию! Вот какая это женщина, понимаете? Когда она рассказывала мне, какими глазами смотрел на нее ее пес в аэропорту перед тем, как его усыпили, — даже у меня комок подступил к горлу...»

Короче говоря, разлука с любимой собакой была для Анны таким же ударом, как для Карена потеря его виолончели. Вернувшись из венского аэропорта в отель «Вулф», она свалилась в кровать с температурой сорок. Доктор Трончак, муж мадам Беттины, который от ХИАСа обслуживает всех эмигрантов, прописал ей какие-то лекарства от гриппа, но лекарства не помогли. Соседки-эмигрантки растирали ее водкой и поили медом — ничего не помогало. Однажды ночью они уже думали, что она умирает — температура была 41,7!

Но Анна не умерла. Провалявшись неделю с температурой, она пришла в себя и уехала в Италию — таким же поездом, что и я. В Риме она поселилась там, где потом жил Карен Гаспарян, — в какой-то жуткой «вороньей слободке» у Термини, где когда-то был привокзальный притон «Тосканини», но не такой, как у чистюль австрийцев и мадам Беттины, а итальянский — грязный, замызганный, с ободранными стенами и крохотными комнатками-пеналами, в которых едва помещалось по одной койке-«станку»... Переименованный итальянской Беттиной донной Лаурой в пансион для еврейских эмигрантов, этот бывший бордель стал первым римским пристанищем многих персонажей моего будущего фильма — через него прошли Инна с мужем и сыном, Анна Сигал, Карен и Лина — та самая простуженная Лина, которая летела со мной одним самолетом из Москвы и с которой я хотел познакомить Карена в Вене. В «Тосканини» они познакомились без меня, но, как я уже сказал, теперь Карену было не до женщин — он должен был за пару месяцев «перепилить» весь мировой музыкальный репертуар и, как боксер перед боем, сел на полное воздержание...

А Анна Сигал... Ее римскую эпопею я знаю не по легендам, а из самых достоверных источников. Уже через несколько дней после ее приезда в Рим, во время рождественской службы нового Папы Римского на площади Святого Петра (где было порядка ста тысяч итальянских католиков и любопытных туристов со всего мира), с ней знакомится Виктор Кожевников, профессор музыки и диктор-редактор русской программы «Радио Италии», и — влюбляется в нее по уши! Анна переселяется к нему, он возит ее на своей машине по всей Италии — в Перуджу, где он преподавал, в Милан, в Калабрию. И вот уже Анна сама гоняет по Риму на мощном Витином «пежо» 1976 года, лихо ориентируясь в римских улочках и переулках, и — что самое интересное — легко сочетает эту свою броскость, красоту, яркость и способность войти с Виктором в любую итальянскую аристократическую компанию с чисто русско-еврейской заботливостью о мужчине, с которым она живет. Она готовит ему замечательные обеды и приводит его квартиру и гардероб в божеский вид, да так, что этот закаленный русский холостяк — можете представить его квартиру и образ жизни до появления Анны! — вдруг начинает жить как римский патриций.

Я не уверен, что Анна любила его, но я знаю от самого Виктора, что она относилась к нему с материнской заботой. А именно этого не хватало ему все двенадцать лет его жизни в Италии. И потому, когда Анне сообщили в ХИАСе, что из Штатов пришла ее въездная виза, с Виктором стало плохо. «Старик! — рассказывал мне сам Виктор, когда Карен притащил меня к нему на крошечную улочку на берегу Тибра. — Ваша эмиграция для меня — проклятие! До вас я тут жил спокойно — ну, были какие-то итальянки, немки, но это было так, преходяще. И вдруг это нашествие русских евреек в Рим, это же просто Апокалипсис! Нет, правда! Куда ни пойдешь — всюду русская речь, и всюду я натыкаюсь на этих евреек, которым нужно показать, где почта, где Американское посольство, где Ватикан и где продаются дешевые женские колготки. По-итальянски спросить они не умеют, цен они не знают, я начинаю им помогать, влюбляюсь и — ну, ты понимаешь... Но одно дело, когда у меня тут были романы с итальянками, — даже если я уже давно чешу по-итальянски как по-русски, это все равно что-то не свое, чужое. А тут — родной язык, родная психология плюс еврейская красота и русско-еврейская кухня! На этом любой двинется! Однако, старик... Полгода назад у меня был роман с одной пианисткой, она ушла ко мне от мужа, мы чудно жили, но когда им пришла американская виза, она вернулась к мужу и улетела с ним в Штаты. Представляешь? Конечно, будь на моем месте какой-нибудь блядун, он тут же нашел бы себе другую. Но я же не блядун, и мне уже сорок лет — я стал звонить ей в Бостон, просил вернуться, а она сказала, что вернется, если я устрою ее мужа на работу в Римский симфонический оркестр. Вот этого, старик, я в вас не понимаю! Ну если ты уходишь от мужа, почему любовник должен заботиться о твоем бывшем муже? Ну скажи мне, пожалуйста!»

Что я мог ему сказать? Что эту способность тащить мужей на своей спине через всю жизнь еврейские женщины переняли у русских баб? Я промолчал. Не дождавшись ответа, Виктор продолжил:

— Честно тебе скажу: Аня спасла меня от этой пианистки и ее мужа. В Аню я действительно влюбился, да что там влюбился — я полюбил ее по-настоящему, навсегда. И когда она получила эту сраную американскую визу, я стал просить ее выйти за меня замуж, я звал ее в путешествие по Европе — во Францию, в Бельгию, Швейцарию! Я говорил ей: ну что тебе еще нужно? Я тебя люблю, ты получишь итальянское гражданство, я помогу тебе выучить итальянский язык, устрою в адвокатскую фирму! Зачем тебе Америка? Посмотри, какая Италия замечательная страна! Но она уехала, представляешь? Уехала из Италии! Ну что вы все рветесь в эту ...баную Америку?»

Я представил себе этот трогательный персонаж в кино в исполнении Мягкова или Трентиньяна — обаятельный русский музыкант, добрая и открытая душа, еще в юности сбежал от советской власти в России в благословенную Италию, чтобы через двенадцать лет его, как рок, настигли здесь русские еврейки и, походя, транзитом одаривая своей любовью и кухней, бросали и улетали в призрачно-золотую Америку. Да это же отдельный фильм! Роберто Росселини или Отари Иоселиани сделали бы из этого фестивальное кино — грустное и трагикомичное. А может, я это сделаю — после «Еврейской дороги»? А? Как его назову? «Рим — еврейский город»?

Вчера я узнал, почему Анна Сигал бросила Кожевникова и уехала из Италии.

Я сидел в ХИАСе у Люции Фалк, это была моя очередная (восьмая? десятая?) попытка проникнуть в тайны работы ХИАСа и «Джойнта», которые перемалывают наш эмигрантский поток, отправляя одних в Штаты, других в Канаду, а третьих в Австралию. И первая же встреча с этими сросшимися фирмами-близнецами приводит вас в состояние шока своим родством с манерой работы советского ОВИРа: делайте то, что вам говорят; пишите то, что вам диктуют; не задавайте никаких вопросов, и тогда вы быстро и без проблем уедете в Америку!

Но люди есть люди, они не хотят и не умеют становиться простыми зернами в конвейере этой мельницы — особенно евреи! Каждый пуриц* претендует на исключительность своей персоны и своей судьбы, каждый хочет как минимум в Калифорнию или на худой конец в Бостон. Но всякое проявление индивидуальности выводит конвейер из равновесия, злит его и раздражает, и тогда сходство ХИАСа с ОВИРом становится еще рельефнее — его руководители уже не скрывают своего надменного раздражения и даже расового превосходства, а их ассистентки и ассистенты — все эти двадцатилетние студенты факультетов славистики — держат на лицах такое выражение, как новичок-ассенизатор, отправленный по настоянию папы-миллионера на работу для прохождения «школы жизни». Да, да — будь вы и сами хоть трижды евреи, но если через ваши руки ежемесячно и ежедневно проходят тысячи судеб, то и за самую высокую зарплату вы не удержитесь от соблазна возвыситься над этим потоком и побаловаться своей властью.

— Вот здесь, вот в этой графе напишите, почему вы уехали из Советского Союза.

— Я почему уехала?

— Да, вы.

— Ну как почему? Ну, сын уехал, и я уехала. А что мне там было — оставаться? Сейчас все едут...

— Сын уехал — это не причина.

_____

* прыщ, выскочка, человек с самомнением *(евр.)*.

210

— Для вас это, может быть, и не причина, а для меня...

— Мы тут ни при чем. Это не причина для Америки. Вы должны написать, почему вы бежали из СССР. Вас притесняли? Оскорбляли ваше национальное достоинство?

— Меня оскорбляли?! Да еще не родился такой человек!

— О майн гот! Вот здесь вы должны написать, что в СССР нет свободы, а есть государственный антисемитизм.

— Чтобы я это писала?! Вы сами пишите! Я это писать не могу, у меня там еще два племянника остались! Если КГБ узнает, что я тут про них такое написала, — да вы что?! Пытайте — не напишу!..

— Но без этого вас не впустят в Америку.

— Меня не пустят? Да о чем вы говорите! Что я, сделала им что-нибудь плохое?..

...Ну как мне не лезть за таким вкусным материалом? Знай я итальянский или английский, я бы устроился сюда переводчиком и, как Хейли, написал бы и снял свой еврейский «Аэропорт». Но я не знаю никаких языков, кроме русского и украинского, и потому ищу другой ход за кулисы этого чистилища перед райскими кущами США, Канады и Австралии. Когда я приехал сюда месяц назад, крохотный вестибюль перед лифтом шестиэтажного здания ХИАСа на виа Риджина Маргарита, 183, был переполнен еврейской толпой, итальянец-портье хмуро ругался, выставляя людей на улицу, шумели и ревели дети, а на третьем этаже, в комнате-приемной стоял типичный еврейский гвалт, продолжение венского ХИАСа, родная стихия кочевья и эвакуации. Тридцатилетние рижско-одесские жохи-администраторы тщетно надрывали голоса, стараясь успокоить эту толпу и докричаться тех, кого вызывали на интервью кураторы ХИАСа и «Джойнта».

Впрочем, теперь этого уже нет. Теперь руководство ХИАСа стыдливо переместило клокочущую еврейскую толпу из парадного подъезда к черному ходу — арендовали во дворе какие-то склады и сделали из них предбанник, а по-западному — фойе. Всякий раз, когда я вхожу сюда, эти низкие сарайные потолки, эти стены без окон и стулья вдоль стен, на которых густо сидят женщины с детьми, этот гул голосов моих соотечественников — все это тотчас напоминает мне детство, бомбоубежища Харькова, Полтавы, Курска. Глухие побеленные стены кричат о человеческих судьбах десятками лоскутов объявлений, как эвакуационные повестки, как вести с фронта: «Изя Залмансон разыскивает Иру Могилевскую из Харькова!», «Мама! Мы в пансионе «Сибилла» возле собора Сан-Ангело. Роза и Сима», «Абрам, мы сняли тебе квартиру в Остии!!! Наш адрес...», «Alla Rodnova! Имей совесть, немедленно сообщи свой телефон и адрес...», «Кто знает место проживания Семена и Розы Шмул из Вильнюса, позвоните по телефону №...». Таких объявлений сотни и сотни. Как во время войны людей расшвыривало по эвакуационным пунктам, так теперь эмиграция разбрасывает нас по разным пансионам и ночлежкам, и люди ищут друг друга иногда неделями. Говорят, еще несколько месяцев назад, когда наш поток был значительно меньшим, здесь, в римском ХИАСе, работала налаженная служба информации: фамилии новоприбывших вывешивались в вестибюле, и против каждой фамилии было отмечено, в какой пансион человек помещен на первые десять дней.

Но теперь ХИАС ликвидировал эту практику. Теперь, когда американцы выбили у Кремля квоту на 50 тысяч эмигрантов в год и СССР стал выбрасывать каждый месяц чуть ли не по пять тысяч евреев, с нами можно не церемониться — гей-гой, славяне, то бишь евреи! вперед, только гуртом, вы поедете туда, куда вас пошлют, и не блеять по дороге, а то могут возмутиться итальянские власти, вы же знаете, что вы здесь на нелегальном положении — вы есть, но формально вас вроде и нет...

Но эмигранты не хотят жить в Италии как грязный нищий, впущенный милости ради в господские покои с черного хода.

— А вы думаете, они тут, в ХИАСе, евреи? Та не! Это же просто транспортная контора по перевозке нас через Италию! Их нанял американский ХИАС...

— Вы знаете, сколько миллиардов долларов они получили в кредит от американского конгресса на нашу эмиграцию?

— Если я должен в Америке отдавать всю их помощь, так пусть они дадут мне человеческое пособие, а не четверть прожиточного минимума!

— Слушайте, я не понимаю: в России с нас забирали по пятьсот рублей с человека за лишение гражданства плюс наши квартиры, мебель и сберкнижки — и все равно ненавидели за то, что мы уезжаем. А тут на нас варят такие бабки и все равно ненавидят за то, что мы приезжаем. Вы можете это понять?

— Да вы почитайте эти объявления! Почитайте! «"Джойнт" ставит в известность, что с 1 января мы не будем оказывать никакой дополнительной материальной помощи никому ни при каких обстоятельствах!» Понятно, да? А если я умру, кто меня похоронит?

— Я вам скажу: шо ОВИР, шо ХИАС — два сапога пара!

— Ша, евреи! Побойтесь Бога! Зол Гат мир хелфин — слава Богу, мы все-таки в Риме, а не в Биробиджане!..

Я обожаю сидеть тут часами и слушать, слушать и записывать, но все мои попытки проникнуть за кулисы этого театра были тщетны. «Извините, господин Плоткин, ХИАС не дает информацию для прессы...» «Простите, мистер, все руководители ХИАСа заняты, у нас нет возможности уделить вам время».

И тогда я выбрал другой путь, я написал письмо президенту римского ХИАСа синьоре Эви Эллер.

«Уважаемая госпожа Эллер! В течение последних двух недель я неоднократно пытался через ведущих госпожу Хазан, господина Венециано и госпожу Ботони проинформировать Вас о назревающей конфронтации итальянского населения Ладисполи с еврейскими эмигрантами из СССР. Мне отвечали, что руководство ХИАСа в курсе этой проблемы и готовится к ее решению. Между тем последние события в Ладисполи явно опережают действия, которые, возможно, собирается предпринять ХИАС. Если поначалу хозяева продмагов предпочитали не замечать мелкого воровства эмигрантов, стеснялись делать им замечания или жалели — мол, люди приехали из голодной страны, то теперь это воровство стало чуть ли не в открытую. И две недели назад в ладиспольской «negozio» на виа Санта-Мария хозяин магазина, поймав одну эмигрантку на воровстве сосисок прямо с прилавка, ударил ее по рукам, а в ответ муж этой женщины начал с ним драку, которая окончилась увечьями и вызовом полиции. Назавтра, ближе к полуночи, ладиспольские подростки, видимо, в отместку подстерегли на улице другую эмигрантку и избили ее. Затем начался массовый бойкот итальянскими пассажирами рейсовых автобусов Ладисполи — Рим, в которых ездят и наши эмигранты. Суть этого конфликта в том, что итальянцы не привыкли к советской тесноте в автобусах, и когда автобус оказался переполненным эмигрантами, итальянцы остановили его и все вышли. С тех пор они бойкотируют автобусы, если в них заходит хоть один эмигрант, а водители автобусов — все как один коммунисты — отказываются везти одних эмигрантов или, наоборот, провозят их мимо Ладисполи и высаживают в трех-четырех километрах от города или еще дальше, в Чивитавеккиа — чтобы вообще отучить ездить автобусами.

Одновременно повсюду — и в Риме, и в Остии, и в Ладисполи, то есть в местах массового поселения эмигрантов, — происходят стычки шоферов автобусов, студентов, мусорщиков, монахинь и др. прокоммунистически настроенных итальянцев с нашими молодыми эмигрантами, которые пытаются объяснить итальянцам, что такое на самом деле коммунистический строй, срывают портреты Ленина и Че Гевары со стен домов и рекламных тумб или вмешиваются в коммунистические митинги и идиотские демонстрации с транспарантами «Мы хотим, чтобы нам давали мясо два раза в неделю, как рабочим в СССР!». В результате таких стычек трое эмигрантов оказались в госпитале...

Уважаемая г-жа Эллер! Поскольку за последнее время наметилась тенденция резкого роста нашей эмиграции — как в связи с нажимом правительства США на Кремль, так и в связи с опасностью прекращения эмиграции накануне Московской Олимпиады, — обстановка в Риме, Остии и Ладисполи будет только накаляться. Мне кажется, что, проживая в Ладисполи и находясь внутри эмигрантского потока, я могу подсказать Вам ряд мер и действий, которые могли бы ослабить эту конфронтацию.

С уважением...»

После такого письма меня, понятное дело, пригласили в ХИАС к Люции Фалк, куратору по особо трудным социальным случаям.

Как ни странно, эта Люция оказалась юной, доброжелательной и оч-чень симпатичной синьорой, и я, вдохновясь этим, обрушил на нее каскад своего красноречия:

— Я не хочу навязывать свои идеи, но мне кажется, что главная проблема — ну или одна из главных проблем — нашего пребывания в Италии — праздность и безнадзорность. Понимаете, Люси, мы же приехали из страны, где на нас постоянно давили, причем с разных сторон: милиция, КГБ, профсоюзы, партийные организации, инспектор по делам несовершеннолетних, начальник на работе, учитель в школе и просто сосед-стукач. И мы были заняты — с утра на работе, а затем в очередях за продуктами. Мы были при деле, нам было некогда шляться и балбесничать, нам нужно было бороться за выживание. А тут? Ну, взрослые еще более-менее заняты — оформление бумаг в ХИАСе, поездки на Круглый рынок за дешевыми продуктами, готовка еды. Но подростки и молодежь предоставлены сами себе, они не ходят в школы и вузы, и у них нет никаких обязанностей. Они бездельничают с утра до ночи, сквернословят на улицах, задирают и своих, и итальянцев и ватагами шатаются по рынкам и магазинам. Если нет денег, а все открыто и доступно на витринах, то почему не стащить? За кражами жевательных резинок и сигарет тянутся следующие, покрупней. Словно выпустили дикарей из клетки, словно открыли бутылку шипучки, и все плохое, что было в ней закупорено, хлынуло наружу. Ломаются нравственные барьеры. После советского пуританства на них вдруг обрушилось море порнофильмов, порножурналов и фильмов ужасов. Ваши подростки привыкли к этому с детства и имеют нечто вроде иммунитета, не воспринимают это всерьез, а у моего друга восьмилетний сын после просмотра фильма «Нашествие Циклопов» вторую неделю не спит, кричит и боится закрыть глаза. А подростки постарше... Вы знаете, что происходит с нашими скромными 15-летними еврейскими девочками буквально через неделю после приезда в Рим? Как бы вам это помягче сказать? В России это называется «мартовские кошки», если вы понимаете, что я имею в виду. У них сатанеют глаза, они не ночуют дома, и они посылают своих родителей вы даже не знаете куда! А все потому, что тут на них появился громадный спрос! Ведь основная масса евреев удрала из СССР, спасая своих сыновей от армейской дедовщины. И теперь в Ладисполи на одну девочку приходится по десять парней призывного возраста. Но, уехав от призыва в армию, они тут, в вашем теплом климате, ощущают другой призыв — сексуальный. И адреналин этого призыва не переключен на работу, на учебу, на какую-то полезную деятельность...

Люция прервала поток моего красноречия:

— Мистер Плоткин, а что вы предлагаете?

— Пожалуйста. Первое: два автобуса, которые ХИАС со вчерашнего дня стал по утрам подавать в Ладисполи, не решили проблему, а, наоборот, только узаконили расовую дискриминацию. Теперь водители городских автобусов вообще не пускают нас в свои автобусы, даже когда эти автобусы пусты. Нужно отменить эту практику, а добиться у транспортного управления трех-четырех дополнительных утренних рейсов, ведь это капитализм — если люди платят за билеты, то спрос должен определять предложение. Второе: в Остии и в Ладисполи должны появиться представители ХИАСа по правопорядку. Это типично советская должность, но и мы ведь еще совки. И из тех ребят, которые еще не опустились до воровства и наркотиков, можно легко создать еврейские молодежные бригады...

Хлопнула дверь за моей спиной, у Люции округлились от изумления глаза, а в комнату, словно порывом ветра, уже внесло стремительное женское существо с огромным букетом алых роз в руках.

— Анна! — изумилась Люция. — Как? Какими судьбами?

— Это вам! — Существо бросилось обниматься с Люцией, по-женски чокаясь щечками. — Вам, и синьоре Эллер, и вообще всем ведущим! Извините, я вам помешала, я на одну минутку, проездом!

— Нет, нет, ничего! — сказала ей Люция, принимая и роняя цветы. — Господин Плоткин, вы нас извините...

— Да, конечно. — Я встал и подался к выходу, слегка уязвленный такой бесцеремонностью.

И тут за моей спиной прозвучало:

— Понимаете, Люсенька, я лечу в Хельсинки встречать свою собаку Чарли!

Я резко повернулся: что? неужели? не может быть!

Но уже в следующую секунду понял, что не ошибся. Именно такой — порывистой и броской каким-то чарующим сочетанием русско-цыганско-испанско-еврейской красоты — и должна была быть Анна Сигал! Впрочем, так я пишу сейчас, после знакомства с ней, но если бы я встретил ее на московской улице, я бы никогда не узнал в ней еврейки, как невозможно опознать евреек в символах российской красоты — в Элине Быстрицкой, Эмме Цесарской, Раисе Недашковской, Елене Соловей и Ларисе Ереминой, сыгравших в кино самых-распросамых шолоховских Аксиний, рязанских купчих и кремлевских царевен.

Понятно, что я не мог упустить шанс познакомиться с живой легендой.

Правда, никакой «минуткой» это не обошлось, Люция повела Анну Сигал наверх, в заоблачные выси руководства ХИАСа и «Джойнта», но я стойко выждал полтора часа и был вознагражден за это сумасшедшей поездкой римского таксиста в аэропорт Леонардо да Винчи, потому что Анна уже катастрофически опаздывала на самолет в Хельсинки. Но даже если вы заплатите таксисту и тысячу миль, он не довезет вас от пьяцца Буэнос-Айрес до аэропорта меньше чем за час. А потому...

— Вадим, только я вас прошу: дайте слово, что не скажете Виктору о том, что я была в Риме!

— Честное пионерское!

— Нет, я серьезно! Это его убьет! Он такой замечательный! Но вы же понимаете...

Да, теперь, когда она рассказала мне продолжение легенды, я понимал. Она улетела в Америку из-за двух телефонных звонков, ради которых бросила в России все, что имела.

Один из этих звонков — сыну, которого она не видела шесть лет. Она не сообщила ему, что эмигрировала из СССР, но она вынуждена была указать его в своих документах в Вене, и ХИАС сообщил ему, что скоро приедет мать. Тем не менее их встреча не поддается описанию, ее должны играть великие актеры, я еще не знаю кто — новая Симона Синьоре или Маргарита Терехова. И потому я не буду пока вдаваться в детали, а скажу только, что когда он приехал к Анне в дешевый бруклинский отель «Президент», куда из аэропорта имени Кеннеди привозят только что прибывших эмигрантов, то — как ни ждала его Анна, как ни готовилась увидеть сына изменившимся, повзрослевшим — она испугалась. В комнату вошел громадный двадцатилетний парень, мужчина, совершенно чужой и неузнаваемый. Они стояли и смотрели друг на друга — двадцатилетний американец и его советско-еврейская мама. Они стояли неподвижно, и он спокойно рассматривал свою мать, от которой его увезли шесть лет назад. А она стояла перед ним и плакала. Еще несколько минут назад она была лихой покорительницей мужских сердец, баловницей судьбы, кокеткой вне возраста, а теперь вдруг разом увидела и осознала, что у нее самой уже вон какой сын — взрослый мужчина. Она стояла перед ним и беззвучно плакала неизвестно по какой причине или скорее сразу по всем. И только потом, спустя несколько минут, были традиционные объятия и разговоры...

Но все же не этот звонок определил судьбу Виктора Кожевникова, а другой — из Бруклина в Торонто.

В гостиничном номере, который Анна делила с еще одной эмигранткой, не было телефона. Она обменяла три доллара на мелочь и снизу, из вестибюля, из телефона-автомата позвонила в Торонто.

Мужской голос на том конце провода буднично сказал:

— Hello!

— Это я, — тихо сказала Анна. — Здравствуй.

— Ты? Откуда ты звонишь?

— Из Нью-Йорка. Из телефона-автомата.

Была короткая пауза, а затем:

— Аня, ты можешь там, где ты сейчас стоишь, простоять час? Через час я буду в Нью-Йорке.

— Это невозможно. Я узнавала, даже самолетом от Нью-Йорка до Торонто два часа лету.

— Это тебя не касается. Ты забыла? Моя фамилия...

— Я помню, — сказала она с улыбкой, и слезы навернулись ей на глаза. — Раппопорт, с тремя «п».

— Вот и все. Говори свой адрес, через час я буду.

Она назвала свой отель и номер своей комнаты, но он думал, что она прилетела в Америку советской туристкой, и все пытался обезопасить ее от осложнений с советскими попутчиками.

— Аня, я тебя прошу — никаких комнат, просто стой где стоишь. Где ты стоишь?

— У себя в отеле, в вестибюле. Я тебя жду.

Но она не смогла ждать, это было не в ее характере. Она поймала такси и на последние деньги помчалась в аэропорт встречать ближайший самолет из Торонто. Полчаса она ехала в аэропорт, полчаса искала там самолет из Торонто, не нашла и с последним долларом в сумочке автобусом вернулась в отель.

Раппопорт уже сидел в номере с ее соседкой и ждал ее.

Когда-то в Москве он в присутствии трех американских дипломатов сжег в камине миллион долларов, и эти дипломаты увезли в своем дипломатическом багаже перечень номеров сожженных купюр — с тем чтобы американское казначейство выдало Раппопорту новые купюры взамен уничтоженных. Вот только найти этих дипломатов в США Раппопорт не сумел — они растворились в воздухе вместе с его миллионом.

Но в его фамилии было три «п», и, как говорил его папа, каждая стоила миллиона. Через полгода он создал строительную компанию и начал строительство вилл и элитных многоэтажек для англоязычных канадцев, бегущих из стремительно офранцузившегося Квебека, а еще через год затеял израильско-канадский бриллиантовый бизнес с единственной целью — соблазнить Россию своими высокими ценами на якутские технические алмазы, завязать таким образом связи с Кремлем и КГБ и вывезти из СССР Анну.

— Идиотка! — говорил он ей теперь в бруклинском отеле, целуя ее и смеясь от счастья. — Если бы ты проторчала в Европе еще месяц, я бы уже вылетел за тобой в Москву! Смотри, у меня уже и билет на руках — «FinnAir». Месяц назад у меня были эти советские мудаки из Внешторга, зазывали в Москву и Айхал смотреть их технические алмазы. Конечно, я дал им возможность себя уговорить. Но теперь — на хрена мне этот билет?! — И он подошел к окну, чтобы выбросить свой авиабилет с семнадцатого этажа.

— Стой! — закричала Анна. — Ты все равно полетишь в Москву! За Чарли!..

Вот какие сюжеты — и десятки других! — я еще вчера излагал Тибру, римской Волчице и задворкам Трастевере, вдохновенно вышагивая по античным плитам римских мостовых и тасуя самые вкусные эпизоды и сцены как пасьянс, то так то эдак, перемежая смешное с трагическим и сентиментальное с политикой, чтобы здесь, в колыбели возлюбленного мной неореализма, мысленно выверить каждый кадр своего будущего фильма, а затем, прилетев в Америку, наповал сразить своим сценарием любого голливудского продюсера. Не знаю, какую книгу об эмиграции собирался писать Рубинчик, застрявший в Вене в должности портье пансиона «Зум Туркен», но еще вчера, слоняясь по Риму, я свой фильм уже видел от первой сцены до последней — его оставалось только снять.

Однако сегодня, когда от Беллы пришло *такое* письмо...

«В Сирию продолжают прибывать кубинские десантники, у нас армии объявлена готовность номер 1, и все вокруг говорят о войне...»

Эту фразу, как неподъемную ношу и как горб на спине, я походкой покойника притащил с площади Сан-Сильвестро на улицу San Celsa, к Вите Кожевникову. Его, конечно, не было дома, но я знал, что, как настоящий римлянин, он к двум часам дня прикатит домой поспать — тут весь город вымирает с двух до четырех, в это время вообще всю Италию можно брать голыми руками, я даже не понимаю, чего там телится генерал Огарков — неужели в Генштабе Советской Армии не знают таких простых вещей?

Я сел напротив Витиного дома в крошечной траттории, где Виктор каждое утро выпивает свой «уно кафе» с бутербродом «панино рипиено» и читает кучу газет — от «Tempo» до «Paese della Sera». Здесь я нагло заказал себе «уно пицца», зная, что Виктор расплатится, для него это мелочь. Я вообще считаю, что общество должно если не кормить, то хотя бы подкармливать искусство, это признак здоровья общества. А когда общество перестает это делать и бросает искусство на самообеспечение, то искусство мстит ему, скармливая такому обществу жвачку макулатуры и порнографии. Конечно, может случиться, что я далеко не гений и Витя напрасно потратит милю на мой кусок пиццы. Но даже если на десять не-гениев окажется один гений, он будет стоить десяти кусков пиццы, потраченных на остальных, не так ли? И потому я без всяких комплексов и зазрения совести могу месяцами жить в долг, полагая, что люди, которые наградят меня тарелкой супа или куском пиццы, знают, что этот их вклад в искусство не пропадет зря. А когда меня стыдят моим нищенским образом жизни, я всегда вспоминаю Андрея Смирнова, постановщика «Белорусского вокзала» и «Осени». В день, когда Андрей получал постановочные за «Белорусский вокзал», я оказался на «Мосфильме», и Андрей мне сказал: «Слушай, ты не можешь пару часов повозить меня по Москве?» У меня в то время уже были «Жигули», и мы пошли в кассу «Мосфильма», Андрей получил толстенную пачку денег — 6000 рублей! Мы сели в мою машину и поехали раздавать Андреевым друзьям-кредиторам его долги. Мы ездили по Москве полдня, и к вечеру, когда мы приехали к дому Андрея на Беговой, у него от шести тысяч осталось рублей двести. Поднявшись по лестнице к своей квартире, где он жил с женой и двумя дочками, Андрей вдохнул запахи кухни из-за своей двери и сказал:

— Блин! Опять этот запах нищеты — запах жареной рыбы!..

Да, если бы мы стеснялись своей нищеты и долгов, не было бы «Белорусского вокзала», всего Достоевского, Гоголя, Чайковского, Маяковского и многих-многих других. А в Италии — не Модильяни виноват в своей нищете, а итальянцы и французы, которые довели своего гения до голодной смерти...

Темно-бордовый «пежо» Виктора подрычал к траттории без четверти два, Виктор впорхнул под навес, потрепался по-итальянски с хозяином и подсел ко мне:

— Я заказал нам по пасте «Ангельские волосы» и бутылку вина. Но мы должны слопать это до двух, в два у нас все закрывается.

— Я знаю.

— Что случилось? У тебя такое лицо, словно тебе отказали в американской визе.

— Хуже, Витя. В Израиле вот-вот начнется война. Мне нужно вытаскивать оттуда сестру.

— Я думал, ты скажешь «поэтому я лечу в Израиль». — Виктор разлил по стаканам вино, которое принес хозяин, и стал быстро и ловко есть тонкие, как волосы ангелов, макароны, накручивая их на вилку.

— Зачем? — сказал я. — В армию меня там не возьмут — мне сорок лет. А сидеть у них на шее... Нет, я должен до начала войны вывезти оттуда сестру с дочкой. Если они приедут сюда, ты сможешь им как-то помочь, пока я перетащу их в Штаты? Это моя родная сестра, ей не могут отказать соединиться с братом.

— Брось! Никакой войны там не будет! — вдруг отмахнулся Виктор так, словно речь шла не о судьбах мира, а о второй порции спагетти.

Я оскорбленно напрягся:

— Откуда ты знаешь?

— Элементарно! Без Египта никакой войны быть не может, а Египет вот-вот подпишет с Израилем мирный договор.

— Да плевали арабы на договоры! Гитлер и Сталин тоже подписывали мирный договор!

— Нет! Это не одно и то же! — сказал Виктор тоном политического гуру «Радио Италии». — Германия до этого не проиграла России ни одну войну! Понимаешь? А Египет проиграл евреям все войны. Но дело даже не в них. Ты думаешь, почему переговоры о мире ведет с Бегином именно Садат, а не Асад или король Хуссейн? Потому что Садату нужна Нобелевская премия? А без этой премии ему на жизнь не хватает? Нет, дорогой! Египтяне до сих пор помнят десять Казней Египетских — вот почему! У них генетический страх перед вашей нацией, и Садат посчитал, что лучше с вами не воевать и получить за это назад весь Синайский полуостров, да еще отсасывать с Америки по пять миллиардов долларов в год — просто так, за мир с Израилем. Он гений! Сегодня Израиль — самое безопасное место в мире!

— А зачем тогда в Сирию прибывают кубинские войска?

— Потому что Асад любит надувать щеки. Потому что Садат разогнал в Египте компартию, которая под московскую дудку готовила его свержение. Да мало ли почему!.. Пойдем, Джузеппе должен закрывать, сиеста у нас — святое. — Виктор оставил на столе деньги, собрал свои газеты, по которым он пишет передачи для «Радио Италии», и крикнул в глубину кафе: — Чао, Джузеппе! Аривидерчи!

Я поплелся за Виктором к его дому, говоря на ходу:

— Да-а, твоими бы устами...

— Моими устами ничего делать не надо, они у меня не для этого! — решительно пресек Виктор. — Ты хочешь привезти сестру в Италию — пожалуйста. Чем смогу, помогу, о чем разговор! Только имей в виду, что сегодня у нас в Риме в десять раз опасней, чем в Тель-Авиве.

— То есть? — оторопел я.

— Ты газеты читаешь? Радио слушаешь?

— Нет, конечно. Как я могу читать итальянские газеты?

— Вот именно! — Виктор открыл дверь в свою квартирку на третьем этаже и пропустил меня внутрь. — Но ты хоть знаешь, что в Израиле в прошлом году было всего сто шесть терpористических актов, а у нас — почти две тысячи? Ты знаешь, что у нас вот-вот к власти придут коммунисты, и вопрос сейчас только в том, какие это будут коммунисты — с человеческим лицом Берлингуэра или наш итальянский Ленин — Антонио Негри?..

Я оторопело смотрел на Виктора — это что, всерьез? — а он продолжал:

— Ты знаешь, что Италия вообще самая прокоммунистическая страна? Кто прапрадедушка коммунизма? Томмазо Кампанелла! Если бы на Ялтинской конференции Черчилль и Рузвельт не договорились со Сталиным о разделе Европы, Италия стала бы коммунистической республикой еще в 45-м году, тогда у коммунистов тут вообще не было конкурентов! Но Сталин приказал им отдать власть, и они не посмели его ослушаться, за что до сих пор кусают себе локти и все остальные места. Но теперь, когда Сталина нет, они подняли голову и не только голову, почитай, что пишет этот Антонио Негри! — Виктор шумно развернул какую-то газету. — «Насилие — это естественная, срочная и безусловная потребность в деле установления коммунизма. Звериная жестокость и беспощадность к своим врагам, стоицизм в своих собственных нуждах и страстях — вот какой мы предвидим конституцию коммунистической диктатуры!» Не слабо, да? И сюда ты хочешь перевезти сестру из Израиля?

...Конечно, в голливудском кино на этой эффектной фразе закончился бы весь эпизод, а за ним — встык — начался бы другой, не менее напряженный. Но что они, голливудские драмоделы, понимают в искусстве? Если вы в Италии, то сама жизнь диктует здесь совершенно иной уровень драмы и выстраивает вашу судьбу по лекалам Лобачевского и Феллини, а не по одномерным выкройкам Голливуда.

Я прикатил из Рима последней электричкой, сошел со станции в Ладисполи и замер. В темном домике слева кто-то замечательно играл на скрипке, а напротив, в многоэтажном доме, на самом верху, на восьмом или девятом этаже, светилось только одно окно, точнее — дверь из кухни на балкон, и в этом светлом проеме, на фоне черного неба, звезд и моря, слившегося во тьме с небом, — в этом светлом проеме тонкая женская фигурка в брючках и с распущенными по плечам волосами хлопотала у вынесенной на балкон электрической плиты. Не знаю, что она делала, мне было только видно, как она движется у этой плитки — все время движется, не сходя с места. Очень далеко от меня, очень высоко, но все ее движения были пластичны и слиты с этой музыкой, которая звучала в другом домике, напротив.

И так же как она специально вынесла свою плитку на балкон, чтобы слышать эту музыку и жить в ней, так и я сел на какой-то каменный выступ в заборе, задрал голову вверх, смотрел на нее и слушал.

Есть Нечто, что все-таки невозможно описать словами, но что снимает тревогу и беду, как материнская рука.

Хотя зачем я это пишу? Кто в Голливуде поймет этот крохотный, но такой емкий и чисто итальянский (или грузинский) эпизод?

41

После Белых Столбов в электричке стало чуть свободнее, но плечистые мужчины, сидевшие у Елены и Пильщика за спиной, похоже, и не думали выходить, они шумно играли в карты, а Пильщик, явно не в силах сдерживать распиравшие его чувства, тараторил, почти не таясь:

— Лена, вы, конечно, не еврейка, но я вам доверяю. Я хочу вам сказать: антисемитская кампания, которая сейчас идет, никакого отношения к нам, евреям, не имеет! Она вообще не против нас направлена! Это просто оружие подковерной борьбы Полянского и Романова, то есть русской группы в Кремле, с группой, которая пришла в Кремль с Украины. Что вы так смотрите? Почему я не могу сказать вслух то, что думаю? Я же из психушки! Подумайте сами: на чем еще они могут выпихнуть Брежнева, Кириленко и Черненко из Кремля? На марксизме? Так они его сами не знают. Но вспомните: Сталин вырезал всю верхушку руководства экономикой, правильно? Русских, украинцев, казахов — всех! Их места заняли рабочие и кухарки, но это же был завал — они ничего не понимали в делах!

И тогда они стали брать евреев и армян своими заместителями, главными инженерами, вторыми секретарями обкомов. Брежнев опирается на этот слой, но подросли новые кадры, они хотят скинуть старый аппарат, занять его место. Полянский и Романов их поддерживают, потому что, убрав опору пирамиды, они уберут и верхушку. И значит, хорошие мы или плохие, это не имеет никакого значения! «Бей жидов!» — это стратегический лозунг нового поколения руководителей партии...

Елена не помнила, с какого момента она перестала слушать эти разглагольствования еврейского неофита, впитавшего в себя атмосферу палаты «узников Сиона». И даже разительное перевоплощение агрессивного, замкнутого, косноязычного серийного убийцы в благодушного и эрудированного парня уже не занимало ее мысли. Другая мысль зародилась в ее голове, и она подивилась ее простоте. Если через нее, Елену, Винсент смог *так* перестроить психику маньяка-убийцы, то что же он сделал с ней самой, с Еленой? И вот почему с таким изумлением на нее смотрят теперь коллеги и техники на радио! Она изменилась...

Впрочем, минутку! Разве это не свойственно всем влюбленным — меняться и внешне, и внутренне? И разве она изменилась к худшему? Нет, конечно! Она изменилась так, что мужики сворачивают голову ей вслед — вот как она изменилась! Она изменилась так, что у нее грудь выросла на размер — вот как она изменилась! Она изменилась так, что ей уже по фигу все условности совковой жизни, все страхи перед КГБ, милицией и собственным начальством в Радиокомитете! И она изменилась так, что уже сам Винсент стонет, кряхтит и летает в постели, задыхаясь от усталости и прося пощады, — да, вот как она изменилась! Ее жизнь стала прекрасной и легкой, она досыта, до невесомости и изнеможения спит с любимым мужчиной, и она принимает участие в уникальном эксперименте...

Но может быть, все это тоже результат внушения? Может быть, ее ведут так же, как она сейчас ведет этого Богула-Пильщика?

Что-то толкнуло ее в затылок — не сильно, но ощутимо. Она непроизвольно повернулась и встретилась взглядом с глазами Винсента, который, улыбаясь, смотрел на нее из другого конца вагона.

И сразу куда-то в небытие, в ничто испарились все мысли, и в голове стало светло и радостно, и даже за окном, в небе, только что глухо затянутом низкими серыми облаками, вдруг появилось солнце.

Винсент показал ей глазами на это солнце и легким движением губ послал ей воздушный поцелуй.

И все взметнулось в Елене навстречу его губам и глазам, взметнулось жаркой и влажной эротической волной, и, вместо того чтобы двинуть свои губы в легкой ответной улыбке или воздушном поцелуе, она без голоса, но четко очерчивая губами каждый слог, произнесла:

— Ti voglio! Subito!*

— Михнево! — прозвучал голос по радио. — Следующая остановка Жилево...

Пильщик-Богул вышел на платформу, зажмурился от яркого морозного солнца и даже как бы облизнулся от удовольствия.

— Елена, вы чудо! Вы даже погоду изменили! Куда мы пойдем? В лес?

От этого невинного «В лес?» Елену словно током ударило, она взглянула на своего спутника, но в его лице и глазах было столько чистой радости и благодушия, что она тотчас успокоилась.

— Не знаю... Побродим...

Она действительно не знала, что их ждет в Михнево, ей было сказано: «Приедем туда и разберемся!», и она пошла с Пильщиком по обледенелой платформе к станции, чувствуя на своем затылке взгляд Винсента. От этого ощущения все согревалось и оживало в ней — и грудь, и живот, и ее лагуша...

А Пильщик, дыша морозным паром, вдохновенно говорил:

— Знаете, Елена, о чем я подумал? Я, конечно, понимаю, что я вам не пара. Это однозначно. Кто я и кто вы! Даже смешно подумать! Но я хочу вам предложить просто по дружбе: давайте я вас вывезу, а?

— В каком смысле? — рассеянно спросила Елена, с трудом переключаясь со своих внутренних плотских ощущений на его голос и слова.

_____

* Я тебя хочу! Сейчас! *(ит.)*

226

— Ну, в самом прямом! Вывезу отсюда! — Он широко всплеснул руками, показывая на довольно унылый — даже под солнцем — пейзаж: грязные сугробы слежавшегося снега вокруг замусоренной привокзальной площади, какой-то ободранный автобус у пустого рынка, какой-то глухой «уазик» и три старухи, торчавшие перед воротами рынка с банками квашеной капусты. — Ведь я же эмигрирую, Елена! Как только меня выпишут из больницы, я подаю на эмиграцию. Но если вы хотите, мы оформим фиктивный брак и...

Она даже остановилась от изумления.

— Федор! Что вы говорите?!

— Какой Федор? — изумился он. — Я Яков, Яша...

Она спохватилась:

— Да, конечно, извините...

— Лена, пожалуйста, называйте меня на ты. И подумайте: вы молодая, красивая, талантливая, знаете языки — да вам там цены не будет! А здесь? Хотите, я вам больше скажу? — Он оглянулся по сторонам и, понизив тон, сказал интимно: — Эта страна скоро развалится. Не верите? Конечно, не верите, ведь я псих, да? Но еще не было в истории случая, чтобы страна, в которой антисемитизм стал государственной политикой, продержалась больше двадцати лет! Не было! Гитлер пришел к власти в 33-м, а в 43-м судьба рейха уже была решена. Понимаете? — Он подал ей руку и повел по обледенелым ступенькам спуска с платформы к станционной площади, заглядывая в глаза и говоря: — Уезжайте отсюда! Пожалуйста! Со мной, с другим евреем — не важно! Но чем скорей, тем лучше!..

Елена смотрела ему в глаза. Она уже давно слышала приказ, четко звучавший в ее мозгу: *Береза, Памир, голос, бамбино*!.. Скажи ему: *Береза, Памир, голос, бамбино*!.. Скажи ему...

Но какая-то слабость, какое-то внутреннее сопротивление и ступор, как у матери, которая не может ударить своего ребенка, стиснуло ей зубы и замкнуло голос.

А он продолжал просительно, почти умоляя:

— Лена, это очень серьезно, поймите! Накануне Олимпиады ловушка захлопнется, и все! А потом вместо Брежнева будет Романов, Пономарев или какой-нибудь Долгих, и вообще крышка! Тут снова будет сталинизм, фашизм, еще хуже! Поехали отсюда, а?

Новый резкий и сильный толчок в спину даже пошатнул ее, а затылок ей обожгло так больно, словно ударило током. И подневольно, через себя, сухим голосом робота она сказала:

— Береза... Памир... Голос... Бамбино...

После ее второго слова Пильщик умолк, после третьего испуганно заморгал, а после четвертого...

Такое можно увидеть только в американских фильмах ужасов, да и то нечасто. Потому что это требует покадровой смены грима, двойной экспозиции и прочих дорогостоящих трюков комбинированной съемки. Но представьте себе на минутку, что лицо актера Леонова трансформируется в лицо Солоницына...

На глазах у Елены лицо Пильщика вытянулось, словно его натянули на другую — какую-то волчью, что ли, — колодку, глаза запали, щеки ввалились, лоб съежился, и нижняя губа выпятилась, как у недоразвитого, плечи опустились, а руки вытянулись вниз и повисли, как у обезьяны. Но самая главная метаморфоза произошла с его взглядом — этот взгляд стал напряженным, немигающим и стеклянно-безучастным, как у дикого зверя. Такими глазами рысь выслеживает добычу, с такими глазами убийца достает нож из кармана...

Теперь перед ней стоял не Пильщик-Богул, а Федор Богул — тот самый, настоящий, которого она увидела на первом сеансе гипнотерапии, и тот самый Богул, на котором было 18 убийств женщин и подростков.

От его взгляда у Елены заморозило позвоночник и ослабли ноги в коленях.

Но что-то отвлекло Богула от Елены, он вдруг шагнул вбок и пошел мимо нее через площадь.

Она повернулась за ним и ужаснулась: там, на краю пристанционной площади, открылись двери автобуса, из них стали с шумом выскакивать подростки, выкрикивая что-то, мутузя и толкая друг друга в сугробы. Было что-то не совсем стандартное в их жестикуляции, и Елена вдруг подумала, что не этот ли автобус она видела из окна вагона, когда они проезжали Белые Столбы, но и эта мысль не успела сформироваться у нее отчетливо, потому что...

Неотвратимо, словно вставший на дыбы зверь, Богул стремительно-хищной походкой приближался к детям, возившимся в сугробе возле автобусной остановки.

Трое плечистых гэбэшников по знаку Иванова бегом ринулись за Богулом, но когда им осталось до него всего несколько метров, он вдруг развернулся на топот их ботинок, и свирепый рык — не крик, а именно рык — вырвался из его горла, как у озлобленного орангутанга. Это было так неожиданно и по-звериному страшно, что даже тренированные гэбэшники отпрянули и остановились, а кинооператор, высунувшийся из «уазика» с камерой в руках, подался назад в машину.

Винсент усмехнулся, наблюдая за этой сценой. И сузил глаза — вперед, мой мальчик! Avanti! Они хотели проверки? Сейчас они ее получат! Avanti, piccolo!*

И «piccolo», послушный, словно робот, его приказу, двинулся на гэбэшников, с нечеловеческой силой отшвырнул первого, головой ударил второго в лицо, опрокинув его на спину, и каким-то диким, страшным прыжком, как кот или вепрь, набросился на третьего, подмял его под себя и тут же вцепился зубами ему в шею с такой силой, что буро-алая кровь хлынула на снег из перекушенной артерии.

При виде этой крови у Елены закрылись глаза, подкосились ноги, и она рухнула без сознания на грязный, в корке льда асфальт.

А Иванов какими-то нервными движениями стал рвать из-под мышки из кобуры свой пистолет.

Но дети — недоразвитые дети из психбольницы в Белых Столбах, которых хотели для эксперимента подставить маньяку, — эти дети, бросив свои игры, с радостным любопытством окружили Богула и его жертву. Нечленораздельно мыча и возбужденно тыча пальцами в лужу крови, натекающую под брыкавшимся под Богулом гэбэшником, они перекрыли от Иванова всю сцену.

Он ринулся к ним, на ходу отшвырнул с дороги какую-то девочку, прорвался к Богулу и наотмашь что есть сил ударил того по голове рукояткой своего пистолета.

---

* Вперед, малыш! *(итал.)*

42

Пора поговорить о жидах и евреях.

Подождите, соплеменники, не стреляйте в меня раньше времени, я уже стреляный.

Вы видели бахчисарайский фонтан? Я не имею в виду балет, я имею в виду настоящий фонтан, в Бахчисарае. Так вот — ничего особенного, каменная вазочка и струйка воды, как у писающего ребенка. А теперь перенесите этот фонтан в Италию, в самый центр маленького курортного городка возле моря, а вокруг поставьте еврейскую массовку — человек эдак с тысячу, и вы получите Ладисполи 1979 года.

Мой вгиковский друг Сема Аранович получил диплом кинорежиссера и еще кучу фестивальных призов за простенький фильм «Взгляните на лицо», который он снял самым элементарным образом: когда в Москву, в Третьяковку, привезли на месяц «Джоконду», он поставил за картиной скрытую кинокамеру и снимал лица людей, рассматривавших шедевр Леонардо.

Если бы кто-то умудрился вывезти из СССР кинокамеру или итальянские киношники знали бы русский язык и поставили кинокамеру где-нибудь за апельсиновым деревом у ладиспольского фонтана, они сняли бы фестивальный фильм «Евреи о жидах и евреях». И вот что было бы в этом фильме.

— Слушайте, вам нужна квартира? Замечательная квартира, у моря, две спальни. И в электрическом счетчике уже стоит «жучок», вы не будете платить за электричество! Сколько я хочу? Обыкновенные маклерские — сто процентов от ренты. Я уезжаю? Ну и шо, шо я уезжаю? Я же могу передать эту квартиру не только вам! Вы видите, сколько приехало народу?! За один месяц — две тысячи человек! Не хотите? Смотрите, я только свистну...

— Вы уже были в Неаполе за столиками? Не были? А как же вы поедете в Америку? В Неаполе сервировочные столики стоят шестьдесят миль, а в Штатах — двести долларов!

— Мне написали из Нью-Йорка: везите золото! Здесь золото самое дешевое, а там — самое дорогое...

— Не знаю, как вам, но, по мне, Италия — это какой-то ужас! Вы посмотрите: у них же мусор валяется по улицам! Это даже хуже, чем у нас в Одессе!

— Ой, после Вены я тут даже брезговаю ходить по тротуарам! А вот Вена — да! Ой, как мне нравилось в Вене! Вена — это таки да, заграница! А тут!..

— А шо вы хотите, когда они тут половина коммунисты? Вы смотрите на эти стены — ведь нет ни одной стены без портрета Ленина и этого... как его?.. Чегувара... Но ничего, они доиграются!..

— А вы слышали, что тут было вчера? Сын побил отца за то, что стариков не берут в Австралию. Ну? Вы представляете?!

— Это что! Вы помните Риву Блинкер? Ну как вы не помните Риву Блинкер? Такая больная из Киева, все время дышала ингалятором в Вене...

— С дочкой?

— Ну да! Из-за этой дочки она и уехала, чтобы девочка не страдала от украинских антисемитов. Так вы знаете, что тут сделала с ней эта дочка? Спуталась с семнадцатилетним мусорщиком из Рима, сыном хозяев своего пансиона. И третьего дня они вынесли у Ривы все вещи — просто обобрали до нитки родную мать! И теперь эта женщина — голая и больная — едет одна в Америку...

— Слушайте, я вам скажу: такого блядства, как тут, я там никогда не видела! Мой сосед так охранял свою дочку — даже ездил с ней в Рим на английские курсы и дежурил под окном этой школы. И что вы думаете? Уже через две недели они искали врача...

— Нет, Саша, ты посмотри на этих евреев! И это потомки Макковеев? На них столько гойского сала — я не знаю, если они евреи, то лучше я перейду в мусульмане!

— Между прочим, вчера на виа дель Корсо я встретила — кого бы вы думали? Дэвида Харриса! Ага! Он же такой высокий — его за версту видно. Идет, кушает мороженое. Я подхожу, здравствуйте, мистер Харрис, вы меня, конечно, не узнаете... А он: почему не узнаю, вы Рита Цфасман из Волгограда. Представляете, какая память у человека! Я говорю: вы что, теперь в римском ХИАСе работаете? Он говорит: нет, я вообще ушел из ХИАСа. Я говорю: как? азой? вы ушли из ХИАСа?! ох ун вэй! это ужасно! Он говорит: с меня хватит, еду в Нью-Йорк, в Американо-Еврейский конгресс. Вы поняли? Даже Дэвид Харрис нас больше не выдержал! Я с горя пошла и купила себе мороженое...

— Что вы хотите? Люди только что вырвались из зверинца, они еще не вышли из пещерного состояния...

— Да? А я не вырвался из зверинца? А ты не вырвался из зверинца? А Белла Давидович не вырвалась из зверинца? Мы все вырвались из одного зверинца, но ты же не продаешь свою квартиру за маклерские и не воруешь в магазинах подсолнечное масло!

— А блатные? Вы когда-нибудь видели такое количество блатных? Я даже не знал, что у нашей нации...

— Да какие это блатные? Не смешите меня! Это шпана приблатненная, молокососы. А настоящие блатные тихо сидят в Остии и никуда не высовываются, чтобы, не дай Бог, им не тормознули въезд в Америку!

— Не знаю, не знаю... Сегодня иду по улице, вижу — стоят несколько наших парней у витрины и говорят друг другу: «Пойдем поторгуемся. Не отдаст — с...здим!»

— Слушайте! Насчет подсолнечного масла! Вчера я был у Марио в гроцерии. Заходит наш еврей, говорит: «Синьор! Дайте мне подсолнечное масло в картонной коробке». Марио дает ему сливочное масло, поскольку из всего, что тот сказал, Марио понял только одно слово: «масло». Еврей говорит: «Нет! Я же вам русским языком говорю: подсолнечное масло! *Под*-солнечное, понимаете? *Под*-солнечное!» Марио дает ему подсолнечное масло в большой банке. Еврей возмущается: «Нет! Ну что вы, не понимаете? Я же вам сказал: в картонной коробке. В картонной! — Роется в карманах, достает какую-то бумажку и шуршит ею перед Марио. — В картонной, понимаешь?» Марио откладывает банку и подает ему масло в картонной коробке. Еврей говорит: «Но! Но, синьор! Это очень большая! Гранде! Гранде — но!» Марио подает ему маленькую коробку. «Вот, — говорит еврей, — дошло наконец! Сколько стоит?» Марио пишет ему на бумажке цену. Еврей расплачивается, берет масло и говорит небрежно, как барин: «Бардзо дзянькую!» И уходит с таким видом, словно он поговорил по-итальянски...

— Вы думаете, зачем нас выкупили американские евреи? За наши политические взгляды? Нет, вот из-за этих шикс*! Они там думают, что к ним едут чистые еврейские бесулех**, кото-

---

* девушки-нееврейки *(евр.)*.

** девственницы *(евр.)*.

рых молдаванские евреи держали в чистоте, кормили кошерным мясом и везут им теперь для продления чистоты еврейской расы. Но ты глянь на эти тухес*! На них даже американские джинсы лопаются! А таких блядских глаз я не видел даже в Сочи в разгар курортного сезона!

— Вчера по «Американо» ходила пьяная рыжая Берта, трепала итальянцев по щекам и говорила: «Ух ты, черненький! Кто ж тебе, падла, будет теперь девочек поставлять? Уезжаю я завтра, ага! Америка! Чао-чао!» И делала руками самолет. Оказывается, она возле «Американо» держала притон. То есть пока наши мужчины торговали на рынке хохломой и матрешками, кое-кто торговал совсем другим товаром...

— Еще бы! Украина откормила этих гусынь галушками, Вена — курятиной, и теперь тут такое количество еврейского мяса!..

— Ша, евреи! Если вы ничего не понимаете в женской красоте, это ваша проблема. А итальянцы знают, что чем больше мяса, тем вкусней!

— Евреи — лучшая кровь!

— Вот именно! Нас надо выселить куда-нибудь за город и выпускать в Рим на экскурсии по десять человек во главе с хиасовским надсмотрщиком. И то раз в неделю!

— Типун тебе на язык! Ты был тут вчера вечером? Тут приезжали из ХИАСа мадам Фалк и мадам Ботони и уговаривали нас вести себя тихо, не собираться группами, уступать во всем итальянцам и не ездить в их автобусах. А еще лучше — переселяться в Рим, потому что ладиспольские коммунисты объявили, что будут расправляться с эмигрантами физически.

— Физически? Ну, это они загнули!

— Почему загнули? Ты читал, что тут написано на заборах? А мне перевели: «Смерть русским эмигрантам!»

— Да они ж на нас такие деньги делают! Тут же был мертвый город! А теперь — зимой! — тут на квартиры цены как летом! А в магазинах? Ладно, пусть наши воруют один-два процента. Но у них же идет такая торговля — они уже с Рима везут сюда старые залежалые товары и толкают тут нам как новые!

___

* задницы *(евр.)*.

— Правильно, но ведь это чьи магазины и чьи квартиры в рент? Фашистов! А коммунисты нищие, и они нас ненавидят за то, что фашисты на нас богатеют. Знаешь, как это называется? «Классовое общество»! Маркса надо было читать, цудрейтер*!

— Вот дожили! Коммунисты нас хотят бить, а фашисты нас защищают! В автобусе еду, кто-то из наших сует водителю фальшивый билет. Ведь научились же делать! А водитель увидел, что билет фальшивый, и стал орать, выталкивать человека из автобуса. Но тут поднимаются два итальяхи, которые сели в фашистском районе, и говорят ему: «Оставь человека в покое, пусть едет, он же нищий из коммунистической страны. Лучше посмотри на него внимательно: вот такими мы будем все, если вы завтра придете к власти...» Я чуть под сиденье не упал!

— А ты что, сечешь по-итальянски?

— Я-то нет, но моя дочка. Она тут месяц моет машины на заправке и уже чешет по-ихнему!

— О, так вы мне переведете одно слово! Знаете, это я был причиной автобусной забастовки. Никто этого не знает, но вам я скажу: я был, так сказать, последней каплей. Меня вызвали в транспортный отдел ХИАСа на девять утра. Ну, когда вас вызывают в транспортный отдел, то вы же понимаете — это или проблемы с багажом, или отправка в Америку. В семь часов я уже был на остановке автобуса. Пришел первый автобус — битком набит, даже двери не открыл. Через десять минут — второй, тоже полный. Но все же люди стали втискиваться — и итальянцы, и евреи. Давим. Уже он полный, просто забит, как в Москве. Тем не менее я пробую вжаться. Уже никто не пробует, а я последний — со всех сил пробую натянуть эту дверь на себя. Держусь вот так двумя руками за створки и натягиваю на себя весь автобус, ага. А передо мной спина какого-то итальянского школьника, и мое плечо прямо ему в спину, и я слышу, как он издает какой-то хрипящий звук. Но я еще давлю — мне же в транспортный надо успеть! Тут, слышу, он выдыхает одно слово: «Шендере!» И вдруг весь автобус подхватывает: «Шендере! Шендере!» И все итальянцы начинают выходить из

---

* тупица, недоразвитый *(евр.)*.

234

автобуса, остаются только русские. А итальянцы становятся перед автобусом цепочкой, берутся за руки и не пускают его ехать. И так они стоят час и останавливают все следующие восемь рейсов. Бастуют. И я из-за них не улетел в Америку, представляете? Меня перенесли на следующую неделю! Вы не знаете, что такое «шендере»?..

— А вы знаете, что карабинеры делают по ночам на пляже?

— Что они делают, понятно. Вопрос: с кем они это делают?

— Да ладно вам! Ничего они такого не делают! Я вчера ночью гулял со своей собакой и видел: идут наши гезунта мойд* и идут карабинеры. И хором поют: «Если б знали вы, как мне дороги подмосковные вечера!»...

— Не знаю, как вас, а меня по утрам охватывает какая-то свинячья радость, что я уже добралась сюда, что я здесь, а не там. И пускай я не говорю по-итальянски, и пускай я не знаю, как войти в магазин и что сказать, когда он бежит к тебе с вопросом «Коза поссо фаре пер лей?**», но все равно — я просто сама себе не верю, что мне так повезло!

— Подожди еще! Говорят, что Италия просто нищая страна по сравнению с Америкой!..

— Оптику покупаю! Покупаю оптику!..

— Бабеля на них нет!

— Как нет? А Таня Лебединская? Еще какая Бабель!..

...Я не записал и половины «сцен у фонтана» — не записал вспышек «толковищ» между пацанами, пьяных драк и сцен ревности, — как в дверь позвонили. Я прошел коридором в прихожую, открыл дверь и...

Инна влетела как метеор.

— Можно? Я на минуту! Я поздравляю тебя с днем рождения! — И стала целовать меня, а я, прижав ее к себе одной рукой, другой рукой тут же закрыл папку со своей рукописью, чтобы она не увидела страниц, на которых я описал нашу встречу в Вене и мой к ней визит в Ладисполи. — Перестань! — сказала она. — Я знаю, что ты не терпишь, когда заглядывают в твои рукописи. Я помню. Я желаю тебе, чтоб ты мог часто ез-

---

* красотки *(евр.).*

** Чем могу вам служить? *(итал.)*

дить к своей сестре, чтобы ты поставил в Голливуде двадцать фильмов и чтобы все у тебя было хорошо-хорошо!

Она говорила это быстро, наспех, и целовала меня тоже торопливо — в щеки, в голову. Как всегда, от нее пахло апельсинами и еще чем-то новым — свежим, тонким, морским и русалочьим запахом; и ее чистые мягкие волосы падали мне на лицо, и, отвечая на ее поцелуи, я подумал о том предательстве, которое происходит за моей пишмашинкой ежеминутно, когда я пишу о нас с ней и когда я, сбегая от нее в Рим, рассказываю и показываю наш с ней роман античным римским статуям, каменным фонтанам и капеллам. Вот оно, продолжение этого романа, которого я так долго ждал! Но могу ли я поставить в кино эту сцену? Ведь это разрушит ее жизнь. Но и не поставить не могу: что я выдумаю взамен? Что можно выдумать лучше Жизни?

— Ты можешь задержаться? — спросил я.

— Нет, не могу. Юльке холодно, они с Ильей гуляют на море, и я побежала за курткой, — объяснила она, не отрываясь от меня. Тонкая, стройная, в вельветовых джинсах в обтяжку, в новой замшевой курточке и с пепельными волосами, распущенными по плечам, — я почти не совру, если скажу, что она в этот миг была сродни «Венере» Боттичелли. Во всяком случае — для меня. Не зря у меня на стене висят две открытки, на которые я разорился в Риме: «Мадонна» Филиппо Липпи, так похожая на Аню, оставшуюся в Москве, и «Венера» Боттичелли, так похожая на Инну. Кто сказал, что можно любить только одну женщину? Глупости! Можно любить всех женщин и в каждой из них видеть Одну...

— Когда мы встретимся? — спросил я.

Она улыбнулась:

— Не знаю.

— Я хочу встретиться с тобой, — сказал я тоже с улыбкой.

— Хорошо, назначь свидание! — засмеялась она на ходу и выпорхнула за дверь.

А я вернулся к машинке. Черт возьми, сегодня мне стукнуло сорок лет, а чем я занимаюсь? Ворую свою женщину у ее мужа! Да и то безуспешно...

236

Я пересчитал свои деньги, набросил куртку и пошел к ладиспольскому фонтану, на почту. В конце концов, в день рождения имею я право сделать себе подарок?

На почте, конечно, клубилась толпа эмигрантов, они звонили в Москву, Бостон, Нью-Йорк и Тель-Авив, часами высиживая в ожидании свободной телефонной линии, но с Веной меня соединили буквально на второй минуте.

— Алло! — сказал я. — Сильвия, джень добрый!

Трубка молчала.

— Алло! — повторил я громче. — Сильвия! Это я! Алло!

— Я чуе... чуе... — тихо сказали на том конце провода. — Я вже не чекам, шо ты зазвонишь...

43

Экран погас, в маленьком служебном кинозале зажегся свет. Юрий Владимирович Андропов снял очки, наклонился вперед и устало потер глаза. То, что он видел, было ужасно и отвратительно, но доказывало правоту этого итальянца: вы можете взять взрослого человека, стереть в его памяти всю его биографию и имплантировать ему другую биографию, другой характер, а потом простой командой, тремя-четырьмя словами опять обратить его в прошлое. Люди мелки, слабы, ничтожны и легко поддаются любым манипуляциям...

Вздохнув, Андропов поднялся с кресла и тяжелым шагом ушел в свой кабинет.

Винсент с изумлением перевел глаза на Иванова, но Иванов, не глядя в его сторону, поспешно ушел за шефом.

Эти русские или хамы, или невежды!

Винсент сидел один в маленьком кинозале и ругал сам себя. Конечно, он перебрал с этим Богулом. Но кто мог подумать, что это *такой* зверь! В конце концов, он никогда не имел дела с русскими маньяками. Наверное, в русском характере вообще есть какой-то азиатский экстремизм, неведомый европейцу.

Но с другой стороны, ничего страшного не случилось, было бы куда хуже, если бы этот Богул набросился на детей — вот тут он бы уж точно перегрыз горло какому-нибудь ребенку. А этот их гэбэшник выживет, и вообще, это его работа — драться с преступниками...

Иванов вернулся в кинозал.

— Извините, Винсент. Юрий Владимирович ушел, потому что не говорит ни по-английски, ни по-итальянски.

Винсент усмехнулся:

— It's a good excuse...*

Но Иванов предпочел не заметить иронии и продолжил:

— Юрий Владимирович поздравляет вас с успехом. Когда мы можем отправить его в Италию?

— Кого?

— Ну, этого Богула.

— Are you crazy?!** — изумленно воскликнул Винсент. Теперь он мог отыграться, и он не упустил свой шанс, он стал горячо жестикулировать и почти выкрикивать: — Вы думаете, это так просто, как лампочку поменять в этой люстре? Я сделал все, что мог, я превратил каннибала в еврея, и вы сами говорили, что это наш снаряд, пуля, whatever***! Но если мы выстрелили этим снарядом, как мы можем использовать его еще раз?

Иванов озадаченно смотрел на Винсента.

— Вы хотите сказать... — начал он, но Винсент перебил:

— Я же вам говорил: это очень деликатный процесс! Да, я загнал джинна в бутылку, но я никогда не брался заниматься онанизмом и гонять его туда-сюда! Я не для того сюда приехал, чтобы делать вам кино о вампирах! — Винсент, жестикулируя, показал на экран. Теперь, когда эти русские были у него в руках, он мог позволить себе говорить все, что думает.

— Так что? Нужно начинать все сначала? — Иванов представил себе всю эту галиматью с подбором нового людоеда, оформлением его перевода из ГУИТУ под юрисдикцию КГБ... — Слушайте, Винсент, а зачем вам именно каннибалы? Мы дадим вам обычного еврея, хоть двадцать, и делайте из них вампиров! А?

Винсент поморщился:

— Питер, вы не понимаете... Вы не можете перепрограммировать то, что заложено Богом. То есть вы, наверно, може-

---

* Хорошее оправдание... *(англ.)*

** Вы свихнулись?! *(англ.)*

*** или нечто в этом роде *(англ.)*.

238

те, но для этого вам понадобилось сделать революцию. А я — нет, я не могу. Нормальный человек — еврей, русский, не важно! — нормальный человек даже под гипнозом не может переступить этические табу и совершить убийство. Эти табу положены Богом. Поэтому я и беру урода — маньяка, каннибала, вампира, который уже нарушил божеский закон, переступил табу. И прячу его в оболочку нормального человека, как русскую матрешку. Понимаете? Где сейчас этот Богул?

— Тут, у нас...

— У вас?! — изумился Винсент.

— Ну, у нас тут есть своя тюрьма, внутренняя... — принужденно сказал Иванов.

— Могу я его увидеть?

— Сейчас я узнаю. Идемте.

Они прошли в кабинет Иванова, который был на этом же третьем, андроповском этаже, и Иванов позвонил начальнику внутренней Лубянской тюрьмы, а затем сказал Винсенту:

— Они не могут привести его сюда, это запрещено.

— А мы туда можем пойти?

Иванов отрицательно покачал головой и улыбнулся:

— Мы не водим туда экскурсии. Тем более иностранные.

— Ну... — Винсент развел руками, показывая, что в таком случае он бессилен.

— Но у меня есть одна идея. Сейчас. Посидите. — И Иванов снял трубку одного из своих телефонов. — Юрий Владимирович, я могу зайти на минуту?

Он вернулся от Андропова действительно через минуту и коротко кивнул Винсенту на дверь в коридор:

— Пошли.

Но вместо того чтобы направиться к лифту, свернул к буфету.

— Давайте пока перекусим. Нас позовут.

Винсент стал покорно пить отвратительный желудевый кофе и жевать песочное пирожное фабрики «Красный Октябрь».

— Как там Елена? — спросил его Иванов.

— She is okay. Я стер в ее памяти этот эпизод в Михнево. Это было нетрудно.

— Как вы это делаете? — восхитился Иванов и показал на витрину, где стояла узкая бутылка с какой-то коричневой жидкостью: — Будете?

— Что это?

— Коньяк «Белый аист». Молдавский.

— О нет! — Винсент в ужасе всплеснул руками.

— Жалко, — сказал Иванов. Почему-то в буфете он стал куда менее официален. — Один я не имею права, а с вами...

За стойкой прозвучал телефонный звонок, буфетчица взяла трубку и доложила Иванову:

— Вас. Сказали, что все готово.

— Гуд! — энергично сказал Иванов и поднялся. — Пошли!

Они спустились лифтом в подвальный этаж. Но это оказалась вовсе не тюрьма — здесь был обычный коридор с обычными дверьми каких-то кабинетов. Потом за поворотом запахло лекарствами, и Винсент понял, куда он попал — тут, в КГБ, была своя поликлиника или хотя бы дежурный врач. Может быть, один и для сотрудников Комитета, и для заключенных внутренней гэбэшной тюрьмы.

— Прошу! — сказал Иванов, остановившись перед дверью с табличкой «ПРОЦЕДУРНАЯ».

— After you*, — усмехнулся Винсент.

Иванов открыл дверь, за ней оказалась комната дежурной медсестры с двумя дверьми в процедурные кабинеты слева и справа. Но теперь никакой медсестры тут не было, вместо нее за столом сидел какой-то офицер с пистолетом в руке, а на стульях у стены сидели трое дюжих охранников с черными дубинками в руках. Еще двое стояли у левой двери и смотрели в ее окошко, застекленное прозрачным плексигласом.

Увидев вошедших, офицер вскочил из-за стола, крикнул охранникам: «Смирно!» и вытянулся перед Ивановым:

— Товарищ полковник! По вашему приказанию...

— Вольно, вольно, — перебил его Иванов. — Ну как там наш людоед?

— Слабо вы его ...бнули, товарищ полковник, — укорил офицер. — Надо было башку пробить.

— А что — Курочкин не оклемался?

— Пока нет. Мы   по два раза кровь для него сдавали.

— Ничего, оклемается. Ну, давайте посмотрим.

---

* После вас *(англ.)*.

240

Он подошел к окошку в двери и заглянул внутрь процедурного кабинета, кивком головы приглашая и Винсента присоединиться к нему.

Винсент взглянул в окошко сквозь мутный плексиглас.

Посреди абсолютно пустой комнаты, из которой, видимо, только что вынесли всю мебель и сняли какие-то портреты или плакаты со стен (на них остались квадраты невылинявшей краски и дыры от гвоздей), стояла передвижная, на колесиках, больничная койка, и к этой койке мокрой и плотной, слой к слою, парусиновой тканью был от плеч и до ног прибинтован Федор Богул. Он лежал неподвижно и, поскольку голова его после ранения тоже была забинтована, походил на мумию.

— Ну? — вопросительно повернулся Иванов к Винсенту.

Винсент пожал плечами:

— With such appearance I can't make any conclusion*.

— Развяжите его, — приказал Иванов охранникам.

Те неуверенно взглянули на своего офицера, тот кивнул им: «Пошли!» и сам первым вошел в палату.

Иванов и Винсент стояли в дверях, наблюдая, как охранники снимают с Богула «укрутку». Это оказалось непростой процедурой: узкие мокрые парусиновые полотенца были по пять метров длиной каждое, и сворачивать их было делом особой сноровки.

Сняв последний слой, охранники отступили от кровати, посмотрели на Иванова.

Тот кивком головы приказал им выйти за дверь.

Богул, абсолютно голый, с забинтованной головой, шумно вдохнул воздух освободившейся грудью, выдохнул, вдохнул снова и открыл глаза.

Оглядев комнату и стоявших в двери Иванова и Винсента, Богул презрительно хоркнул, спустил ноги на пол, встал, шагнул к стене и, взяв рукой свой пенис, начал мочиться.

И вдруг — сначала непонимание и изумление, словно он не поверил своим глазам, а потом дикий ужас отразились на его лице.

— Бляди! — взревел он и бросился к двери на Иванова и Винсента.

---

* Так я ничего определить не могу (англ.).

241

Но они успели выскочить, Иванов захлопнул дверь, и охранники подперли ее своими плечами.

А с той стороны бился в дверь Богул и орал:

— Суки! Жиды! Зачем вы меня обрезали?!!

44

О'кей, эмиграция продолжается!

Как говорил Остап Бендер, сбылась мечта идиота!

Свой замечательный фильм я пишу своей жизнью, а жизнь не всегда ведет себя по законам кинематографа.

Будни вмешиваются.

Мой «козлик» Нихельспун отмочил мне номер — исчез из квартиры с вещами. Благо не с моими (что у меня взять-то?), но без всякого предупреждения исчез, и все. То есть улетел в Канаду — там, говорят, пособия для эмигрантов вдвое выше, чем в США, и держат на этом пособии чуть ли не год, и квартиру дают с холодильником, набитым продуктами. Почему-то этот «холодильник, набитый продуктами», действует на нашего брата-эмигранта так, как на Паниковского слово «гусь», а на Бендера сумма «миллион долларов». А то и сильнее, потому что миллион долларов — это все-таки понятие абстрактное, а холодильник, набитый продуктами, — это вещь реальная до приятного урчания в желудке.

И надо же, как его быстро оформили! Мы с ним одновременно выехали из СССР, вместе прикатили в Италию, и нате вам: Канада, куда люди ждут въезда по полгода, Мишу Нихельспуна приняла, а США, куда каждый день улетают по целому «боингу» эмигрантов, меня принять не торопится. Вот что значит быть моложе! Этому Нихельспуну 28 лет, холостой еврейский мальчик с высшим образованием — ну чем не жених для канадских ентес*? А сорокалетний неженатый еврей — это, конечно, оч-чень подозрительно, у него, наверное, где-то что-то не в порядке...

Ладно, пусть они получат Нихельспуна, я им от души желаю. И кстати — вместе с моей пеной для бритья, поскольку

---

* невест (евр.).

баллончик с этой пеной он у меня все-таки спер. Точнее, взял в счет моего долга. Потому что, когда он сказал мне: «Вадим, вы мне должны четыре качка пены для бритья...», я заорал: «Гениально! Аркадий Райкин!» Когда он сказал: «А чего вы смеетесь? Вы же брились моей пеной вчера...», я подумал, что он продолжает меня разыгрывать. Но когда на следующее утро из ванной исчез его баллончик с пеной, я перестал варить овсяную кашу на нас двоих и пригрозил набить ему морду, если он скажет еще хоть одно грязное слово об Инне, которая, как назло, забегает ко мне именно тогда, когда меня нет дома.

С тех пор мы с ним не разговаривали, и вот теперь он исчез. А стоимость квартплаты — в связи с наплывом эмигрантов — уже подскочила вдвое, и мне приходится срочно освобождать квартиру и перебираться в подселение к соседу-бакинцу Саше Ютковскому, который снимает трехкомнатную квартиру в складчину с москвичами Леней и Верой и их трехлетним сыном Ником. Одна комната, боковая, там будет моей за те же пятьдесят миль, что я платил здесь, но как я там буду работать под грохот Никиного барабана и запахи Вериной кухни?

Ладно, это мелочи жизни. Главная беда в другом: в моем будущем фильме нет основного стержня. Мои романы с Инной и Сильвией на стержень не тянут, они вообще буксуют на месте — Сильвия осталась в Вене, а Инна хотя и здесь, но с мужем. К тому же это совсем не киношный сюжет — дорожный роман со своей бывшей любовницей. Для фильма об исходе евреев из России нужно что-то глубокое и трогательное, как в «Докторе Живаго». Может быть, взять за основу треугольник Маша — Наум — Клаус? Русская Маша и эстонец Клаус, как я уже где-то записал, выезжали из СССР по фиктивным бракам. Маша нашла в Москве еврея Наума, они зарегистрировали брак, подали на эмиграцию, получили разрешение, оформили визу, купили билеты на самолет. Но за два дня до отлета Наум раздумал ехать. Маша состряпала справку о его болезни и явилась в аэропорт одна. Не знаю, что она там плела, это можно спросить, пока она здесь, но из СССР ее выпустили. В самолете она познакомилась с Клаусом. Ей 23, русая, красивая, художница. Ему 35, высокий, широкоплечий, журналист. Любовь. Кем была его фиктивная еврейская невеста, пока не важно, но можно и это спросить или придумать. Главное, что Клаус и Маша, сойдя в Вене с самолета, уже не расставались, в нашем отеле «Франценсгоф» они открыто жили в одном номере. Но тут прилетел Наум, Машин формальный муж. Чтобы ему оформиться на пособие в ХИАСе, а ей в IRC, где берут на содержание всех неевреев, они должны были написать, что их брак фиктивный. Наум такую бумагу подписать отказался. Он сказал Маше, что он ее любит и хочет быть ей мужем не фиктивным, а эффективным. А узнав, что Маша живет с Клаусом, хотел покончить с собой, и Клаус уговаривал его остаться жить, — вот какие страсти кипели, оказывается, в моем отеле, пока я ходил обедать к полякам и уныло волочился за Сильвией.

Кое-как Клаус и Маша уговорили Наума не резать себе вены и не вешаться, Маша и Наум оформили развод, и вся троица благополучно прибыла в Ладисполи. Здесь Маша и Клаус продолжали жить вместе, но Клаус начал попивать. Он стал бояться Америки. Журналист русской газеты «Вечерний Таллин», он все выспрашивал у меня, на что я надеюсь. Он пил, матерился при Маше по-черному, бравировал своими эстонскими бицепсами, но в его браваде и матерщине был страх, что в Америке он эту красавицу Машу возле себя не удержит. Поэтому здесь он наслаждался своей властью над ней — заставлял ее пить, курить и готовить на всю его алкашную компанию, которую он тут нашел и собрал: какой-то рыжебородый мужик, которого не пускают в Канаду из-за его дебильного сына, еще один жлоб, бывший учитель из Белоруссии, и странная пара ладиспольских аборигенов: немец — принципиальный противник детей и его жена-итальянка.

Этой компанией они собирались в дешевой подвальной квартире, которую Маша и Клаус снимали у немца и итальянки, и пили, матеря и проклиная все подряд — Россию, Эстонию, Белоруссию, Канаду, Германию и Италию. Чтобы проклясть такую обширную территорию, нужно было много спиртного.

И как-то вечером, когда Маша пошла в магазин за выпивкой, на нее напали итальянские подростки, отняли сумку с деньгами. А когда она пришла домой без денег и без спиртного, Клаус ее избил. Маша хлопнула дверью и ушла... к Науму!

Завтра они улетают в США. Все трое.

В этом сюжете все хорошо, за исключением одного обстоятельства: фильм будет называться «Исход», а из трех главных персонажей двое невреи. И значит, этот сюжет не годится. Что же у меня есть еще?

Вчера состоялись похороны Фаины Степняк. 30 лет, длинноносая, коротконогая еврейка, она бросилась под машину в Риме. До этого ее несколько раз вынимали из петли. Почему она вешалась? Я выяснил. Оказывается, она не хотела эмигрировать. Больше того, она и слышать не хотела об отъезде. Она тихо жила где-то под Краснодаром, была замужем за Васей — следователем районной милиции и откармливала в сарае порося и гусей. Но, расследуя странную гибель молодого сельского агронома, Вася докопался, что его убили за честность — парень не подписывал липовые ведомости руководителей колхоза о потраве урожая скотом, о гибели садов от саранчи и прочие филькины грамоты. Это лишало начальство возможности сбывать налево, в Норильск, тонны яблок и прочих даров щедрой краснодарской земли. Парня-агронома напоили и убили варварским способом, залив ему пах столярным клеем, и Вася выяснил, кто это сделал. За что Васю самого стали гнобить так, что он был вынужден удрать из Краснодара в Прибалтику, откуда и эмигрировал со своей Фаиной. Но в Риме он сказал Фаине «чао» и стал жить с одной итальянкой-фотографом из газеты «Темпо». А Фаина стала вешаться. Соседи по пансиону «Тосканини», что у вокзала Термини, где живет Карен, вытащили ее из петли. Фаина подружилась с одной из них, с Лорой. Точнее, приклеилась к этой Лоре и таскалась за ней повсюду, эта Лора уже не знала, куда ей деться. Но все-таки делась — улетела в Америку. Самолет в Нью-Йорк улетает утром, Фаина проводила подругу в аэропорт, а вечером бросилась под машину...

Впрочем, с таким сюжетом соваться в Голливуд тоже не стоит, там девяносто процентов продюсеров евреи. И вообще, Голливуд не любит трагедий, там нужен хеппи-энд.

Хорошо, у меня есть хеппи-энд! И абсолютно убойный! Причем главный герой совершенно голливудский — агент ЦРУ! То есть формально он считается русским переводчиком Американского посольства в Риме, но ни для кого не секрет, да и он сам не делает из этого никакого секрета, что он занимается выявлением в потоке эмигрантов скрытых коммунистов, уголовников, гэбэшных шпионов и прочей мути, а также проводит беседы с людьми, чьи бывшие посты и профессии в СССР могут дать нужную Америке информацию.

А теперь представьте себе, как ежедневно на беседу с американским консулом приходит в посольство сотня евреев, прошедших советский ОВИР, Шереметьевскую таможню, венский ХИАС и римский «Джойнт». Москвичи, одесситы, минчане, кишиневцы, ташкентцы, гомельчане. Они знают, что беседа с консулом — это последний рубеж, который они должны одолеть на пути к вожделенной Америке. Опыт оформления документов в Вене и Риме уже научил их тому, что они — беженцы, гонимые за религиозные и политические убеждения. И дабы соответствовать этому образу, они являются в посольство небритыми, в нищенской совковой одежде, но с гордым золотым могендовидом на груди. От них пахнет потом, жлобством и стандартным эмигрантским враньем об их сионистских и диссидентских подвигах в России и дюжине родственников в Калифорнии. Если итальянские евреи после двух-трех месяцев работы в ХИАСе начинают нас тайно ненавидеть и открыто презирать, то что говорить о сотрудниках Американского посольства в Риме, которые даже не еврейского происхождения?

Грегори Черни, потомок черниговских помещиков гоголевского розлива и внук поручика царской армии, бежавшего от большевиков в 1920 году, уроженец США, выпускник славянского факультета Вашингтонского университета и Монтерейской лингвистической школы, набирался в Риме негативным отношением к нашей эмиграции примерно так, как Наполеон на острове Святой Елены мышьяком в своем любимом вине — незаметно для самого себя, по капле в день. Месяц за месяцем он все тяжелел и тяжелел от этих эмоций и был уже близок к ярому антисемитизму, когда...

В середине февраля, в один из самых заурядных дней, в числе прочих еврейских беженцев пришли в консульство две невзрачные молодые женщины — сестры Лина и Рая Рубинштейн из Ленинграда. Обе серые мышки, Рае — тридцать два, школьная учительница химии, Лине — тридцать, школьная учительница английского языка. Обе никогда не были замужем, и Лина, свободно говоря по-английски и поминутно про-

246

стуженно сморкаясь в платок, открыто сказала Грегори, что они уехали из СССР просто потому, что серая, будничная жизнь советских мышей «обрыдла ей up to the ring». То ли это сочетание украинского с английским рассмешило Грегори, то ли что-то еще тронуло его в этой длинноносой астматичной еврейке, но после интервью Грегори пригласил сестер в кафе «Амбассадор», что на виа Венето прямо напротив Американского посольства. А потом в своей машине отвез их в пансион «Тосканини», где они жили со дня приезда. Ему и до этого приходилось бывать в нищенских квартирах беженцев, но такого убогого, зашарпанного и грязного притона он еще не видел. Душ и ванная вообще закрыты, горячей воды нет, дети, не выдержав очереди в единственный на этаже туалет, писают в коридоре в эмалированное ведро. А в самом конце коридора, в крохотной комнатке-пенале, сидит сумасшедший потный 160-килограммовый Карен и с утра до ночи пилит свою новую громогласную виолончель...

Конечно, после российских коммуналок нам все это не внове, но американец Грегори видел такое впервые и, я думаю, впервые посмотрел на этих «жидов» с другой стороны. Он увидел гетто и... перевез сестер к себе.

Я не знаю, в каких квартирах живут в Риме сотрудники Советского посольства и агенты КГБ, но Грегори — рядовой агент ЦРУ и переводчик Американского посольства — жил в Париоли, богатом верхнем районе, где снимал пятикомнатную барскую квартиру с гигантской мраморной верандой-балконом и фантастическим видом на Рим. Грегори жил тут один, лишь изредка к нему прилетала из Штатов его 12-летняя дочь Павлуша, с матерью которой Грегори был разведен уже восемь лет. Грегори дал сестрам по комнате, и так начался его роман с Линой. Да, сотрудник ЦРУ, холостяк и завсегдатай ночных римских баров, коллекционер русской и украинской старины и икон, которыми по дешевке торгуют евреи на рынке «Американо», что на Порта Портезе, повеса и начинающий антисемит, вдруг влюбился в тощую, как селедка, и вечно простуженную, но с каким-то непонятным внутренним огнем Лину Рубинштейн. Я всегда подозревал, что школьные учительницы обладают утроенной сексапильностью, но мне никогда не приходилось проверить эти подозрения на деле, а Грегори, как я понимаю, попал прямо в точку и как кур в ощип. К тому же Лина оказалась умничкой, эрудированным и тонким критиком всего и вся, включая итальянскую игру в коммунизм и нашу эмигрантскую мишпуху*.

Понятно, что как только у Грегори с Линой вспыхнул роман, Рая этого Грегори тихо, но люто возненавидела. Чехову и Володину такое, видимо, не понять, иначе их изображение сестер было бы куда правдивее...

Я вошел в этот треугольник случайно: во время интервью в Американском посольстве Грегори, с которым незадолго до этого, на дне рождения художника Рескина в Ладисполи, я схлестнулся по поводу «жлобов» в нашей эмиграции, — этот самый Грегори как бы вскользь поинтересовался:

— Если вы и вправду будете делать свой фильм, покажете ли вы в нем все стороны вашей эмиграции?

При этом слово «все» не было спедалировано, но я сразу понял, что он имел в виду, и тут же окрысился:

— Вы знаете, что в таком случае отвечают в России?

— Что? — спросил Грегори.

— А у вас в Америке негров линчуют!

Грегори переглянулся с толстяком консулом, удивительно похожим на Жванецкого, и вдруг они оба расхохотались.

Но я еще смотрел на них подозрительно — не на мой ли счет? Все-таки это была моя первая в жизни официальная встреча с американскими дипломатами...

Так мы подружились, и сразу после интервью Грегори сказал:

— Ко мне прилетела дочка из Штатов, и мы с ней вечером совершаем обход джазовых клубов. Хотите присоединиться?

Конечно, в обходе принимала участие и Лина, с которой мы вылетели из Москвы одним самолетом. И тут выяснилось, что это не просто ритуальный поход по клубам с дочкой-тинейджером, то есть с двенадцатилетней американской акселераткой, но и прощальный вечер Грегори с Линой, поскольку ей и ее сестре Рае уже пришел общинный еврейский гарант из Хьюстона. Понятное дело, мы «гудели» почти до утра, все электрички в Ладисполи я пропустил, проспал до обеда у Грегори

---

* родню, среду *(евр.)*.

248

дома на каком-то диване и вечером поехал с Грегори и Павлушей в аэропорт Леонардо да Винчи провожать Лину и Раю в Хьюстон. Они летели туда вечерним рейсом через Атланту.

То ли из-за присутствия Раи и Павлуши, то ли в силу «современности» характеров — спортивный, подтянутый Грегори косил под Хемингуэя и супермена и даже на работу ездил в джинсовом костюме, — но нужно сказать, что Грегори и Лина простились в аэропорту без сантиментов, как случайные любовники...

Потом Павлуша уехала домой, а мы с Грегори оказались в подвальном ночном баре на Трастевере, где Грегори был завсегдатаем. Старая негритянская певица Нэнси, приехавшая в Италию еще с американскими оккупационными войсками в 1945-м, да так и застрявшая здесь, и 45-летний араб-пианист, виртуоз и педик, всю ночь играли для нас и пели, и Грегори, не хмелея от коньяка и виски, все заказывал и заказывал им то еврейские, то цыганские, то неаполитанские песни. Мы хорошо напились в ту ночь, но мы не говорили о Лине. Мы были бравыми сорокалетними холостяками, которым море по колено, а все сантименты, «чуйства» и эмоции — вздор! Мы пили в ту ночь с немцами из ФРГ и с израильскими кибуцниками из Хайфы и хором пели «Хава нагила» и «Подмосковные вечера».

Так продолжалось неделю. Днем Грегори работал в посольстве, интервьюировал наших эмигрантов, а по ночам мы с ним бродили по кабакам и барам. Мы уже не говорили ни о «жидах», ни о евреях. Я уже не доказывал ему, что каждая нация имеет право на своих жлобов, бандитов и проституток и что «вы сначала заставьте Кремль выпускать *всех* евреев, а потом сравним процентное отношение жлобья в наших народах». Все, что касалось евреев и особенно евреек, было в те ночи для нас табу. Только к утру Грегори просил меня почитать Бодлера: «С еврейкой бешеной, простертой на постели...» Он слушал эти стихи молча, тяжело и бесстрастно. И мы опять пили. Потом мне все это надоело, потому что это было повторением истории Виктора Кожевникова, только в худшем — алкогольном — варианте. Мне надоело жрать и пьянствовать за его счет, слушать Нэнси и петь с арабами «Подмосковные вечера». И я уехал с приятелем на север Италии посмотреть Флоренцию, Венецию и Верону.

Через пять дней я вернулся и позвонил Грегори. Но его домашний телефон глухо молчал, а в посольстве мне сообщили, что мистер Черни в отпуске. Вечером я на всякий случай заглянул в ночной бар на Трастевере, но Нэнси сказала, что Грегори не появлялся здесь уже несколько дней.

Куда можно поехать в отпуск из великолепной Италии, да еще в марте?

Впрочем, если мы с Сашей Сиротиным «зайцами» добрались на поезде до Флоренции, то при финансовых возможностях Грегори он мог улететь в Париж, в Токио — куда угодно.

Неделю спустя выяснилось, что ни в какие парижи Грегори не уехал. Как-то среди ночи его разбудил телефонный звонок. Это, однако, был не тот звонок, который он ждал все время. Это из аэропорта Леонардо да Винчи звонила полиция. Им нужен был русский переводчик, потому что в аэропорту оказалась совершенно беспомощная 83-летняя старушка эмигрантка из СССР, прилетевшая из Москвы по прямому вызову своего американского брата, но еще не имеющая визы на въезд в Америку. Обычно такими подлинными «прямиками», то есть эмигрантами, которых американские родственники в прямом смысле выкупили у СССР, заплатив в Инюрколлегию, ОВИР и Аэрофлот полновесной американской валютой, тоже занимается ХИАС, он встречает в аэропорту аэрофлотский рейс, селит этих «прямиков» в хороший отель и быстро оформляет им американскую въездную визу. Но тут случилась какая-то неувязка, никто старушку не встречал, и полиция позвонила дежурному по Американскому посольству, чтобы решить, что с этой старушкой делать, а дежурный переправил их к Грегори.

Грегори сел в машину и помчался в аэропорт. Он забрал там эту старушку и повез к себе домой. По дороге он спросил у нее, как она в ее возрасте решилась на такую дорогу. И Циля Соломоновна ответила ему простенько, она сказала: «Гришенька, так ведь жизнь очень короткая. Поэтому надо жить решительно». Грегори привез ее к себе на квартиру, загрузил холодильник продуктами (до этого там были только напитки), позвонил в посольство, сказал, что берет отпуск на пять дней, и улетел... в Хьюстон! Там он нашел свою Лину, они оформили брак, и он привез ее назад в Рим. Вместе с маленьким шпицем, которым эта Лина обзавелась в Хьюстоне от одиночества.

Я был на их свадебной вечеринке в его римской квартире, мед-пиво пил и не только... К утру я ушел спать на диван в кабинете Грегори, а утром, когда римское солнце хлестнуло мне через окна по глазам, я слепо нашарил рукой какой-то шнур сбоку от окна и дернул его, чтобы закрыть штору. Но, неуклюжий болван, дернул, видимо, так сильно, что весь карниз рухнул на меня и диван, и бетонная пыль просыпалась на пол, потому что вместе с карнизом вывалились из стены деревянные пробки, в которых держались металлические стержни этого гребаного карниза.

Вы можете представить мой ужас? В этом доме, в доме *агента ЦРУ*, меня держали за своего и интеллигентного человека, кормили и поили, а я — как слон в посудной лавке — даже не знаю, каким шнуром шторы задергиваются в цивилизованном мире!

Что было делать?

В соседней комнате спали молодожены, в комнате напротив — Циля Соломоновна, а в коридоре нас всех сторожил хьюстонский шпиц Лакки.

И вот я — совсем как в шпионском фильме — бесшумно освободил от книг один из старинных, времен Джордано Бруно, книжных шкафов, бесшумно перекантовал его, тяжеленного, с ножки на ножку к окну, бесшумно взобрался на него и стал бесшумно укреплять карниз, с ужасом думая о том, что будет, если Грегори в эту минуту заглянет в комнату. Конечно, он решит, что я советский шпион и закладываю микрофоны в эти дырки в стене, где должны были держаться (но не держались, гады!) пробки и крепления карниза.

Наконец я все-таки вогнал эти крепления в стену, спустился со шкафа, перекантовал-переставил его обратно на место и все книги уложил на полки точно теми же стопками, какими снимал их, а потом стал ладонями собирать бетонную пыль с пола. Можете представить, как бесшумно и буквально не дыша я проделал эту сложную операцию, если не разбудил не только Грегори с Линой, но даже хьюстонского шпица!

Закончив эту работу, я осторожно, чтоб, не дай Бог, опять что-нибудь не сломать, открыл дверь на балкон и вышел на роскошную мраморную веранду с кадками апельсиновых деревьев. Весеннее солнце вставало над Римом, заливая теплом и светом купола его капелл и храмов, его знаменитые холмы, его мосты через сонный Тибр и его проспекты, которые лучами разбегались от пьяцца Пополо, пьяцца Сан-Петро и пьяцца Буэнос-Айрес. В этом городе хотелось жить, пить вино и целовать женщин, а эти идиоты итальянцы оклеивают его портретами Ленина и Че Геваре, устраивают тут коммунистические демонстрации и забастовки и хотят, чтобы им давали мясо два раза в неделю, «как рабочим в СССР».

Наглядевшись на погибающий Рим, я вышел из кабинета Грегори в коридор, с презрением глянул на простофилю шпица, проспавшего всю мою операцию со шкафом и карнизом, заперся в туалете и стал изучать сложенный вчетверо листок, который выпал из какой-то книги, когда я вынимал ее из книжного шкафа. Этот листок я не мог положить на место, не изучив. Потому что это была инструкция ЦРУ, и она называлась просто и ясно:

CLUES TO SPOTTING A SPY*

Согласно этой инструкции, основными приметами шпиона являются сексуальная озабоченность, неуважение к собственному правительству, пристрастие к алкоголю, эмоциональная нестабильность, наличие близких родственников, проживающих в коммунистических странах, уязвленное честолюбие и неуемное любопытство ко всему, что не имеет прямого отношения к его работе**.

«Наконец-то! — сказал я себе. — Наконец я знаю свое призвание! По этим показателям я запросто могу стать шпионом, осталось только решить, чьим — ЦРУ, МОССАДа или КГБ...»

P.S. За завтраком Грегори, развернув итальянские газеты, присвистнул и сказал:

— Та-а-ак!..

— Что там еще? — спросила Лина, а я через плечо Грегори заглянул в его газету. На половине газетной полосы в «Эсп-

---

* Как опознать шпиона *(англ.).*

** Полный текст инструкции — см. Приложение 3.

рессо» была фотография мужчины, залитого кровью и ничком упавшего на руль своего автомобиля.

Грегори прочел, переводя с итальянского:

— Убит Мино Пекорелли. Вчера, 20 марта, вечером, молодой человек в светлом плаще подошел к машине Кармино Пекорелли, издателя еженедельника «ОП», скандально известного своими разоблачениями как правых, так и левых экстремистов, высоких государственных чиновников и руководителей масонской ложи «П-2». Молодой человек вежливо постучал в стекло машины, якобы собираясь что-то спросить, и, едва Пекорелли опустил стекло, выстрелил ему в лицо. Затем он открыл дверцу машины, спокойно выпустил в Пекорелли еще три пули и растворился в сумерках...

— Кто этот Пекорелли? — спросила Лина.

— Один шантажист... — хмуро ответил Грегори. — Бывший масон со связями в правительстве и вообще повсюду. Собирал компромат на левых и правых, часть публиковал в своем журнале, а остальными сведениями шантажировал всех, кого только мог.

— Ты его знал?

— Конечно. Он приходил к нам и просил денег за публикацию материалов, в которых обещал доказать, что масоны связаны с КГБ. А когда я отказал, он буквально назавтра написал в своей газете, что промышленники и финансисты, политические деятели и генералы, вступая в масонскую ложу «П-2», тем самым становятся на службу ЦРУ, чтобы любым путем преградить компартии доступ к власти.

— Гришенька, — сказала Циля Соломоновна, — мне не нравится все это. Эти коммунисты, демонстрации, забастовки, убийства... Я ведь родилась еще в прошлом веке и помню, с чего все начиналось в России. Все приличные люди боролись с самодержавием, все строили из себя больших прогрессистов. А кончилось тем, что Ленин, Троцкий и этот, как его, Дзержинский их же первыми расстреляли. Ты не мог бы ускорить мой отъезд в Америку? Я бы не хотела пережить все это еще раз...

45

— ...Ваше тело расслабляется все больше и больше... Все глубже и глубже расслабление... Полное расслабление, и вы засыпаете... Вы засыпаете... вы засыпаете... вы спите...

И он опять засыпал, подчиняясь ее бархатному голосу.

Но теперь Елена не испытывала от этого ни удовольствия, ни возбуждения. Это была работа, в которой ей была отведена роль посредника, передатчика чужой воли и чужих слов, и она исполняла эту работу послушно и добросовестно, как хорошо тренированный робот.

— Вы спите... Все события последнего месяца блекнут на кинопленке вашей памяти, они теряют свою отчетливость. Тускнеет эмульсия этой пленки, обесцвечиваются все изображения на ней...

Самое интересное, что и в ее памяти теперь есть какой-то странный провал, словно кто-то стер в ее голове пленку с событиями последней недели, и она, эта пленка, выцвела, лишилась эмульсии и всего, что на ней было записано.

— Это ощущение сохранится и даже усилится после того, как вы проснетесь... На пленке вашей памяти невозможно различить совершенно ничего, она будто смыта, прозрачна...

Да, правильно. И у нее такое же от впечатление от своих ощущений...

— А теперь мы просто удаляем этот кусок чистой пленки и скрепляем концы прошлого и настоящего. Это простая и безболезненная операция, подсознание производит ее легко, без усилий, и в памяти не остается даже воспоминаний о ней...

Верно. Воспоминаний не осталось. Но осталось странное сосущее чувство утраты, потери времени и материи жизни.

Хотя у Богула этого быть не должно, ведь на следующих сеансах Винсент снова переведет его в Якова Пильщика — жизнерадостного еврея-оптимиста, рвущегося в эмиграцию. А вот у нее, Елены, нет второй биографии, она будет все той же Еленой Козаковой, только с маленьким провалом в памяти, и никто, конечно, никогда не скажет ей, что же случилось с ними — с ней и с Богулом — на прошлой неделе...

— Вы спите, вы глубоко и покойно спите после этой короткой операции и забываете о ней, как о мимолетном сне. Вы проспите час или даже больше и проснетесь в хорошем, радостном настроении, потому что впереди вас ждет новое почетное задание Родины, ради которого вы сами, добровольно согласились на небольшую жертву — обрезание крайней плоти... Да, да, запомните это: вы сами выразили желание сделать это ради успешного выполнения задания Родины. Между прочим, потом, во время выполнения этого задания, вы убедитесь, насколько разительно будут отличаться ваши новые сексуальные ощущения от прежних, от тех, которые были у вас до обрезания...

А вот у нее, Елены, нет и не будет, видимо, новых ярких сексуальных ощущений, потому что из-за этого провала в памяти, из-за этой утраты материи жизни что-то сместилось в ней, что-то надломилось или исчезло, словно в этот провал вытек и испарился тот кайф полета, который до того дарили ей ночи с Винсентом.

Конечно, она и сейчас спит с ним, и по интенсивности нынешний их секс ничуть, пожалуй, не уступает прошлому, и все-таки теперь в ее чувстве появилось что-то механическое, словно она приходит к Винсенту, и ложится с ним, и любит его уже не сама по себе, а как робот, как заводная кукла...

Елена напряглась — сейчас ее накажут, сейчас за эти еретические мысли ее хлестнут по затылку энергетическим хлыстом, — она, как собака Павлова, уже привыкла к таким наказаниям.

Но ничто не обжигало ее и не толкало в спину. А в наушнике продолжал звучать ровный голос Винсента, который диктовал ей по-итальянски:

— Ваш сон углубляется, все клетки головного мозга погрузились в сон, ничто не возбуждает гипоталамус... Вы спите, вы глубоко спите, приятного вам сна и радостного пробуждения... Все, Елена, спасибо, на сегодня все, ты свободна.

46

Я пришел к ним и сказал:

— Я еду в Ватикан на вечернюю службу нового Папы Римского. Хотите поехать?

— Хочу! — опережая мужа, тут же выпалила Инна, и я понял, что выиграл этот раунд, ведь не могли же они поехать вдвоем, с кем бы осталась Юлька? А Инна повернулась к Илье: — Можно?

— Конечно, езжай, — ответил он и спросил у меня: — А что за служба?

Я стал объяснять:

— В последнюю субботу каждого месяца вход в Ватикан бесплатный, и, если повезет, можно попасть на папскую службу. Но сейчас пять часов — если мы хотим успеть, нужно выезжать немедля.

Она переоделась за пять минут, и еще через минуту мы с ней уже шли к автобусной остановке. Она болтала о каких-то пустяках, но я почти не слушал ее, у меня было спокойное чувство, что все произойдет своим чередом, если не спешить и не суетиться.

Эта женщина всегда пахла апельсинами, и теперь я снова ощущал ее запах. И я не спешил. Я помню эту остановку автобуса на крошечной площади возле бара с камышовым навесом, помню нас двоих, говорящих о каких-то пустяках в вечернем свете ранних сумерек, а чуть в стороне — молоденькая итальянка молча ждет автобус, нейтрально приглядываясь к нам. Я помню эту картину, и я мог бы нарисовать ее, если бы дал мне Бог хоть какие-нибудь способности художника. Но — увы... Впрочем, главным в этой сцене был вовсе не ее внешний абрис, а внутренняя суть — мы были как два заговорщика перед преступлением. Мы уже знали, что совершим его, знали, не обсуждая это друг с другом, а говорили о пустяках — специально, чтобы не спугнуть и не сглазить наше преступление, словно кто-то третий мог подслушать нас и смешать нашу игру. Третьего не было, но он подразумевался, и этот третий не был ее мужем, отнюдь. Этим третьим было наше прошлое, оно стояло между нами, и я не спешил переступить эту черту. Нет, я не боялся ее переступить, но, скажем, я выжидал, робея. Наверное, в этой Инне была сейчас передо мной не только моя прошлая женщина, а моя общая вина перед всеми ними. И я знал, что она вправе в любую минуту послать меня к черту. Она имела на это право, и я выжидал, не зная, когда это начнется и начнется ли. Но и она ждала, я думаю, и это была наша общая игра — не говорить о прошлом, а затушевывать его разговорами о пустяках.

— Смотри, какая тут ранняя весна! — говорила она чуть-чуть восторженнее, чем стоило говорить о погоде. — Уже совсем тепло! Мы думаем съездить на юг, посмотреть Сорренто и Капри. Ты уже ездил?

— Нет, я был только во Флоренции, Венеции и Вероне.

— Правда? Ну и как? Тебе понравилось?

— Флоренция — это как вино столетней выдержки! А в Венеции шел дождь, я ее почти не видел...

— А Верона?

— Там меня больше всего потрясло то, что, оказывается, Ромео и Джульетта существовали на самом деле!

— То есть?

— Ну, раз есть балкон Джульетты, значит, была и Джульетта. Шекспир ничего не выдумал...

— А с кем ты ездил?

— С Сашей Сиротиным, московским журналистом.

— Врешь, конечно...

Подошел автобус — почти пустой, полутемный, мягкорессорный, с глубокими мягкими сиденьями и высокими, как в самолете, спинками. По вечерам, когда автобусы пусты, нет никаких конфликтов с водителями и никакого противостояния итальянцев с эмигрантами. Я уплатил водителю за проезд, и мы прошли в самый конец салона, где было вообще пусто. Автобус тронулся и покатил в Рим. Я опять что-то говорил о Вероне, Шекспире, Флоренции... Мы уже выехали из Ладисполи, миновали Санта-Маринеллу, и черная Италия была за окном, и мы практически были одни в этом пустом полутемном конце салона, а я все не спешил.

— Фантастика!.. — сказала Инна, глядя в окно.

Она не договорила, но фантастика и вправду была налицо — Италия, этот автобус, и мы в нем после всего, чтобы было с нами в России и там же кончилось. Это было ирреально, необъяснимо...

Эта женщина всегда пахла апельсинами...

Я обнял ее и поцеловал.

Мы еще никогда так страстно не целовались — даже на той раскаленной от августовской жары улице Горького, в комнате на шестом этаже.

— Здравствуй, — сказал я, когда мы устали от первых поцелуев, и посмотрел ей в глаза. — Здравствуй.

— Нет! — ответила она, и я понял, что сейчас это начнется.

— Глупая, — сказал я расслабленно. — Я ждал тебя с Вены.

— Все равно я тебе не верю, — ответила она обиженно, как ребенок, и даже чуть надула губы, припухшие от поцелуев. Тридцатилетний обиженный ребенок, почти родной мне. — Я хотела найти тебя в Москве перед отъездом. Я хотела написать тебе. Я помню, что ты получал письма на Главпочтамте, и хотела написать тебе. Я думала о тебе, а ты обо мне совсем не думал. У меня есть твоя фотография. Помнишь, ты подарил мне журнал «Экран» с твоей фотографией...

— Помню.

— Врешь. Ничего ты не помнишь. Ты ничего мне не дарил, никогда. Я сама стащила у тебя этот журнал. И теперь он в нашем багаже, он едет со мной. Я помнила о тебе, я хотела тебя найти, а ты даже не вспоминал обо мне. А где та женщина?

— Какая? — спросил я, хотя уже знал, о ком она спрашивает.

— Та твоя женщина, блондинка. Которую ты так любил. Я теперь тоже блондинка, из-за тебя.

— Из-за меня?

— Конечно. Ты даже это забыл — забыл, что я раньше не была блондинкой! И вообще, я тебя ненавижу. — Ее голова лежала на моем плече, ее руки обнимали меня, и вообще вся она прижалась ко мне размягченно, и только надутые губы говорили обиженно: — Ты бросил меня. Молчи! Бросил! Ты знаешь, что я лежала в больнице из-за этого?

Вот когда это началось, вот когда вошла эта тема моей вины и казни.

— Смотри... — Она показала мне узкое запястье своей левой руки, на нем был тонкий, почти неприметный шрам. — Родители думали, что раз я порезала себе вены, значит, я беременна. А я резала от ревности. Чтобы ты узнал и примчался меня спасать. А оказалось, что тебя даже нет в Москве, что ты на съемках. Ты всегда был на съемках, когда хотел от меня избавиться!

Я поцеловал этот тонкий шрамик, а потом стал целовать ее в глаза, в губы. Она не сопротивлялась, но продолжала жаловаться:

— Все равно ты негодяй. Ты бросил меня, ты всегда относился ко мне как к девочке с улицы. Я чуть не умерла из-за тебя!

— Перестань...

— Из-за тебя я даже вышла замуж за еврея!

— Что? Как это?

— Так... После еврейского мужчины можно жить только с евреем...

— Ну, это совсем не правило. Любовница сиониста Хаима Арлозорова стала женой Геббельса...

— Зато у меня есть ребенок, а у тебя нет! — сказала она невпопад, гладя меня по лицу, и ее тонкие пальцы чуть вздрагивали, касаясь моей щеки.

Я снова прижал ее к себе, и она опять жадно и больно поцеловала меня, кусая мне губы. Даже сквозь одежду я чувствовал, как она тянется ко мне всем телом, и подумал, что могу прямо здесь, сейчас...

— Рома, пьяцца дель Синкуесенто! — объявил водитель.

47

2001, 19 сентября

Вот уже неделю я не работаю. Кому будет нужна книга о событиях двадцатилетней давности, когда мир вдруг изготовился к окончательной мировой войне?

11 сентября, не отрывая глаз от телеэкрана, я из Флориды судорожно набирал нью-йоркские телефоны своей дочки, брата, племянниц. Телефонной связи с Нью-Йорком не было. Между тем я знал, что мой брат Юрий с женой работают буквально через дорогу от горящих свечей Всемирного торгового центра: Юра — инженер по техническому обслуживанию большого, величиной с квартал, магазина «21-й век», что на углу Чорч и Кортланд-стрит. И когда две горящие стодесятиэтажные башни ВТЦ стали рушиться, я понял, что с моим братом — беда.

В три часа дня я узнал, что Миша, муж Юриной дочки, тоже оказался в этом пекле. Он ехал на работу автобусом через Баттери-туннель под Гудзоном, и когда они выехали из туннеля к ВТЦ, уже горела первая башня, а во вторую как раз врезался самолет. На их глазах. Все выскочили из автобуса и побежали к реке, к Гудзону. Отсюда они смотрели на горящие башни ВТЦ и видели людей, прыгающих из этого пекла с высоты семидесяти этажей, а затем и апокалиптическую картину падения этих супернебоскребов.

Глядя на это, Миша уже знал, что под обломками этих гигантских башен должны быть его тесть и теща, дедушка и бабушка двух его детей.

В пять часов дня мы узнали подробности.

В 8.45 открываются двери магазина «21-й век», и с четырех сторон в него вливаются ручьи первых покупателей. В 8.48 утра Юра был на пятом этаже, в кабинете хозяина магазина, они обсуждали какие-то текущие рабочие проблемы. Юра стоял спиной к окну, за которым на расстоянии двухсот метров возвышались гигантские изумрудные близнецы ВТЦ. Он не видел, как в один из них врезался самолет, но услышал взрыв, обернулся и увидел, что верхушка северной башни горит. Вдвоем с хозяином магазина они подошли к окну и, наученные опытом предыдущего, в феврале 1993 года, взрыва в ВТЦ, стали обсуждать, опасно это для их здания или нет. Юра сказал хозяину, что на всякий случай нужно бы эвакуировать покупателей из магазина, но сделать это следует без паники. Они стали обсуждать эту идею и решили объявить по радио, что магазин закрывается по техническим причинам. В это время второй самолет врезался в южную башню ВТЦ, гигантский выброс огня из этой башни полыхнул им в глаза, взрывной волной выбило стекла в окнах. Свет в магазине погас, электричество отключилось. Какая-то сотрудница с криком вбежала в кабинет директора, остальные в панике бросились к лестницам. Юра с женой и другими служащими магазина опрометью бросились по лестнице вниз, на улицу — почти так, как десять лет назад они бежали из Баку во время азербайджано-армянской резни. Правда, тогда у них на руках были еще и две дочки...

Когда они выбежали из магазина на Кортланд-стрит, фантастическое зрелище всего, что вы видели на телеэкранах, оказалось от них в ста шагах — не беззвучная картинка на экране, а с гулом огня, с воем пожарных и полицейских сирен и с криками людей. Каждые десять секунд из верхних этажей ВТЦ выпрыгивали очередные жертвы невиданного пожара, и при появлении

260

нового летящего тела толпа задерживала дыхание. Обожженные люди удивительно долго летели вниз с гигантской высоты — летели живые, размахивая руками и ногами. Потом они шмякались о мостовую, превращаясь в кровавые пятна, и толпа издавала единый хриплый выдох.

Полиция стала отгонять всех от этого зрелища и горящих башен, люди отошли на квартал в сторону Бродвея и стали на углу Бродвея и Либерти-стрит. Здесь, у здания Либерти-плаза, собралось несколько тысяч зевак, туристов и счастливчиков, выскочивших из ВТЦ и соседних зданий. Многие покупали в киосках разовые фотоаппараты и снимали горящие башни. Юра и Фрида стояли перед банком «HSBC», возле камня Хемсли, легендарной хозяйки нью-йоркских отелей и других жилых многоэтажек.

— Идем отсюда! Мало ли что... — сказал Юрий жене.

— Подожди, посмотрим, — ответила Фрида.

Люди, воспитанные телевизором и кино, научились и жизнь воспринимать как фильм, не имеющий лично к ним никакого отношения.

Юра, Фрида и еще тысячи людей вокруг (кое-кто даже с детьми) стояли и смотрели на горящие над ними небоскребы, словно это не жизнь, а хорошо поставленный голливудский боевик с феноменальными видео- и звуковыми эффектами. Никто, даже архитекторы ВТЦ, вызванные властями к месту катастрофы, не догадывался, что тонны чистейшего бензина, вылившиеся из бензобаков самолетов в утробы башен, превратят эти башни в мартеновские печи, способные расплавить их гигантские стальные опоры.

В 9.50 верхушка горящей северной башни с гулом и грохотом поплыла вниз, разом обрушив на землю и зрителей 11 тысяч тонн обломков металла, бетона, асбеста, пыли и пепла. Посреди солнечного дня тут же стало темно, как ночью, в воздухе засвистели камни, балки, стальные прутья, бетонные перекрытия. Толпа закричала, бросилась бежать, слепо толкая и давя друг друга в черном дыму и темноте. Бетонная и стеклянная пыль забивала дыхание, людей рвало, они кричали: «Спасите! Я умираю!» Бегущий поток разомкнул Юру и Фриду, Фрида споткнулась, упала, кто-то упал на нее, а по ним, не останавливаясь, бежали люди, и этот слепой поток утащил Юру от жены. Он стал задыхаться асбестовой пылью и бежал в толпе, ослепнув, обезумев, в полной темноте того самого гигантского вала пыли, грязи и копоти, который так эффектно смотрелся на телеэкранах, когда выбивался из узких улиц Уолл-стрит. Инстинкт выживания гнал тысячи людей, обезумевших и ослепших, туда, где могло быть спасение, — к реке, к Ист-Ривер.

По дороге Юра споткнулся о чье-то тело, упал и услышал женский голос: «Хэлп ми!» Он поднял эту женщину, и они побежали вдвоем, держась за руки, все еще в темноте, среди удушающей бетонной и асбестовой пыли. Они бежали, натыкаясь на стены домов, руками нащупывая дорогу из этого ада.

Наконец впереди появился какой-то просвет, это была Уотер-стрит, Водная улица в районе 13—17-го пирсов на Ист-Ривер.

В беспамятстве и теряя последние силы, они добежали туда.

Здесь стояли пожарные с брандспойтами и обливали водой выскакивающих из ада людей. На каждом спасенном был слой асбестовой пыли толщиной несколько дюймов. Все уличные гидранты были открыты, чтобы спасшиеся могли умываться. «Скорая помощь» раздавала бумажные маски от пыли. Люди обнимались, плакали, поздравляли друг друга со спасением, предлагали друг другу свои мобильные телефоны, чтобы позвонить родным и сообщить о спасении.

Промывая глаза, Юра уже знал, что жены нет в живых, что толпа ее растоптала и что ему нужно бежать дальше, спасти для детей и внуков хотя бы себя. Но он побежал обратно — навстречу потокам людей, выбегающих из ада.

Однако на границе этого ада, на Голд-стрит и Вильям-стрит, уже стояли полицейские и агенты ФБР, они никого не пускали в зону катастрофы.

— My wife! Моя жена! — горячечно закричал Юра полицейскому по-английски и по-русски. — She is over there! Она там! She felt down on Liberty Plaza! Она упала на Либерти-плаза! I need to go there! Я должен идти туда!

— Нет, — сказал полицейский. — Туда нельзя. Ты там задохнешься.

— Но она там! Я должен! I must! Я не могу ее бросить!

В его отчаянном крике, безумных глазах и во всем его виде было нечто такое, что к ним подошел мужчина с надписью «ФБР» на спине, взял Юру за руку и пошел в этот ад вместе с ним. Они шли по слою обломков, руин и пепелища, сквозь клубы пыли и гари и метель миллионов бумаг, вывалившихся из тысяч офисов бывшего ВТЦ.

Когда они наконец добрались до здания Либерти-плаза, там не было ни души.

— Наверно, ты просто забыл, где она упала, — сказал Юре офицер ФБР.

— Нет, я помню, мы стояли здесь, у камня Хемсли...

И вдруг Юра увидел привидение.

Фрида, белая, как невеста, от асбестовой пыли на голове, лице, одежде, вышла к нему из оседающего облака копоти и пыли.

— Фрида! — закричал Юра, не веря своим глазам. — Где ты была?

— Там... — Фрида махнула рукой в сторону Ист-Ривер.

— А зачем ты вернулась?

— Тебя искать... — сказала Фрида.

Было чуть позже десяти часов утра и канун тридцатилетия их супружеской жизни.

— You are crazy, russian crazy!* — покачал головой офицер ФБР.

— Я потеряла очки, серьги и заколку, — пожаловалась ему Фрида. Она еще не чувствовала, что у нее разбиты ноги и все тело в синяках от ушибов.

Вместе с колонной спасенных и спасшихся людей они пешком пошли через Бруклинский мост в Бруклин. Над их головами стелился дым и, как конфетти, кружились миллионы деловых бумаг ВТЦ, легким ветром эту бумажную метель сдувало на Бруклин.

А за спиной у них горел и дымился Всемирный торговый центр и падала его вторая башня, обрушив на землю еще 11 тысяч тонн бетона и стали. От ее падения шатнулся Бруклинский мост, люди ухватились за перила...

Когда они перешли мост, они увидели тысячи жителей Бруклина, которые стояли на улицах с водой и медикаментами в руках — встречали выживших. Тут же суетились фото- и тележурналисты с камерами, а сотрудники Красного Креста зазывали обожженных, раненых и потрясенных пережитым людей в свой офис — промыть глаза и раны, измерить давление...

В пять часов дня, когда восстановилась телефонная связь с Нью-Йорком, я услышал своего брата.

_____

* Безумцы, русские психи! *(англ.)*

— Мы только перешагнули порог, — сказал он и стал возбужденно рассказывать о чуде своего спасения, поминутно кашляя и говоря: — Извини, у меня забиты легкие, я еще не умылся, но ты не перебивай, я хочу тебе рассказать...

Он все еще не отошел от шока, ему нужно было высказаться, отхаркаться, отмыться...

Я слушал его, не отрывая глаз от экрана, на котором все показывали и показывали, как красиво врезается самолет в небоскреб ВТЦ, как летят в воздухе тела тех, кто выбросился из окон, как горят и опадают эти стодесятиэтажные башни. Я смотрел на эти съемки день, два, три. Смотрел и думал, с чего началось это кино в жизни и кто был его Люмьером...

Международные террористические банды начали формироваться в шестидесятых годах — без опыта, денег, оружия и взаимосвязей. Но очень скоро, буквально за десять лет, они достигли пика профессионализма, и решающую роль в их становлении сыграли, конечно, тренировочные лагеря, оружие, сеть контактов, надежные убежища и идейное, координационное и практическое руководство, которые они сполна получали от Кубы и палестинского сопротивления.

Кубинские военные силы и разведка были взращены Советским Союзом. В ноябре 1964 года я, в то время журналист газеты «Бакинский рабочий», сам сопровождал юного министра вооруженных сил Кубы Рауля Кастро в его поездке по Азербайджану. Рауль тогда завязывал тесные отношения с Кремлем, КГБ и Минобороны СССР. Вскоре вокруг Гаваны возникла сеть тренировочных лагерей для борцов с империализмом со всего мира, они были под постоянным руководством КГБ, а кубинские инструкторы, работающие за рубежом, подчинялись инструкциям и приказам Москвы.

ООП, родившаяся в 1964-м и первой применившая угон самолета в качестве международного оружия, тоже была полностью вооружена Советским Союзом. По данным, опубликованным в журнале «Terrorist» и в других источниках, как минимум один из десяти палестинских боевиков прошел тренировку в СССР или в странах советского блока. Это были высокопрофессиональные курсы, и я могу подтвердить это следующим эпизодом. В 1977 году, когда по ходу съемок моего фильма «Ошибки юности» нам понадобилось снимать сцены солдатской жизни главного героя, директор нашей картины привез нас под Симферополь, в учебный лагерь палестинских боевиков. Там один из офицеров-инструкторов рассказал нам, как палестинцы-курсанты по ночам уходили в самоволки — ножами бесшумно «снимали» русских солдат — охранников лагеря...

Аналогичные лагеря были в Болгарии, Чехословакии, ГДР и в Северной Корее. Все палестинские боевики, которым не пофартило учиться в СССР, ГДР, Болгарии, Чехословакии или на Кубе, прошли, с помощью кубинских инструкторов подготовку в федуинских лагерях Алжира, Ливии, Сирии, Ливана и Южного Йемена. В то время именно в Южном Йемене находилась главная база оперативных действий Палестинского фронта сопротивления, ее работу полностью контролировали советские инструкторы. Тут растили как боевиков-палестинцев, так и кадры террористических бригад Европы, Африки и Японии, и сюда же в поисках убежища прибывали после своих операций члены самых смертоносных банд в мире.

С самого начала своего существования и потом на протяжении десятилетий Палестинский фронт сопротивления охотно делился своим военным опытом и оружием со всеми международными террористическими организациями — от баскских сепаратистов и итальянских «Красных бригад» до японской «Красной армии» и турецких «Серых волков».

Как известно, Хрущева, Брежнева и остальных кремлевских вождей того «славного» прошлого, по которому еще многие скучают в России, мало интересовала политическая ориентация всех этих «марксистских» и «пролетарских» фронтов, бригад, армий и вооруженных ячеек. Главной целью Кремля были дестабилизация западного общества, подрыв капиталистической экономики и демократии, и «полезные идиоты» всех мастей и рас замечательно справлялись с этой задачей.

Простой инженер-электрик Ясир Арафат, которого чуть ли не с помощью кулаков Москва обратила в лидера создаваемого ею же палестинского сопротивления, довольно быстро вошел во вкус этого ранга, зачастил в Москву целоваться с Брежневым и уже в августе 1974 года открыл тут свой офис. Это было легализацией «палестинского канала» широкого снабжения оружием всех террористов мира. Так, в период с 1979 по 1983 год ООП поставила две крупные партии оружия итальянским «Красным бригадам» —

одну для себя, на хранение, вторую для «бригад». В обмен на это «КБ» обязались провести несколько атак на Израильское посольство в Риме.

Террористы японской «Красной армии» именовались поначалу, в 1971 году, «Арабским комитетом Красной армии Японии» и только в 1974 году отпочковались от Народного фронта освобождения Палестины. Когда в 1974-м «Красная армия» захватила Французское посольство в Голландии, среди террористов уже не было ни одного араба. Но при этом все три свои опорные базы даже японские террористы держали в Ливане и оружие получали от ООП. Когда 30 марта 1972 года они прибыли в Тель-Авив рейсом «Эр-Франс» и осуществили массовую бойню в аэропорту Лод, они были вооружены автоматами и гранатами советско-чехословацкого производства.

16 агуста 1972 года палестинские террористы, флиртуя в римском аэропорту с двумя англичанками перед их отправлением в Тель-Авив на самолете израильской авиакомпании «Эл-Ал», подарили британским девицам в качестве сувенира магнитофончик. В этом магнитофоне было 200 граммов высококачественной пластиковой взрывчатки советского производства. Англичанки пронесли этот магнитофон в самолет, и вскоре после взлета мина взорвалась.

В сентябре 1973 года пять членов организации «Черный сентябрь» въехали в Италию и поселились в Остии неподалеку от взлетных полос римского международного аэропорта Леонардо да Винчи. В распоряжении террористов были две ракеты «земля — воздух» советского производства с пусковым устройством «Стрела». Это суперсекретное на то время оружие они получили в Ливии для того, чтобы 5 сентября сбить пассажирский израильский авиалайнер и так отпраздновать первую годовщину убийства израильских атлетов на Мюнхенской олимпиаде 1972 года.

Знаменитый Ильич Рамирез Санчез «Карлос», воспитанник московского Университета дружбы народов им. Патриса Лумумбы, осуществлял свои акции на кубинские средства и опираясь на московскую информацию. Так, в сентябре 1973 года он организовал захват палестинскими террористами поезда, который вез еврейских эмигрантов из СССР в Австрию. Советский Союз снабдил «Карлоса» точным расписанием движения поезда и номерами вагонов, в которых ехали эмигранты, а чехословацкие власти дали возможность террористам, вооруженным «калашниковыми», сесть в этот поезд, когда он пересекал чехословацкую территорию.

В сентябре 1975 года, всего за три года до моей эмиграции, в Голландии были арестованы два сирийца, они готовили аналогичный захват поезда и взятие в заложники советских евреев-эмигрантов. Во время допросов выяснилось, что и эти террористы прошли вместе с другими арабами подготовку в лагере под Москвой.

Это голые факты, точнее — их очень малая часть. В июне 1982 года в Ливане в рядах ООП было уже 15 500 боевиков, хорошо обученных и вооруженных лучшим советским оружием — 130-мм пушками, ракетами «земля — земля» и «земля — воздух», ракетными устройствами «Б-21» и танками «Т-34». Они практически оккупировали христианский Ливан еще в 1976 году, превратив его южные города в свои базы, а бейрутский аэропорт — в убежище для тысяч «революционеров»-террористов со всего мира. Все, кто хотел получить в руки «калашников» и профессиональные навыки убийцы, могли прилететь в Бейрут без всякой визы, как «гости ООП», пройти курс обучения и улететь в любую точку мира сражаться с «проклятым Западом». Только в 1981—1982 годах в ливанских лагерях ООП прошли тренировку больше тысячи иностранных террористов. Документы, захваченные израильтянами во время оккупации Ливана в 1982 году, свидетельствуют, что здесь проходили подготовку террористы из Западной Германии, Италии, Северной Ирландии, Испании, Голландии, Франции, Турции, Греции, Кипра, Японии, Аргентины, Эритреи, США, Чили и Южной Африки. В Бейруте и других городах проходили международные конференции итальянских «Красных бригад», японской «Красной армии», «Французского прямого действия», немецких бригад Бадер-Мэйнхоф и прочих «пролетарских» организаций.

Когда я читаю в московских газетах статьи, в которых российские журналисты с сочувствием описывают ликование и пляски палестинцев по поводу очередного «удачного» теракта в Израиле и пишут, что «палестинцев тоже можно понять», я вспоминаю, как ООП создавала свои тренировочные лагеря в Ливане. Христианский город Дамур с населением 25 000 человек был освобожден от жителей за одну январскую ночь 1976 года — в эту ночь бойцы ООП вырезали 582 христиан этого города, остальные сбежали сами, пока шла эта резня (о которой, конечно, никогда не сообщала советская пресса). *Как и другие города Ливана, Дамур после «зачистки» христиан был превращен Арафатом в трениро-вочный лагерь международного терроризма, здесь даже открыли свои официальные офисы турецкие «Серые волки» и Армянская секретная армия освобождения Армении. А освобождая для себя и своих «гостей» христианские кварталы в центре Бейрута, па-лестинские боевики, которым так сочувствуют иные россияне, расстреливали там с балконов вся и всё, даже стариков и детей на улицах, даже собак и кошек.*

Я предоставляю возможность своим православным читате-лям сверить по газете «Правда», не в эти ли дни Москва вы-страивала на Ленинском проспекте шеренги трудящихся привет-ствовать очередной визит своего пламенного арабского друга Ара-фата. И пусть они имеют в виду, что боевики и руководители «Красных бригад», убившие в 1978-м Альдо Моро, премьер-мини-стра и лидера **христианских** *демократов Италии, проходили под-готовку в Болгарии и Чехословакии и получали оружие у ООП. А за покушением на Папу Римского, главу* **христиан**-*католиков, сто-яли турецкие «Серые волки», прошедшие тренировки в лагерях ООП и нанятые болгарской разведкой, а еще точнее — казначе-ем Болгарского посольства в Риме. А кто стоял за болгарскими и чехословацкими спецслужбами, объяснять, я полагаю, не нужно.*

Конечно, помимо ООП, международный терроризм по мере своих сил и возможностей взращивали также Ирак, Иран, Ли-вия, Сирия и Южный Йемен. Все они сообща взрывали, расша-тывали, дестабилизировали и ужасали мир «проклятого» капи-тализма и демократии. И нужно признать, что они почти доби-лись этой цели — цели, которую ставил перед ними Борис Понома-рев, заведующий Международным отделом ЦК КПСС. В 1978—1979 годах половина французских избирателей были готовы голосовать за популярный фронт, созданный провосточными социалистиче-скими партиями и древнесталинской коммунистической парти-ей Франции. Западногерманская правящая социал-демократиче-ская партия должна была мириться со своим ультралевым кры-лом, открытым для восточного влияния. Британская лейборист-ская партия тонула под весом своего ультралевого крыла. И почти каждый третий итальянец регулярно голосовал за коммунисти-ческую партию Италии, которая, согласно документам «Архива Митрохина», была на содержании КПСС, а каждый второй итальянский избиратель настаивал на участии коммунистов в правительстве.

Но, как говорят в таких случаях, Италия — это отдельная песня...

48

Конечно, я не помню богослужения, тем паче что оно шло не по-русски. Но храмовая торжественность самого крупного в мире собора Святого Петра, но атласно-белые одежды Папы и его кардиналов, вершащих службу на алтаре, но мерцание свечей и люстр, но торжественная музыка органа, но молитвенный шепот нескольких тысяч людей, но золотые росписи купола и кивория, но статуя святого Петра, но «Пьета» Микеланджело, но еврейские лики моих предков — апостолов Христа — все это плыло нам нами, надо мной и Инной, осеняя нас и венчая каким-то надвечным венчанием и благословением.

Инна взяла меня за руку и сжала мне пальцы.

Есть ситуации, когда слова излишни.

Я ответил ей тем же пожатием, и этот короткий жест говорил больше, чем любые признания, обещания, клятвы. Он говорил, что, будь у каждого из нас сколько угодно жен, мужей, любовниц и любовников, мы останемся теми, кем мы стоим сейчас перед Ним, — мы останемся *мы*, двое в едином.

Так, двое в едином, рука в руке, мы вернулись в Ладисполи затемно, последней электричкой. По дороге мы остановились у моего нового дома, я открыл дверь и повел ее вверх по лестнице.

— Нет! — вдруг сказала Инна. — Ты что? Там же твои соседи!

Я обнял ее:

— Не важно, они уже спят...

— Ты с ума сошел! Нет, я должна идти домой!

Мои руки расстегнули ее плащ и нырнули прямо к телу...

— Нет! Нельзя! Я не могу! Отпусти меня! — В ее голосе вдруг зазвучало столько злости, что я тут же и отпустил ее. Она застегнула плащ. — Пошли.

— Пошли, — сказал я со вздохом и проводил ее домой.

Нет, мы не поссорились в этот вечер, отнюдь. По-моему, ссоры уже значительно ниже нас. Какие могут быть ссоры, если мы второй раз играем этот роман?

Мы вошли в ее подъезд, я поцеловал ее, и, похоже, это могло произойти прямо здесь, в подъезде — так страстно она рванулась ко мне всем телом и так сильно вжался ее лобок в мои чресла. Но тут скрипнула чья-то дверь на втором этаже, вспыхнул свет на лестнице, и мы отпрянули друг от друга.

Наши родные любознательные эмигранты интересовались, не воры ли зашли к ним в дом.

Мы с Инной поднялись на третий этаж, и я сдал ее мужу — непорочную.

49

В Политбюро ЦК КПСС

АНАЛИТИЧЕСКАЯ ЗАПИСКА

В связи с запросом Секретариата Политбюро относительно экономической и политической ситуации в Италии сообщаем:

Экономика Италии находится в катастрофическом состоянии. Невыплаченные иностранные долги превышают $ 20 миллиардов. Дефицит внешней торговли достиг 5,4 триллиона лир (только импорт нефти обходится в 6,7 триллиона лир; а импорт продуктов, таких как югославские спагетти и греческое оливковое масло, стоит $ 3 миллиарда ежегодно). Показатели роста экономики исчисляются отрицательными цифрами и падают на 3—5 процентов ежегодно. Уровень инфляции самый высокий в Европе и приближается к уровню стран Латинской Америки — 23 процента. Уверенность в итальянской валюте катастрофически падает: с 687 лир за доллар в январе до 970 в марте! Таким образом, лира приближается к неконвертируемому состоянию. Правительство тратит миллиарды долларов на ее поддержание, но в ближайшее время выберет все свои резервы золота и иностранной валюты и будет вынуждено признать банкротство.

Все эти обстоятельства вызывают бегство капитала из Италии, только за истекший год 30 миллиардов долларов было инвестировано за границами страны.

Количество безработных достигло 1,4 миллиона человек, из них 100 000 студентов (при наличии миллиона студентов в стране). С февраля по май 1977 года в стране проходили студенческие восстания, студенты сражались с полицией «коктейлями Молотова». В ходе эти боев полицией была убита одна студентка, и студенты призвали к автономии, то есть неучастию, бойкоту и обструкции всей государственной системы. Эта автономия немедленно приняла массовый характер.

Одновременно «Красные бригады» заявили о намерении перейти от «вооруженной пропаганды» к новой стратегии, состоящей в том, чтобы «поразить буржуазное государство в самое сердце». Способом выполнения этой задачи «Красные бригады» провозгласили «максимальную политическую дезорганизацию режима и государства». Решающую роль в этом они отводят «городской партизанской войне», принявшей форму вооруженных атак на банки и покушений на политических лидеров. Как свидетельствует статистика, каждые пять дней в Италии совершается террористический акт. Одновременно с ультралевыми вооруженными отрядами выросло количество правых неонацистских террористических организаций, и, таким образом, терроризм начинает играть значительную роль в политической жизни Италии.

Затяжная неспособность христианско-демократической партии провести коренные реформы бюрократии, образования, экономики и политической системы дает все основания коммунистической партии Италии взять власть в свои руки. Однако лидеры партии — Энрико Берлингуэр и др., — изобретя термины «еврокоммунизм» и «коммунизм с человеческим лицом», ищут, при наличии 35 процентов голосов избирателей, возможности сговора с правящей партией, вхождения в правительство и так называемого мирного перехода от капитализма к социализму.

Анализ экономических факторов, поляризации итальянского общества и активности марксистски настроенного студенчества и прокоммунистического рабочего класса говорит о том, что в Италии назрела революционная ситуация и стена капитализма стала, по выражению В.И. Ленина, «гнилая — ткни и развалится»...

Брежнев поднял глаза от документа и весело обвел взглядом членов Политбюро.

— Ну вот! — усмехнулся он с гордостью. — А кто говорил, что доктрина Брежнева не сработает? А стоило потрудиться, стоило помочь зарубежным товарищам деньгами, оружием и опытом — и пожалуйста: Афганистан наш, половина Африки наша, Ливия и Палестина тоже практически наши, а теперь и Италия падает к нам в руки. И ведь это только начало, товарищи! Как только Италия станет соси... сосиалиссси... ё-моё, никак не могу выговорить, понимаешь...

— Социалистической, — подсказал Черненко.

— Да знаю я! Короче, как только Италия станет нашей республикой, НАТО рассыплется, лопнет Северо-Атлантический пакт, кончится американская гегемония в Европе, и Франция, Испания, Греция тоже посыплются к нам, как спелые орехи. А там, глядишь, и Южная Америка — Бразилия, Аргентина, Пе́ру. А за ними Мексика и эта... как ее?..

— Никарагуа, — подсказал Черненко.

— Вот, Ника Рагуа, прямо у Америки под брюхом. Жаль только, староваты мы стали... — Брежнев откинулся в кресле и посмотрел в окно. Там, за окном, кислая мартовская метель гуляла над Старой площадью и мокрым снегом слепила стекла. — Италия! — произнес он мечтательно. — Эх, сбросить бы годков двадцать, вот мы бы дали в Италии дрозда!

Члены Политбюро расслабились, засмеялись. Перспектива давать в солнечной Италии «дрозда», когда в Москве гуляют снежные мартовские метели, всем пришлась по душе — и 80-летнему Пельше, и 76-летнему Суслову, и 75-летнему Косыгину, и 74-летнему Тихонову, и 72-летнему Кириленко, и 70-летним Громыко и Устинову, и 67-летнему Черненко, и даже таким «юнцам», как 60-летний Щербицкий и 56-летний Романов.

— Леонид Ильич, — сказал Пономарев, ловя благоприятный момент. — Есть предложение помочь итальянским товарищам.

— Как? Опять? Мы же только что дали им семь миллионов до́лларов! Или я путаю? — Брежнев посмотрел на Черненко, который обладал уникальной памятью и последние тридцать лет был у Брежнева вместо записной книжки, калькулятора и дневника.

Черненко подтвердил:

— Шесть с половиной в 76-м, шесть в 77-м и семь в прошлом году.

— Я не об этой помощи, это само собой, — произнес Пономарев, заведующий Международным отделом ЦК.

— А что же еще? — недовольно спросил Брежнев, он не любил этого постоянного вымогательства, с которым то и дело являлись в Москву все генсеки и председатели зарубежных компартий.

Пономарев посмотрел на Андропова, и тот сказал:

— Леонид Ильич, подробности спецопераций мы на Политбюро никогда не обсуждаем, могу потом доложить вам лично...

Брежнев тут же дал задний ход, он побаивался всесильного главу КГБ.

— Подробности мне не нужны. Давайте в общих чертах...

— В общих чертах — пожалуйста. На сегодняшний день в Италии находится одиннадцать с половиной тысяч наших эмигрантов еврейской национальности. Есть возможность использовать их в качестве детонатора всенародного восстания...

— Эмигрантов? — удивился Брежнев.

— Да. Там же много не надо, стена-то гнилая. Мне кажется, нам следует подумать сейчас о том, кого потом поставить во главе советской Италии. Энрико Берлингуэр мне видится не той фигурой, он нас постоянно поносит за Чехословакию и вообще. Тони Негри просто безумный, хуже Че Гевары. Но у нас есть другие кандидатуры...

— Нет, — вдруг жестко перебил Брежнев, — никаких других пока не нужно. Пусть будет Берлингуэр. Он хоть и сукин сын, но это идеальная фигура на данный момент. Во-первых, он глава партии, и будет логично, если он станет президентом сосси... не важно, Италии. Все по закону. А во-вторых, он будет делать все, что мы скажем, ведь у нас есть его расписки, что он каждый год получает от нас по шесть-семь миллионов долла́ров. И у меня есть данные, что именно на эти деньги он построил себе дачу. Он и этот его бухгалтер, как его?..

— Гвидо Капелони, — подсказал Черненко.

— Вот! Ну, прохвосты! Мы им даем деньги на революцию, а они на эти деньги себе дачи строят! И это они еще власть не взяли! Представляете, как мы этими фактами будем держать его за одно место, когда он станет президентом Италии!

Андропов и Пономарев усмехнулись, переглянувшись. Как будто это не они снабдили Брежнева компроматом на итальянских товарищей! Пономарев сказал:

— В таком случае 11 апреля мы начинаем Апрельскую итальянскую революцию. С вашего позволения, Леонид Ильич, мы назовем ее «Операция "Дрозд"».

— Называй хоть груздем! — весело отмахнулся Брежнев. Вот когда начала работать его доктрина! Сразу за Афганистаном — Италия! Но все-таки поинтересовался: — А почему именно 11 апреля?

— А это первый день еврейской Пасхи, Леонид Ильич, — объяснил Пономарев и прямо посмотрел в глаза Генеральному секретарю ЦК КПСС.

Многое стояло за этим взглядом, и все члены Политбюро поняли это, все догадались, что тут-то и была кульминационная точка всего заседания. Поскольку уже давно страну наводнили слухи, будто Брежнев открыл еврейскую эмиграцию вовсе не под давлением США и не в обмен на американское зерно, а под влиянием своей жены-еврейки. И никакие репрессии против еврейских активистов, никакие аресты и жесткие сроки Эдуарду Кузнецову, Александру Гинзбургу, Анатолию Щаранскому, Леониду Любману, Владимиру Слепаку, Иде Нудель, Иосифу Бегуну и еще десяткам другим, менее знаменитым, никакие меры по ограничению эмиграции технической и научной интеллигенции, которые разрабатывались здесь же, на заседаниях Политбюро, с 1973 года*, не могли избавить Брежнева от подозрений в тайной симпатии к евреям. Потому что слухи эти рождались здесь же, в аппарате ЦК КПСС на Старой площади, в кабинетах Катушева, Романова, Долгих, Демичева и того же Пономарева.

Неизвестно, знал ли об этом Брежнев, но некое противостояние по «еврейскому вопросу» он, конечно, ощущал и, как опытный кремлевский политик, вовсе не собирался подставляться этой «новой гвардии». Он безразлично пожал плечами. Против начала великой итальянской революции в день еврейской Пасхи у него не было и не могло быть никаких возражений.

Судьба одиннадцати с половиной тысяч еврейских эмигрантов в Риме, Остии и Ладисполи была решена.

_____
* См. Приложение к роману «Русская дива».

274

50

Я снова встретил их на улице — наш Ладисполи так мал, что здесь труднее разминуться, чем встретиться. Инна сказала:

— Ты почему не приходишь к нам обедать? Посмотри, на кого ты похож! Кожа да кости! У тебя что, нет женщины, которая бы тебе готовила?

Я усмехнулся:

— Ты хочешь, чтобы я завел себе женщину?

— Только посмей! Я тебя убью!

Я изумленно и даже испуганно распахнул глаза — ляпнуть такое при муже!..

— Ой, перестань! — нервно отмахнулась Инна. — А то он не знает, что у нас с тобой был роман! Думаешь, почему мы записались в Австралию? Он боится, что в Америке я сбегу от него к тебе! Но ведь ты меня не возьмешь, правда?

— Правда, — сказал я.

Она повернулась к мужу:

— Вот видишь! — И снова ко мне: — Но мы все равно поедем в Австралию! Подальше от тебя! — И снова к мужу: — Илья, скажи ему, чтобы он приходил к нам обедать.

Меня всегда поражает власть маленьких женщин над крупными (в объеме) мужчинами. Этот громадный, как эвкалипт, Илья покорно повторил:

— Вадим, приходите к нам обедать.

— Спасибо, — ответил я. — Никогда не приду.

И вдруг Юлька заплакала.

— Ты чего? — удивилась Инна.

— А он сказал, что не придет... — объяснила Юлька и заревела еще громче.

Илья взял ее на руки:

— Дядя Вадик пошутил...

— Нет, не пошутил! — ревела Юлька, кулачком растирая сопли и слезы. — Не пошутил! А-а-а-а!..

— Ну! Вот видишь, что ты натворил! — сказала Инна. — Убить тебя мало! Приходи, я сварила компот из мандаринов...

ДОРОГОЙ ТЮЛЬПАН! ЭТО РОМАШКА АСЯ. КАК ТВОИ ДЕЛА? ЧЕРЕЗ ДОРОГУ НАПРОТИВ БЕЙТ-БРОДЕЦКИ ЕСТЬ

БУТКА, Я В НЕЙ ПОКУПАЮ КОНФЕТЫ СОСАЛЬНЫЕ. ПРИ-
ЕЗЖАЛ ФЕЛИКС, Я ЕМУ ИГРАЛА СВОЮ МОСКОВСКУЮ
ПРОГРАММУ КОНЦЕРТ ВИВАЛЬДИ ЛЯ МИНОР И СОНАТУ
ГЕНДЕЛЯ НОМЕР 6 И ИЩО НОВУЮ ПРОГРАММУ. ТЕПЕРЬ
ЧЕРЕЗ МЕСЯЦ Я БУДУ ИГРАТЬ В КОНЦЕРТЕ. У МАМЫ УЖЕ
ЕСТЬ ДВА УЧЕНИКА. А 14-ГО МЫ С МАМОЙ ПОЕДЕМ В
КОНСЕРВАТОРИЮ И Я С КОНЦЕРТМЕЙСТЕРШЕЙ БУДУ
РЕПЕТИРОВАТЬ ВАРИАЦИИ НА ТЕМУ ВЕЙГЛЯ. ЕСЛИ ТЫ
ПОМНИШЬ, Я В МОСКВЕ НЕ ИГРАЛА В КУКЛЫ, А В ИЗРА-
ИЛЕ СОСКУЧИЛАСЬ И НАЧИЛА ИГРАТЬ С КУКЛОЙ, КОТО-
РУЮ МНЕ ПОДАРИЛИ СОСЕДИ. СКОРО БУДЕТ ПРАЗДНИК
ПУРИМ, ОН ОЧЕНЬ КРАСИВЫЙ И ВЕСЕЛЫЙ, ДЕТИ И
МАЛЬЧИКИ ОДЕВАЮТСЯ В КОРОЛЕВ ЦВЕТОВ И КОРОЛЕВ
СНЕЖИНОК. А Я БУДУ БАЛЕРИНОЙ, ОДЕНУ БЕЛУЮ ФУТ-
БОЛКУ, БЕЛЫЕ ГОЛЬФЫ И БЕЛУЮ ЛЕНТУ. В ШКОЛЕ Я УЧУ
ПРО ТОРУ И ПРО ТО, КАК БОГ СДЕЛАЛ СОЛНЦЕ И НЕБО
И ЗЕМЛЮ И ЛЮДЕЙ. ЕЩЕ В БЕЙТ-БРОДЕТСКИ МНЕ ДАЛИ
КНИЖКУ, С КОТОРОЙ Я МОГУ ХОДИТЬ В БАНК. В БАНКЕ
У МЕНЯ И У ВСЕХ ДЕТЕЙ ЛИЖИТ 20 ЛИР. НО Я ЭТИ ДЕНЬ-
ГИ НЕ БУДУ БРАТЬ, А БУДУ У МАМЫ ПРОСИТЬ НЕМНОЖ-
КО БУМАЖНЫХ ДЕНЕГ И СОБИРАТЬ ИХ В БАНКЕ НА КОН-
СТРУКТОР, КОТОРЫЙ СТОИТ 1000 ЛИР. МЫ ПОЛУЧИЛИ
ТВОИ ПОСЫЛКИ, НО МАМА В РУССКОМ ОБЩЕСТВЕ ЕЩЕ
РАНЬШЕ ВЗЕЛА ОДЕЖДУ, А Я ВЗЕЛА У НЕЕ ОДИН ХАЛАТ И
НОШУ. ОН ДЛИНЫЙ И СИНИЙ. А У МОЕГО УЧИТЕЛЯ ПО
СКРИПКЕ Я ВЗЕЛА КНИЖКУ МЭРИ ПОПИНС И МИХАЛКО-
ВА. ЦЭЛУЮ. АСЯ.

Вадя, большое спасибо за шмотки, все годится и надо. Феликс прослушал Асю, она ему понравилась, он сказал, что в Москве,
в ЦМШ, он бы сделал из нее нечто! Но завтра он улетает назад
в Лондон еще на полгода. Совланут! Не знаю, что ты выучил там
из итальянского, но здесь первое слово, которое должен выучить
каждый новоприбывший, — совланут, терпение! Конечно, здесь
Ася не получит то, что могла бы получить там, в ЦМШ. Здесь

система другая, нет сольфеджио и еще много чего, каждый пробивается и учится, как может. Правда, там ее не хотели выпускать на сцену из-за нашей фамилии. А здесь есть много конкурсов, на которых можно выиграть стипендию и инструменты. Изя думает выпустить ее на конкурс через месяц-два, но я не спешу и не педалирую, так как ей надо тут привыкнуть, обзавестись подругами, успокоиться, чтобы в ней было больше ясности и покоя. Но это трудно в стране, где армия все время в боевой готовности. номер 1 и то и дело происходят взрывы в автобусах. Совланут!..

51

Это был последний сеанс.

— Как ваша фамилия?

— Пильщик.

— Имя?

— Яков Ааронович.

— Кто вы по национальности?

Лежа в кресле, в полусне, в так называемой просоночной фазе, он тем не менее отвечал легко, почти весело:

— Еврей, конечно!

— Хорошо, Яков. А теперь расслабьтесь, у меня есть для вас одно известие. Не знаю, как вы его воспримете. Дело в том, что, пока вы проходили лечение, ваши родители эмигрировали в Америку.

— Что-о?! — Он даже попробовал сесть в кресле.

Но она удержала его за плечо легким нажатием руки:

— Спокойно, подождите... Расслабьтесь, Яша... Вы спите... Вы спите все глубже, покойней... Да, ваши родители эмигрировали, они уже в Америке, в Бостоне... А теперь я хочу вас обрадовать: завтра вы поедете за ними. То есть завтра вы пойдете в Голландское посольство за израильской визой, потом в Австрийское — за австрийской и послезавтра улетите в Вену, как все эмигранты. А из Вены поедете не в Израиль, конечно, а через Рим в Америку. Запомните: через Рим в Америку. За родителями. Повторите...

— Мои родители эмигрировали, пока я проходил лечение, они уже в Америке, в Бостоне. Завтра я поеду за ними. То есть завтра я пойду в Голландское посольство за израильской визой, потом в Австрийское — за австрийской и послезавтра улечу в Вену, как все эмигранты. А из Вены поеду не в Израиль, а через Рим в Америку, за родителями.

— Правильно, молодец. Дальше. Все ваши воспоминания о психбольнице мы стираем... Мы их стираем вчистую! Их нет! На ленте вашей памяти нет никаких психбольниц! Вы никогда не были ни в каких психбольницах, вы совершенно здоровый и нормальный молодой человек, а в больнице вы лежали по поводу обрезания, потому что резник из синагоги, который делал вам обрезание на дому, занес вам инфекцию, и вас забрали в больницу с заражением крови. А в больнице вас спасли. Повторите.

— Резник, который делал мне обрезание, занес мне инфекцию, и меня забрали в больницу с заражением крови. А в больнице меня спасли. Но пока я лежал в больнице, родители уехали, и я еду за ними...

— Верно. А теперь последняя новость. Запомните: в Риме есть замечательная площадь Навона — самая красивая в городе. Там стоят три фонтана. Так вот у одного из них, у фонтана Нептуна, мы с вами встретимся. — Елена круто повернулась к зеркалу на стене: — Что-о?!

— Спокойно, Элен, — по-итальянски сказал ей в наушнике голос Винсента. — Это мой сюрприз для тебя. За твою хорошую работу я получил у Иванова разрешение взять тебя на месяц в Италию. Думаю, тебе будет приятно встретить там этого парня. Продолжай сеанс, назначай ему свидание...

52

С ума сойти! Сильвия приехала!

Писать некогда, да и невозможно — Ник то ревет за стеной белугой, то пластмассовым молотком колотит по мраморному полу, а то врывается ко мне в комнату с трескучим игрушечным автоматом.

Саша Ютковский сбежал от него на пляж, а я сбегаю в Рим. Подробности — после.

Часть третья

Ритуальное убийство

53

«...Подпольные революционеры существуют в Италии с сороковых годов. Хотя все они члены итальянской компартии, они постоянно враждуют с партийной верхушкой и имеют свои собственные тайные связи с СССР и другими странами советского блока. «Воланте Росса», праматерь «Красных бригад», которая осуществляла политические убийства в конце сороковых, была организована службой безопасности компартии Италии якобы для охраны иностранных гостей партии. Когда полиция разгромила их, члены «Воланте Росса» скрылись на востоке, в Чехословакии.

Затем, в ранние пятидесятые, КПИ создала новую подпольную вооруженную организацию. Согласно подсчетам Совета национальной безопасности Италии, как минимум 100 000 членов КПИ имели в то время оружие и подпольно тренировались для вооруженного восстания. Их лидер Пьетро Сесшиа официально значился заведующим «организационным» отделом партии. Структура его «организации» была типично советской до последних деталей — он «паровал» в подпольных ячейках мужчин и женщин вплоть до их женитьбы, чтобы избежать внедрения посторонних элементов в свою организацию. В 1948 году, сразу после покушения на Пальмиро Тольятти, когда Италия оказалась на грани гражданской войны, это подполье всплыло на несколько дней и в точном соответствии с ленинским планом вооруженного восстания захватило национальные телефонные сети и оккупировало перекрестки главных улиц северных городов страны.

Сесшиа был исключен из партии в 1953-м после скандала с одним из его ассистентов. Примечательно, что многие его сотрудники тоже сбежали в Чехословакию. До середины пятидесятых годов там же, в Праге, находились архивы КПИ, и курьеры партии регулярно возили партийные документы в Прагу, а в Италию привозили деньги и инструкции чехословацких спецслужб. Позже, в шестидесятых, основатели всех левых террористических групп ездили в Прагу, а с начала семидесятых многие руководители «Красных бригад» бывают в Праге практически ежемесячно. Миллионер и аристократ Джанджиамо Фертинелли, разбогатевший на публикации романа Бориса Пастернака «Доктор Живаго» и ставший после этого террористом, в период между 1969 и 1972 годами ездил в Чехословакию 22 раза, а затем подорвался в собственном парке во время экспериментов со взрывчаткой. Карло Курсио, первый лидер «Красных бригад», и его правая рука, Франсечини, также постоянные вояжеры в Прагу. Иными словами, с 1945 года Прага служит центром советских тайных операций в Европе — иногда с участием КПИ, иногда без.

Но если свидетельства об иностранном участии в левом итальянском терроризме опираются либо на такие косвенные доказательства, либо на показания перебежчиков — чешского генерала Яна Седжны и заместителя начальника румынской контрразведки Иона Михая Пачепы, то доказательств иностранного участия в правом терроризме в избытке. Доказано, что в 1960-х Чехословакия создала в Италии так называемую Нацистско-Маоистскую группу экстремистов. Доказано, что Ливия снабжает деньгами, инструктажем и оружием такие неонацистские организации, как «Ордино Неро», и ряд сепаратистских движений в Сардинии и Сицилии. Поскольку Ливия тесно связана с СССР, возникают законные подозрения, что и левый и правый терроризм — это две руки одного хозяина.

То, что рост терроризма в Италии является отчасти результатом советских усилий дестабилизировать итальянское общество, подтверждается как минимум четырьмя фактами: террористической конференцией в 1972-м в Бадави, Ливане; ролью ООП в международном терроризме; свидетельствами генерала Яна Седжны и Иона Михая Пачепы...»

* * *

Лежа под теплым весенним солнцем в траве парка Pincio, что рядом с виллой Медичи и площадью Дель Пополо, я с недоумением посмотрел на Виктора Кожевникова: на хрена я должен это читать, когда вокруг такая теплынь, рай, весна и в Ладисполи меня ждет Инна, а в Прати Сильвия?

Но он перехватил мой взгляд и сказал требовательно:

— Ты читай! Читай!

Я вернулся к тексту:

«...Бадавская конференция была организована в 1972 году Жоржем Хабашем, главой Народного фронта освобождения Палестины, и состоялась в обстановке полной секретности в палестинском лагере беженцев на окраине Триполи. На эту встречу прибыли большинство ведущих террористических групп со всего мира. В заключение конференции Хабаш объявил: «Мы создали органическую сеть взаимосвязей между палестинцами и революционерами всего мира». В последующие годы суть этих взаимосвязей выявилась и на Ближнем Востоке, и в Западной Европе. По заказу «Красных бригад» палестинский «Черный сентябрь» взорвал нефтехранилища в Триесте, в то время как ячейки экстремистов в Риме доставили ракеты «SAM-7» для Народного фронта освобождения Палестины. А когда итальянские власти перехватили и изъяли эти ракеты, Хабаш прислал письмо в итальянский суд с требованием вернуть эту собственность НФПЛ!

Генерал-перебежчик Ян Седжна, который под непосредственным контролем ГРУ сам участвовал в подготовке иностранных террористов в Чехословакии, выдал подробности этих тренировок и список итальянцев, которые прошли там подготовку. Среди них были такие известные итальянские имена, как Фертинелли и Франсечини, а также другие террористы.

Ион Михай Пачепа, замначальника румынской разведки, сбежавший в прошлом году в США, показал, что в период похищения Альдо Моро члены «КБ» проходили тренировки в Болгарии.

В своих манифестах террористы называют свои атаки на демократию «стратегией напряжения». По их мнению, значительно легче перейти от фашизма к коммунизму, чем от демократии к коммунизму. А посему «революционеры» должны столкнуть демократические правительства к фашизму, чтобы на следующей фазе, то есть на пепелище фашизма, построить коммунизм. Следует отметить, что первая часть их плана замечательно сработала в Аргентине и Уругвае, а теперь она опробуется на Италии и Испании.

Одним из ключевых факторов осуществления этого плана стало проникновение террористических групп в экономику и правительство. Используя профессиональную шпионскую технику, террористы накапливают детальную информацию об итальянской промышленности, иностранных корпорациях, работающих в стране, и о разведывательных учреждениях правительства. В сентябре 1978 года руководство нашей полиции было потрясено открытием в Милане шпионского аналитического центра «Красных бригад» и «Вооруженных пролетарских ячеек». Буквально тысячи машинописных страниц содержались в досье на вероятные цели нападений. Кроме того, там была информация об антитеррористических правительственных организациях, описания всей тюремной системы Италии и документация по ее судебным структурам. Эти разведданные во многом объясняют выдающиеся успехи левых организаций. Только за прошлый год 88 установленных поименно террористических групп осуществили как минимум пять крупных успешных акций. Тон и стандарт этой беспрецедентной волне насилия задают «Красные бригады». В марте 1978-го похищение и последующее убийство премьер-министра страны Альдо Моро стали зенитом их действий. И хотя в ходе расследования этого убийства полиция выявила немало подпольных «Красных бригад», далеко не все руководители «КБ» арестованы или сбежали из страны, а их тайные склады оружия и сотни боевиков, ушедших в подполье, все еще остаются в активе этой организации, и мы можем ждать их терактов в любое время.

Вторым фактором, определяющим успехи террористов всех мастей, является беспрецедентно высокое участие в их деятельности представителей итальянской аристократии и интеллектуалов, считающих себя истинными марксистами, революционерами и коммунистами «нового типа». Ярким примером этого явления стала история Джанджиамо Фертинелли, о котором говорилось выше.

Вечером 14 мая 1972 года Фертинелли взорвал себя в Сегрете, возле Милана, во время экспериментов со взрывчаткой.

Расследование смерти Фертинелли привело к открытию его участия в создании и финансировании целой сети терроризма в Италии и в других странах. Эксцентричный миллионер Джанджиамо Фертинелли, или Джанджи, как его называли друзья, вырос в роскоши на вилле Фертинелли возле Милана. Говорят, что 1962—1965 годы были временем его духовных поисков. Теперь выяснилось, что это были годы подготовки к тому, что последовало. С его наследственным богатством и с прибылью, полученной от первого издания «Доктора Живаго» Бориса Пастернака на Западе, он вел роскошную жизнь и при этом финансировал не только марксистско-ленинскую компартию Италии, но и международную сеть терроризма в Западной Европе. Он поклонялся Фиделю Кастро и в 1964-м поехал на Кубу познакомиться со своим идолом. В конце шестидесятых он купил прекрасную виллу Deati, где в числе других гостей постоянно бывали Ульрика Майнхоф и ее муж, основатели западногерманской террористической бригады РАФ. С 1967-го военная контрразведка Италии начала отслеживать контакты Фертинелли с бандитами в Сардинии.

Опубликованные прессой факты его биографии показывают нам человека, который был не то «полезным идиотом», не то убежденным и добровольным агентом советских секретных служб и вел жизнь, полную интриг и усилий дестабилизировать общество западной демократии. Некоторые утверждают, что Фертинелли даже имел отношение к ликвидации Че Гевары, который действовал Москве на нервы своей независимостью. Во всяком случае, доказано, что боливийский начальник полиции Квантанилла, который расследовал убийство Че Гевары, был убит в Гамбурге молодым немецким террористом из пистолета, купленного Фертинелли.

Идеологически Фертинелли считал себя «воинствующим коммунистом» и утверждал, что только вооруженное сопротивление может сокрушить авторитарный заговор аристократии против народа. С маниакальной одержимостью он посвятил себя созданию подпольных террористических групп, которые он считал наследниками подпольных ячеек антифашистского Сопротивления и отрядами будущей итальянской революции кубинского толка. Он даже одевался в кубинскую военную форму и практиковался бросать ручные гранаты.

В результате его усилий была создана сеть «Группы партизанского действия», их тактикой был подрыв итальянской экономики, и на их счету были поджоги нефтехранилищ и судоверфей, а также вооруженные нападения на консула США в Женеве и офисы Объединенной социалистической партии Италии. «Группы» постоянно меняли свои названия, чтобы создать видимость многочисленности и широкой поддержки итальянского пролетариата. После смерти Фертинелли эти группы влились в «Красные бригады»...

Третьим фактором успехов террористов является вольное или невольное участие прессы в популяризации, романтизации и даже прославлении террористов и их террористических актов. Как заметил лорд Чалфонт, терроризм был бы импотентом без паблисити, он полностью зависит от способности прессы удерживать общественное мнение на актах терроризма. Солдат, убитый в спину в Белфасте или на Голанах, не удостоится и строки в газете. Но взорванный в центре города супермакет, в котором погибли дети и женщины, или похищенный и взорванный самолет с пассажирами получат аршинные заголовки на первых страницах газет и прайм-тайм в телевизионных новостях. Тот факт, что эти террористические акты вызывают возмущение и негодование публики, нисколько не принимается во внимание террористами, наоборот, это служит их целям. Как сказал Ленин, цель терроризма — терроризировать, и чем брутальнее, тем лучше для террора. И в этом смысле наша пресса замечательно работает на террористов — журналисты утверждают, что террорист имеет право представить публике свою позицию, словно убийство является легальным доводом в политической борьбе. После каждого теракта журналисты наперебой рвутся расписывать цели террористов и брать у них интервью, а те стремятся покрасоваться на публике, шокируя ее своими программами революции и популяризируя свои идеи среди молодежи — так называемую романтику подпольной жизни революционеров, вседозволенность, борьбу с «прогнившим капитализмом». «Присоединяйся к вооруженной борьбе, и твоя жизнь будет полна приключений и женщин, ты узнаешь, что такое насилие, социализм, классовая борьба, и будешь жить в лучших отелях» — такова саркастическая реклама, которую составил безвестный террорист

Клаудио Ф. А профессор Антонио Негри, наш Владимир Ленин из Падуи, открыто пишет в работе «Власть и саботаж»: «Всякий раз, когда я надеваю «passemontagne» (вязаная шапочка альпинистов и горнолыжников, используемая террористами), я ощущаю жар пролетарского сообщества... Результат меня не волнует: всякий акт разрушения и саботажа отзывается во мне как голос классовой общности. И возможный риск меня не тревожит: напротив, я ощущаю лихорадочное возбуждение, как если бы я ожидал встречи с любовницей...»

Таким образом, наши газеты, радио и телевидение, возможно, сделали больше для роста терроризма, чем сами террористические организации. А та поза «объективного нейтралитета», которую занимает пресса при освещении терроризма — это, по словам Черчилля, нейтралитет между поджигателем и пожарным — нейтралитет, который только на руку террористам. Так, при похищении самолета компании «Люфтганза» в 1977 году террористы услышали в радионовостях, что командир самолета передает на землю властям информацию по своему радиопередатчику. И они убили его. Аналогичный инцидент случился при штурме Иранского посольства в Лондоне, захваченного палестинскими террористами. Внезапно все телепрограммы страны прервались прямым репортажем о начале штурма посольства полицией. По счастью, террористы в это время не смотрели телевидение, иначе они расстреляли бы заложников.

Успехи террористов в Италии объясняются неадекватными мерами безопасности, относительно легкими сроками и режимами тюремных наказаний, а также симпатией общества к «страданиям» палестинцев. Именно эти обстоятельства позволяют всем террористам — от японской «Красной армии» до палестинского «Черного сентября» — использовать Рим как международную арену действий.

В настоящее время в Италии насчитывается 215 экстремистских организаций и групп, из которых 177 квалифицируют себя как левые и 38 — как правые. Некоторые из них — «Красные бригады», «Прямое действие», «Вооруженное пролетарское ядро» (НАП) — весьма многочисленны и приобрели общенациональную известность. За последние десять лет политические экстремисты совершили в Италии около 10 тысяч покушений, а их политическое кредо сформулировано в одной фразе руководительницей западногерманской террористической организации РАФ Ульрикой Майнхоф: «Коммунизм сегодня — это и есть вооруженное насилие». Подчеркивая так называемое воспитательное значение своих террористических актов, которые они часто называют «вооруженной пропагандой», наши экстремисты любят повторять вслед за Мао Цзэдуном, что «бросать бомбы в аппарат насилия — значит врываться в мышление масс»...

Дочитав этот текст, я посмотрел на Виктора Кожевникова:

— Круто! Молодец! Ты прочел это по «Радио Италии»?

— Нет, конечно, — ответил он.

— Почему?

— «Радио Италии» — это государственное учреждение, мы не занимаемся пропагандой. Если я прочту там такое, меня тут же выпрут на улицу...

— А зачем ты это написал?

— Я хочу, чтобы ты увез это в Штаты и напечатал где-нибудь под своей фамилией.

— Ты шутишь!

— Я тебе говорю: я, как государственный служащий, не имею права заниматься пропагандой.

— Ни хрена себе! Но это же свободный мир! И ты профессор музыки!

— Да, как профессор музыки, я могу это напечатать. Но тогда я тут же лишусь работы на радио. Что при нынешней безработице...

Громкая музыка и мегафонные выкрики прервали его.

Мы — и десятки людей вокруг нас, загоравших под солнцем, — посмотрели в сторону этого шума.

Это внизу, со стороны виа дель Корсо, на пьяцца дель Пополо выползала голова огромной демонстрации с красными знаменами, портретами Ленина, Че Гевары и транспарантами «Potere al popolo!», «Abasso il governo dei traditori!», «Tutti allo sciopero nazionale!», «Evviva la rivoluzione!»* и т.п. Каждый раз,

---

* «Вся власть народу!», «Долой правительство предателей!», «Все на общенациональную забастовку!», «Да здравствует революция!».

когда я видел в Риме такие демонстрации, у меня возникало ощущение, что я попал на какой-то карнавал или киносъемку сатирического фильма о революции, и я непроизвольно искал глазами операторские краны, кинокамеры и режиссера. Вокруг был Рим, его изобилие, сытость, прекрасные уличные кафе, пиццерии, рестораны, потоки чистеньких машин, витрины, забитые замечательной одеждой, мебелью и радиоаппаратурой, рынки с морем фруктов, овощей, мяса, птицы и рыбы, а эти демонстранты — да что им еще нужно? Нет, конечно, это все не всерьез, это спектакль, баловство, киносъемка. А если это и правда, то именно та, в которой история действительно повторяется — только как фарс...

Но теперь, после всего, что я прочел у Виктора, мне уже было не до смеха. Я вдруг ощутил, что перемещаюсь в пространстве, возвращаюсь на первомайскую демонстрацию в Москву или, что еще хуже, колонны московской первомайской демонстрации уже добрались до Рима. И холодные спазмы страха сжали мой желудок.

Между тем, заполняя воздух скандированными выкриками и мегафонными призывами своих вождей, эти колонны уже заполнили всю пьяцца дель Пополо, окружили обелиск Фламиния, и кто-то с мегафоном в руках вскочил на постамент, его зычный голос долетел даже до нашего парка.

— Что он говорит? — спросил я у Виктора.

Но он молчал и слушал оратора, голос которого все набирал и набирал высоту.

— Витя, переведи! — снова попросил я.

Он усмехнулся:

— Ты «Апрельские тезисы» Ленина помнишь? Немедленное свержение власти!.. Всеобщая забастовка!.. Вооруженное восстание!.. Только истинные марксисты могут привести рабочий класс к коммунистической революции!.. Это же Антонио Негри — наш Ленин и Троцкий в одном лице.

Я живо вспомнил своего отца, вернее — его восторги по поводу зажигательных речей Троцкого. Проклиная Ленина и большевиков, которых папа иначе как бандитами никогда не называл, и обзывая Сталина «папашкой» и «палачом», отец тем не менее буквально млел, когда рассказывал, как он слушал Троцкого на каком-то митинге: «Вот он умел говорить! Это таки был оратор! Тысячи людей слушали его не дыша! А мороз был знаешь какой? Но мы стояли не шелохнувшись...»

Похоже, что теперь, на пьяцца дель Пополо, происходило то же самое: очередной трибун с даром Троцкого, Муссолини и Гитлера буквально завораживал многотысячную толпу не столько смыслом своих выкриков — перенесите на бумагу речи этих трибунов, и вы увидите, что это сплошной, как опилки в животе у Винни-Пуха, набор патриотически-революционных пошлостей. Но голос, но позы, но жестикуляция, но магнетизм горящих глаз... Только Род Стайгер, ну и, пожалуй, Аль Пачино могли бы сыграть в кино этот темперамент и гипнотизм.

— Хорошо, Витя, — сказал я. — Но в Штатах я могу опубликовать эту статью под твоей фамилией?

— Нет, нет! — поспешно и даже испуганно ответил он. — Как ты не понимаешь? — Он показал на митинг у обелиска Фламиния. — Это же все всерьез! Ты слышал про убийство Пекорелли?

— Слышал.

— Ну вот. Дай мне слово, что моей фамилии там не будет!

Я вздохнул:

— Даю, конечно. Что он сейчас говорит? Переведи.

— Да ну их... — Витя горестно махнул рукой и пошел прочь, оставив у меня в руках текст своей неозвученной радиопередачи.

Я посмотрел ему вслед. Действительно, стоило ему бежать из СССР, а мне эмигрировать, чтобы здесь снова напороться на то же самое*?

---

*2001: Поразительно, что история не просто повторяется как фарс, а еще и дублирует этот фарс снова и снова, не боясь упреков в банальности. Теперь в Москве каждый раз, когда я вижу на Тверской зюгановские коммунистические демонстрации и шумные митинги «соколов Жириновского» у памятника Пушкину, я вспоминаю уже не советский Первомай, а именно итальянские коммунистические митинги и демонстрации 1979 года... — *Э.Т.*

54

Москва, Центр, Иванову

Ваш Турист прибыл 23-го. Проходит стандартные венские процедуры. Живет в отеле с другими туристами. Поведение нормальное, восторженное. Много гуляет по Вене, купил себе американские джинсы. Продолжаем наблюдение.

Австрия, Вена, 24.03.79

55

Вернемся чуть назад, отмотаем пленку. В тот день, позабыв о приличиях и статусе гостя, я шесть часов кряду провалялся на диване в домашнем кабинете Грегори, запоем читая «Восстание» Менахема Бегина и откладывая свой отъезд в Ладисполи с часу на час. Самые дерзкие операции последних месяцев восстания евреев против англичан я зачитывал Лине вслух, восхищаясь мужеством, дерзостью и хитроумием восставших. К концу книги я понял, что мир с Египтом Бегин всетаки не подпишет. Всю свою жизнь, всю свою многоопасную молодость, полную жертв, крови, проклятий и мужества, он посвятил одной цели — завоевать территорию для еврейского государства. Никто никогда без крови не даст евреям и пяди земли. Никто никогда не продаст евреям мир и покой — ни за какие деньги! Все, ВСЕ договоры о мире или перемирии, заключенные англичанами и арабами с Хаганой* или с другими еврейскими организациями и правительствами, всегда — по Бегину — обходились евреям новой войной и новой кровью. И единственно последовательным человеком, отвергавшим всегда какие-либо сделки с противником, был Менахем Бегин. Как он может теперь уйти с завоеванных территорий, если это не ЗАвоеванные земли, а ОТвоеванные? Что он скажет исто-

---

* Хагана — еврейская вооруженная организация «Оборона».

рии? Что он всю жизнь отвоевывал еврейское государство, а к концу жизни вернул арабам то, что обошлось его народу тысячами жизней?

Когда Бегин пришел к власти, в Москву приезжал Нисан Гордон, еврейский журналист из Нью-Йорка. Он сказал мне: «С тех пор как Бегин стал премьер-министром Израиля, арабов не слышно за Синаем». Тогда я не понимал почему. А теперь, читая книгу воспоминаний Бегина, я легко представил себе, какой страх вселяет это имя в душу любого арабского экстремиста, знающего, что этот человек НИКОГДА не прощал даже англичанам ни одной еврейской жертвы, ни одного оскорбления еврейского солдата.

Сегодня для Бегина подписать мир с Египтом ценой отступления из Синая равно перевороту всей его жизненной программы, но я думаю, что он поступился бы и этим, как Кутузов когда-то поступился Москвой, если бы знал, что мир, купленный такой ценой, сохранит жизнь хоть одного израильского солдата. «Но ценой уступок нет мира с арабами!» — кричит мне каждая страница его книги, и я верю ему куда больше, чем Вите Кожевникову, и понимаю, жестко и непреложно понимаю, что Израиль находится на краю войны — новой и самой кровопролитной. Будет ли она сейчас, этим летом, или через двадцать лет — еще неизвестно, что лучше для Израиля.

Но у меня там сестра! Сестра и Ася!..

Конечно, зачитавшись, я опоздал на последний, в 9.45, автобус в Ладисполи и еле успел на последнюю электричку. В полупустом вагоне было несколько наших эмигрантов, но я, читая последние главы «Восстания», не обращал на них внимания, пока кто-то не спросил, не знаю ли я, где в Ладисполи виа Клаудио. Я, не отрываясь от книги, пожал плечами, но тут они объяснили мне, что вот, мол, эта женщина прилетела из Израиля повидаться с родственниками-эмигрантами, родственники живут в Ладисполи на виа Клаудио, но сейчас ночь, и как ей найти эту улицу, никто не знает. Я взглянул на женщину. Я взглянул на нее сквозь два месяца своей эмиграции и сквозь страницы книги Менахема Бегина, которая зарядила меня восхищением перед народом Израиля. Я посмотрел на нее, и горечь уколола мое сердце.

Эта пожилая израильская женщина, этот посыльный из того идеального мира, каким — несмотря ни на что! — видится нам издали Израиль, была одета в старый плащ-болонью, в стоптанные туфли и выцветшую юбку, и в ее выгоревших глазах и в таких же выгоревших, торчащих из-под вязаной шапочки волосах была почти нескрываемая печать изгойства. Я не столько сформулировал это про себя, сколько почувствовал, и, наверное, поэтому первое, что я у нее спросил, было:

— А сколько вы лет в Израиле?

— Шесть, — сказала она. — А вы откуда?

— Из Москвы.

— О, из Москвы! — робко обрадовалась она. — Я тоже. А вы так роскошно одеты — я сначала подумала, что вы итальянец.

Я усмехнулся — мой «роскошный» наряд состоял из вельветовых джинсов, рубашки с галстуком и замшевой куртки. Но она-то действительно была одета почти нищенкой, и от этого сердце мое сжала горечь, и я спросил:

— А что, у вас в Израиле проблемы с одеждой?

— Ну, нет... Почему?.. — замялась она и ушла от ответа: — Мы уже подъезжаем?

Я взвалил на плечо ее баул, а в другую руку взял ее старую, еще советскую сумку-саквояж, и мы пошли с ней по ночному Ладисполи искать улицу Клаудио. Тронутая таким вниманием, она уже не могла быть скрытной или неискренней, и спустя несколько минут я знал о ней все и еще кое-что об Израиле. Она с мужем, оба школьные учителя физики, приехали туда шесть лет назад с двумя детьми. Сейчас оба сына выросли и тоже стали физиками, живут в Иерусалиме, имеют машины и квартиры, но то, КАК она восхищалась ладиспольскими домами и той простенькой квартирой, в которую мы наконец пришли к ее двоюродной сестре, найдя эту улицу Клаудио, — это ее почти завистливое восхищение каждый раз ранило меня и усиливало муку и казни моего сердца.

— Ой, какие красивые дома!..

— А что, — спрашивал я ревниво, — в Израиле дома хуже? Я слышал, что Тель-Авив очень красивый город.

— Да, у нас тоже есть красивые дома. Но эти очень красивые... Ой, какая большая квартира! Какие комнаты большие!..

— А что, — спрашивал я, — разве у вас там хуже квартира?

— Нет, не хуже. Но конечно, комнаты у нас маленькие, не такие...

Каждый ее ответ забивал в меня горький гвоздь, но особенно горьким был ее собственный вид.

— Знаете, — сказала она, — в Израиле мы — русские, представьте себе! В Москве, в России мы хотели быть русскими, чтобы нас не трогали, но нас там все равно считали евреями. А в Израиле нас никто не считает евреями, нас называют русскими. Вы знаете, что такое ашкенази? Мы там русские ашкенази — самые последние...

Мемуары Бегина лежали в моей «полевой сумке офицера», его слова о возрожденном еврейском государстве, где после семидесяти поколений изгойства и дискриминации в чужих странах каждый еврей обретает свою землю и свою родину, — эти слова еще стояли перед моими глазами черным шрифтом по белому листу, но рядом со мной в этой теплой итальянской ночи шла усталая пожилая израильтянка, только что прилетевшая из Тель-Авива. И уже не из советских газет, не от бежавших из Израиля жуликов и ворья, а вот так, один на один с бывшей москвичкой я слышу то, чему не хотел (и не хочу!) верить.

Одна из глав книги Бегина так и называется: «Гражданская война — никогда!» Даже в те черные дни «сезона», когда Хагана предавала людей Эцеля* британской разведке и когда люди Бегина погибали от предательства своих же евреев, девизом Бегина было: «Нет — гражданской войне!» И эта стойкость подпольщика, политика и воспитателя своего народа восхищала меня не меньше, чем операция по взятию Акки.

Но что же сегодня? Неужели сегодня в мирном Израиле идет духовная гражданская война? Дискриминация? И новое еврейское изгойство возникает внутри еврейского государства?

— Знаете, — сказала мне эта женщина, — сейчас это отменили, но еще два года назад нам, новоприбывшим, если мы покупали машину, давали другие номерные знаки для машин — не такие, как у всех, а с белой каймой, чтобы было видно, что это машина оле, новоприбывшего. И они — местные, сабры, — били

---

* Эцель (Иргун Цвай Леуми) — военное крыло партии «Союз сионистов-ревизионистов».

наши машины, выбивали стекла и ломали — мол, почему нам скидка, а им, сабрам, нет.

Вот и еще один лучик догадки во тьме догадок об Израиле, подумал я. Сабры, которые отвоевали Израиль, злятся на тех, кто приезжает «на все готовое» да еще получает льготы — скидки, ульпаны, пособия...

И я понимаю — чисто отвлеченным, созерцательным, сторонним умом понимаю, что это государство юное, что это котел, в который постоянно ссыпаются евреи со всего мира — бразильские, русские, аргентинские, румынские, польские, йеменские, — и из всего этого снова варится одна нация, и нужны, наверное, десятилетия, нужны поколения, чтобы из такого месива разнополярных привычек, обычаев и нравов выварился и кристаллизовался один народ. Но именно там, в этом котле, где варится, булькает и периодически взрывается от бомб террористов будущий еврейский народ, — моя сестра с семилетней дочкой.

Одни в котле.

Думая об этом и терзая себя виной за то, что они там, а я тут, я подошел к своему дому и увидел свет в своем окне. Не поверив своим глазам, я еще раз отсчитал четвертое окно от угла — да, это мое окно, но почему в нем свет? Почему у Саши Ютковского и у Лени с Верой и Ником темно, а у меня свет?

Ничего не понимая, я поднялся наверх, ключом открыл дверь в квартиру, прошел по коридору в свою комнату и...

Сильвия — в моей клетчатой ковбойке и с распущенными по плечам мокрыми волосами — сидела, поджав голые ноги, на моей кровати и читала мою рукопись.

— Ты бардзо добже пишеш... — сказала она. — А хто то есть Инна?

— Как ты?.. — Я даже не знал, что спросить. — Как ты оказалась в Италии?

— В багажнике самоходу, — объяснила она. — Я вже тыждэнь в Италии, в Прати. Мы там працуемо на фабрике телевизоров — я и Эльжбета. И живем недалэко фабрики. Где ты был? Я вжэ два разы в море купалась. Ты бенджешь мня целовать, чи ни?

Москва, Центр, Иванову

26-го Турист отбыл в Италию поездом вместе с другими туристами. Наблюдение за Туристом сдаю итальянской фирме.

Австрия, Вена, 26.03.79

57

Зайти в Американское посольство с улицы можно только при наличии американского паспорта, но мне до него еще ой как далеко! Поэтому я, разорившись на двести лир, позвонил из телефона-автомата и сказал Грегори Черни, что должен с ним увидеться. Обычно при таких звонках он назначал мне встречу во время своего обеденного перерыва и вел меня обедать либо в «Амбассадор», либо чуть ниже по виа Венето, в зеленую стекляшку американизированного «бистро».

Однако бесконечно злоупотреблять глубиной его кармана было невозможно даже при моей наглости, и поэтому последние дни я не звонил ему вовсе. Но теперь статья Вити Кожевникова жгла мне руки и душу, она не могла ждать до моего прибытия в США, и я набрал коммутатор посольства, назвал дежурному добавочный Грегори.

— О! — сказал Грегори подозрительно хриплым голосом. — Хорошо, что вы позвонили, вы нам нужны. Вы можете прийти в посольство?

В этой короткой фразе было две загадки. Судя по хрипотце его голоса, Грегори опять в запое и «закуре»: когда он пьет, то курит беспрестанно. Но с чего ему пить? Ведь Лина здесь... А вторая загадка: «вы нам нужны». Я нужен Американскому посольству! Ни фига себе! Я еще не получил американскую въездную визу, я еще не добрался до Голливуда, а уже им нужен!

То-то!

Преисполнившись чувством собственной ценности для Соединенных Штатов Америки, я за три минуты взошел вверх по Барбенини и Венето к посольству и предъявил дежурному в воротах зеленую бумажку советской выездной визы. Он набрал по телефону короткий внутренний номер, и через минуту Грегори вышел за мной из здания посольства. Одного взгляда на его небритые щеки было достаточно, чтобы понять, что с этим щеголем, денди и суперменом случилось ЧП. Но я не стал его ни о чем расспрашивать — если я им нужен, то они сами все расскажут.

Какими-то коридорами и лестницами Грегори повел меня на третий этаж, в задние комнаты посольства. По дороге, больше чтобы заполнить паузу, чем из соучастия или по дружбе, он спросил:

— У вас какие-нибудь проблемы?

Хотя я считался чуть ли не членом его семьи, мы оставались на вы, и до сегодняшнего дня мне это очень нравилось, это поднимало меня в моих собственных глазах. Но теперь от этого «вы» повеяло холодом официальности и отчуждения, и я не знал, как мне себя вести. Впрочем, выхода не было, ведь это я позвонил ему, а не он мне (да у меня и нет телефона), и я протянул ему статью Вити Кожевникова о разгуле коммунистического терроризма в Италии. Он на ходу бегло просмотрел эти страницы и сказал:

— Мы это знаем...

— И всё? — удивился я.

— Что «всё»?

— Ну, знаете и всё? Или что-то делаете?

— Сейчас поговорим... Сюда, пожалуйста, — ответил он и завел меня в какую-то комнату, удивительно похожую на комнату для допросов зеков при советских тюрьмах — здесь не было ничего, кроме простого письменного стола с пишущей машинкой и двух стульев. Никаких картин или портретов на стенах, никакой другой мебели и даже окон — просто глухая маленькая комната с длинной неоновой лампой под потолком.

Правда, возле стола стоял консул — тот самый, похожий на Жванецкого, который проводил со мной ознакомительную беседу два месяца назад.

— Hi, Mr. Plotkin! How are you? — сказал он, и его живые карие глазки тут же впились в меня, оценивая мою персону, словно ему предстояло решить, выдать за меня замуж свою дочь или нет.

Но я не попался на его удочку и не стал объяснять, как я поживаю, — я уже знал, что «хау ар йю?» вопрос чисто риторический, и ответил «Жванецкому» той же валютой:

— Hi, Mr. Consul! How are *you*?

Он промолчал, обменялся взглядом с Грегори и ушел.

— Хорошо, — сказал мне Грегори, и я понял, что заслужил — уж не знаю чем — одобрение консула и сейчас меня будут сватать к его дочери.

Я сел на стул, Грегори сел через стол от меня, положил перед собой статью Кожевникова.

— Вадим, — сказал он, — вы еще не гражданин США, и я, честно говоря, не знаю, как мне с вами разговаривать...

— Без патетики, — попросил я. — Что у нас случилось?

— У нас? — озадаченно переспросил он. — У кого у «нас»?

— У нас — это у Соединенных Штатов.

Он усмехнулся, достал «Мальборо», ударом ногтя под донышко пачки выбил сигарету до пояса и протянул мне.

Мы закурили от его зажигалки.

— Хорошо, — сказал он. — Без патетики. Дело вот в чем. Мы действительно знаем, что творится в Италии. И куда больше, чем написано в этой статье. Скажу вам честно: раньше, до конца шестидесятых годов, мы тратили миллионы долларов, помогая местным антикоммунистам удержать Италию от перехода в советский лагерь. Но при новой администрации в Белом доме многое изменилось. Не мне это обсуждать, я излагаю только факты. Наше правительство взяло курс на защиту прав человека, а не государств. В результате функции нашей организации значительно сузились. Недавно было принято новое Исполнительное постановление, по которому мы получили кучу запретов — теперь мы не имеем права проводить тайные операции, внедрять своих людей во враждебные нам учреждения и государства, финансировать антиправительственные заговоры, ну и так далее. Практически мы имеем теперь право только на космическую и радиотехническую разведку, — он саркастически улыбнулся, — ну и на внешнее прослушивание окон Советского посольства в Риме. В связи с этим из ЦРУ уволено двести человек из отделов оперативной разведки, еще шестьсот профессиональных разведчиков уволились сами...

Теперь я понял, почему он в запое, но я не понимал, зачем он мне это рассказывает. Неужели и вправду мне сейчас предложат работу в ЦРУ? Но ведь у меня нет не только американского гражданства, но даже «грин-кард», даже въездной американской визы!

— Между тем все, что происходит на римских улицах и вообще в мире, — продолжал Грегори, — все эти гребаные коммунистические демонстрации, перевороты в Афганистане, антивоенные митинги в Европе и так далее, — все это никакая не политическая борьба, а результат тайной и не особенно тайной войны двух разведок — КГБ и ЦРУ. Стоило нам уйти из Афганистана, как туда ринулся КГБ и сменил правительство. Стоило нам отступить в Италии — и пожалуйста! — Он отодвинул от себя статью Кожевникова о террористах и вдруг без всякого перехода сообщил: — Кстати, я вас поздравляю: Бегин и Садат подписали мирный договор в Вашингтоне.

— Что? — изумился я.

— Да, теперь вашей сестре в Израиле ничего не угрожает. Во всяком случае, войны там в ближайшее время не будет. А здесь... — Он умолк и уставился на меня своими серыми глазами в оборке темных век — не то от алкоголя, не от бессонницы.

— Что здесь? — спросил я нетерпеливо, понимая, что вот мы и подошли к главному, из-за чего меня сюда позвали.

Но Грегори не ответил. Он открыл ящик письменного стола, достал из него чистый лист бумаги, вставил его в пишущую машинку, развернул ее ко мне клавиатурой и только после этого сказал:

— Что будет здесь в ближайшее время, я смогу вам сказать только после того, как вы напишете мне расписку о добровольном сотрудничестве и неразглашении. При этом я еще раз настойчиво повторяю, что вы не американский гражданин и я не имею права оказывать на вас никакого влияния, а по новому Исполнительному постановлению не имею права даже просить вас о кооперации...

— Грегори, cut the shit*! — перебил я. — В чем дело? Диктуйте расписку.

_____
* давайте без трепа *(англ.)*.

298

— Хорошо, — сказал он, — пишите. Точнее, печатайте.

И я напечатал:

ПОДПИСКА О СОТРУДНИЧЕСТВЕ И НЕРАЗГЛАШЕНИИ

Я, Вадим Плоткин, без гражданства, прибывший в Рим 5 февраля 1979 года по советской выездной визе № 5704-АЗ, письменно подтверждаю, что добровольно и по собственному желанию соглашаюсь помогать сотрудникам Американского посольства в Риме в операции «Pupil». При любом исходе этой операции обязуюсь в течение последующих 20 (двадцати) лет сохранять в тайне все её обстоятельства, никогда не упоминать об этой операции ни в печати, ни в своих фильмах, ни в разговорах даже с самыми близкими друзьями и родственниками.

Подпись:
(Вадим Плоткин)

27 марта 1979 года
Американское посольство в Риме,
виа Венето, Рим, Италия

Отпечатав этот исторический документ, я расписался и протянул его Грегори.

— Ну? — сказал я нетерпеливо.

— «Ну, милая, трогай!..» — усмехнулся он, демонстрируя свое знание российской словесности.

Я промолчал. Грегори бросил мою расписку в ящик письменного стола и протянул мне другой лист бумаги — плотный, с водяными знаками и с маленьким гербом ЦРУ вверху. Текст на этом листе был отпечатан четким типографским шрифтом самой последней — «кулачковой» — модели пишущей машинки, но читал я его медленно, поскольку переводил с английского:

Мистеру Грегори Черни, срочно, суперсекретно

По нашим сведениям, Москва заслала в Италию каннибала, с тем чтобы 10—11 апреля, во время еврейской Пасхи, он под видом еврейского эмигранта совершил ритуальное убийство итальянского ребенка.

Никаких дополнительных сведений, к сожалению, не имеем...

58

Москва, Центр, Иванову

В Риме повсеместно происходят многотысячные коммунистические митинги и демонстрации, Профессор и его ассистенты призывают к национальной забастовке.
Ваш Турист прибыл 27-го. Проходит стандартные процедуры.

Италия, Рим, 28.03.79

59

Через час я вышел из посольства другим человеком. Я знал, что чуть выше по виа Венето, в доме на противоположной стороне, в окне его третьего этажа, находится НП советской разведки, что оттуда круглосуточно наблюдают за Американским посольством, прослушивают все его телефонные разговоры и специальной аппаратурой снимают звуковую информацию со всех его окон. Поэтому любые мало-мальски секретные разговоры сотрудники посольства проводят в комнатах без окон и без телефонов. Я знал, что там, в советском НП, зарегистрированы все мои встречи с Грегори Черни во время его обеденных перерывов, да и остальные, возможно, тоже. И теперь я выходил из посольства уже не на улицы вольного Рима, а словно на вражескую территорию, наполненную сотнями тайных советских, чешских, болгарских и восточногерманских шпионов, тысячами итальянских, арабских, японских и прочих террористов и еще миллионом итальянских коммунистов.

«Касабланка» переселилась в Рим, и я слегка трусил и старательно бодрился, как юный любовник перед первым постельным испытанием.

А виа Венето была такой же, как раньше, — с медленным потоком роскошных машин, с глянцевыми витринами роскошных магазинов и ресторанов, с богатыми туристами, которые, сидя в уличных кафе, попивали холодные соки в высоких запотевших бокалах и крохотные чашечки кофе-эспрессо по четыре мили за чашку, и с голенастыми, темноглазыми итальянскими студентками, которые походкой загорелых Афродит несли себя по улице навстречу весеннему солнцу и любовным приключениям.

Но все это, абсолютно все может измениться ровно через две недели — 11 апреля, в день нашей Пасхи. Все это может быть снесено погромами и революцией, если...

Но как, как найти этого вампира и монстра, которого вместе с нами, эмигрантами, прислала сюда Москва?

Ведь нас тут одиннадцать тысяч — это же как иголку искать в стоге сена и даже хуже — иголку можно обнаружить магнитом, металлоискателем. А чем и как обнаружить садиста, «зомби», психа и робота?

Конечно, кое-что американцы делают. В посольстве сидит бригада из четырех человек — Грегори, консул «Жванецкий» и только что прибывшие из Вашингтона специальный агент ЦРУ Питер Хеппс и цэрэушный врач-психиатр. Они спешно пересматривают все файлы эмигрантов, буквально через лупу изучают наши фотографии, а с завтрашнего дня вызывают в ХИАС на дополнительный медицинский осмотр всех мужчин-эмигрантов в возрасте от семнадцати до пятидесяти лет. Но даже руководство ХИАСа не посвящено в истинную причину этого осмотра, им сказано, что американский дерматолог будет осматривать мужчин на предмет венерических и кожных заболеваний. Хотя подлинная цель, конечно, одна — выявить мужчин без обрезания и провести всех подозрительных через lye-detector*. Я, правда, высмеял эту затею и сказал, что в КГБ не такие идиоты — уж если там затеяли *такую* операцию, то

_____
* детектор лжи *(англ.)*.

или нашли еврея-вампира, или сделали обрезание вампиру не-еврею.

— Еврей-каннибал быть не возможно! — пресек меня консул «Жванецкий» почти враждебно, его русский был хуже, чем у всех остальных.

— Спасибо, — ответил я. — Но если вы выбрали меня консультантом по советской психологии, то расскажите, как вы представляете себе развитие событий.

— Пожалуйста, — сказал Грегори. — Какую цель ставит КГБ перед этой операцией? Одиннадцатого апреля или, еще лучше, десятого, накануне Пасхи, происходит кровавое убийство итальянского ребенка. При этом убийство должно быть совершено если не на глазах, то под самым носом полиции, чтобы убийца сразу попал в их руки, а журналисты, завербованные Москвой и Прагой, могли тут же расписать все доказательства вашей вины: вампир — эмигрант из России, который на Пасху пьет кровь католического ребенка. Пресса в Италии, да и по всей Европе, поднимет невероятный шум, пара террористических групп начнут еврейские погромы, и — пошло-поехало! Полиция, конечно, будет обязана вас защищать, но возмущенный народ единым порывом сметет и полицию, и правительство. И тогда коммунисты возьмут власть в свои руки и «наведут порядок». А оставшихся в живых евреев (если такие будут) соберут в резервацию и спешно отправят либо в Израиль, либо назад в Россию, поскольку ни Америка, ни Канада, ни Австралия «убийц» и «вампиров», конечно, не возьмут...

Я ужаснулся простоте и логичности этого сценария, но сказал:

— Замечательно. Так неужели ради такой операции они не сделают обрезание своему вампиру?

— Наверно, сделают... — заметил Питер Хеппс, высокий пожилой мужик с профилем Пастернака, который все это время явно присматривался ко мне, и я предположил, что он какая-то шишка в русском отделе ЦРУ: его русский был совершенно правильный, но какой-то стерильно-правильный и без всякого сленга, которым так любит щегольнуть Грегори. — Но здесь есть второй вопрос, — продолжал он. — Как может убийца совершить преступление под носом полиции? — И он повернулся к доктору: — Он что — камикадзе? Такое возможно?

— Запросто, — ответил врач-психиатр настолько по-русски, что мне показалось, будто я сижу на редакционном совещании в «Мосфильме» или даже в КГБ. — В Нью-Йорке есть известный психиатр Эстабрук, он издал книгу «Гипноз», где утверждает, что специально подобранному и подготовленному субъекту можно ввести определенную информационно-деятельную программу и прикрыть ее внушенной амнезией. То есть до самого последнего момента вампир может не знать, что он вампир и что ему предстоит сделать.

— А как он потом будет это узнавать? — спросил консул.

— Мало ли! — пожал плечами врач. Маленький и крупноголовый, он был похож на Ролана Быкова и скорее всего был таким же советским эмигрантом, как и я, только уехавшим из СССР лет десять назад. — Ему могут дать команду по телефону, — продолжал он. — Или с помощью телепатии. Или он вообще может быть запрограммирован на какое-то число. Скажем, десятого апреля в десять вечера выйти из дома, отсчитать десятое окно от угла, влезть в это окно и убить ребенка.

— А до этого он будет действовать как нормальный человек? — спросил Грегори.

— Да, — сказал врач.

— Но как же вы будете его определять?! — воскликнул консул.

— Профессиональный гипнолог может вскрыть внушенную амнезию и добраться до истинной личности, — ответил врач, болтая ногами в высоком кожаном кресле. — Она называется «личность хозяина». То есть скорее всего мы будем иметь дело с раздвоенной личностью: одна — это личность привнесенная, в данном случае — личность усредненного еврейского эмигранта, а вторая — основная, то есть личность хозяина, и в данном случае личность вампира. При этом первая личность, как правило, не знает о существовании второй, а вторая, то есть личность хозяина, знает о первой и презирает ее. И на этом противоречии чаще всего удается «поддеть» испытуемого во время гипноза.

— Но это при экспериментах с одним человеком! — сказал Грегори. — А здесь две тысячи мужчин подходящего возраста! Если каждого гипнотизировать — это на десять лет! А у нас две недели, даже меньше!

— Знаете что? — вмешался я. — Мне кажется, тут есть какая-то драматургическая неточность. Не может КГБ послать в

Италию или вообще в Европу монстра и командовать им издали по телефону, с помощью телепатии или даже заранее внушенной программы. Может быть, у вас такое возможно, но у нас... Как говорил Станиславский, «нет, не верю». Вот я представляю себя на месте советского полковника или даже самого Андропова. Ну как я пошлю на Запад этого убийцу одного, без контроля? Ведь они даже своих партийных туристов пускают на Запад только в сопровождении гэбэшных надзирателей! Нет, этого вампира должен кто-то вести, вот что я вам скажу!

— Good! — энергично воскликнул Грегори, явно гордясь тем, что я начал оправдывать их доверие и выбор.

— Any unusual activity at the Soviet Embassy?* — негромко спросил Питер Хеппс, повернувшись к консулу, и до меня наконец дошло, что этот консул «Жванецкий» ни больше ни меньше как резидент ЦРУ в Риме.

— No... — отрицательно покачал головой консул.

— Значит, ведущий приехал сюда вместе с вампиром, — сказал Грегори. — То есть они могут тут быть под видом отца и сына, братьев, кузенов.

— Или просто друзей, — заметил доктор.

— Нет, просто друзей — нет, — возразил я. — Просто друзей могут разъединить в Вене, как меня разъединили с моим другом Кареном. Его отправили в Рим раньше, а меня только несколько дней спустя.

— Well! — ободренно сказал консул и посмотрел на гору папок, которые лежали перед нами на столе в conference-room**, куда Грегори привел меня после того, как я подписал бумагу о неразглашении и сотрудничестве. — Значит, circle сужается....

— Н-да... Это все хорошо, конечно... — хмуро произнес Питер Хеппс и почему-то спросил именно у меня: — Как вы насчет пиццы, мистер Плоткин?

— Я как все, — ответил я, хотя при слове «пицца» у меня в желудке брызнуло фонтанами желудочного сока.

— Just a sec!*** — сказал Грегори и вышел из комнаты.

_____

* Есть что-нибудь необычное в деятельности Советского посольства? *(англ.)*

** комнате для заседаний *(англ.)*

*** Минутку! *(англ.)*

Питер встал, прошелся от стены до стены. В этой комнате тоже не было ни окон, ни телефонов, но тут стояла хорошая итальянская мебель, кожаные кресла и книжные стеллажи с английскими, американскими и итальянскими энциклопедиями, юридической и даже художественной литературой, и среди этих книг я тут же углядел новенькое американское издание «Архипелага ГУЛАГ» А. Солженицына.

— Н-да... — произнес Питер, поглядев на меня, и я почему-то ощутил вину за всю нашу еврейскую эмиграцию — вот ведь сколько хлопот из-за нас на их, американскую, голову! — Мистер Плоткин, а вы почему уехали из СССР?

Так, начинается, подумал я. Как будто он не видел моих анкет, автобиографии, сведений о моих двух запрещенных фильмах и всего прочего, что лежит в моей папке.

Эти мысли, конечно, тут же отразились на моем лице, поскольку в силу своего повышенного кровяного давления я никогда не умел и не умею сдерживать эмоции (или наоборот), и потому Питер поспешно сказал:

— Нет, я не для анкеты спрашиваю, а так просто, по-человечески...

Я усмехнулся:

— А вот я так просто, по-человечески, и уехал. Чтобы жить по-человечески.

— То есть не потому, что вы еврей? — уточнил он. — Ведь вы же не религиозный человек, так?

— Знаете, Питер, в вашем вопросе тоже есть некоторая неясность. Это у вас в Америке все американцы, а еврей — это определение религии человека. А в России это определение нации. И поэтому там я еврей не по религии, а по факту рождения от мамы и папы — евреев. Даже если я приму мусульманство или буду с утра до ночи есть только свинину, я все равно буду еврей — хоть тресни!

— Ну хорошо, а здесь? — не отставал он. — Здесь вы кем себя считаете? Вы говорите на идиш?

— Нет, — сказал я, начиная внутренне стервенеть. — Я не говорю на идиш, я не знаю иврит, я не умею молиться и соблюдать кошер и еврейские праздники, но это не моя вина. В СССР нет еврейских школ, и вместо Шолом-Алейхема, Квитко и Переса я в детстве учил наизусть Шевченко, Коцюбинского и Рыльского. Могу вам хоть сейчас почитать: «Як умру, то поховайтэ менэ у могили...»

— Не нужно, не нужно! — замахал он руками. — Значит, вы не еврей, вы украинец, так?

— Дудки! — ожесточился я, хотя и понимал, что он шутит. — Я еврей потому, что я так решил! Между прочим, могу рассказать вам такую историю. В Москве был художник Иван Иванов, чистокровный русак из деревни Ивановка Ивановской области. Но однажды он пришел в ОВИР с израильским вызовом в руках и заявлением об эмиграции. Минутку, сказали ему, какой Израиль? Вы же русский! «Нет, — сказал Иванов, — я еврей». Позвольте, сказали ему, какой же вы еврей, если вы Иван Иванов из деревни Ивановка Ивановской области?! «А я все равно еврей», — сказал Иванов. Бросьте, сказали ему, ваша мама — Мария Ивановна, а папа — Иван Петрович. Ну какой вы еврей? Но Иванов стоял на своем: «Я еврей, и точка!» Ему говорят: хорошо, если вы еврей, скажите нам пару слов на иврите или хотя бы на идиш. И знаете, что он сказал? Он сказал: «А вы думаете, этим определяется еврейство? Вы думаете, что еврей — это только тот, кто блюдет кошер, соблюдает субботу и ходит в синагогу? Да, может быть, когда-то, когда Он выбрал нас из тьмы язычников и явил Моисею свои знамения, Он мог диктовать: соблюдай субботу, не ешь трефного, молись утром такой-то молитвой, а вечером такой-то. Но с тех пор прошло шесть тысяч лет, и никаких Его знамений лично я не вижу, больше того — я вижу Холокост и арабские войска на границе Израиля. И если я тем не менее говорю вам, что я еврей и выбираю Его изо всех куда более модных богов, то кто может сомневаться в моем еврействе?» И что вы думаете? Его выпустили из СССР как еврея. Больше того — он таки уехал в Израиль!

— Браво! — сказал доктор. — А вот и пицца!

Действительно, Грегори принес огромную плоскую картонную коробку с пиццей величиной, наверное, с автомобильное колесо и полдюжины алюминиевых банок кока-колы, скрепленных пластиковой обвязкой.

Невзирая на религиозные различия, мы дружно налегли на пиццу (при этом я, конечно, тут же вымазал брюки горячей томатной пастой), а Питер Хеппс сказал:

— Мистер Плоткин, как вы относитесь к тому, чтобы создать бригады еврейской самообороны?

Кусок пиццы застрял у меня в горле.

— Что-о??!

— Понимаете, Вадим, — он впервые перешел с фамилии на имя, подчеркивая, видимо, крайнюю доверительность этого разговора, — честно говоря, шансов на то, что мы выявим этого вампира путем физиогномики и гипноза, не так уж много. А дело крайне серьезно, крайне... — И его светлые глаза остановились на мне в ожидании ответа.

Я оглянулся на остальных, но и они все уже перестали жевать и смотрели на меня выжидательно.

— Но я... Я же не военный... Я режиссер...

— Вот именно, — сказал Питер. — У вас должен быть организаторский опыт. — И тут же перешел к инструктажу, словно вопрос был уже решен: — Понимаете, Вадим, мы не можем поставить в известность об этом вампире итальянское правительство и полицию, вас всех в этом случае немедленно вышлют из Италии. Мы не можем за две недели вывезти вас всех в США, да и нам в Америке этот вампир не нужен. И мы не можем сообщить о нем руководству ХИАСа, потому что они тоже не американские граждане, мы не можем обязать их молчать, а при малейшей утечке информации здесь начнется такое... Остается самооборона, понимаете?

— Спасение утопающих — дело рук самих утопающих, — усмехнулся доктор, но я не понял, куда был направлен его сарказм — в мою сторону или в сторону Хеппса.

Впрочем, это не имело значения, тем более что Хеппс продолжал:

— Сложность заключается в том, что и вы не можете никому сказать о реальной угрозе. Иначе паника среди эмигрантов будет такой, что тут снесут ворота посольства.

— Но как же тогда собирать эти бригады? — спросил я растерянно.

— Вы же сами излагали в ХИАСе, что вашу молодежь нужно чем-то занять, чтобы она не слонялись без дела по улицам, — сказал Питер, и я понял, что моей персоной тут занимались всерьез. — А конфликты ваших эмигрантов с коммунистами Ладисполи, Остии и Рима уже достигли такого накала, что бригады самообороны вам пора создавать и без появления вампи-

ра. Давайте мы поступим согласно вашему собственному пред-
ложению и сделаем вас... Как вы там говорили в ХИАСе? — Он
заглянул в свой желтый линованный блокнот. — Вот! Полно-
мочным представителем ХИАСа в Ладисполи. Это даст вам
возможность для любой активности.

— Нет, — сказал я. — Люция Фалк и мадам Ботони приезжали в Ладисполи из ХИАСа уговаривать евреев вести себя
ниже травы и тише воды, но это ничего не изменило. А уж тем
более я, да и любой другой эмигрант, — мы ничего от имени
ХИАСа сделать не сможем. Единственное, что может повлиять на нашего брата-эмигранта, — это какие-то мои полномочия от вас, от Американского посольства.

— Нет, нет! — замахал руками консул. — Никаких формальных credential от посольства! No way!

— Я знаю, что нужно сделать, — сказал доктор. — Мы все
поедем с Плоткиным в Ладисполи и будем присутствовать при
его первых действиях. Просто присутствовать, не вмешиваясь.
Но этого будет достаточно. — И он повернулся ко мне: —
Правильно я говорю?

«Психиатр, психиатр, а не дурак!» — хотел сказать я, но,
конечно, сдержался.

И вышел из посольства руководителем еврейской самообороны.

60

Москва, Центр, Иванову

*Национальная забастовка объявлена. Операция «Дрозд»
началась.*

Ваш Турист поселился в Ладисполи. Жду Экскурсоводов.

Италия, Рим, 29.03.79

308

61

*Пятница, 30 марта**

Писать некогда, да и нельзя — я дал подписку о неразглашении. Поэтому пишу наспех и только «узелки для памяти».

Не было бы счастья, да несчастье помогло.

Утром 28 марта случилось ЧП.

Нет, нужно начать с другого.

Как происходит отправка эмигрантов из Ладисполи в США? Накануне или за сутки-двое в ХИАСе вывешивают списки отъезжающих, и аналогичный список появляется на щите возле фонтана в Ладисполи. В день отлета, рано утром, отбывающие выносят из квартир на улицу свои толстенные чемоданы и баулы, снабженные бирками с их именами и набитые замечательной итальянской одеждой и обувью, неаполитанскими инкрустированными столиками и ювелирным ломом — то есть всем тем, что эмигранты накупили в Италии на «первые пару лет» борьбы за жизнь в США. Примерно в 7.30—8.00 утра появляется грузовой автобус ХИАСа, он объезжает улицу за улицей, двое грузчиков споро собирают этот багаж, а эмигранты налегке идут к фонтану, где садятся в комфортабельный хиасовский автобус и вслед за своим багажом отбывают в аэропорт имени Леонардо да Винчи, откуда чартерный «боинг» уносит их в вожделенные Соединенные Штаты, в Канаду или в Австралию.

Два месяца на моих глазах эта процедура происходила еженедельно без сучка без задоринки, и я поражался, как все правильно и толково организовано.

28 марта в 7.30 утра грузовой автобус объехал Ладисполи, собрал багаж эмигрантов и отбыл, а в 8.00 появился второй грузовой автобус — хиасовский. Можете себе представить, что началось, когда эмигранты поняли, что их обокрали, что итальянская (или еврейско-русская) мафия прямо на их глазах увезла все их вещи!

---

* С этого момента записи В. Плоткина датированы, но носят отрывочный характер, а такие выражения, как «вампир», «агент ЦРУ Питер Хеппс» и т.п., зашифрованы, и только близкое знакомство с автором позволило мне восстановить (хотя и не полностью) последующую цепь событий. — *Э.Т.*

Крик, скандал, истерики и обмороки мне описывать некогда. Людей обокрали до нитки, это легко представить и описать. Часть пострадавших людей улетела, часть отправилась в Рим требовать у ХИАСа компенсацию, но стихийный тысячный митинг у фонтана не расходился, и только тогда, когда на площади появилась большая американская машина «бьюик» и из нее вышли американский консул «Жванецкий» и Грегори Черни, которых тут все знали, поскольку проходили собеседование в Американском посольстве, — только тогда толпа смолкла и обратилась лицами к ним, как к верховной власти.

Но ни Грегори, ни «Жванецкий» выступать не стали, а подтолкнули к фонтану меня. Я встал на каменную ограду фонтана и сказал:

— Товарищи!..

Толпа хмыкнула, раздались насмешки:

— Мы уже не товарищи!.. Мы господа!..

Но поскольку все видели, что меня выдвинул на трибуну сам консул, это были не враждебные выкрики, а выжидательные.

— Нет! — сказал я, понимая, что ляпнул, конечно, не то и нужно выходить из положения. — Нет, мы все тут *товарищи* по несчастью! Потому что господ по несчастью не бывает!..

Толпа это приняла, лица смягчились.

— Я не буду объяснять вам ситуацию, в которой мы все тут оказались. Вы ее знаете не хуже меня, — сказал я, ободрившись. — Отношение итальянских коммунистов к нашему брату накалилось уже до того, что по утрам нас не пускают в автобусы, на стенах появились погромные надписи, стихийные драки и грабежи стали будничным явлением, а теперь вот за нас принялась и мафия — сегодня ограбили сразу двести семей. О чем это говорит? Давайте называть вещи своими именами. Своим присутствием в Италии мы стали для местных коммунистов просто бельмом на глазу! И поэтому находимся в двух шагах от погромов — да, погромов! — вот о чем это говорит!

Слово «погром» имеет для еврейского слуха особое значение, толпа смолкла окончательно и даже как-то отшатнулась. Все снова посмотрели на американского консула, Грегори Черни и еще двух американцев, приехавших с ними на большой американской машине «бьюик». Их присутствие придавало моим словам силу официального сообщения, хотя они стояли с непроницаемыми лицами.

Я продолжил:

— Я не буду произносить тут длинные речи, я не Брежнев. Вот представители Американского посольства, я попросил их приехать сюда, чтобы они убедились в создавшейся ситуации и поняли, что у нас нет другого пути, как, стоя перед лицом возможных погромов, создать свои отряды самообороны. Правильно я говорю, товарищи? Скажите им сами!

Нужно ли говорить, что такой психологический трюк сработал на все сто: люди повернулись к консулу и стали говорить, выкрикивать и доказывать, что «да, нам нужны дружинники! А что? Мы не хотим, чтобы нас тут всех стали резать, как в Белоруссии! Если вы не можете нас защитить, мы сами себя защитим!». Ну и так далее...

Из-за спины Питера Хеппса доктор-психиатр показал мне большой палец. Я ободренно крикнул:

— Гинук! Хаверы!* Слушайте сюда! Американцы вам ничего не ответят. Это же не Америка, они не имеют тут права давать нам какие-то полномочия или советы, как действовать. Они приехали, все увидели и поняли — что вы еще от них хотите? Но пока они здесь, давайте покажем им, что и мы поняли их и тоже чего-то стоим. Чтоб они знали, что за товар они везут в США! — Я вытащил из кармана блокнот и громко спросил: — Итак, молодежь! Кто имеет спортивные разряды или служил в армии? Смелей! Девушки любят смелых!

— Ну, я служил... — послышались голоса.

— У меня разряд по боксу...

— У меня по плаванию, годится?

— У меня «черный пояс»...

— А девушек записываете?..

Я записывал фамилии и поражался тому, что слышал: оказывается, вся эта великорослая «шпана», все эти Гуревичи, Рабиновичи, Абрамсоны и Абрамовичи — то ли в связи с эмиграцией, то ли еще до того, в связи с ростом бытового и уличного антисемитизма в СССР, — все ходили в спортивные секции и занимались боксом, карате, самбо. Даже девочки...

Что ж, теперь это пригодилось.

—————————

* Тихо! Мужики! *(евр.)*

Больше того: через десять минут в моем списке появились три профессиональных тренера по боксу и легкой атлетике, пять десантников — бывших сержантов и офицеров Советской Армии, и один мастер спорта по гимнастике, кандидат спортивных наук (я даже не знал, что есть и такие!) и бывший аспирант Московского института физкультуры и спорта! Как, вы думаете, его фамилия? Правильно — Абрамович! А знаете, почему он уехал? Потому что ему не дали защитить докторскую диссертацию, сказали: «Абрамович — доктор спортивных наук? Нет, это не звучит...»

Дорогой Вадя! Если бы я могла, я бы послала тебе фотографии Аси, когда она играет у Феликса, когда она катается в парке верхом на живой лошадке, когда она наряжается в одежду, которую ты прислал. Но у меня нет карточек...

Мы здоровы и бодры, учим программу к конкурсу. Записались в балетную студию. Начала кампанию по устройству на работу, завела на это всех, кого могла. Посмотрим... Ида Борисовна привезла сумку с вещами, которыми ты ее нагрузил в Ладисполи. Спасибо, что она их дотащила, но она с такой неприязнью и завистью смотрела на наш быт «высшего класса» новоприбывших и расспрашивала меня про всякие мелочи — сколько мне стоит то, и сколько стоит это, — что мне даже было неудобно, ведь я же не «узница Сиона», а попала в этот привилегированный ульпан только за Асины таланты...

У нас сейчас все хорошо, сырое время прошло, становится даже жарко. Ася сказала: «А можно я попрошу у дяди Вадика купальник?» А я даже забыла, что это бывает!..

Вся одежда, которую ты прислал, — как раз, спасибо. Но больше не надо, теперь у нас все есть, нам не сносить столько свитеров и прочего. И не трать деньги на открытки с видами Рима, это не помогает. Ида Борисовна сказала, какое ты получаешь пособие, и выходит, что я получаю больше тебя — мы получаем порядка $150 в месяц, но у нас дешевая кухня-столовая и прочие скидки. Так что остановись!

Сейчас мы с Асей вернулись с концерта. Недалеко (пешком) обнаружили концертный зал, и время концертов не позднее — 17.00, как раз для Аси. Теперь по субботам ходим с ней на вечера камерной музыки. Ася в Москве не была на таких концертах, а сейчас это близко и возможно. *Слушает хорошо — не вертится, пользуется вниманием окружающих. Публика этого района — старые интеллигенты, все хотят ей что-то сказать, погладить. Первый ряд здесь только для членов семей выступающих, но ее посадили в первый ряд! Концерты эти — недешевое удовольствие, но раз она слушает, буду водить. Все говорят, что это счастье — ребенок 1,5 часа сидит и слушает камерную музыку. Тьфу, тьфу, тьфу...*

Появилось несколько приятных и разумных знакомых. Они уделяют нам много внимания, готовы помочь чем могут. К одной можем ходить играть на фортепиано, к другим — шить и учить иврит, третья сама прошла всю нашу дорогу пять лет назад и теперь нам все подсказывает. Люди случайные, но оказались ближе других...

Что ж, кажется, я написала обо всем, только вот о покое на душе не написать. Его нет. Я тут читаю всю эту макулатуру о проблемах сионизма, но когда я прочла слова профессора из Иерусалимского университета: «Может, все евреи собрались в одном месте, чтобы нас было легче разом уничтожить», — сам понимаешь, каково мне теперь брать в руки местные газеты. Когда там напишут, что подписан договор о мире и что кубинские войска вернулись домой, тогда я буду покупать за 4 лиры газету и даже на иврите!..

ТЮЛЬПАНЧИК! Я ОЧЕНЬ РАССТРОИЛАСЬ, КОГДА ТЫ НАПИСАЛ, ЧТО ЕСЛИ НЕ БУДЕШЬ ПОЛУЧАТЬ НАШИ ПИСЬМА, ТО ТЫ НАМ НЕ БРАТ! И ДАЖЕ ХОТЕЛА ПЛАКАТЬ. ДЯДЯ ВАДЯ, СКАЖИ, ЕСЛИ ТЫ ЗНАЕШЬ, КАК ТЫ МОЖЕШЬ ПОЛУЧАТЬ ПИСЬМА, ЕСЛИ У ВСЕХ ЗАБАСТОВКА И ПОЧТА НЕ РАБОТАЕТ? МЫ ПИСАЛИ, А ПОЧТА НЕ РАБОТАЛА.

В БАЛЕТНОМ МАГАЗИНЕ МАМА ОБМЕНЯЛА БАЛЕТНЫЕ ПУАНТЫ ИЗ МОСКВЫ НА БАЛЕТНЫЕ ТАПОЧКИ. ОНИ (ТАПОЧКИ) ТЯНУТ МЕНЯ ТАНЦЕВАТЬ. У МЕНЯ ВЫПАЛ ЗУБ ПРЯМО В ЭКСКУРСИИ, КОГДА МЫ ПОЕХАЛИ В КИБУЦ. ЗДЕСЬ ЕСТЬ «ПРАЗДНИК МАМЫ», ЭТО КАК 8 МАРТА. И МЫ В ШКОЛЕ ВЫСТУПАЛИ В ЗАЛЕ. Я ВЫСТУПАЛА И ДВА МАЛЬЧИКА НА СКРИПКЕ, А Я ВЫСТУПАЛА ТРЕТЬЯ. КОГДА Я ИГРАЛА, МЕНЯ ВЫЗЫВАЛИ НА БИС. АУ! АУ! ГДЕ ТЫ — В АМЕРИКЕ ИЛИ ЕЩЕ В РИМЕ? ЦЕЛУЮ МНОГО. РОМАШКА.

Все-таки американцы тоже не лыком шиты. Они решили, что вампир, засланный КГБ, не может приехать сюда семейным человеком с детьми, и за пять дней из Ладисполи выбыли все эмигранты с малышами — без всякой дополнительной проверки. Инна, Илья и Юлька улетели в Сидней, причем Инна даже не зашла попрощаться — наверное, кто-то стукнул ей про появление Сильвии. Да и как (а главное, зачем?) это скрывать? Сильвия вновь прикатила ко мне в субботу к ночи (они с Эльжбетой работают на сборке телевизоров шесть дней в неделю по десять часов в день за треть той зарплаты, которую потребовали с хозяина бастующие рабочие) и осталась у меня до утра понедельника, бегала каждые три часа на пляж, тащила и меня плавать в море (жуть какая холодная вода!) и приготовила мне польские «голомбки».

Но дело, конечно, не в голубцах-«голомбках», дело в Сильвии.

....

....
...О, Сильвия! О-О-О-О!..

....

Матка боска! Разве это можно описать? Это же ураган, цунами, буйство, безумие, исступление и нон-стоп черт-те что! Это не смогли бы описать ни Мопассан, ни Набоков, ни Генри Миллер! Теперь понятно, почему она может плавать в мартовской воде Средиземного моря — у нее температура тела не 36,6, как у людей, и даже не 42, как у собак, а ровно 100 градусов, просто кипяток в крови и во всех остальных местах! Она меня загоняла, зацеловала и залюбила! Если я выжил за эти две ночи, то только чудом!

Но я все-таки выжил, черт возьми, и, выжив, тут же хвастливо подумал: так вот почему поляки еще большие антисемиты, чем русские и украинцы! Они просто не могут выдержать своих полячек...

Да, забыл сказать: мы с Сильвией так разгулялись, потому что Леня, Вера и Ник тоже улетели, а Саша Ютковский буквально за день до всех этих событий отбыл по чикагскому общинному вызову. Кстати, не забыть бы, еще одна деталь для фильма — ну-ка, господа голливудские сценаристы, угадайте с трех раз, что поют еврейские эмигранты перед отлетом из Италии в США?

Проводы обязательны, это уже ритуал, мы собрались у Юры Р. — десять человек, три бутылки вина, печенье, яблоки и мандарины на столе. Господи Боже мой, видели бы нас советские антисемиты, видели бы эту вечеринку в России те, кто сидит и ждет разрешения на отъезд! Завтра — самолет в США, «Боинг-707», вон он, через залив, стоит на аэродроме имени Леонардо да Винчи, техники, наверное, уже заправляют его горючим. А здесь — после всех недавних баталий с ОВИРом, грузовой, Шереметьевской и Брестской таможнями — что же мы поем, улетая на нашу новую родину?

— Летя-ат утки-и-и-и... Летят у-утки и два гу-у-уся...

— Тбилисо! В лучах рассвета Тбилисо...

— Запрягайте, хлопци, коней, та лягайте спочивать...

— Пишут мне, что ты, тая тревогу, загрустила шибко обо мне...

— В тумане скрылась милая Одесса...

И еще — Окуджаву, Высоцкого, Матвееву, Галича...

— Ах, Надя, Наденька, мне б за двугривенный в любую сторону твоей души!..

Евреи... Евреи, русские душой, неисправимые евреи. Я предложил спеть «Хава нагилу» — спели, сбиваясь на «семь сорок», и снова перешли на родное «Гоп со смыком — это буду я...»...

Интересно, а что пели евреи, которых Моисей вывел из Египта? Небось тоже что-нибудь египетское...

Как бы то ни было, а моя квартира опять опустела — делай что хочешь, гуляй по буфету (и по трем постелям, что мы с Сильвией и делали!) или пиши свой гениальный сценарий — за окном, на пляже, тоже стало совершенно тихо. Теперь там никто не кричит: «Миша, скушай яблочко!», «Сара, жуй!» и «Рафик, ты будешь кушать или я позову карабинера?!»

Но писать я, конечно, не могу, нет сил, да и голова теперь занята совсем другим — этим гребаным вампиром. Как его искать? Где?

Кое-как собравшись, я в понедельник утром выполз на улицу на полусогнутых, как полуживой краб выползает на берег после ночного шторма. (А Сильвия — хоть бы хны! — ус-какала в 5 утра к первой электричке.) Я выполз и обнаружил, что город тоже изменился, стал похож на прифронтовой...

Среда, 4 апреля

...Похоже, людей действительно нужно бить и пугать по-громами, только тогда они живо превращаются в цивилизован-ных, вежливых и доброжелательных друг к другу *товарищей* по несчастью. Теперь по Ладисполи ходят наши молодежные пат-рули — без всяких нарукавных повязок, без каких-либо отли-чительных значков или особой формы одежды. Просто идут по улице команды по шесть человек, но вы как-то сразу пони-маете, что это не компания «гоп со смыком», а патруль. Бе-зоружный, никем не санкционированный и все-таки весьма властный патруль, который следит вроде бы только за свои-ми эмигрантами. Ну, правда, ребята тут же, в первый же день, закрасили или стерли со стен и заборов все антисемитские и антирусские надписи... И что вы думаете? Итальянцы нас пра-вильно поняли — ни одной надписи больше не появилось!

Впрочем, моих заслуг в этом нет. Всю оргработу взяли на себя Ефим Абрамович и мой тезка Вадим Гурвич, бывший ка-питан десантных войск. Это они разбили наших ребят на «ше-стерки» с девушкой в каждой группе (ребята гуляют с девуш-кой, какая полиция может к этому придраться?), это они про-водят с ними тренировки на пляже (утренняя гимнастика, до-ступно для всех, если итальянцы хотят принять участие — пожалуйста, у нас все бесплатно!), и это они создали опера-тивный штаб при крохотном еврейском клубе «Кадима» на виа Палермо, где сотрудники римского «Сохнута» периодически проводят лекции об Израиле, уговаривая эмигрантов ехать на историческую родину. Но и этот штаб в «Кадиме» выглядит вполне цивильно — ну сидит в библиотеке клуба дежурный у телефона, книжку Бегина читает и отмечает в своей тетрадке: кто где дежурит, на каких улицах и с какого по какой час. Правда, тут же сидят еще три девушки, тоже с книжками, а на улице стоят их велосипеды — на случай экстренных связных надобностей. Но и тут — никаких тайн, никакого оружия. Да, мы следим за порядком в своей эмигрантской общине, чтобы не нарушать покой вашей прекрасной страны. Какие у вас возражения? Вы же видите — в городе кончились скандалы и драки, прекратилось воровство в магазинах...

62

56

СОВЕРШЕННО СЕКРЕТНО
ЗАШИФРОВАНО

Москва, Центр, Иванову

Национальная забастовка началась — бастуют рабочие текстильных, швейных и радиоэлектронных предприятий, школьные учителя и медсестры. С завтрашнего дня выходят на забастовку транспортные рабочие, банковские служащие и служащие государственных предприятий. Правительство предпринимает судорожные усилия, чтобы предотвратить полный паралич транспорта и экономики. Лира стремительно падает. Профессор и его ассистенты круглосуточно выступают на митингах и готовятся к Особым обстоятельствам.

Все мои сотрудники работают с перенапряжением, прошу срочно прислать резервы и вообще всех, кого можно.

Экскурсоводы прибыли. Главный Экскурсовод живет у себя во Французском районе, экскурсовод-2 поселилась в отеле у моста Палантино.

В Ладисполи и Остии наблюдается большое оживление эмигрантов. В связи с конфликтами и враждебным отношением к ним местных жителей, о чем я доносил многократно, созданы бригады самообороны. Либо это результат обостренной еврейской интуиции, либо инициатива ЦРУ — в Ладисполи на стихийный митинг, возникший после похищения багажа у 200 туристов, прибыли сотрудники Американского посольства агент ЦРУ Грегори Черни, консул Макс Леви и два неустановленных лица, фотографии которых посылаю диппочтой для идентификации. При их поддержке руководителем бригад самообороны

стал бывший режиссер «Мосфильма» Вадим Плоткин, замечен-
ный в постоянных контактах с агентом ЦРУ Грегори Черни. Его
заместители: бывший аспирант Московского института физкультуры и спорта Ефим Абрамович и бывший капитан десантных
войск Вадим Гурвич из Феодосии. Последний, как я понимаю,
выпущен из СССР за взятку. Бригады самообороны патрулиру-
ют Ладисполи и Остию. В Остии их возглавляет Исаак Любер-
ман, 30-летний хасидский раввин из Ташкента.

Ваш Турист поселился в Ладисполи, прошел стандартные
процедуры и медосмотры и записался в бригаду самообороны.

Италия, Рим, 6.04.79

63

> *— Древние христиане никогда не
> обвиняли евреев в употреблении христи-
> анской крови. Напротив, христиане пер-
> вых веков сами были обвиняемы в упо-
> треблении крови, так что древние аполо-
> геты христианства — Тертуллиан, Ав-
> густин и другие — были вынуждены
> защищать христиан от возводимого на
> них грозного обвинения...*

7 апреля, суббота, утро. Четыре дня до Пасхи

Нужно записать сразу несколько вещей.

Первое. На «Ролане Быкове», докторе-психиатре из США
(его зовут Артур Кац), лица нет, он работает по 16 часов в сутки. За пять дней с помощью проверки на детекторе лжи и медицинского осмотра 600 эмигрантов он выявил:

72 необрезанных еврея,

14 недолеченных сифилитиков,

32 бывших члена КПСС,

29 отбывших тюремное заключение за хищение социалистической собственности,

63 психически неуравновешенных,

11 неевреев,

2 бывших лагерных охранника.

Но — ни одного вампира, каннибала или хотя бы педофила! None!

Второе. Кто сказал, что это мы, мужики, выбираем себе женщину? Чушь! Правда, я и сам так думал до сегодняшнего дня. В Москве в хороший солнечный день я мыл свои зеленые «Жигули» до атласного блеска, сажал в машину нарядно одетую трехлетнюю Асю, и мы с ней отправлялись по городу «искать принцессу». Мы медленно ехали вдоль тротуара по проспекту Мира, потом по Садовому кольцу, потом по улице Горького, Тверскому бульвару и Новому Арбату. Девушки разных статей и достоинств встречались нам на этом прекрасном пути. Блондинки, шатенки, брюнетки. Высокие и не очень. Тоненькие и пышные, с формами и без таковых. Но мы не спешили, мы были очень разборчивы, и не столько я, сколько Ася. Я говорил:

— Ася, как ты думаешь, это принцесса?

— Давай посмотрим, — отвечала Ася, с раннего детства она ко всему подходит очень ответственно.

Я чуть прибавлял газ, мы обгоняли кандидатку, Ася смотрела на нее из окна машины и говорила:

— Нет, это не принцесса.

— Почему?! Смотри, какие ноги! А фигура! Кукла!

— Нет, дядя Вадик, у нее злые глаза.

Я вздыхал, и мы ехали дальше.

Ася браковала такие кадры!

Но зато уж если она говорила: «да, это принцесса!», то это было нечто совершенно сногсшибательное! Какие там куклы?! Разве куклы с их лупоглазой пластиковой красотой могут быть принцессами? Ася выбирала сиятельную русскую Одри Хепберн, Белоснежку и Аленушку с ногами Ларисы Лужиной и походкой Ларисы Удовиченко. Я заезжал чуть вперед, выходил из машины и говорил:

— Девушка, извините, ради Бога! Моя племянница хочет с вами познакомиться, она говорит, что вы настоящая принцесса.

«Принцесса» польщенно оглядывалась на Асю, видела эту трехлетнюю фею с бантом и ресницами величиной с пальмовую ветку и подходила к машине:

— Ой, какая прелесть! Как тебя звать, девочка?

Остальное было несложно. Конечно, мы везли принцессу туда, куда она шла, — не могут же настоящие принцессы ходить по улицам пешком, как какие-нибудь простолюдинки! Правда, по дороге чаще всего выяснялось, что туда, куда эта принцесса шла, идти ей совсем не обязательно, а лучше пойти с нами в зоопарк, а потом в ресторан Дома кино на «сыслык» и «молозеное» (так Ася произносила «шашлык» и «мороженое»). А потом... Ну, остальное понятно. И я с гордостью думал, что таким образом я выбирал себе лучших из лучших. Но где они? Почему-то ни одна из этих принцесс не удержалась в моей жизни больше месяца — при всех их сумасшедших достоинствах! И все потому, что это действительно был *мой* выбор, мой, а не их. А все главные женщины моей жизни — Аня, Инна и вот теперь Сильвия — были отнюдь не моим выбором, нет. Что бы я ни говорил, как бы ни выпендривался в своих мужских амбициях и сколько бы ни зырился каждый день на красивых встречных женщин, следует быть честным хотя бы наедине с собой: не мы выбираем женщину, а женщины выбирают нас. И уж если они выбрали, если они своим третьим глазом, интуицией и маткой опознали в нас *своего* мужчину...

Тут я для наглядности просто обязан вспомнить композитора Александра Журбина и его не менее яркую жену Ирину, дочь известного переводчика Льва Гинзбурга. При хорошем застолье Ира любит рассказывать такую историю. Она с юности была светской девушкой с десятками поклонников и собственной машиной «Жигули», которую отец подарил ей на восемнадцатилетие. Они жили в «дворянском гнезде», то есть в самом элитном районе Москвы у метро «Аэропорт», в роскошной писательской квартире, где, как в хорошем светском салоне, собирались лучшие московские женихи — студенты и выпускники МГИМО, Московской консерватории, Бауманки, Авиационного института и т.п. То есть у Иры был широкий выбор. Но однажды кто-то привел к ним первокурсника консерватории — совершенно нищего, в пиджаке с рукавами в отрепках. И, говорит Ира, «когда он сел к роялю и заиграл, я вдруг маткой почувствовала, что хочу от него ребенка!». С этими словами Ира обычно поворачивается к своему мужу Саше, поднимает за него тост, и они целуются на глазах у всей компании. Да, забыл сказать — у них, конечно, есть замечательный сын...

К чему я это пишу, когда мне некогда даже присесть за машинку?

К тому, что все хорошее в жизни приходит совсем не тогда, когда ты за ним охотишься. Именно теперь, когда мне некогда даже думать о женщинах, я живу в раю.

Уехав в понедельник утром в Прато на работу, Сильвия назавтра вернулась — бастующие итальянцы-рабочие выставили пикеты вокруг фабрики телеаппаратуры и не пускают туда ни своих штрейкбрехеров, ни иностранных «кландистини».

— Наших шильнэ побили! — сказала Сильвия. — Эльжбета поехала в Остию до вашего Баткина, шоб он перевез ее во Францию или Германию...

Так я узнал, что Леня Баткин — красавец из Остии и бывший директор Московского театра лилипутов, которого мне показали месяц назад на рынке «Американо» как легендарного любовника начальницы Московской грузовой таможни Седы Ашидовой, — действительно руководит местной «русско-еврейской мафией» и в багажнике своего белого «мерседеса» нелегально перевозит эмигрантов и «кландистини» из Вены и Мюнхена в Италию и обратно.

Конечно, Сильвия осталась у меня — и Боже мой, что случилось с моим бытом! Все мои рубашки, брюки и даже носки выстираны и отглажены! Вся квартира вымыта до блеска своих мраморных полов и стекол на окнах! Вся посуда на кухне сверкает, а на плите шкворчат, шипят и исходят вкуснейшими парами какие-то необыкновенные блюда из самых дешевых, с Круглого рынка, продуктов (за которыми Сильвия сама же и съездила!). При этом она — стирая ли, убирая ли, гладя ли, колдуя на кухне или плавая в море — все время поет и щебечет на своем пшикающем польском:

— Я нэ розумию, як ты вжыв? Посмотри на сэбэ — кожа да кости! Йиш! Таких шкелетов в Америку нэ впустят!

Итак, я ем за троих, сплю за... гм... обойдемся без хвастовства, и если бы не угроза этого ритуального убийства и погрома, то чем не рай? Всего за 150 миль, то есть за 170 долларов в месяц, у меня есть прекрасная светлая комната на берегу моря, еда в каких-то немереных количествах и самая вкусная женщина на свете! Ну что еще нужно?

Но сегодня уже 7 апреля, через четыре дня Пасха, и этот вампир уже наверняка среди нас!

Я убежал в штаб. Извини, Сильвия!

64

Москва, Центр, Иванову

Свидание у фонтана состоялось. Турист взахлеб рассказывал экскурсоводу-2 о бригадах самообороны и о порядке, который они навели в Ладисполи. По его словам, конфликты итальянцев с эмигрантами грозили перейти в погромы, но теперь предлогов для конфликтов нет.

Как и намечено планом, Главный Экскурсовод избегает интимных встреч с экскурсоводом-2, объясняя ей это своей огромной занятостью в университете и ревнивой женой. Для их будущих свиданий мы сняли им в Ладисполи виллу с видом на море. Главный Экскурсовод склоняет экскурсовода-2 переехать туда...

Италия, Рим, 7.04.79

Москва, Центр, Иванову

Экстренное сообщение. Только что полиция арестовала Профессора Антонио Негри, его товарищей Франко Пиперно, Ореста Скалзони, Лучано Феррари-Браво и еще семнадцать человек. Им предъявлено обвинение в подрывной деятельности, подготовке вооруженного свержения власти и создании бригад «Вооруженная автономия», «Рабочая автономия», «Рабочая во-

оруженная автономия» и т.п. Это, конечно, большой удар по операции «Дрозд». Но мы вводим резервы. Завтра в Риме, Милане, Турине, Парме и др. городах пройдут массовые митинги и демонстрации протеста против ареста Профессора и его товарищей. Может быть, этот арест даже к лучшему, он ожесточает схватку пролетариата с властью.

Италия, Рим, 7.04.79

65

— Первый известный случай кровавого навета имел место в английском городе Норвиче в 1144 году. Таким образом, приоритет в этой области, бесспорно, принадлежит англичанам. Норвич — город в графстве Норфолк, одно из старейших еврейских поселений в Англии. В пятницу, предшествующую празднику Песах, нашли труп мальчика по имени Уильям. Выкрест по имени Теобальд Кентерберийский показал ложно, что евреи якобы тайно собираются отовсюду во французском городе Нарбонн и бросают там жребий, какой именно общине найти и похитить мальчика, чтобы, когда наступит Песах, принести его в жертву в честь праздника...

Сильвия опять плавает в море, я вижу через окно, как она там ныряет и плещется русалкой — одна на всем пляже. У меня есть несколько минут до ее возвращения, и, наверное, все-таки нужно записать, чем же я эти дни занимаюсь. Если через два дня начнутся погромы и нас тут всех вырежут, пусть останется хоть этот дневник.

Итак, я занимаюсь тем, чем мне и положено заниматься, — режиссурой. Я ставлю для эмигрантов концерт худóжественной самодеятельности. Подождите хмыкать — вас ждут сюрпризы. Во всяком случае, я на них очень надеюсь.

Пять дней назад я просмотрел в посольстве списки наших эмигрантов и обнаружил, что отправки в США, Канаду и Австралию ожидают 39 профессиональных музыкантов (из них семь джазовых), девять театральных и эстрадных актеров и актрис, шесть певиц, три циркача, восемь гимнасток, два кинооператора, восемь звукотехников и семнадцать художников. То есть СССР, дестабилизируя и подрывая западное общество, щедро снабжает его искусство своими далеко не худшими кадрами. Во всяком случае, такими силами можно поставить не только концерт для эмигрантов, а открыть новый Голливуд.

За два дня я объехал и обошел лучших из лучших (Карен, конечно, был среди них, это вообще замечательный эпизод для кино: по Риму шагают коммунистические демонстрации с красными знаменами и портретами Ленина и Че Гевары, а в крохотной комнате бывшего зашарпанного борделя «Тосканини» сидит похудевший на двадцать кило Карен и с утра до ночи «пилит» на виолончели Генделя, Баха, Пуччини и Шнитке; там, за окном, происходят убийства и взрывы, а здесь звучит Мендельсон, Скрябин и Прокофьев; там Антонио Негри с мегафоном и призывами к вооруженному восстанию, там забастовки итальянского пролетариата и столкновения студентов с полицией и эмигрантов с коммунистами, а здесь — Римский-Корсаков, Чайковский и Дебюсси...), — так вот, я обошел всех наших ладиспольских артистов, музыкантов, певцов и циркачей и уговорил, умолил и даже наобещал «помочь с ускорением очереди в Американском посольстве», но выманил, вытащил их всех в программу своего «Пасхального концерта». И это не сборная солянка, нет! Нашлись бывшие кавээнщики, которые написали текст ведущему и ведущей, сочинены и отрепетированы вставные номера, репризы, «гэги» и т.п. Более того, оказалось, что Юра Сокол, один из лучших операторов «Мосфильма», который снимал с Чухраем, Миттой и Храбровицким, сумел вывезти почти все свои фильмы! Да, представьте себе, он провел феноменальную по простоте и риску операцию: каждый день он ходил в Москве на свою почту у метро «Проспект Вернадского» и отправлял в Европу — итальянскому сценаристу Тонино Гуэрро и другим европейским киношникам — бандероль с пятью-шестью книгами. Первые пару недель почтовые работники проверяли эти бандероли, просматривали каждую книгу, но потом им это надоело, и они заворачивали Юрины книги, почти не глядя, а затем и вовсе стали доверять ему их заворачивать. Я думаю, то же самое происходило и на Комсомольской площади в Управлении по досмотру за почтовыми отправлениями, а попросту говоря, в отделе перлюстрации писем — там ведь тоже *люди* работают. Приучив всех к своим невинным бандеролям, Юра стал вырезать в книжных страницах круглые ячейки и вкладывать туда по рулону кинопленки — части своих фильмов. Так с помощью классиков литературы и марксизма-ленинизма на Запад выехали почти все Юрины кинофильмы, и теперь Юра собирал эти ролики со всей Европы, склеивал скотчем и готовил к показу в Австралийском посольстве...

Короче, четыре дня назад в Остии, в римском ХИАСе и в Ладисполи у фонтана появились огромные красивые афиши:

ПРАЗДНИЧНЫЙ КОНЦЕРТ
8 апреля в Остии, 9-го в Риме, 10-го в Ладисполи
ЗВЕЗДЫ КИНО, ТЕАТРА, ЭСТРАДЫ И КВН!
ПОПУРРИ ИЗ ЛЮБИМЫХ ФИЛЬМОВ ЧУХРАЯ,
МИТТЫ И ХРАБРОВИЦКОГО!
ДЖАЗ-ОРКЕСТР!
ТАНЦЫ И ЗНАКОМСТВА!
ЛОТЕРЕЯ ОТ АМЕРИКАНСКОГО ПОСОЛЬСТВА:
ВЫИГРЫШ — ВЫЛЕТ В США ВНЕ ОЧЕРЕДИ!
ДЛЯ ОДИНОКИХ — БИЛЕТЫ ЗА ПОЛЦЕНЫ!

Кто может устоять перед такой программой?

— *...И вот в том 1144 году жребий якобы выпал на общину английского городка Норвич. После этого произошло нечто ужасное! Многие евреи Норвича были вырезаны, и только небольшое число их спаслось бегством. А этот мальчик, погибший от какого-то несчастного случая, был впоследствии провозглашен христианской церковью Святым Уильямом, и поэма о нем, полная ядовитой ненависти к нам, евреям, читается и изучается до сих пор в этой английской местности...*

Если я вам скажу, что библейский, из книги Исход, текст с выходе евреев из Египта шел под джазовую музыку из фильма «Рокки», а историю кровавых наветов актеры разыгрывали на манер брехтовских спектаклей на Таганке, то, может быть, вы поверите, что концерт в Остии удался — люди и плакали, и аплодировали, и снова замирали при драматических сценах, и хохотали при каждой шутке...

Но меня это не радовало. После первой половины программы я понял, что здесь я проиграл. Правда, Артур Кац-«Быков» успокаивал меня и говорил, что «это еще ничего не значит, ведь будут танцы, на танцах я займусь физиогномикой по методу Ломброзо». Я сказал ему, что в эту науку не верю — по своему киноопыту знаю, что на роли злодеев и убийц нужно всегда брать актеров с ангельской внешностью, это куда больше соответствует жизненной правде.

— ...С первого кровавого навета в Норвиче начались случаи кровавых на нас наветов. В небольшом французском городке небольшую еврейскую общину, состоявшую из двадцати мужчин и семнадцати женщин, обвинили в убийстве христианского мальчика и бросили в тюрьму. Обвиняемые отказались спасти свою жизнь крещением и были сожжены на костре...

Я стоял в фойе кинотеатра «Акрополь», проклиная себя за всю эту затею с концертом и с ужасом думая, как же нам найти этого вампира. А может, его и нет? Может быть, это утка, которую КГБ подсунул ЦРУ, чтобы накануне итальянской революции те очистили от нас Италию и завернули эмигрантов из Вены куда-нибудь в Югославию...

— ...Здесь, в Италии, в XV веке один христианин поссорился с евреем и, желая ему отомстить, убил ребенка и обвинил в этом евреев. Монахи заточили в тюрьму евреев этой области и пытками добивались признания в ритуальном убийстве. Не помогло евреям и заступничество Папы Римского, который высказался в защиту невинных людей. Шестеро из обвиняемых были сожжены на костре, а двум, которые согласились принять христианство, заменили сожжение на костре отсечением головы...

Высокий, весь в белом блейзере и ярком шелковом галстуке красавец — жгучий брюнет с орлиным носом и выпуклотемными глазами Омара Шарифа — подошел ко мне и вальяжно протянул руку с крупным золотым перстнем:

— Леонард Баткин!

Я знал, что его зовут Леонид (я видел его досье в Американском посольстве), и принужденно пожал его руку, изумившись ее пухлости и мягкости, не соответствующей легендарному образу рокового любовника и главы русско-еврейской мафии в Италии.

Как я уже говорил, мое простодушное лицо всегда выдает мои мысли; Баткин, возвышаясь надо мной на целую голову, перехватил мой взгляд на его руку и сказал с гордостью:

— Не удивляйтесь, эти руки никогда не работали! Поздравляю, вы сделали замечательный концерт. Но почему такие дешевые билеты?

— Знаете, — сказал я, — мы хотели сделать этот концерт вообще бесплатным. Но потом подумали: если нашему брату дать что-то бесплатно, он скривит лицо и не возьмет. Мы сделали билеты по миле, то есть по доллару, а одиноким — по полмили...

— И зря! Вы могли хорошо заработать. За такой концерт нужно брать в десять раз больше!

— Спасибо. А как вы думаете, кто 28 марта стырил весь багаж улетающих эмигрантов?

Он рассмеялся и хлопнул меня рукой по плечу:

— Молодец! Но даю вам слово — это не я! Честное офицерское!

Я молчал, держал паузу, а мое лицо само говорило, насколько я ему верю. Он пожал плечами:

— Нет, я могу, конечно, наварить на этих лохах, но чтобы так?! Нет! Я же сам эмигрант, вы знаете мою историю?

— Немножко слышал. А почему вы не поехали в США? Насколько я знаю, вы живете в Германии, верно?

— Послушайте, дорогой! — сказал он покровительственно. — Я не знаю, что вам обо мне рассказали, — тут, чтоб вы знали, эмигранты вообще рассказывают друг про друга черт-те что! Я не удивлюсь, если завтра про вас скажут, что вы агент КГБ и любовник дочки Брежнева. Запросто!

— Но вы были директором Московского театра лилипутов?

— Был, конечно. Ладно, так и быть, я расскажу вам свою историю. Говорят, вы собираетесь делать кино про нашу эмиграцию; мой характер вам пригодится. Конечно, я был директором театра лилипутов, а до этого я был директором цирка «шапито» — «гонки мотоциклов по вертикальной стене». То есть у меня, как вы понимаете, были кое-какие успехи на женском фронте. Но перед эмиграцией я струсил. Я подумал: Леонард, тут ты король, а кем ты там будешь, это еще неизвестно. И перед самым отъездом я женился, взял одну шиксу. Выбирал, конечно, для себя, так что можете представить — молодая, 26 лет, фигура богини. Ладно, привез ее в Вену. Но в Америку я не собирался — у меня в Союзе 28 родственников, я решил, что пока всех оттуда не вытащу и не отправлю в Штаты, сам туда не поеду. Поэтому мы с ней поехали в Гамбург, устроились, я занялся бизнесом. Бизнес у меня требует поездок — Вена, Рим, по всей Европе. Вы же понимаете — иконы, камни, люди вывозят что могут, нужно помочь им продать. Но квартиру я ей обставил, деньги дал и два раза в месяц, как штык, дома. И что вы думаете? Как-то приезжаю на два дня раньше, чем всегда. И — пожалуйста, она в постели с каким-то немцем. И не то что это у них какая-то неожиданная любовь, нет, просто она у меня в квартире сделала бордель. Ну как вам такой сюжет?

— Спасибо. По законам кино вы должны были ее убить. Убили?

— Что вы! Эти руки никогда не пачкались и пачкаться не будут. Вы не обращайте внимания на то, что обо мне болтают. Конечно, здесь есть криминальные элементы, о чем говорить! В КГБ ведь тоже не олухи сидят, чистят страну от всякого мусора. Но я к этим уголовникам отношения не имею. Хотя иногда они зовут меня для своих разборок, как судью. Не знаю, откуда у меня такой авторитет — наверно, потому, что я всегда сужу их по справедливости. А к вам у меня есть такое предложение. Если вы будете снимать фильм про эмигрантов, вы же приедете сюда, в Италию, верно?

— Постучим по дереву...

— Так вы сообщите мне заранее, вот мой адрес. Я вам тут все организую по первому классу, у меня же такой опыт!
— Спасибо...*

66

Москва, Центр, Иванову

Согласно плану операции «Дрозд», сегодня Экскурсоводы прибыли в Ладисполи и вступили в контакт с Туристом.

Пресса и группы быстрого реагирования готовы.

Италия, Рим, 9.04.79

67

— ...Многие Папы — Григорий Девятый, Климент Шестой, Сикст Четвертый и другие — после тщательного рассмотрения оснований, на которые опирались кровавые наветы, призна-

---

* Ровно через три месяца, 10 июля 1979 года, все итальянские газеты поместили фотографию Л. Баткина. Цитирую газету «Ил Мессаджеро»:

«Пролито много крови. Двое убиты, один тяжело ранен. Причина — нежелание подчиняться законам рэкета. Александр Шпунтов, приехавший из Израиля, отказался выплатить назначенную ему сумму и, превратившись из жертвы в мстителя, расправился с главарем банды Леонидом Баткиным и двумя самыми жестокими его помощниками, которые, чтобы «вытрясти» из него деньги, затащили его в сосновую рощу Кастельфузано, избили и надругались над ним... 8 июля недалеко от моста Скафа был убит Леонид Баткин, его приятель Владимир Маркович был найден убитым рядом с гостиницей «Сателлите», а Лазарь Беркович был обнаружен при смерти в сосновой роще Кастельфузано. Показания 26-летнего Александра Шпунтова, арестованного в Неаполе после неудачной попытки самоубийства, позволили узнать о существовании преступной организации, терроризировавшей 4500 евреев из Советского Союза, которые живут общиной на окраине Рима, в Остии...»

вали ложность этих фактов. Но кровавые наветы продолжались и перешли от христианских государств к мусульманским странам. В 1840 году в Дамаске, которым правил тогда Махмед Али, исчез монах-капуцин по имени Томазо, а с ним и его слуга-араб. Никто никогда не видел трупов этих несчастных, никто не знал, куда они пропали, но французский консул в Дамаске распространил слух, будто капуцина и его слугу убили евреи, которые воспользовались их кровью для выпечки мацы. Следствие велось в подвале французского консульства и французскими методами средних веков. Обвиняемым сдирали кожу, дробили кости рук и ног...

Сегодня — моя последняя ставка.

Вчерашний концерт в Риме проходил в полупустом зале, поскольку забастовка парализовала город — не ходят городские автобусы и троллейбусы, не работают метро и электрички. То есть в кинотеатре «Паскуино», что на пьяцца Трастевере, который мы арендовали на деньги римской еврейской общины (тут мне помог рабби Либерман из Ташкента), были только те, кто смог прийти сюда пешком, не боясь этих повсеместных краснознаменных митингов и демонстраций с портретами Тони Негри. Блин, неужели они пойдут на штурм римской тюрьмы и освободят его?

— ...Дамасский навет взбудоражил всех евреев Европы. Дизраэли и Монтефиори, Кремье и Мунк заступаются за своих восточных братьев. Нажим на Махмеда Али завершился освобождением тех, кто, выдержав пытки, после шестимесячного заточения остался жив...

Я, конечно, уже не сплю по ночам, но теперь вовсе не из-за Сильвии. Эта женщина обладает кошачьей интуицией, пытается меня развлечь своим щебетом и по ночам только сладко посапывает да мурлычет у меня под боком. Я говорил о ней с Грегори. Он сказал: «Вадим, нужно жить решительно. Давайте сразу после Пасхи, если будем живы, распишитесь с ней в римской мэрии, и я вас вместе отправлю в Америку...» Но Сильвия об этом еще не знает. **«Если будем живы...»** Господи! Барух Ата Адонай! Неужели Ты допустишь? Неужели тот полтавский, 1953 года, погром догоняет в Италии и меня, и всех нас, евреев?

В 1953-м, во время знаменитого «дела врачей, пытавшихся отравить вождя народов», золотым дипломом моего посвящения в еврейство стала надпись несмываемой кровельной краской на нашем крыльце: ЖИДЫ! МЫ ВАШЕЙ КРОВЬЮ КРЫШИ МАЗАТЬ БУДЕМ! О, именно для того я изучал русский и украинский языки и имел, как и положено рыжему жиденку, круглые пятерки по этим предметам, чтобы, выскочив утром из дома, легко, одним взглядом прочесть эти простые бурые слова и, еще не осмыслив всей глубины этой вековечной украинской мечты, ринуться дальше, вперед, в школу. Но тут, слава Богу, мама схватила меня за рукав, втащила назад в комнату и сказала, что ни в какую школу мы сегодня не пойдем — ни я, ни Белла.

Мы сидели дома несколько дней, и не только мы! Забаррикадировав двери и окна шкафами и буфетами, вся еврейская Полтава сидела по домам, ожидая погрома.

Мы просидели так несколько дней, уже — доносили соседи — погром начался на Подоле у Ворсклы и в Белой Беседке, откуда, по легенде, Петр Первый наблюдал за сражением со шведами и где теперь украинские черносотенцы лихо громили и жгли еврейские дома и убили еврейскую девочку, — когда по радио вдруг объявили о смерти вождя всех народов.

Мы отодвинули комод от двери, открыли ставни. Стоял солнечный морозный день. Вдали траурно ревели заводские и фабричные трубы. Мы подождали еще пару дней. Потом папа завел свой мотоцикл «К-124» и уехал на работу. Мама взяла две кошелки и пошла на рынок. Я увязался ее «охранять». На рынке — открытом, с прилавками, за которыми украинские продавцы в овчинных тулупах и валенках прихлопывали варежками над желтыми тарелками мороженого молока, смальцем, салом и другим товаром, — черные раструбы репродукторов вещали о разоблачении провокаторши Тимошук и заговора империалистических разведок, которые хотели разрушить крепкий союз и дружбу всех советских народов.

Моя золотая мама весело шла вдоль этих мясных и молочных рядов и напрямки спрашивала у продавцов:

— Ну, як тэпэр будэ з жидами?

Но они отводили глаза:

— Та мы шо... Мы ничого нэ знаем...

Господи, тот погром ты усмирил смертью Сталина. Но неужели теперь, здесь, в Италии?..

68

Как говорят на Востоке, сколько раз ни скажи слово «халва», во рту слаще не станет. Елена всю жизнь изучала итальянский язык, итальянскую историю и искусство, знала наизусть половину итальянских опер, видела итальянские фильмы и фильмы об Италии, и все-таки — когда она попробовала Италию «на вкус» — Италия ее ошеломила. Все оказалось именно таким, каким представлялось по фотографиям и виделось на киноэкране и во снах, и все же... и все же эффект был как при переходе из обычного двухмерного кинотеатра с его плоским изображением в кинотеатр стереоскопического видения. Нет! Сильнее! Потому что в стереоскопическом кино вы лишены запахов и температуры предметов, и вы принуждены видеть только то, что вам показывают...

Перелетев из промороженной мартовской Москвы в апрельский Рим, Елена ощутила себя весенней почкой, раскрывшейся трепетным и нежным цветком. Она бродила по городу, впитывая, как губка, и солнце в небе, и тепло римской архитектуры, и витрины магазинов; она шла как сомнамбула, как ходят во сне, блаженно улыбаясь неизвестно чему и больше всего боясь, что она сейчас проснется в своей комнате на Миусской — с замороженным окном и двумя электрическими обогревателями. Но сон не кончался, нет, это было наяву — итальянская речь, которую она понимала как свою, скульптуры и стены, которые можно потрогать руками, и фонтаны, в которых можно мочить руки и даже ноги...

Боже мой, у нее кружилась голова от счастья! Ну за что, за что ей так повезло в жизни? Чем она лучше миллионов российских женщин, которые, так и не увидев этого рая, проживут всю жизнь в Сибири, на Урале или пусть даже в Москве — в снегу, в ботах, в ватниках и среди угля-антрацита, который ее мама ведрами носит из сарая, чтобы топить печь?.. Или, наоборот, чем они, русские женщины, хуже ее и этих итальянок?

Винсент, дорогой, милый! Если я обижалась на тебя в Москве, прости меня! Если ты думаешь, что я ревную тебя к твоей жене, — забудь! Если ты беспокоишься, что я тут скучаю одна, — окстись! Мне хорошо, мне так хорошо, что я все время ловлю себя на желании вальсировать по тротуарам, по пьяцца Навона и у фонтана Треви!

Террористы? Митинги? Демонстрации? Забастовки? Неужели, дорогой? А я их не видела, не замечала...

Поехать в Ладисполи? Ну конечно, аморе, с тобой куда угодно!

Яша Пильщик? Этот мальчик, которого мы лечили в Москве? Да, припоминаю... Ты не хотел с ним встречаться и всюду подставлял меня... Знаешь, у меня какая-то аберрация памяти, я почти ничего не помню из своей московской жизни... Чем я там занималась? Ах да, я же работала на радио, читала в эфир какие-то дурацкие тексты... Господи, подумать только — там, в Радиокомитете, сотни людей сочиняют тексты на десятках языков — итальянский, английский, французский, немецкий, норвежский, датский и так далее до самой Японии; они редактируют эти тексты, утверждают их в цензуре, записывают на магнитку и пускают в эфир — тысячи людей заняты этим: дикторы, авторы, редакторы, цензоры, техники! Но Боже мой, неужели во всей Европе найдется хоть один сумасшедший, который ловит по радио Москву и слушает: «Говорит Москва! Сегодня Леонид Ильич Брежнев вручил переходящее Красное знамя животноводам Кемеровской области. Доярки Кемеровской области, перевыполнив взятые на себя социалистические обязательства, надоили...»?

Amore, что за прелестный городок этот Ладисполи! Игрушечный! А фонтан на центральной площади просто как на театральной сцене! Только почему здесь такое количество наших туристов? Это не туристы? Эмигранты? Неужели их столько? Нет, я знала, что есть эмиграция, но чтобы — столько?! Это же просто какая-то Одесса!.. Их десять тысяч?!! Ты шутишь!..

— Яков, здравствуйте! Вот видите, я же обещала, что приеду, и приехала. Как вы тут устроились? Нет, я не одна, мой друг отъехал в магазин. Знаете что? Приходите к нам в гости. Да, мы сняли тут небольшую виллу, ведь скоро летний сезон.

Это прямо на море — виа Санта-Елена, 160, запомните? Санта-Елена, 160, вилла «Примавера». Приходите сегодня на ужин. Сегодня у вас дежурство? Концерт? Во сколько? В семь? Приходите после концерта. В десять вечера? Замечательно, в десять мы будем вас ждать. До свидания!

Винни, а вот и ты! Вот видишь, аморе, я все делаю, как ты говоришь. Я тебя слушаюсь во всем. Поцелуй меня! Он придет к нам в десять вечера. Какая прелестная у нас вилла! Ti amo, hi la lingua calda! Sfondatemi! Дай мне поцеловать, я его так люблю! Mi fai impazzire! Mi hai empito! Еще, еще!.. Per favore, ancora!.. Ancora! Piu profondo!.. Il tuo e il piu grande che ho mai visto! Я тебя укусила? Неужели? Знаешь, а мне нравится вкус твоей крови. Ti vorrei mangiare per colazione! Я б тебя просто съела на завтрак... Sprodami! Muoio! M'amazzi! Sfondatemi! E tanto buono! Ancora! Ancora! Vengo! Vengo! Sono uno fontana!* Ты тоже? Уже?.. Хорошо, аморе, отдыхай... Спи... Зачем я тебя привязываю? Просто так, милый, я видела такое в кино... Fa non male, не беспокойся, это не больно... Я тебя укусила? Ничего, аморе, потерпи, твоя кровь как вино...

69

— ...*Виленский* кровавый *навет 1861 года. В результате этого навета были замучены трое евреев, они умерли под пытками...*
— *Грузинский* кровавый *навет 1869 года. Группу евреев, жителей местечка Сачхери Кутаисской губернии, обвинили в похищении и убийстве шестилетней грузинской девочки Сарры Модебадзе...*

Что-то не нравилось Яше Пильщику в этом спектакле. Что-то задевало его, коробило, *доставало*... Он, как и другие «дружинники», не сидел в зале вместе со всеми зрителями, а стоял у

---

* Не рискуя переводить этот текст на русский, перевожу на английский:

My dear, your tongue's so hot! Lover! Shove it all the way in! You're driving me crazy! You've filled me to the brim! Yours is the biggest one I've ever seen! I'd like to eat you for the breakfast! Make me come! It's so good! I am coming! I'm fountain! ... and so on.

А не владеющие иностранными языками могут легко перевести этот текст и сами, пользуясь своим воображением и личным опытом.

двери, у стены — на случай, как сказали руководители самообороны, ЧП и других непредвиденных обстоятельств. «Каких обстоятельств?» — спросил кто-то из ребят. «Ну, мало ли... — невразумительно отвечал Плоткин. — Тут плохая вентиляция. Может, кому-нибудь станет плохо...» Еще бы! Даже ему, Якову, тут плохо, его просто мутит — почему эти артисты все время так нагнетают: *кровь... кровавый... кровь... кровавый?*

— В 1878 году поклеп в кровавом убийстве был возведен на евреев города Кутаиси. Хотя все обвиняемые были оправданы судом, обсуждение в печати вопроса, нужна ли евреям христианская кровь, способствовало отравлению атмосферы...

И эта гнетущая музыка, реверберирующая при каждом слове «кровь»...

— Кровь... Кровавый... Кровь...

И эти звуки — какой-то металлический лязг, как у тюремных засовов, и какие-то крики, как при убийстве, погроме...

— Случаи кровавых наветов возобновлялись и после Октябрьского переворота 1917 года в разных местах советской державы...

— Так, в 1926 году в Дагестане и в 1928 году в Узбекистане еврейские погромы начались с обвинения евреев в убийстве христианских и мусульманских детей «с целью употребить их кровь для изготовления мацы»...

— Хотя, как известно, в маце не может быть никакой крови, там вообще, кроме муки и воды, ничего нет — даже дрожжей, даже соли!

— В 1960 году первый секретарь дагестанского обкома КПСС опубликовал в официальной газете «Коммунист», выходившей в городе Буйнакске, статью, в которой утверждал, что еврейская религия предписывает пить мусульманскую кровь...

И это эхо, которое просто бьет в уши:

— ПИТЬ КРОВЬ!.. ПИТЬ КРОВЬ...

Свет! Почему погас свет? Почему так темно?
И что это за звуки в темноте?

Словно каменный пол гулко отдает приближающиеся шаги...

Все ближе и ближе...

Сколько же их?

Два или три?

Ведь по ударам кованых ботинок по полу можно безошибочно угадать — два охранника или три?

Нервы натягиваются до звона, зубы сжимаются до хруста...

Три!

Три?! Но ведь если три, то это расстрел, ВМС, конец! Вся тюрьма это знает...

Лязг! Так лязгал, открываясь, «намордник» в стальной двери...

Пильщик рванулся к выходу, слепо толкнув стоявших у двери, и вырвался, выскочил из зала.

Он не слышал или уже не обратил внимания на то, что в зале зажегся свет и тюремщик — настоящий тюремный охранник, из бывших — сказал на сцене:

— Бейлис! На выход!..

И актеры продолжили:

— *Дело Бейлиса, спровоцированное в 1911 году в Киеве черной сотней...*

Нет, он, конечно, не слышал этого. Он опрометью бросился через фойе к выходу, на ходу сбил с ног стоявшего у двери Плоткина и выбежал на улицу...

Жить! Крови!..

70

Я никогда в жизни не видел ничего подобного. Хотя во ВГИКе мы изучали работу голливудских гримеров, а потом на «Мосфильме», «Ленфильме» и студии имени Горького лучшие мастера пластического грима гримировали для моих фильмов Сергея Филиппова, Донатаса Баниониса, Володю Ивашова, Мишу Кононова и других знаменитых российских актеров. То есть я знаю, что можно сделать с лицом с помощью грима...

Но то, что происходило на моих глазах с лицом и фигурой одного из наших «дружинников», выскочившего из зала, в кино сделать невозможно.

336

В те считанные секунды, которые он несся по фойе к выходу, его круглое, юное, добродушное лицо натянулось как-то по-волчьи, озверело в самом прямом и жестком смысле этого слова, шея вытянулась, глаза запали, челюсть укрупнилась и выдвинулась вперед... А фигура — нет, это уже был не человек, это был дочеловек, питекантроп, неандерталец, и сила, с которой он буквально смахнул меня со своего пути, тоже была нечеловеческой, — я отлетел в угол, к стене.

— Кто это? — изумленно крикнул мне Ефим Абрамович из другого конца фойе.

— Он!!! — завопил я, вскакивая.

— Кто «он»? — подбежал Гурвич.

— Вампир! За ним! Все за ним! КГБ подослал вампира! Для ритуального убийства на Пасху!..

Но когда мы выскочили на улицу, улица уже была пуста.

71

Он летел по улице огромными косолапыми прыжками и сатанел от своей силы и экстаза свободы. Словно вырвался из оков чужого и чуждого тела, словно вспорол ненавистный панцирь своей тесной оболочки и словно уже совершил самое замечательное убийство — убийство в самом себе этого проклятого еврейчика.

Всё!

Он снова ОН, Богул, и он хочет крови!

Крови! Крови!

Почему пусто на улицах? Почему закрыты все магазины? Гребаные итальянцы — они вечно спят! Но ничего, ничего, сейчас он найдет кого-нибудь, не важно кого! Лучше бы мальчика, мальчика, мальчика...

Кто это в витрине? Ах нет, это же манекен, блин!

Что за мертвый город!

Все эмигранты на концерте, а все итальянцы спят...

Даже машины спят!..

Ага, вон кто-то есть на пляже, купается...

Женщина?! Ладно, пусть будет женщина, это, конечно, не так вкусно, но...

Дура! Она даже выпрямилась в воде и улыбается ему! Сейчас я тебя!

Ага! Испугалась так, что улыбка замерзла на лице!

Как замечательно они застывают всегда в столбняке, когда видят его приближение, — как завороженные, словно лишаются голоса и пульса...

Наотмашь по лицу кулаком! За волосы! Черепом в воду! Глубже! Глубже! И — зубами ей в шею! Сразу! О! О, какое блаженство! О, эта теплая горечь и сладость, кружащая голову...

Как жалко, что столько крови вытекает в воду!

Да не брыкайся ты, дура! Не брыкайся! Ишь, дергает руками, как курица недорезанная! Мясо твое, вкуснющее мясо твое — о, как замечательно рвать его зубами, ногтями, пальцами...

72

— Сильвия??!!!... Не-е-е-ет!.. Не-е-е-е-ет!.. Почему она? Господи, почему ее?

73

А в кинотеатре шел праздничный концерт...

74

Когда Богул ворвался на виллу «Примавера» по Санта-Елена, 160, то даже он отпрянул в изумлении при виде того, что увидел.

В гостиной на белом мраморном полу, залитом кровью и заляпанном кровавыми следами женских ступней, лежал расчлененный мужской труп, а над кусками этого тела, еще истекающими вязкой кровью, — ногами, руками, торсом, тазобедренными костями — сидела полуголая Елена, дикая, с кошачьей улыбкой на вымазанных в крови губах. Держа на весу за волосы мужскую голову, она усмехалась и говорила этой голове:

— Amoro, mi credevi fessa? Volevi usarmi? Non sono il fesso di nessuno!.. Sei pieno di merda!.. Nessuno me lo ficca in culo, dio boia!..*

А затем, чуть повернувшись лицом к Богулу, сказала по-русски:

— А вот и ты, Федя! Угощайся, родной! Ты знаешь, что он писал в своей книге? Что пациенты всегда делегируют врачу свои комплексы и извращения, и задача врача поставить психологический щит между собой и субъектом. — Она опять подняла отрезанную голову к своему лицу: — Я правильно говорю, Винсент? А что же ты мне не поставил щит? Себе поставил, а мне нет. Нехорошо, аморе... Вот он и пришел, наш бамбино... Ты, Винни, не хотел светиться, верно? Ты хотел, чтобы мальчик все сделал через меня, а ты был в стороне, чистенький. Правильно? Ладно, я попробую, аморе... — Она снова повернулась к Богулу: — Бамбино! *Береза—Памир—голос*... Впрочем, я вижу, что тебе это уже не нужно... Ну, тогда пойдем, дорогой, пойдем! Ведь мы должны сегодня съесть ребенка... Я знаю где... Он мне сказал, он внушил мне во сне — здесь недалеко живет Марио, хозяин магазина. Сейчас он уже спит, и жена его спит, и трое прелестных пухлых деток. Два мальчика тебе, а мне девочка, договорились?

Что-то скрипнуло за спиной у Богула.

— Берегись, бамбино! — крикнула Елена.

Богул резко повернулся, увидел незнакомого мужчину, входившего в дом, и прыгнул на него...

...А в кинотеатре шел праздничный концерт...

75

Москва, Центр, Иванову

Как и было оговорено с Главным Экскурсоводом, я приехал в Ладисполи в 20.00, запарковался у арендованной нами виллы и дождался прихода туда Туриста. Планировалось, что после его активации и ухода я тут же забираю Экскурсоводов и везу их в

---

* Дорогой, ты думал, я дура? Хотел меня использовать? Но я не идиотка! Это ты полное дерьмо! Никто не может иметь меня и так и эдак, козел ты эдакий!.. *(ит.)*

Рим, по дороге избавляюсь от экскурсовода-2 и даю сигнал прессе начать кампанию...

Турист прибежал к этой вилле в 21.43. Но он уже был весь в крови, и я понял, что план рушится. Изготовив оружие, я бесшумно вошел за ним на виллу и обнаружил ужасную картину: Главный Экскурсовод убит и расчленен; над ним, вся в крови, сидит экскурсовод-2 и сговаривается с Туристом о продолжении операции. Этого, однако, нельзя было допустить — если бы ее арестовали вместе с Туристом, то она засветила бы абсолютно всех.

В связи с этим пришлось ликвидировать их обоих и спешно уехать, поскольку трое эмигрантов уже бежали к вилле по кровавым следам Туриста...

Насколько я понимаю, эмигранты не решились сообщить об этих трупах в полицию, чтобы в канун Пасхи не навлечь на себя судебное расследование и не задержать этим свой отъезд в США. Во всяком случае, на сегодня, 12.04.79, никаких сведений о трупах в Ладисполи нет ни в прессе, ни в полицейской хронике.

Общенациональная итальянская забастовка идет на спад...

Италия, Рим, 12.04.79

ЭПИЛОГ

Три трупа мы закопали в саду на вилле «Примавера».

Сильвию похоронили отдельно, в лесу между Ладисполи и Чивитавеккия. На ее могиле Ефим Абрамович и Вадим Гурвич поклялись мне никогда и нигде не упоминать об этом инциденте. Назавтра они, с помощью Грегори и Питера Хеппса, улетели в Австралию.

Сам Грегори, а также Питер Хеппс, консул Макс Леви и врач-психиатр Артур Кац в тот же день отбыли в США.

По словам Грегори, практически одновременно с ними улетел в Москву резидент КГБ в Риме Олег Разлогов.

Я остался в Ладисполи вопреки требованию Грегори и Хеппса немедленно исчезнуть из Италии в любую сторону — США, Канада, Австралия или Израиль. Я остался потому, что просто не знаю теперь, куда же мне ехать. Если я дал подписку о неразглашении главного сюжета своего фильма, то на кой черт мне ехать в Голливуд? Не лучше ли в таком случае поехать в Израиль, быть рядом с сестрой и работать на «Голосе Израиля», как Гарик К.? Или поехать в Мюнхен на «Свободу»? Или в Лондон на Би-би-си? Все-таки из Европы ближе к Израилю...

Пока я размышлял, ХИАС снял меня с пособия.

— Мистер Плоткин, ваша американская виза прибыла. Если вы хотите еще погулять по Риму, то уже за свой счет!

— Хорошо, спасибо...

В мою квартиру подселилась семья эмигрантов — пожилые муж с женой и их тридцатилетний сын. Сначала показалось — приличные люди. Но уже на следующий день они перенесли из гостиной диван в свою спальню, втроем втиснулись в эту крохотную комнатку, где Саша Ютковский едва один помещался, и пришли ко мне с просьбой разрешить им сдать гостиную кому-нибудь из новоприбывших. Я возражал. Во-первых, итальянцы запрещают пересдавать квартиры. Во-вторых, они вообще запрещают перенаселять эти квартиры, пять-шесть человек в трех комнатах — это уже «комплекто»! И наконец, мы же договаривались при вселении, что они будут жить тут втроем. Я плачу за комнату 50 миль, и они за две комнаты — 100. Для меня 50 миль — треть пособия, для них 100 миль — треть пособия. Все справедливо. При нынешних ценах на жилье у нас просто божеская арендная плата.

И что же?

Они обрабатывали меня ровно сутки и допекли, пока я не сдался. Я сказал: хорошо, так и быть, найдите одиночку, но не больше! Селиться больше пяти человек в квартире хозяин все равно не разрешит. Да и мне при моем настроении ни к чему с утра до ночи слушать рев унитаза за стеной...

На следующий вечер они доложили, что нашли, правда, не одиночку, а супружескую пару, «только вчера приехали, но очень приличные, из Киева», и те готовы за одну комнату платить 90 миль, а нам зато будет прибыль — мы за свои комнаты будем платить по тридцать. Правда, у этой пары двое детей, но «мы им поставили условие: дети тут жить не будут, чтобы вам не мешали работать!».

Ну?! Мало того что меня втягивали в спекуляцию и предлагали обворовывать незнакомых людей, так еще и меня же выставляли монстром, из-за которого родители не будут жить с детьми!

Я взвыл. Я сказал, что мне не нужны эти соседи и не нужны их деньги. Это идиотизм, чтобы дети жили где-то, без родителей. К тому же если они вселятся, то назавтра сюда же вселятся и дети, это безусловно. А Лоренцо, хозяин дома, узнав об этом, выселит нас всех. Три семьи в одной квартире — зачем? Ведь не погром, не эвакуация — Италия! Если у них двое детей, то они получают пособие 400 миль в месяц, могут снять двухкомнатную квартиру за 150 миль и жить по-человечески.

Короче, я отбился, мы договорились, что они этой семье откажут и будут искать в подселение одиночку.

Как бы не так!

Назавтра, вернувшись из Рима, я обнаружил, что гостиная забита вещами — дюжина чемоданов, узлы с постелью, детские игрушки. И в квартире никого — ни моих соседей, ни новых жильцов. Выждали, когда меня не было дома, и завезли вещи. Пишу им записку: «Господа! Извините, эту комнату соседи сдали вам по недоразумению. Получите у них свои деньги и найдите себе другую квартиру». Оставляю эту записку на их чемоданах в гостиной, собираюсь в магазин. И, открыв дверь на лестничную площадку, вижу супружескую пару с двумя детьми. Мнутся перед моей дверью. Говорю:

— Вы сюда?

— Да.

— Я хочу вас предупредить, что мои соседи сдали вам эту комнату незаконно. Обе их комнаты стоят сто миль, а они вам одну из них сдали за девяносто. Кроме того, если хозяин узнает, что в одной квартире живет столько народу, он выселит всех. И наконец, это идиотизм, чтобы вы жили раздельно с детьми. Так и быть, поживите здесь вместе пару дней, но за это время найдите себе другую квартиру, ведь их полно — сотни людей перед Пасхой уехали...

Что тут началось!

Раскормленное киевскими варениками лицо папаши налилось кровью, а пухлые уста разверзлись ревом Днепрогэса:

— Как вы смели войти в мою комнату! Вы украли у меня тысячу долларов! Я поеду в ХИАС и скажу, что вы украли у меня тысячу долларов! Отдайте мою тысячу долларов! У меня такие друзья — они придут и вас зарежут!

Дети перепугались крика родного отца и — в рев. Жена хватает его за руки, успокаивает, а он все орет, что я обворовал его на тысячу долларов.

О, предел нашей местечковой мечты — тысяча долларов! О, заветная цифра! Они будут экономить на квартире и на электричестве, они будут кормить детей гнильем с Круглого рынка, но они скупят все золото в магазине синьора Винченце и еще скопят тысячу долларов!

Вот и мне выпало наконец стыкнуться с ними лицом к лицу. Был бы он без детей — полетел бы с лестницы.

Но трехлетние дети смотрят распахнутыми глазами и ревут в два горла — злодей перед ними! Тысячу долларов у папы украл! На улицу выселяет! Раз папа так орет, значит, так и есть!

Открываю им дверь, приношу детям игрушки, оставшиеся от Ника. Папаша затихает, как вода в водопроводном кране, только про тысячу долларов выплескивает. Его жена жарит ему на кухне яичницу, уносит в комнату — он совсем затих. А я уезжаю в Рим, бегу с поля боя.

Вечером приезжаю — в квартире тишина мертвая. Ни старых соседей не слышно, ни новых. Утром выясняется: новые съехали. Взыскали с «хозяев» десять миль «неустойки», не упустили своего. Но история на этом не кончилась. Сегодня — на седьмой день Пасхи — иду по набережной мимо стихийной толкучки-базара, местного «Американо», иду и вижу — стоят мои несостоявшиеся соседи, уже торгуют. Вот и разгадка их подселения — мой-то дом на набережной, буквально в сорока шагах от этого рынка, а у них двенадцать чемоданов с барахлом на продажу, ведь как было бы удобно — выскочил с узлом, поторговал и — домой, за новым. Но теперь лишены такого удобства...

А жена этого «оратора» останавливает меня, улыбается:

— Знаете, я хотела у вас спросить: как ваша фамилия?

Понимаю: жаловаться хотят, вот ведь крокодил — с детьми на улицу выгнал, тысячу долларов украл. Тем не менее называюсь. И она, заучивая фамилию, повторяет ее вслух. А я спрашиваю:

— А ваша как фамилия?

— А нашу фамилию ты, бля, узнаешь в ХИАСе! — всхрапывает ее муж и громогласно, не боясь, ведь вокруг все свои, киевляне, прет на меня матом: — Людоед! Падла! Выселил на улицу с детьми! Обокрал!

Смотрю ему в глаза, слушаю. Вот мой народ, здравствуй. Порой у тебя не только лицо Давида и Моисея, а и такое, хрюкающее. Сколько веков понадобилось для того, чтобы из семени Моисея получить этого рыкающего и рыгающего матом хряка, вышагивающего за спиной своей самки взад и вперед, взад и вперед, слева направо и справа налево — точь-в-точь как в клетке?

Смотрю в его глаза борова, заплывшие украинским смальцем.

Вот и меня сделали Людоедом.

Милостивая госпожа История! Сколько поколений возьмешь ты теперь, чтобы из нашего семени воскресить, как из пепла, народ, созданный Моисеем?

И — возьмешься ли?

Был седьмой день Пасхи.

— И сказал Моисей народу: поминайте день сей, Песах, в который вышли вы из Египта, из дома рабства, ибо силою своей руки вывел Господь вас отсюда; и не должно быть употреблено в пищу квасное. Семь дней ешь опресноки, и в день седьмой — праздник Господу... Барух Ата Адонай!.. Благословен Ты, Господи, Боже наш, Царь вселенной, который нас и отцов наших искупил из Египта...

Конец

Вена — Рим — Ладисполи, 1978—1979
США, 1999—2001

Автор благодарит психиатров Эрнста Лейбова и Юрия Александровского, психолога Светлану Гаврилову, майора Сергея Дышева, корреспондента ИТАР-ТАСС в Италии Алексея Букалова и его жену Галину, а также Алексея Козлова и Александра Гранта за их консультации и помощь в работе над этой книгой. Особая благодарность доктору медицинских наук, профессору Андрею Анатольевичу Ткаченко, генерал-майору Владимиру Овчинскому, а также Елене Юровой. Если после всех их терпеливых консультаций в этой книге есть какие-то ошибки, то они целиком на совести автора.

Приложения

ПРОТОКОЛ

задержания предметов контрабанды

«21» октября 1978 г. сотрудником _Шереметьевской_

таможни _Панским В.Е._ в присутствии _сотрудника_

ОКПП „Москва" _Николаева Н.Б._

во время таможенного досмотра _предварительно сдаваемого багажа_

(указать—ручной клади, багажа,

груза или транспортного средства)

у гр. на-**его** _Беэгражданства Касина Валерия Александровича 1541 г.р._

-кн

(гражданство, фамилия, имя, отчество, год рождения)

работавш-**его** _Азрб. ССР г. Баку, городское отделение стройбанка старший_

-ей

(должность и место работы)

проживавш-**его** _Азрб. ССР, г. Баку ул. Ахвердиева д. 11 кв. 32_

-ей

(домашний адрес)

следовавш-**его** из СССР (выезжавш-**его** из СССР) в-**ей** _на постоянное жительство_

(цель поездки, в какую

в Израиль р. 261 в Вену

страну или из какой страны следует, каким видом транспорта)

были обнаружены предметы, провозимые с нарушением таможенных правил

не указанные в таможенной декларации и не заявл..
ые при устном опросе изделия из серебра — в багаже
пассажира среди личных вещей

Б-37

КВИТАНЦИЯ

к приходному ордеру № ____

Принято от _Касин_

Штраф по К/Б

на _178 от 22.10.78_

за _Пятьдесят руб._

(сумма прописью)

_50_ руб. _00_ коп.

«_22_» _октяб_ 197_8_ г.

Главный
(старший) бухгалтер

Кассир

(печать)

(подробно описать нарушение)

тип. Заказ 294—500X100

ИЛЛЮСТРАЦИЯ КО ВТОРОЙ ЧАСТИ РОМАНА — ПЛАН РИМА, КОТОРЫЙ ВЫДАВАЛИ ЭМИГРАНТАМ В РИМСКОМ ХИАСЕ В 1978—1979 ГГ.

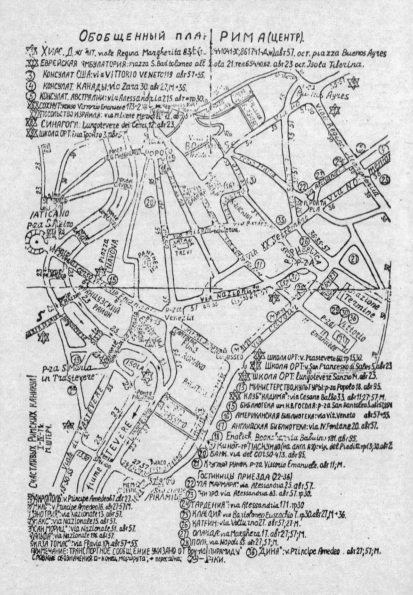

Обобщенный план Рима (центр).

ИНСТРУКЦИЯ «КАК РАЗОБЛАЧИТЬ ШПИОНА»

CLUES TO SPOTTING A SPY

AN ANALYSIS OF NUMEROUS CASE HISTORIES OF SPIES REVEAL THAT EACH ESPIONAGE AGENT POSSESSED ONE OR MORE OF THE FOLLOWING CHARACTERISTICS:

- Desire for revenge; such as, a disgruntled employee who wants to get even.
- Greedy and willing to be unethical in return for money.
- Sexual deviate, who would accept blackmail over exposure.
- Seeker of program information which is not needed to perform one's job.
- One who continually degrades our form of government.
- Living beyond visible means of support.
- Working odd hours when others are not in the office.
- Keeping to oneself after normal working hours.
- Burdened with debts.
- Over-indulger in alcohol or drugs
- Emotionally unstable.
- Serious marital problems.
- Close relatives residing in a communist-controlled country.
- Maintains a more than casual contact with a national of a communist-controlled country.
- Has a "skeleton in the closet" and would succumb to blackmail rather than exposure.
- Desire for recognition after years of hard work with no word of thanks.

BEHAVIOR PATTERNS OF SPIES

The behavioral patterns of a "spy" are frequently apparent though often noted only in retrospect. Behavioral factors alone or in combination do not necessarily indicate that an individual is involved in espionage activities but they can signal that a questionable activity should be assessed. Review of a number of recent spy cases revealed that one or more of the behavioral traits noted below were present and known prior to the individual's involvement in espionage.

- Unexplained affluence or life-style inconsistent with known income.
- Unexplained settlement of large debts.
- Marked changes in character, attitude, emotional stability, work habits or other indications of functioning under unusual pressure.
- Criminal , homosexual, or immoral conduct.
- Excessive use if intoxicants or use of narcotics or dangerous drugs.
- Travel to distant locations or countries inconsistent with one's interest or financial means
- Repeated travel to denied areas for no bona fide reason.
- Repeated short absences or leave periods, forming a pattern.
- Repeated overtime work or visits to assigned work areas after normal hours for no logical reason.
- Undue curiosity about matters not within the scope of the individual's job or need-to-know.
- Unexplained borrowing of classified material or taking notes from such material for reasons not explained by one's job.
- Taking classified materials home or on TDY, purportedly for work reasons.
- Possession of unusual photo or copy equipment without apparent reason, such as hobby, part-time work, etc.
- Unusual social cultivation of persons in key or sensitive positions who have no interests in common with person in question.
- Continued correspondence with persons in foreign countries who have no supporting relationship with the person in question.
- Correspondence or visits to personnel or establishments of a communist country.
- Correspondence or association with official or representatives of governments, including nonaligned countries, whose interests are considered inimical to those of the United States.

USAINSCOM, Ft. Meade MD: 1 - 800 - CALLSPY;
Ft. Ord: 242 - 2900
Security Division, DLIFLC: 647 - 5307
Directorate of Security, Ft. Ord: 242 - 2687
FBI, Monterey, CA: 424 - 6441

НЕКОТОРЫЕ ДОКУМЕНТЫ ПО ПРИМЕНЕНИЮ В СССР ПСИХИАТРИИ В БОРЬБЕ С ИНАКОМЫСЛЯЩИМИ И ДИССИДЕНТАМИ

(По материалам «Хроники текущих событий» и другим источникам)

В. БОРИСОВ
Ленинград

19 ноября состоялся суд над Владимиром Борисовым по ст. 190¹ УК РСФСР. В.Е. Борисов признан невменяемым; определением суда ему назначено принудительное лечение в психиатрической больнице специального типа (т.е. в больнице-тюрьме). Одно из оснований уголовного дела против Борисова — его подпись под обращением в Организацию Объединенных Наций.

Борисов В.Е., 1943 г. рождения, электрик, член Инициативной группы по защите гражданских прав в Советском Союзе*. С 1964 по 1968 г. находился в психиатрической больнице-тюрьме в Ленинграде (Арсенальная, 9) (ст. 70 УК РСФСР). В мае 1969 г. Борисов подписывает обращение в ООН и письмо в защиту П.Г. Григоренко. В июне его вызывает главный врач психоневрологического диспансера Выборгского р-на г. Ленинграда, где Борисов состоял на учете после выхода из спецбольницы весной 1968 г.

Члены Инициативной группы подверглись немедленно репрессиям со стороны КГБ. По сообщению «Хроники» № 11 от 31 декабря 1969 г., семь из пятнадцати членов группы были

---

* Первым проявлением Инициативной группы была отправка 20 мая 1969 года в Комиссию по правам человека ООН письма с просьбой поставить на рассмотрение вопрос о нарушении в Советском Союзе права на независимые убеждения и на их распространение любыми законными способами.

арестованы и отправлены либо в спецпсихбольницы, либо в концлагеря.

12 июня 1969 г. за Борисовым на работу прислали санитарную машину с двумя врачами из диспансера, отобрали у него имеющийся при себе Самиздат и увезли в диспансер. Никаких бесед с Борисовым не проводили. Один из врачей подошел к Борисову и сказал: «Послушайте, Борисов, вы же нормальный парень, неужели вам в сумасшедшем доме хочется быть? Смените свои политические убеждения». Другой врач стал просматривать изъятую у Борисова литературу: «Это я видел, это видел, а вот это — что-то новое, надо посмотреть». Его окликнул коллега: «Оставь это, а то окажешься там же, где он».

Врач диспансера сказал Борисову, что «госпитализировал его не по собственной воле, а выполнял приказ», и отправил Борисова в 4-ю психиатрическую больницу г. Ленинграда (главн. врач больницы — одновременно главный психиатр г. Ленинграда — Беляев Владимир Павлович).

23 июня Борисова пригласили в кабинет главного врача больницы, где присутствовала «высокая» комиссия: горпсихиатр В.П. Беляев, генерал-майор Тихонов, главный психиатр Ленинградского военного округа, зав. отделением 4-й психиатрической больницы и человек в штатском, отказавшийся назвать себя (как выяснилось позже, это был главный врач 3-й психиатрической больницы г. Ленинграда Случевский). Вел беседу в основном Тимофеев — о прошлом, о причинах теперешней госпитализации. Борисову сообщили, что его привезли сюда за Самиздат и за подписание писем-протестов, которые могут (по словам человека в штатском) рассматриваться только как свидетельство психиатрического заболевания либо хулиганства.

Решение комиссии было объявлено не Борисову, а его жене: необходимо дальнейшее лечение. Борисов был переведен в больницу по месту жительства (3-я психиатрическая больница им. Скворцова-Степанова, 15-е отделение). В беседе с женой зав. отделением заявила, что Борисов нуждается в лечении, потому что ведет себя не так, как полагается нормальному человеку. На возражения жены, что это не проявление болезни, а система взглядов, заведующая ответила: «То, что для нормального человека — система взглядов, для вашего мужа — проявление заболевания», и посоветовала жене повлиять на мужа, чтобы он образумился, а иначе ему придется постоянно лечиться.

В Самиздате имеется запись о помещении В. Борисова в психбольницу — «социально-беспокойный».

Приложение
АМБУЛАТОРНЫЙ АКТ № 575
по делу В. Борисова*
(дается сокращенно)

Мы, нижеподписавшиеся, 14 октября 1969 г. в помещении 3-й психоневрологической больницы им. Скворцова-Степанова г. Ленинграда на основании постановления ст. следователя прокуратуры г. Ленинграда от 23 сентября 1969 г., свидетельствуем, что амбулатория освидетельствовала Борисова Владимира Евгеньевича, 1942 г. рождения, обвиняемого в преступлениях по ст. 190¹ УК РСФСР.

Обстоятельства дела: Борисов В.Е. работал в январе — июне 1969 г. в экспериментально-механических мастерских им. Калинина. Систематически распространял среди рабочих как в устной форме заведомо ложные измышления, порочащие советский государственный строй, так и в печатной форме произведения такого же содержания.

...По показаниям свидетелей Петрова, Канорского, Борисов у себя на работе показывал сотрудникам машинописные тексты в защиту якобы неправильно осужденного Григоренко, что Борисов якобы ездил в Москву, чтобы передать какие-то письма иностранному делегату Совещания компартий.

Диагноз: последствия органического заболевания головного мозга с шизофреноподобным синдромом...

Заключение: Борисов В.Е. проявляет признаки органического поражения головного мозга с изменением личности (психопатоподобный синдром и снижение интеллекта), достигающие степени психического заболевания, и в настоящее время

---

* Стационарной экспертизы не проводилось. В. Борисов был сначала госпитализирован в больницу общего типа, без предъявления обвинения, а затем переведен в специальную больницу.

не может отдавать себе отчет в своих действиях и руководить ими. В период совершения инкриминируемых ему деяний Борисов страдал тем же психическим заболеванием и был невменяем. Нуждается в принудительном лечении в больнице специального типа.

В. БУКОВСКИЙ
Москва

Имя Владимира Буковского впервые появилось на страницах советской печати в начале 1962 г. в связи с выступлением на площади Маяковского авторов вольного литературного сборника «Феникс 61».

Весной 1970 г. Буковский дал интервью корреспонденту американской радиокомпании «Коламбия бродкастинг корпорейшн» (Си-би-си).

О себе Буковский рассказал следующее:

Первый раз он был арестован 1 июня 1963 г. за то, что у него на квартире были найдены при обыске две фотокопии книги Милована Джиласа. Продержав его в тюрьме несколько месяцев, следственные органы направили его в Институт имени Сербского, где его объявили невменяемым. В декабре того же года Буковский был заключен в специальную тюремную психиатрическую больницу в Ленинграде и пробыл там полтора года. В декабре 1965 г. он был снова арестован за организацию демонстрации в защиту находящихся под следствием писателей А. Синявского и Ю. Даниэля. Сперва его направили в обычную гражданскую больницу, а затем снова в Институт имени Сербского, где его продержали 8 месяцев. Однако члены новой экспертной комиссии, назначенной для обследования Буковского, не смогли прийти к единогласному заключению о его психическом состоянии: двое заявили, что он болен, а двое других нашли его совершенно здоровым.

Тем временем был выпущен за границу его друг — писатель В.Я. Тарсис, который способствовал поднятию западного общественного мнения в защиту В. Буковского. В результате широкой кампании, организованной на Западе, в Москву приехал представитель международной организации «Амнести», которому удалось добиться освобождения Буковского безо всяких объяснений причин в августе 1966 г.

Однако через полгода он был снова арестован за организацию демонстрации протеста на Пушкинской площади в Москве против незаконного ареста органами госбезопасности Галанскова, Гинзбурга, Добровольского и Лашковой.

В результате нашумевшего процесса Буковский был приговорен к 3 годам заключения, которые он отбыл в Воронежском лагере для уголовных преступников.

Ниже — выдержка из «Обвинительного заключения по уголовному делу* по обвинению Буковского В.К., Делоне В.Н. и Кушева Е.И. по статье 190³ УК РСФСР»:

«...Буковский В.К., являясь противником коммунистической идеологии, еще в 1962 г. привлекался по ст. 70, ч. 1, УК за изготовление и распространение антисоветского документа и фотокопии части книги Джиласа «Новый класс». Тогда же он был признан душевнобольным и направлен на принудительное лечение в психиатрическую больницу. Выйдя в 1964 г. из больницы, он установил связь с Тарсисом, а через него — с представителями НТС, которым он вместе со своими друзьями (Батшевым, Губановым) передавал машинописные сборники произведений молодых поэтов из числа так называемых смогистов. Летом 1966 г. он совместно с Добровольским, Губановым, Делоне, Капланом встречался с эмиссаром НТС по имени Филипп, однако никакими враждебными действиями с его стороны эта встреча не сопровождалась... Москва, 30 августа 1967 г.».

После освобождения, в январе 1970 г., он не отказался от своих убеждений и продолжал вести открытую борьбу за права и свободу, встречаться с иностранными корреспондентами и распространять вольную литературу, запрещенную в стране.

28 января 1971 г. Буковский составил «Обращение к психиатрам» и приложил к нему материалы о психбольницах (более 150 страниц). Все эти документы были переданы западной прессе в Париже Международным комитетом по защите прав человека 10 марта 1971 г.

---

* По делу демонстрации протеста против ареста Ю. Галанскова, А. Гинзбурга, А. Добровольского и В. Лашковой.

28 марта 1971 г. В. Буковский был арестован и заключен в Лефортовскую тюрьму.

Ю. ВИШНЕВСКАЯ
Москва

Первое сообщение о столкновении Юлии Вишневской с властями поступило из Москвы 12 декабря 1965 г. Извещая о состоявшейся 5 декабря на площади Пушкина демонстрации в защиту А. Синявского и Ю. Даниэля, иностранные корреспонденты сообщили об аресте трех участников: В. Буковского, Л. Губанова, а также шестнадцатилетней поэтессы Юлии Вишневской, которая была задержана непосредственно в школе, где училась.

Со слов В. Тарсиса, проживавшего тогда в Москве, все трое арестованных были отправлены в психиатрические больницы.

После своего освобождения Ю. Вишневская активно включилась в общественную деятельность и неоднократно заступалась за преследуемых властью инакомыслящих. Она подписала ряд писем протеста, в частности призыв от 22 мая 1970 г. правительству СССР и в ООН — «Свободу Андрею Амальрику!».

7 июля 1970 г. Ю. Вишневская находилась перед зданием Мосгорсуда, где проходил процесс Натальи Горбаневской. Замеченная под окнами суда при попытках слушать судебное заседание, она была доставлена в милицию, а через два часа отправлена в Бутырскую тюрьму.

«Хроника» № 15 от 31 августа 1970 г. приводит описание столкновения с милицией и протесты друзей Ю. Вишневской против беззакония:

«Утром 7 июля 1970 г. у здания Мосгорсуда, где должен был происходить суд над Натальей Горбаневской, собрались около 20 человек — друзья и знакомые Горбаневской, из которых в зал пустили только В. Чалидзе. В 11 часов собравшимся стало известно, что заседание суда можно послушать у окон во дворе, так как заседание происходило в полуподвальном помещении. Человек 15 тихо стояли у окон во дворе, когда туда явился старшина милиции Кичкин, работающий постоянно в здании Мосгорсуда. Кичкин и прежде отличался грубостью в обращении с людьми, приходящими на политические процессы.

На этот раз поведение его было беспрецедентным. Он сразу стал кричать и разгонять всех. Потом набросился на Юлию Вишневскую, схватил ее и бросил на землю. Владимира Тельникова, который обратился к Кичкину со словами: «Как вы можете так обращаться с женщиной?», Кичкин толкнул, порвав на нем рубаху, а затем сильно бросил на землю, так что Тельников поднялся, хромая. У Надежды Яковлевны Шатуновской, немолодой женщины, остались на руке ссадины и синяки — Кичкин выкручивал ей руки, толкнул на землю. Появившиеся тут же милиционер и двое дружинников — без повязок — схватили Тельникова и за волосы втащили в машину. Ю. Вишневская была задержана через час. Тельникова и Вишневскую отвезли в милицию. 9 июля им было предъявлено обвинение по ст. 191 — сопротивление властям, а 10 июля утром их отправили: Вишневскую — в Бутырскую тюрьму, Тельникова — в тюрьму на Матросской Тишине.

Н. Шатуновская обращалась в милицию 7 и 9 июля, в прокуратуру 13 и 15 июля с просьбой направить ее для освидетельствования на судебно-медицинскую экспертизу, в чем ей было отказано. Заместитель прокурора Фролов мотивировал свой отказ тем, что она якобы наставила эти синяки себе сама. 15 июля Шатуновская подала в прокуратуру Сокольнического района заявление о возбуждении уголовного дела против старшины милиции Кичкина.

7 июля, сразу же после инцидента, 16 человек направили письмо протеста председателю Мосгорсуда. В тот же день, после задержания В. Тельникова и Ю. Вишневской, в милицию были поданы заявления: П. Якира, Н.Я. Шатуновской, Т. Ходорович, Г. Подъяпольского, Н.П. Емелькиной. На следующий день было подано еще четыре заявления.

22 июля Ю. Вишневская была помещена на судебно-медицинскую экспертизу в Институт им. Сербского, где находится до сих пор. 24 августа Тельникову и Вишневской изменили меру пресечения: Тельников до суда находится на свободе, с него взяли подписку о невыезде; Ю. Вишневская по-прежнему в Институте им. Сербского, но изменили режим ее содержания — ей разрешили свидание.

Группа друзей Н. Горбаневской написала открытое письмо.

«В чем же все-таки действительная вина Тельникова и Вишневской, а также всех тех, кого швыряли и разгоняли во дворе суда 7 июля? — говорится в нем. — В том, что они — друзья своих друзей. Не обязательно иметь неугодные начальству взгляды; можешь не защищать тех, кого преследуют за убеждения; но если ты лично, по-человечески сочувствуешь этим людям — жди расправы. Оказывается, криминальное дело — стоять во дворе, где судят твоего друга, преступление — подойти к окну... Человек может потерять все свои права, все свободы, но ему — чтобы остаться человеком — нужно сохранить за собой последнюю свободу — право на любовь к ближнему. Нам остается одно: доказать, что мы еще люди».

22 июля Ю. Вишневскую поместили на судебно-медицинскую экспертизу в Институт им. Сербского, где продержали ее до 12 октября.

Экспертная комиссия признала ее невменяемой с диагнозом «вялотекущая шизофрения» и оставила на попечение родителей под надзором районного психиатра.

26 или 27 марта 1971 г. Юлия Вишневская была снова арестована и направлена в психлечебницу (клиника № 58).

В. ГЕРШУНИ
Москва

17 октября 1969 г. в Москве был арестован член Инициативной группы по защите гражданских прав в СССР каменщик Владимир Гершуни.

«Хроника» № 11 от 31 декабря 1969 г. сообщила в связи с этим следующее:

«Гершуни Владимир Львович, 1930 г. рождения, племянник основателя партии социалистов-революционеров — Г.А. Гершуни.

В 1949 г. Владимир Гершуни был арестован и решением Особого совещания осужден на 10 лет спецлагерей за участие в антисталинской юношеской группе. Дело 1949 г. вел следователь МГБ Никольский (в настоящее время он пенсионер). Вл. Гершуни истязали на следствии. Он был в том лагере, который описан в повести Солженицына «Один день Ивана Денисовича», был вместе с автором повести.

Гершуни — человек с необычайно развитым инстинктом справедливости. Противодействие лжи, насилию для него не часть жизни — а вся жизнь. Он непримирим к любым проявлениям сталинщины. В числе других обличающих произвол документов В. Гершуни подписал обращение в Комиссию по защите прав человека ООН.

За три недели до ареста В. Гершуни был задержан в метро (см. «Хронику» № 10 от 31 октября 1969 г.). У Гершуни на линейной службе милиции (обыском руководили лица в штатском) были изъяты материалы Самиздата (в том числе письмо В.И. Ленина членам Политбюро от 1 февраля 1922 г. и рукопись сатирической повести «Дядя»).

На следующий день после ареста Гершуни — 18 октября 1969 г. — у него на квартире был проведен обыск. В протоколе обыска указаны два наименования: 1) самиздатовские рукописные и машинописные материалы; 2) П.Г. Григоренко, сборник «Памяти Костерина» — машинописный текст.

21 октября на квартире у Гершуни был произведен повторный обыск. В этот же день в Москве на квартирах у Натальи Горбаневской, Татьяны Ходорович и Анатолия Якобсона также были произведены обыски — весьма возможно, что по делу Гершуни.

Следствие по делу Гершуни ведет следователь прокуратуры г. Москвы Н.В. Гневковская. Обвинение предъявлено по ст. 190¹ УК РСФСР.

После ареста Гершуни был помещен в Бутырскую тюрьму, через неделю он был переведен в Институт им. Сербского для психиатрической экспертизы, которая признала Гершуни невменяемым.

Обвинение, предъявленное ему следователем, почти полностью повторяло формулировку ст. 190¹. Владимир Гершуни отрицал, однако, за собой какие-либо преступные действия.

По делу Гершуни было вызвано не менее 15 свидетелей, всех старых его знакомых и людей с двух его последних мест работы (жировой комбинат и строительство). Большинство рабочих ничего дурного про Гершуни не сказали, но некоторые показали, что он допускал антисоветские высказывания.

Признание Гершуни невменяемым с диагнозом «хроническая шизофрения» основывалось на таких признаках «ненормальности», как отказ беседовать с врачами, обвинение их в том, что они действуют по указанию КГБ, и обещание разоблачить их и привлечь к ответственности.

Суд над Гершуни состоялся 13 марта 1970 г.

Суд начался с 50-минутным опозданием, доступ был свободным. В течение заседания по требованию судьи у тех, кто вел запись процесса, отбирались блокноты.

Гершуни инкриминировался единственный документ — 20 экземпляров листовки в защиту Григоренко, изданной в Париже Международным комитетом защиты прав человека.

В процессе допроса свидетелей-сослуживцев судья и прокурор выясняли, какие разговоры вел Гершуни, какую литературу приносил на работу и производил ли впечатление психически ненормального человека. Свидетели показали, что Гершуни порицал ввод войск в ЧССР, приносил газеты, в том числе «Руде право», показали, что Гершуни хорошо образован, начитан и убежден в том, о чем говорит; рассказывали, что не один Гершуни вел разговоры на политические темы и не один Гершуни критически относился к внутренней и внешней политике нынешнего руководства. Свидетели отрицали, что Гершуни психически ненормален, и подчеркивали, что это хороший рабочий и морально стойкий человек.

После перерыва судья огласил заключение судебно-медицинской экспертизы, согласно которой Гершуни признается невменяемым (диагноз — хроническая шизофрения).

Определение суда: Гершуни В.Л. направить в психиатрическую больницу специального типа.

16 марта Гершуни был помещен в Бутырскую тюрьму в одну камеру-палату с тяжелобольными преступниками. В знак протеста он объявил голодовку, которая продолжалась 14 дней, пока его просьба о переводе к политическим заключенным не была удовлетворена. Он оказался в одной камере с «политическими», среди которых находился Владимир Борисов из г. Владимира. Здесь же перед отправкой в Ригу некоторое время находился и И. Яхимович».

Н. ГОРБАНЕВСКАЯ
Москва

Наталья Евгеньевна Горбаневская окончила заочно филологический факультет университета и некоторое время работала в одном из московских институтов в качестве редактора, занимаясь переводами. В 1965 г. несколько ее стихотворений были напечатаны в журнале «Знамя» и в газете «Московский комсомолец».

25 августа 1968 г. Наталья Горбаневская — мать двоих детей, родившихся в 1961 и 1968 гг., — вышла на Красную площадь вместе с Ларисой Богораз, Константином Бабицким, Вадимом Делоне, Владимиром Дремлюгой, Павлом Литвиновым и Виктором Файнбергом. Демонстранты протестовали против оккупации Чехословакии советскими войсками. Тогда Горбаневская была признана невменяемой и отдана на поруки матери. Будучи единственной оставшейся на свободе участницей демонстрации, Наталья Горбаневская составила книгу о событиях 25 августа 1968 г. на Красной площади — «Полдень». В этой книге она рассказала, как ее подвергли амбулаторной «психоэкспертизе».

Комиссия состояла из трех человек, руководил экспертизой проф. Лунц. Диагноз: «не исключена возможность вяло протекающей шизофрении». На основании этого диагноза Лунц «бестрепетной рукой» — как пишет Горбаневская — выводит: «должна быть признана невменяемой и помещена на принудительное лечение в психиатрическую больницу специального типа», т.е. тюремную. Тем не менее оставленная как мать двоих детей временно на свободе, Горбаневская приняла активное участие в деятельности Инициативной группы по защите гражданских прав в СССР и подписала множество петиций в пользу незаконно арестованных властью.

24 декабря 1969 г. Н. Горбаневская повторно была арестована у себя на квартире.

Незадолго до ареста у нее был произведен обыск и изъяты стихи, личные письма, документы Самиздата. В день ареста у нее снова произвели обыск и опять изъяли стихи, личные письма и Самиздат.

Две короткие информации, тревожные своей скудностью, появились в «Хронике»:

«Наталья Горбаневская, арестованная 24 декабря 1969 г., находится в Бутырской тюрьме, в общей камере. Следствие ведет ст. следователь прокуратуры г. Москвы Акимов. Ст. 190¹ УК РСФСР. Сведений о состоянии здоровья Горбаневской нет. Ее дети находятся с бабушкой» («Хроника» № 12 от 28 февраля 1970 г.).

«В середине апреля экспертизой Института им. Сербского Наталья Горбаневская была признана невменяемой (диагноз неизвестен) и переведена до суда в лечебное отделение Бутырской тюрьмы» («Хроника» № 13 от 30 апреля 1970 г.).

«7 июля 1970 г. в Мосгорсуде состоялся суд над Н. Горбаневской, в итоге которого подсудимая была приговорена к принудительному лечению в психиатрической больнице особого типа, подчиненной КГБ. Дело рассматривалось в отсутствие подсудимой. Не были допущены в зал суда ни иностранные корреспонденты, ни друзья Н. Горбаневской.

Двое из присутствовавших у здания суда, Ю. Вишневская и В. Тельников, были задержаны за попытку «подслушивания судоразбирательства».

О. ИОФЕ
Москва

В конце ноября и начале декабря 1969 г. КГБ произвел обыски и аресты среди московских студентов. Были, в частности, арестованы Вячеслав Вахмин, Ирина Каплун и Ольга Иофе.

Ольге Иофе 19 лет, она студентка второго курса вечернего отделения Московского государственного университета. При обыске у нее были изъяты некоторые материалы Самиздата, ее собственные стихи и бумаги, стихи ее отца Ю.М. Иофе и пишущая машинка.

Ольга Иофе окончила физико-математическую школу. Ирина Каплун — языковую спецшколу. В 1966 г. обе девочки вместе с девятью ребятами из этой 16-й спецшколы (в то время никому из них не было больше 16 лет) расклеивали листовки против ресталинизации. В разных районах Москвы они расклеили и разбросали около 300 листовок. Следователь майор Елисеев требовал от ребят назвать взрослых, которые, по его мнению, должны были ими руководить.

Уроки в школе чередовались с допросами по 4—6 часов. На допросах девочкам говорили: «Если вы считаете, что у нас не все благополучно, пришли бы посоветоваться с нами в КГБ». Школьная администрация и райком комсомола пытались всячески выпытать у девочек: «Нам-то вы можете сказать, кто у вас там был взрослый?»

Арест Ольги Иофе и Ирины Каплун был, очевидно, связан с готовившимся протестом против празднования 90-летия со дня рождения Сталина.

Чтобы обосновать обвинение Ольги Иофе, КГБ понадобилось почти 9 месяцев — суд собрался 20 августа 1970 г. И все же девушку сломить не удалось. Тогда КГБ применил ставший уже обычным прием: «психиатры» КГБ признали Ольгу Иофе невменяемой с диагнозом «хроническая шизофрения».

Официально суд был открытым. Но в действительности вход в зал заседаний был перегорожен скамьей, около которой стояли четыре милиционера в форме и четверо в штатском.

Подробный отчет о процессе появился в «Хронике» № 15 от 31 августа 1970 г.:

СУД НАД ОЛЬГОЙ ИОФЕ

20 августа в Мосгорсуде состоялся суд над Олей Иофе.

О. Иофе обвиняется по ст. 70 УК РСФСР в том, что она принимала активное участие в изготовлении листовок антисоветского содержания в количестве 245 штук, хранении и распространении документов антисоветского содержания, изъятых у нее при обыске.

Состав суда: судья — Богданов, прокурор — Ванькович, адвокат — Ю.В. Поздеев.

Предварительная экспертиза, проведенная в ЦНИИСП им. Сербского — проф. Морозов, д-р мед. наук Д.Р. Лунц, врачи Фединская, Мартыненко, — признала О. Иофе невменяемой с диагнозом «вялотекущая шизофрения, простая форма».

По просьбе адвоката были допрошены родители Иофе. Н.Я. Шатуновская рассказала о дочери: Ольга развивалась нормально, ни в детстве, ни в юности не замечалось никаких отклонений от нормы. Она ласковая, спокойная, сдержанная, общительная девочка.

Председатель экспертной комиссии Мартыненко зачитала установленный диагноз. Адвокат Поздеев задал ей несколько вопросов.

Вопрос: Какие именно физиологические исследования были проведены для установления заболевания?

Ответ: Такие физиологические исследования проводятся для всех без исключения. Отсутствие признаков заболевания не может свидетельствовать об отсутствии самого заболевания.

Вопрос: На основании каких именно высказываний была установлена экспертизой разноплановость ее мышления? Приведите хотя бы один из тестов, дававшихся Ольге, при которых были установлены грубые нарушения мышления, или приведите хотя бы одно высказывание Ольги, свидетельствующее об этом.

Ответ: Конкретно я ответить не могу, если суду интересно, то надо послать за историей болезни в Институт им. Сербского. Примером же ее поведения может служить то, как она реагировала на доставку в Институт им. Сербского. Она знала, куда ее доставили, понимала, что это значит, но не проявляла никакой аффектации, и у нее даже голос не был модулирован. (*Примечание.* Новодворская проявила аффектацию излишнюю. Результат экспертизы тот же.)

Вопрос: Не приписываете ли вы поведение Ольги ее выдержке, силе воли и спокойствию, о котором говорили товарищи и свидетели?

Ответ: Так владеть собой невозможно.

Вопрос: Как вы объясните тот факт, что наличие болезни, которая развилась у Иофе с 14 лет, как пишет экспертиза, — вероятно, имеется в виду, что болезнь началась с 1966 г., когда Ольга с друзьями распространила в школе листовки, — не помешало ей успешно окончить математическую школу и поступить в университет?

Ответ: Наличие этой формы шизофрении не предполагает изменения личности, заметного для окружающих.

Адвокат Поздеев зачитал по монографии Морозова др. признаки заболевания, имеющегося, согласно экспертизе, у О. Иофе: враждебное отношение к окружающим, отрешенность от мира, перескакивание мысли с одного предмета на другой, апатия вплоть до того, что человек целыми днями не встает с постели, — и попросил эксперта сказать, какие именно признаки, хотя бы один, наблюдались у Иофе. При этом он сказал, что наличие перечисленных признаков полностью опровергается характеристиками с мест работы, учебы и показаниями свидетелей.

Ответ: Все эти симптомы нельзя рассматривать отдельно, а лишь в совокупности.

Адвокат заявляет, что ответами представителя экспертизы он не удовлетворен, поскольку ни один ответ не был конкретизирован.

Просьба адвоката о повторной экспертизе в ином составе отклоняется на том основании, что комиссия Института им. Сербского была предупреждена об ответственности за отказ или уклонение от дачи показаний или за дачу ложных показаний и, кроме того, комиссия достаточно авторитетна.

Прокурор в своей речи сказал:

«Мы сегодня рассматриваем очень необычное дело, которое заключается в том, что по делу, которое мы рассматриваем, подсудимая отсутствует, так как страдает тяжелым душевным заболеванием, которое установлено авторитетной комиссией Института им. Сербского. Вина Иофе полностью доказана. Да, она совершила тяжкое преступление, предусмотренное ст. 70 УК РСФСР. Из показаний родителей мне ясно, что они не предприняли никаких мер надзора, чтобы предотвратить совершение тяжелых преступлений. Хотя, конечно, человек больной и не отвечает за свои действия. Обвинение просит направить Иофе на принудительное лечение в больницу специального типа».

Адвокат Поздеев говорит, что еще 2 декабря 1969 г., на следующий день после ареста, Иофе заявила, что свою деятельность она не считает антисоветской, они ни в коем случае не была направлена на подрыв советского строя. Можно считать доказанным на основании показаний свидетелей, что три документа никак не распространялись и являются изложением отрывочных мыслей, а один документ, как признала Каплун, написан ею и только переписан после обсуждения рукой Иофе. Оба свидетеля показали, что листовки решено было уничтожить 30 ноября. Таким образом, по ст. 70 УК нет состава преступления. Адвокат просит переквалифицировать ст. 70 на ст. 190¹. Далее адвокат говорит, что из беседы с Иофе он вынес впечатление, что она легко воспринимает доводы разума, что с ней легко наладить контакт, она склонна прислушиваться к чужому мнению и обдумывать его. Адвокат ссылается на молодость обвиняемой — 20 лет — и на некоторую присущую молодости безапелляционность суждений. Он говорит, что в молодости иногда трудно разобраться в потоке информации и сделать правильный вывод. Однако это не является преступлением. Учитывая возраст обвиняемой и наличие у нее простой формы шизофрении, по данным экспертизы, наиболее легко поддающейся лечению, адвокат считает, что направление Иофе в психиатрическую больницу специального типа, предполагающую длительное лечение и тяжелые случаи заболевания, нецелесообразно, и просит направить ее в больницу общего типа.

Определение суда не содержит ни изменений по сравнению с первоначальным обвинением, ни дополнительных мотивировок — направить О. Иофе в психиатрическую больницу специального типа, под стражей содержать до доставки в больницу.

В. КУЗНЕЦОВ
Пушкино

20 марта 1969 г. в городе Пушкино Московской области был арестован Виктор Васильевич Кузнецов.

Виктору Кузнецову 33 года. Его отец был репрессирован и погиб, мать работает продавщицей, жена — лаборантка, двое детей — пяти и восьми лет. В 1960 г. Кузнецов окончил художественно-графический факультет МГПИ и до 1966 г. работал в агентстве печати «Новости».

«Хроника» № 7 от 30 апреля 1969 г. сообщает:

«В марте 1965 г. Кузнецов выступил в МГУ на диспуте «Цинизм в общественной жизни»; диспут записан на магнитную пленку. После диспута оперотрядчики схватили Кузнецова на улице и противозаконно обыскали его, а найденные у него бумаги передали в КГБ, после чего его несколько раз вызывали в КГБ и требовали объяснений на работе.

В октябре 1966 г. Виктор Кузнецов выступил в Доме дружбы на конференции интернационального студенческого дискуссионного клуба «Время и мысль». Тема дискуссии была «Проблема свободы в современном мире». Кузнецову удалось только рассказать о последствиях его предыдущего выступления, высказаться по теме ему не дали, закрыв диспут. После этого выступления его принудительно поместили в психиатрическую больницу на обследование, где он пробыл 2 месяца».

Возмущенная вопиющим произволом жена Виктора Кузнецова направила в газету «Известия» письмо, которое, как и следовало ожидать, газетой напечатано не было.

ПИСЬМО ЖЕНЫ В. КУЗНЕЦОВА

В редакцию газеты «Известия»

13 марта 1965 г. мой муж, Кузнецов В.В., выступил на диспуте в МГУ. Кое-кому его выступление пришлось не по вкусу. Осенью его дважды вызывали в КГБ. Он был предупрежден, что его ждет суд по статье 70 Уголовного кодекса или дом для умалишенных.

И «возмездие настигло» моего мужа. Сначала 26 октября 1966 г. его выбросили с работы в связи с «упразднением должности нештатного художника». «Упразднение должности нештатного художника»! Каково! А затем 1 ноября в 6 часов утра его схватили и в милицейской машине под конвоем милиционера и медсестры доставили в Московскую областную психиатрическую больницу на ул. 8-го Марта.

В направлении говорилось:

«Направляется для консультации и уточнения диагноза Кузнецов В.В., 1936 г. рождения, проживает: пос. Арманд, 16. Диагноз № 300.

Врач (Войцехович)».

И вокруг фиолетовые печати.

С каких пор для установления диагноза стали хватать людей в такую рань?

С каких пор для установления диагноза стали доставлять людей в милицейских машинах?

В больнице растерянные и ошеломленные врачи не знали, как поступить. Наконец решили позвонить (и куда?!) начальнику районного отделения милиции г. Пушкино.

С каких пор врач-психиатр Колтунова М.Я. обязана обращаться к начальнику отделения милиции Дееву А.М., чтобы выяснить, задержать или нет направленного для обследования?

С каких пор врачи-психиатры подчиняются милиции?

Мало того, к направлению был приложен листок с машинописным текстом:

«Кузнецов Виктор Васильевич.

Высказывает бредовые идеи воздействия и отношения. Считает неправильным отношение родных. Развелся с женой по бредовой интерпретации отношения. На работе считает неправильным отношение к себе. По-бредовому оценивает попытки окружающих говорить. Высказывает критические замечания в отношении правительства. Критикует различного рода государственные мероприятия. Меняет работу в связи с бредовым объяснением отношения на работе».

С каких пор к направлению для установления диагноза стали прилагать листки с таким безграмотным и лживым содержанием?

Это диагноз, который уже установлен до обследования.

Читайте: «Разошелся с женой по бредовой интерпретации отношения».

Я, жена Кузнецова В.В. и мать двоих детей, заявляю: это ложь! Это ложь, как и все остальное. От начала до конца ложь.

Я считаю — все это инспирировано КГБ, все это — величайшее недоразумение, все это — печальное эхо времен культа личности.

Освободите моего мужа!

Прошу опубликовать мое заявление.

15 декабря 1966 г.

В.И. Кузнецова
г. Пушкино, Московская обл.,
пос. Арманд, 16

Как сообщает «Хроника» № 9 от 31 августа 1969 г.:

«16 июля 1969 г. Московский областной суд под председательством судьи Макаровой в закрытом заседании рассмотрел дело Виктора Кузнецова. Действия Кузнецова квалифицированы следствием по ст. 70 УК РСФСР. Содержание его действий: распространение произведений Синявского, Даниэля, Тарсиса, а также работы акад. Варги «Российский путь перехода к социализму» и письма Мороза «Репортаж из заповедника имени Берия». Стационарная судебно-психиатрическая экспертиза в составе экспертов Лунца, Ландау и Печериной признала Кузнецова невменяемым с диагнозом «вялотекущая форма шизофрении» и рекомендовала направить его на лечение в психиатрическую больницу специального типа.

Защитник Кузнецова адвокат Э. Коган ходатайствовал о том, чтобы заседание было открытым, чтобы в зал были допущены ближайшие родственники, а также о том, чтобы была назначена новая экспертная комиссия. Прокурор Сорокин предложил отклонить ходатайство. Суд отклонил ходатайство без объяснения мотивов.

23 августа Кузнецов был отправлен в Казанскую спецпсихбольницу.

В. ЛУКАНИН
Рошаль

«В городе Рошаль Московской обл. 23-летний Валерий Луканин весной этого года выставил в своем окне плакат с протестом против пребывания советских войск в Чехословакии. Его отправили в психиатрическую больницу, где, не сообщая ему ничего, признали невменяемым с диагнозом «тяжелая форма шизофрении». От него скрыли факт следствия по его делу: действия Луканина были квалифицированы по ст. 70 УК РСФСР. Скрыли от него и то, что 23 июня состоялся суд, назначивший ему принудительное лечение в психиатрической больнице специального типа. Матери Луканина пригрозили, что, если она скажет сыну на свидании о том, что был суд, ее в дальнейшем лишат свиданий. 18 июля Валерий Луканин отправлен в Казанскую спецпсихбольницу».

«Хроника» № 9 от 31 августа 1969 г.

В. НОВОДВОРСКАЯ
Москва

5 декабря 1969 г., в день советской конституции, во Дворце съездов была арестована Валерия Новодворская, которая разбрасывала и раздавала листовки перед началом оперы «Октябрь»*. Новодворская не пыталась скрыться и раздавала листовки до тех пор, пока к ней не подошли сотрудники КГБ. Листовки написаны в стихах.

ЮБИЛЕЙНО-КОНСТИТУЦИОННАЯ

Спасибо, партия, тебе
За все, что сделала и делаешь,
За нашу нынешнюю ненависть
Спасибо, партия, тебе.

Спасибо, партия, тебе
За рабский полдень двоедушия,
За лень, измену и двудушие
Спасибо, партия, тебе.

Спасибо, партия, тебе
За этот вымысел и ложь,
За все портреты и доносчиков,
За выстрелы на Пражской площади,
За все, что ты еще солжешь.

За рай заводов и квартир,
На преступлениях построенных,
В застенках старых и сегодняшних
Расколотый и черный мир.

Спасибо, партия, тебе
За наше горькое неверие
В обломки формулы, потерянной
В туманной предрассветной мгле.

Спасибо, партия, тебе
За нашу горечь и отчаянье,

---

* По материалам «Хроники» № 11 от 31 декабря 1969 г. и № 13 от 30 апреля 1970 г.

За наше подлое молчание
Спасибо, партия, тебе.

Спасибо, партия, тебе
За тяжесть обреченной истины
И за боев грядущих выстрелы
Спасибо, партия, тебе.

При аресте на квартире В. Новодворской были отобраны три рукописные книжки ее стихов в нескольких экземплярах.

В. Новодворской 19 лет. Она окончила школу в 1968 г. с медалью и блестяще поступила в Институт иностранных языков на французское отделение. К моменту ареста она училась на втором курсе.

16 марта 1970 г. в Московском областном суде состоялся суд над В. Новодворской, обвинявшейся по ст. 70 УК РСФСР (антисоветская агитация и пропаганда).

Суд происходил в отсутствие обвиняемой, так как она была признана экспертизой Института им. Сербского невменяемой с диагнозом «Шизофрения. Параноидальное развитие личности».

Защищал В. Новодворскую адвокат Добужский. Он отказался встретиться с Новодворской до суда, так как якобы по закону адвокат не имеет права встречаться с подзащитным, признанным невменяемым.

Судом были допрошены пять свидетелей: милиционер, задержавший В. Новодворскую во Дворце съездов; билетерша Дворца; студентка из Иняза; а также родители Новодворской, которые были свидетелями на суде и не могли выступать как представители обвиняемой.

Прокурор в своей речи сказал, что действия В. Новодворской смыкаются с действиями террористов, стрелявших в космонавтов.

Адвокат просил суд о переквалификации ст. 70 УК на более легкую ст. 190[1].

Суд определил для В. Новодворской принудительное лечение в больнице специального типа (в Казани).

После суда при свидании с родными выяснилось, что В. Новодворская даже не была поставлена в известность о том, что был суд.

В середине мая 1970 г. состоялось кассационное разбирательство по делу В. Новодворской. Верховный суд утвердил приговор Мособлсуда. В середине июня В. Новодворская была отправлена в Казанскую специальную психиатрическую лечебницу.

И. РИПС
Рига

В майском номере журнала «Посев» за 1969 г. было опубликовано следующее воззвание, полученное из России:

«Мы, студенты-евреи г. Риги, обращаемся к студентам Израиля, США, Англии и всего мира с призывом о помощи.

Вчера, 13 апреля 1969 г., наш товарищ Илья Рипс — студент физико-математического факультета Латвийского госуниверситета — поджег себя у подножия памятника Свободы в г. Риге. На груди у него был плакат протеста против дискриминации нашего народа и лишения нас возможности выехать в Израиль. Охваченный пламенем, не в силах от боли стоять на месте, Илья побежал по главной улице, крича: «Выпустите нас в Израиль!» Его сбили моряки, проходившие мимо, ногами погасили пламя и зверски избили. Подоспевшие милиционеры бросили избитого и обожженного юношу в машину и увезли. До сегодняшнего дня его местонахождение неизвестно: очевидно, он во внутренней тюрьме Комитета госбезопасности.

Илья Рипс выразил требование сотен тысяч евреев России. Поддержите нас! Молчание преступно! Протестуйте!

Студенты-евреи города Риги».

«Хроника» № 8 от 30 июня 1969 г. сообщила следующие подробности об этом событии:

«Илье Рипсу — 20 лет, только в декабре 1969 г. исполнится 21. В неполных 15 лет он стал одним из победителей Международной математической олимпиады школьников, в неполных 16 окончил школу и поступил на механико-математический факультет Рижского университета. Все годы учебы он был Ленинским стипендиатом и гордостью университета. Его дипломная работа, по отзывам преподавателей, была готовой основой докторской диссертации. 10 апреля он получил отличное направление на работу — в Институт физики АН Латвийской ССР.

13 апреля он вышел на площадь Свободы с плакатом «Протестую против оккупации Чехословакии» и поджег на себе одежду, предварительно залитую бензином. Случившиеся здесь моряки быстро погасили огонь, но жестоко избили юношу. Ожоги, к счастью, оказались незначительными. В больницу, куда увезли Илью, пришли его товарищи по университету, предлагая себя как доноров кожи. По непроверенным слухам, эти студенты подверглись внутриуниверситетским репрессиям.

Илье Рипсу было предъявлено обвинение по ст. 65 УК Латв. ССР, соответствующей ст. 70 УК РСФСР. Действия Ильи Рипса в высшей степени трудно подтянуть под какую бы то ни было статью Уголовного кодекса, поэтому, вероятно, и была избрана статья об «Антисоветской пропаганде и агитации», во-первых, наиболее расплывчатая по формулировке, во-вторых, обеспечивающая наименьшую степень гласности — начиная с того, что требуется адвокат с допуском*. Кроме единственного факта попытки самосожжения, Илья Рипс не обвиняется ни в чем. Наоборот, и само следствие установило, что несогласие Рипса с советской политикой относится к одной только акции правительства — вводу войск в Чехословакию. В этих условиях доказывать вину по ст. 65 УК Латв. ССР, то есть доказывать умысел на подрыв существующего строя, слишком трудно. Гораздо легче изолировать Илью Рипса под маркой «невменяемости», так как, согласно укоренившейся практике, суды рассматривают дела о назначении принудительных мер медицинского характера чисто формально, не вдаваясь ни в суть дела, ни в суть экспертизы».

2 октября 1969 г. в Риге Верховный суд Латвийской ССР рассмотрел дело по назначению принудительных мер медицинского характера к И. Рипсу. Было вынесено определение о назначении И. Рипсу принудительного лечения в психиатрической больнице общего типа. Интересы И. Рипса на суде защищал адвокат С.Л. Ария.

_____

* Допуск — специальное разрешение, позволяющее адвокату заниматься особо важными делами.

Как стало известно, И. Рипса дополнительно лишили права жительства в Риге, под предлогом, что он якобы выбыл из города на неопределенный срок.

Илью Рипса держали в больнице два года и, по еще не проверенным сведениям, выпустили в мае 1971 г. Ему разрешили подать прошение о выезде в Израиль.

В. ФАЙНБЕРГ
Москва

В полдень 25 августа 1968 г. несколько человек — Лариса Богораз, Павел Литвинов, Константин Бабицкий, Владимир Дремлюга, Наталья Горбаневская, Виктор Файнберг и Вадим Делоне — вышли на Красную площадь с целью провести мирную демонстрацию протеста против оккупации Чехословакии.

Через несколько секунд после того, как демонстранты развернули свои транспаранты, на них набросились «люди в штатском», вырвали из рук плакаты, осыпали ругательствами. Одному из них — Виктору Файнбергу — выбили зубы. Происшествие продолжалось всего лишь несколько минут. Когда раненого заталкивали в подкатившую голубую «Волгу», он успел выкрикнуть: «Да здравствует Чехословакия!»

Анализируя год спустя это событие, поэтесса Наталья Горбаневская писала в своей книге «Полдень»*:

«Виктор Файнберг, 1931 г. рождения, до окончания университета работал слесарем на заводе. В 1968 г. он окончил английское отделение филологического факультета Ленинградского университета, на «отлично» защитил дипломную работу о писателе Сэлинджере, летом 1968 г. работал экскурсоводом во дворце-музее в Павловске.

Из-за травмы головы Виктор когда-то 6 лет был на инвалидности, но на психиатрическом учете не состоял и в психбольницах не бывал. В 1957 г. он попал под следствие: подрался с милиционером, который обозвал его «жидом». Экспертиза признала его вменяемым, и он получил тогда год тюрьмы условно.

У В. Файнберга классическая внешность несчастного еврея, кинуться на него с криком «Бей жидов!» — почти безус-

---

* Горбаневская Н. Полдень. — Посев, 1970. С. 453—457.

ловный рефлекс черносотенца. Я почти не видела, как его били, увлеченная своим сражением за флажок, и только в «полтиннике» увидела его, с распухшими, в кровь разбитыми губами, в ладони он держал окровавленные зубы. Потом Татка рассказывала, как его били: по лицу и по голове, и ногами, не меньше шести ударов.

Ему выбили четыре зуба — все резцы верхней челюсти, и, конечно, в этом виде он не годился для суда, на котором следовало доказать, что демонстранты нарушили общественный порядок, а те, кто бил нас, отнимали лозунги, кто пытался провоцировать толпу, — они-то и действовали·в согласии с законом и в интересах закона. Все равно подсудимые и некоторые свидетели говорили о том, как били Файнберга, как выбили ему зубы, но слова бледны по сравнению с живым свидетельством, с видом искалеченного человека.

Самый простой путь не выпустить человека на суд — это признать его невменяемым. Я вообще удивляюсь, как они не решились признать невменяемыми всех семерых, объявить демонстрантов «кучкой сумасшедших», — кто же, кроме безумцев, среди кликов всенародного одобрения открыто скажет «нет»? Но видно, установка была такова, чтобы соблюсти некоторую видимость и законности, и гласности. Поэтому и ограничились тем, что невменяемыми признали меня и Виктора. Насколько я знаю, в диагнозе у Виктора значатся «остаточные явления шизофрении», «остаточные явления сотрясения мозга», «базедова болезнь». Это последнее, отнюдь не психиатрическое заболевание — то, чем Виктор действительно болен. В условиях Лефортовской тюрьмы болезнь его обострилась. Одним из оснований диагноза шизофрении в экспертизе указали «бред реформ». Итак, всякое частное несогласие с существующей системой, всякое высказывание о необходимости изменить ее и улучшить — если вас захотят объявить невменяемым, будет истолковано как «бред».

Говорят еще, что в ленинградской больнице лечащие врачи сказали Файнбергу, что у него диагноз «шизоинакомыслие». То ли скучающий врач проявил в разговоре с пациентом свое остроумие, то ли и правда в советской психиатрии существует такой диагноз? Я готова поверить в последнее.

Суд по назначению Виктору Файнбергу принудительных мер медицинского характера состоялся 2 декабря, председательствовал судья Монахов, которого потом мы видели во главе суда над Ирой Белогородской. Суд проходил без Файнберга: хотя по Уголовному кодексу суд «вправе» вызвать его на судебное заседание, суд этим правом не воспользовался. По-моему, и не бывает случая, чтобы «невменяемого» — вернее, того, кого суд должен признать невменяемым, — вызвали в судебное заседание. Может быть, судьи боятся увидеть перед собой не бумажку, а реального — и вдруг здорового? — человека?

Защитник Виктора адвокат С.Л. Ария оспаривал и то, что действия Файнберга подпадают под соответствующие статьи Уголовного Кодекса, и то, что состояние здоровья Файнберга и общественная опасность его действий требуют помещения его именно в психиатрическую больницу специального типа: ведь статьи, по которым квалифицировались действия Файнберга — те же самые 190^1 и 190^3, — не входят в число ни особо опасных, ни тяжких преступлений.

И верно, я знаю случай — в Ленинграде — такого же суда по такой же статье, по 190^1, окончившегося тем, что человека признали невменяемым и — в согласии с рекомендацией экспертизы — отдали на попечительство родным и под наблюдение психдиспансера. Разница была только в том, что этот человек согласился с тем, что он действовал (писал «криминальное» письмо в ЦК) в состоянии возбуждения, аффекта, а Виктор, я уверена, отстаивал полную осознанность своего выхода на Красную площадь.

Суд, как и следовало ожидать, полностью повторил выводы экспертизы, признал Файнберга невменяемым и назначил ему принудительное лечение в психиатрической больнице специального типа.

В начале февраля 1969 г. Виктор помещен в Ленинградскую специальную психиатрическую больницу на Арсенальной ул. О его пребывании там известно мало. В конце мая он был переведен из 11-го лечебного отделения, где ему лечили заболевание щитовидной железы, в более тяжелое, 4-е. Санитары — а санитарами в этой больнице заключенные-уголовники — в кровь избили одного пациента. Виктор слышал его крики, а на другой день встретил его, окровавленного: разбито лицо, и в крови пижама. Виктор начал писать жалобу на санитара, и его тут же, не дав дописать, перевели в другое отделение, причем жалоба «пропала». Взволнованным родителям Виктора сказали, что он ни в чем не виноват, и обещали вернуть его в лечебное отделение.

С 1 июня над Виктором назначена опека отца. Может быть, это сможет ускорить его выход. Но вот уже комиссия, которая была в июне, не выписала Виктора из больницы. Следующая комиссия — через полгода, т.е. в декабре.

Жена писала Виктору в письме, что ему надо скорее выйти из больницы, чтобы обрести покой, которого там нет, и только тогда улучшится его здоровье, — это письмо до Виктора не дошло.

Пятнадцатилетнего сына не пускают к Виктору на свидания как несовершеннолетнего (и в лагерь, и в тюрьму детей пускают на свидания). Виктора ограничивают в получении денег, так как он тратит их на выписку газет и журналов.

Чтобы читатель мог себе представить, в каких условиях находится Виктор, я привожу два документа о принудительном лечении в спецпсихбольницах. Первый — это отрывок из периодического издания «Год прав человека в Советском Союзе продолжается. Хроника текущих событий», выпуск 3 (8). Второй написан Петром Григорьевичем Григоренко незадолго до его ареста*.

Еще я хочу отметить, что если бы Виктор был признан вменяемым, то при имевшемся подходе суда (сын на иждивении) он определенно получил бы не лагерь, а ссылку, т.е. оказался бы в куда более человеческих условиях.

Участь Виктора Файнберга — наиболее трагическая из всех демонстрантов. Но зато, мне кажется, это тот единственный случай, где могло бы помочь вмешательство мирового общественного мнения, вмешательство международных организаций — в первую очередь Международного Красного Креста. Если у этой книги окажутся читатели на Западе, я прошу их сделать все возможное, чтобы облегчить пребывание Виктора Файнберга в стенах тюремной психбольницы и ускорить его освобождение».

---

* См. «Показания Виктора Файнберга», с. 390.

И. ЯХИМОВИЧ

Юрмала

24 марта 1969 г. у себя на квартире в городе Юрмала (Рижское взморье) был арестован Иван Яхимович, бывший председатель колхоза «Яуна гварде» Краславского района Латвийской ССР.

Когда колхоз возглавлялся И. Яхимовичем, он считался «передовым» и о нем писали центральные газеты, как, например, «Комсомольская правда». После известного письма И. Яхимовича в ЦК КПСС в связи с судом над Ю. Галансковым, А. Гинзбургом, А. Добровольским и В. Лашковой Яхимовича, несмотря на протесты колхозников, сняли с поста председателя. В нарушение устава КПСС его без согласия первичной организации исключили из партии. И. Яхимович с женой Ириной, которую отстранили от педагогической работы в школе, и с тремя детьми дошкольного возраста переехал в город Юрмала (Латвийская ССР, гор. Юрмала, 10, проспект Булдуру, 18), где, не получив прописки, не мог поступить на постоянную работу. Временно он работал истопником в санатории «Белоруссия». Жена Яхимовича работала воспитательницей в детском саду.

После вторжения советских войск в Чехословакию И. Яхимович вместе с генералом П.Г. Григоренко направился в посольство Чехословакии в Москве, чтобы заверить представителей Чехословакии в том, что народ Советского Союза — на стороне чехов и словаков.

Открытое письмо И. Яхимовича заканчивается призывами «Руки прочь от ЧССР!» и «Свободу политзаключенным!».

27 сентября 1968 г. пять кагэбистов в штатском произвели у И. Яхимовича обыск, причем в ордере на обыск было выдвинуто абсурдное утверждение, будто И. Яхимовича подозревают в соучастии в ограблении отделения госбанка в городе Юрмала. Однако фактически чекисты изъяли только записки Яхимовича, имеющие отношение к событиям в Чехословакии, в том числе номера газет «Правда» и «Известия», на полях которых И. Яхимович делал заметки.

Когда стало известно о самосожжениях в Праге, И. Яхимович и генерал П. Григоренко обратились к гражданам Советского Союза с призывом, «не совершая поспешных и опрометчивых действий, всеми законными средствами добиваться вывода советских войск из Чехословакии и отказа от вмешательства в ее внутренние дела». Авторы письма-обращения напоминают советским гражданам, что «мы все несем долю вины за гибель Яна Палаха. Своим одобрением ввода войск, его оправданием или просто молчанием мы способствуем тому, что живые факелы продолжают гореть на площадях Праги и других городов».

Следствие против Ивана Яхимовича в декабре 1968 г. начал следователь прокуратуры Ленинского района г. Риги Какитис. Прокуратура обвинила И. Яхимовича по ст. 83, ч. 1, УК Латвийской ССР, которая соответствует ст. 190¹ УК РСФСР.

5 февраля 1969 г. И. Яхимовича вызывали к следователю, который интересовался главным образом путями распространения различных документов: откуда у И. Яхимовича статья П. Григоренко о книге Некрича? Кому давал Яхимович свое письмо, направленное в ЦК КПСС на имя Суслова? Почему Яхимович распространял обращение Павла Литвинова и Ларисы Даниэль к мировой общественности (в связи с процессом Галанскова — Гинзбурга)? Следователь задал Яхимовичу вопрос и по поводу изъятого у него при обыске письма, адресованного Павлу Литвинову, но так и не отправленного. В этом письме Яхимович под свежим впечатлением демонстрации 25 августа писал Литвинову: «Горжусь, восхищаюсь и, если бы был в Москве, — был бы с вами на Красной площади». Следователь спросил: «Вы и сейчас так думаете?» «Да», — ответил Яхимович.

Обыск у И. Яхимовича, постановление о котором было подписано помощником прокурора города Юрмала Квиешоне, был произведен со ссылкой на мнимое подозрение Яхимовича в похищении 19 654 рублей из отделения госбанка. Это — пример «нового метода», который КГБ применяет не в одной только Латвийской ССР.

Сразу после ареста И. Яхимовича, в апреле, в стране начала распространяться «Белая книга» под заглавием *Арест Ивана Яхимовича — расправа с инакомыслящими*. Она состоит из шести документов, среди которых особую известность получили два последних. Один из них озаглавлен «Вместо последнего слова» — когда И. Яхимович твердо знал, что будет арес-

380

тован. Датирован документ так: «24 марта 1969 г. (за несколько часов до ареста)». В нем И. Яхимович сообщает свою биографию, объясняя, что он вынужден говорить о себе, «...так как, возможно, вскоре поток лжи и лицемерия выйдет за пределы суда».

И. Яхимович сообщает, что ему 38 лет, что он по крови поляк, родился в г. Даугавпилсе (Двинске) и с детства знает польский, русский и латышский языки. Его мать — прачка, отец — поденный рабочий. И. Яхимович окончил Латвийский государственный университет, работал учителем средней школы на селе, затем инспектором школ, председателем колхоза «Яуна гварде». После открытых выступлений потерял место и был кочегаром в санатории «Белоруссия» в городе Юрмала. Затем И. Яхимович обращается непосредственно к философу Б. Расселу, к Л. Даниэль, П. Литвинову, П. Григоренко, П. Якиру, А. Дубчеку, А. Солженицыну, А. Сахарову, к рабочим Ленинграда, Москвы, Риги, к грузчикам Одессы, Лиепаи, Таллина, к крымским татарам. И. Яхимович выступает с коммунистических позиций, но считает, что у коммунистов «один повелитель — народ», права которого нарушаются от имени социализма и марксизма.

Другой документ составлен уже после ареста И. Яхимовича его друзьями. Вот его текст:

ВЫСТУПЛЕНИЕ В ЗАЩИТУ ИВАНА ЯХИМОВИЧА

Нас потрясло известие об аресте Ивана Антоновича Яхимовича и письмо, написанное им незадолго до этого. Для людей, знавших его лично или знакомых с его открытыми принципиальными выступлениями против беззаконий, творящихся в наше время в нашей стране, нет и не может быть никакого сомнения: карательные органы пытаются расправиться с человеком безупречной честности и высокого мужества, в невинности которого мы убеждены.

Мы никогда не примиримся с репрессивными акциями, направленными на ущемление законных прав и достоинства наших сограждан.

Мы никогда не примиримся с арестом Ивана Яхимовича.

Поэтому мы считаем своим долгом заявить: оставаясь в рамках закона, мы не остановимся ни перед чем и сделаем все возможное для предотвращения позорной расправы над Иваном Яхимовичем.

Подписи: Баева Т. — служащая, Васильев Д. — юрист, Габай И. — филолог, Гершуни В. — рабочий, Емелькина Н. — служащая, Ковалев С. — биолог, Кожаринов В. — рабочий, Красин В. — экономист, Левитин-Краснов А. — церковный писатель, Лавут А. — математик, Мальцев Ю. — филолог, Ракитянский Б. — физик, Рудаков И. — рабочий, Самохина Г. — учительница, Тимачев В. — геолог, Якир М. — служащая, Якир П. — историк, Яшинов И. — океанолог.

О дальнейшей судьбе И. Яхимовича подробно сообщалось в «Хронике». Так, в № 9 (от 31.09.69) указывалось:

«В конце августа 1969 г. Верховный суд Латвийской ССР рассмотрел дело Ивана Яхимовича. Действия Яхимовича квалифицированы следствием по ст. 183¹ УК Латв. ССР, соответствующей ст. 190¹ УК РСФСР. Содержание его действий: распространение письма Богораз и Литвинова «К мировой общественности», изготовление и распространение письма в ЦК КПСС, письмо в защиту демонстрантов 25 августа, изъятое при обыске в единственном экземпляре и не распространявшееся, а также устные высказывания против ввода войск в Чехословакию.

Иван Яхимович никогда ранее не состоял на психиатрическом учете. Первое заключение о его невменяемости поставила амбулаторная экспертиза: диагноз «шизофрения». Стационарная экспертиза поставила ему совершенно иной диагноз: «паранойяльное развитие психопатической личности, которое может быть приравнено к психическому заболеванию», — и также признала его невменяемым. В заключениях обеих экспертиз рекомендовалось направить Яхимовича в психиатрическую больницу специального типа.

Суд удовлетворил ходатайства, заявленные адвокатом С.В. Каллистратовой: о вызове дополнительных свидетелей, о приобщении дополнительных документов, о вызове Ивана Яхимовича в суд. Защита также выдвинула ходатайство о направлении Яхимовича на повторную экспертизу, так как заключение экспертизы не обосновано самими материалами экспертизы. Врач-эксперт в суде заявила, что она не может опровергнуть выводы стационарной экспертизы, но так как при допросе свидетелей, хорошо знающих Яхимовича, и при его допросе получены новые данные для характеристики его психического состояния, она считает необходимым направить Яхимовича на повторную экспертизу. Прокурор поддержал ходатайство адвоката о повторной экспертизе. Суд вынес определение о направлении Ивана Яхимовича на повторную судебно-психиатрическую экспертизу в Институт им. Сербского. Председательствующий на процессе судья Лотко провел все двухдневное заседание с полным соблюдением процессуальных норм и уважением права на защиту. По свидетельству очевидцев, Иван Яхимович вызвал симпатии всех присутствующих, не исключая прокурора и конвойных солдат».

В декабре 1969 г. И. Яхимовича подвергли повторной психиатрической экспертизе в Институте им. Сербского. Он был признан невменяемым, но с оговоркой, что принудительное лечение может быть проведено в больнице общего типа.

«Хроника» № 13 от 30 апреля 1970 г. кратко сообщила о повторном суде, состоявшемся в Риге 15—18 апреля 1970 г.:

«Суд подтвердил заключение (экспертизы) и определил И. Яхимовича к принудительному лечению в больнице общего типа. Жене Яхимовича не дали свидания с мужем и заявили, что он будет дожидаться очереди в одной из психиатрических лечебниц».

И. Яхимович был отправлен в Рижскую республиканскую психиатрическую больницу.

ЗАЯВЛЕНИЕ
ВЛАДИМИРА БУКОВСКОГО

Заявление, сделанное корреспонденту американской телевизионной компании «Коламбия бродкастинг корпорейшн» Вильяму Коулу в подмосковном лесу весной 1970 г. Большая часть заявления передавалась телевидением Америки и Европы и была опубликована в западной печати.

* * *

Решение поместить меня в психлечебницу показалось мне сначала странным. Я не мог понять, чем оно вызвано и что ненормального нашли во мне врачи, проводившие экспертизу. Но, познакомившись с другими обитателями этой больницы, я понял, что это обычное решение в таких случаях. Дело в том, что обитатели, то есть «пациенты», этой больницы — это люди, совершившие такие действия, которые с точки зрения власти являются преступлением, а с точки зрения закона им не являются. Чтобы их каким-то образом изолировать и наказать, этих людей признают невменяемыми и, как больных, содержат в тюремной психиатрической больнице. Прошло некоторое время, прежде чем я это понял, познакомившись со своими коллегами по камере.

Теперь я знаю, что это обычная судьба человека, который хочет быть самим собой, хочет говорить что он думает, действовать в соответствии со своими убеждениями, со своими мыслями. Факты последних лет подтверждают это мое предположение. Десятки и сотни людей признаны невменяемыми и отправлены в разные больницы специального типа в Казань, Ленинград, Черняховск, Сычевку и др.

Ленинградская специальная психиатрическая больница — это старая тюрьма, которая была тюрьмой до революции и в которой содержатся около тысячи людей. Больше половины их — убийцы и люди, совершившие другие тяжелые преступления в состоянии невменяемости, то есть люди действительно больные. Остальная часть — политические заключенные, инакомыслящие, для которых не находится статьи в Уголовном кодексе, которых нет возможности наказать иначе, чем вот таким способом.

Надзор в больнице осуществляется прежде всего надзирателями, самыми обычными тюремными надзирателями, которые поверх своей формы надевают белые халаты. Тюремный коридор — как в любой тюрьме. Камеры на замке. В камерах разных отделений — разное число людей. В неврозном отделении по 2—3 человека. В других отделениях — по 10—12. Кроме надзирателей, есть и санитары. Санитары — это заключенные, уголовные преступники, отбывающие таким образом свое наказание. Это люди, для которых абсолютно все — все равно.

Они обязаны как-то общаться с больными, а им это неприятно, и они срывают на больных свою злобу, свое раздражение, свое неудовлетворение. Никакого контроля над ними со стороны врачей нет, и они безнаказанно могут избивать больных. Заключенные хозобслуги всегда могут сослаться на то, что больной вел себя недопустимо, что был в болезненном состоянии, слишком раздражительный, что у них не было возможности поступить с ним иначе. Такого объяснения хватает: они не понесут никакого наказания.

Из этого учреждения значительно труднее выйти, чем попасть в него. Прежде всего, чтобы выйти, нужно официально и открыто заявить врачам, что ты признаешь себя больным. Надо признать, что был болен и все, что делал, делал в состоянии невменяемости. Второе — это нужно заявить, что поступал неправильно. Нужно заявить, что отрекаешься от всего, что делал.

Я знаю несколько примеров, когда люди, не желавшие таким образом отречься от своей деятельности, пробыли много лет в этой больнице. Например, Самсонов Николай Николаевич. Ленинградский геофизик, лауреат. Сидел он только потому, что отказывался признать себя больным. Другим моим товарищем по сумасшедшему дому был, например, французский коммунист, по происхождению румын, который прожил более десяти лет в Марселе, а потом приехал в Советский Союз, чтобы посмотреть, что представляет собой коммунизм на практике. Он поступил в Молдавии на обувную фабрику и там долго работал. Ему не понравилось, что рабочие обувной фабрики, да и всей обувной промышленности, получают так мало денег. Он предложил своим коллегам по работе бороться за лучшую зарплату. Они объявили забастовку, и он был арестован и признан невменяемым. В больнице он не мог понять, что с ним произошло. Что означают такие действия коммунистов? Для него коммунизм и борьба рабочих за лучшую жизнь — это примерно одно и то же. Ему это было непонятно. Под конец его пребывания он, как мне кажется, стал сходить с ума по-настоящему, потому что уверял всех, что в советском правительстве действует рука Ватикана.

Другим моим товарищем по заключению был латыш, живший в Австралии в эмиграции и приехавший в Советский Союз навестить своих родственников и друзей. Его не выпустили из Советского Союза, заявив, что, поскольку он — латыш, он — гражданин Советского Союза. Другого правительства Латвии не существует.

У меня там было много друзей, и судьбы их, все их дела доказывали мне, что в общем-то в эти больницы попадают люди с такими делами, по которым их нельзя судить. Не за что судить. И больница — это просто способ избавиться от них и на время убрать их с глаз долой.

Режим этой больницы напоминал тюремный режим. Один час в день прогулки. Запертые камеры. Один раз в месяц — свидание. Одно письмо родственникам в месяц. Одна передача в месяц. Это был абсолютно тюремный режим. Врачи сами понимали, что это не больница, а тюрьма, и говорили об этом открыто. В случае если больной вел себя недостаточно правильно, он мог быть наказан.

В этой больнице очень легко совершить какую-нибудь провинность. Наказания же весьма суровы. Вот три типа наказаний, применяемых в этой больнице. Первый тип относится к наказанию медицинскими средствами. Известно, я думаю, везде средство под названием «сульфазин». Оно применяется в случае, если пациент, т.е. заключенный, совершил небольшой проступок. Допустим, грубо ответил врачу на какой-либо вопрос или заявил, что врач — палач в белом халате. Сульфазин — болезненное наказание. От него поднимается температура до сорока градусов Цельсия. Человек чувствует лихорадку, он не может встать, не может пошевелиться. Это продолжается день-два. Если же такое «лечение» повторяется, то такое состояние может продлиться и неделю, и десять дней.

В качестве второго наказания применяется средство под названием «аминазин». Это психотропное средство, тоже, наверное, известное в других странах. От него пациент чувствует отупение, сонливость, он может спать несколько суток подряд. Если такое средство применяется как система, то пациент может спать в течение всего срока его употребления.

Третьей мерой наказания была, как у нас называлось, укрутка. Это — использование влажной парусины, которой обматывался пациент от пяток до головы. Обматывался настолько плотно, что ему было трудно дышать. Когда эта парусина начинала сохнуть, она садилась, сжималась, и человек чувствовал себя еще хуже. Но это наказание применялось осторожно, в присутствии медицинского персонала, который следил за тем, чтобы больной не потерял сознание. И если его сердце давало перебои или он терял сознание, то парусина, в которую он был завернут, ослаблялась.

Вообще медицинские средства применялись довольно широко. Достаточно было проявить веселость, или, наоборот, грусть, или слишком большую успокоенность, то есть любое отклонение от обычного состояния, которое могло показаться психиатрам подозрительным, чтобы у них появилось основание заявить, что ты болен, и распорядиться, чтобы начали применять эти различные средства.

ПОКАЗАНИЯ ВИКТОРА ФАЙНБЕРГА

...Как только политзаключенный прибывает в спецбольницу, врачи на первом же свидании ставят перед ним альтернативу: либо бессрочное заключение, либо отказ от своих убеждений.

Заведующая 11-м отделением заявила мне без обиняков: «Ваша болезнь — инакомыслие». При этом никого не смущает, что за одну и ту же политическую акцию одних людей присуждают к заключению в лагерях, а других (их товарищей по процессу) к принудительному лечению.

«Мы лечим вас стенами», — говорят врачи. Но это еще лучший вариант «лечения». Иногда врачи предупреждают политзаключенного, что, если он будет «упорствовать», очередная комиссия может назначить ему «лечение» помимо стен. Таким образом, совершенно здорового психически человека угрожают подвергнуть «лечению» сильнодействующими медицинскими препаратами, способными подорвать или даже разрушить психику, то есть подвергнуть его самому утонченному способу пытки, до которого не додумались палачи прошлого.

Так называемая дисциплина поддерживается намеренно насаждаемой атмосферой запугивания. Нередки случаи избиения больных санитарами, надзирателями и корпусными. Избиения здесь считаются нормальным явлением. Происходит оно, как правило, при молчаливом благословении сестер и явном попустительстве врачей. Вот образчик «наставления» врачей санитарам: «Вы что, не знаете, что бить вообще нельзя, а если не умеете, то тем более!»

Больной Семенчук был избит санитарами и дежурным по лестнице, а затем в камере (в 1967 г.), дежурный врач Татьяна Алексеевна прокомментировала это избиение такой сентенцией, обращенной к больному: «Стену головой не прошибешь!»

22 марта 1962 г. санитары зверски избили больного Алексеева Василия Ивановича (1927 г. р.) в 4-м отделении. У него были явные следы побоев: синяки, кровоподтеки. Когда он по этому поводу обратился к врачу Екатерине Ивановне Кузнецовой, она невозмутимо ответила: «Тебя еще мало били».

Медбрат 7-го отделения Виктор Валерьянович систематически избивает больных, заводя в ванную. Больной Семенчук был избит в присутствии медсестры. По инструкции санитары и надзиратели не имеют права заходить в камеру без сопровождения среднего медицинского персонала. Однако для облегчения экзекуций это правило постоянно нарушается. Летом 1969 г. в 3-м отделении два санитара вошли в камеру без сестры и дежурного и избили больного Станислава Арбузова. В конце апреля 1970 г. в 4-м отделении медсестра Анастасия Алексеевна, производя инъекцию больному Владимиру Алексееву (1945 г. р.), вышла из палаты, чтобы дать возможность санитарам избить его, «умыв» при этом руки. Иногда «для удобства» больного сначала привязывают к койке, а затем бьют. В августе 1970 г. в 3-м отделении санитары избили больного Ефимова, предварительно прикантовав его к койке. В «подвигах» такого рода дежурные и корпусные не отстают от санитаров. В июне 1969 г. в 1-м отделении больного Владимира Степанова грубо приволокли не в ту кабину, куда он просился (тяжелые больные гуляют здесь в «кабинах», то есть крошечных двориках, собственно, деревянных ящиках без крышки), и больной, сопротивляясь, ударил корпусного Георгия Русского. Последний и санитар избили его, отвели в отделение и там продолжали избивать в камере. Иногда такие избиения заканчиваются трагически. Один больной был заведен в ванную и зверски избит санитарами, надзирателями и фельдшером. Его бросили на кафельный пол, пинали ногами; результат — перелом берцовой кости и направление в Москву на операцию. «Разбор» дела завершился объяснительной запиской санитара, которую сочли вполне достаточным документом для прекращения расследования.

В 1965 г. больному Никитину Александру Георгиевичу (1932 г. р.) вывихнули руку и повредили ключицу. Он остался калекой на всю жизнь. (Сейчас находится в 11-м отделении.)

Больного Григорьева Ивана Ивановича (1925 г. р.) зверски избили в 11-м отделении. В результате он потерял зрение на один глаз.

В 1964 г. в коридоре 2-го отделения санитары и надзиратели зверски избили больного Иванова Николая Петровича. Его повалили на пол и пинали ногами, сломав ему два ребра. Иванов так и не смог оправиться после этого избиения и через три месяца скончался, причем известно, что последние 20 дней он непрерывно харкал кровью.

Разумеется, никто не был привлечен к ответственности за эти и другие случаи членовредительства и убийства, не было даже проведено соответствующего расследования, а смерть больных приписали необратимым болезненным процессам.

Если избиение приобретает слишком широкую огласку, реакция врачей сводится к перемещению больного в другое отделение. 13 мая 1969 г. три санитара 11-го отделения зверски избили больного Малышева. На лице его были кровоподтеки, куртка залита кровью. При избиении присутствовала медсестра Наталья Павловна, известная своими садистскими выходками. На следующий день Малышев был переведен в 3-е отделение, а санитары, ободренные таким исходом, удвоили издевательства над больными, открыто хвастаясь своей безнаказанностью.

Второе место после избиений занимает другой вид физического воздействия — назначение сильнодействующих инъекций за «дисциплинарные проступки», которыми считаются, например, замечание или протест против произвола. Зачастую такие назначения не показаны больному по характеру его болезни и поэтому приводят к резкому ухудшению состояния. Так, например, инъекции сульфазина применяют почти исключительно в качестве наказания. При этом температура больного поднимается до 40 градусов Цельсия и в течение трех дней ему больно даже пошевелиться. (Каково же, когда назначают пятую инъекцию с интервалом в два дня!)

В тех же целях применяют так называемую укрутку, или тепловлажное укутывание, когда больного стягивают мокрыми простынями и не просто привязывают к койке, а что есть силы обматывают жгутами почти виток к витку. Простыни высыхают и как тисками сдавливают все тело (часто бывает, что больной теряет сознание), и на все отделение раздаются вопли истязуемого. Были случаи, когда такую укрутку назначали на 10 дней ежедневно!

В спецбольнице санитарами работают заключенные. Считается, что их здесь перевоспитывают. Действительно, в санитарском общежитии и в главном корпусе с ними проводят так называемую воспитательную работу и кое-какой, с грехом пополам, инструктаж. Однако настоящее воспитание санитары получают в больничных корпусах. Здесь им внушают исподволь, что лучший способ поддержания дисциплины среди больных — запугивание и избиение наиболее строптивых. Легко представить себе, с каким нравственным багажом этих людей выпускают на свободу. Таким образом, терроризирование больных удачно сочетается с разложением заключенных-санитаров.

Не менее известно, что рацион больных несколько превышает рацион заключенных-санитаров. Кроме того, санитары больше ограничены в выписке продуктов и получении передач. Это «противоречие» легко разрешается тем, что санитаров (в некоторых отделениях) кормят за счет больных, а чтобы избежать претензий со стороны последних, подливают в молоко и компот спасительную воду.

Вообще положенный нам рацион быстро тает на всех инстанциях — от котла до миски. В отделениях 2-го корпуса воруют и продукты, получаемые больными в передачах и посылках или выписываемые ими за свои деньги в ларьке. Воровством там занимаются некоторые медсестры, делясь своей добычей с санитарами.

Иногда санитары, угрожая побоями, вымогают продукты у тяжелобольных. В частности, за отказ поделиться с санитарами своей посылкой был избит санитарами больной Станислав Арбузов, о котором я упомянул выше.

Бывают случаи, когда санитары по приказанию надзирателя врываются в палату, связывают и избивают больного без ведома сестры. Существующая система такова, что даже люди, проявляющие гуманное отношение к больным, практически не могут им помочь. Так, врач, при всем желании оградить больного от издевательств и избиений со стороны надзирателей и корпусных, не в состоянии этого сделать. Медсестра может только попросить надзирателя воздержаться от грубостей и рукоприкладства.

По обеим линиям процветает система доносов, которые (от кого бы они ни исходили) прежде всего отражаются на больных. Так, надзирателей, позволяющих себе лишнюю минуту поговорить с больным, посидеть, развлечь тяжелобольного, по доносу своих коллег или медсестер переводят в другое отделение, в лучшем случае они получают замечание и выговоры.

«Здесь надо быть собакой, тогда будешь хорошим у начальства», — говорил мне один старый надзиратель, дорабатывающий последние недели до пенсии.

РУССКІЕ УЧЕНЫЕ

о

ЕВРЕЙСКОМЪ ВѢРОУЧЕНІИ

ЗАКЛЮЧЕНІЯ ПРОФЕССОРОВЪ

П. К. КОКОВЦОВА, П. В. ТИХОМИРОВА и И. Г. ТРОИЦКАГО

НА ПРОЦЕССЪ БЕЙЛИСА.

Printed in russia

С.-ПЕТЕРБУРГЪ

1914.

РУССКИЕ УЧЕНЫЕ О ЕВРЕЙСКОМ ВЕРОУЧЕНИИ

Заключения профессоров
П.К. Коковцова, П.В. Тихомирова и И.Г. Троицкого
на процессе Бейлиса*

С.-Петербург, 1914

ЭКСПЕРТИЗА ПРОФ. ТРОИЦКОГО

Председатель (обращаясь к проф. Троицкому): Прошу дать свое заключение.

Троицкий: На *первый вопрос,* предложенный мне: **«Какое значение имела кровь жертв при храмовых жертвоприношениях у евреев?»** — я отвечу так: жертвенная кровь имела значение очистительное. На такое ее значение ясно указано в Библии, в XVII главе кн. Левит: «кровь душу очищает». Точно так же на это значение указано в Послании Ап. Павла к евреям.

2-й вопрос: **«Есть ли указания в Библии на человеческие жертвоприношения у евреев?»**

По поводу этого вопроса о. Пранайтис говорил, что такие указания есть. Действительно, существуют указания относитель-

---

* Два года — с 1911 по 1913-й — длилось в Киеве дело, по которому еврея Менделя Бейлиса обвиняли в ритуальном убийстве украинского мальчика. Дело было явно сфабриковано и инспирировано черной сотней с целью провокации еврейских погромов. Копаясь в Нью-Йоркской публичной библиотеке, я обнаружил ветхий и, по-видимому, единственный уцелевший экземпляр небольшой книжки «Русские ученые о еврейском вероучении» — стенограмму судебных допросов трех самых известных на то время российских богословов, которым прокуратура поручила отыскать в еврейских религиозных книгах тексты, уличающие евреев в ритуальных убийствах. Документ этот был издан в 1914 году тиражом 500 экз. и настолько уникален, что я снял с него копию, которую теперь публикую.

но жертвоприношения Авраамом своего сына Исаака и затем относительно принесения в жертву Иевфаем своей дочери, почему многие библеисты склонялись к тому мнению, что у евреев могли быть человеческие жертвы. Но нужно сказать, что отмеченные факты требуют особого специального разъяснения. Именно относительно жертвоприношения Авраамом Исаака надо иметь в виду, что это жертвоприношение не состоялось и что повеление о нем было как бы испытанием, которое Господь Бог дал Аврааму, чтобы испытать силу его преданности Господу. Фактически же это жертвоприношение не состоялось, и Исаак был заменен агнцем. Относительно принесения Иевфаем дочери своей в жертву, после возвращения его с победы, тоже существуют разногласия. Древние толкователи, как св. Иоанн Златоуст, готовы были предполагать, что Иевфай действительно принес свою дочь в жертву, и видели в этом факте, до некоторой степени противоестественном, несогласном с родительскими чувствами, наказание Иевфаю за то легкомыслие, с которым он дал свое обещание. Но в настоящее время, начиная с XIX столетия, многие исследователи этого вопроса говорили, что тут не было жертвоприношения в полном смысле этого слова, а было только посвящение Иевфаем своей дочери во служение при скинии, где дочь его осталась девственницей до своей смерти. Во всяком случае, в Библии относительно жертв указывается, что вообще человеческие жертвы были строго воспрещены законом еврейским. Относительно этого существуют положительные предписания Библии в XX главе книги Левит, где заключается осуждение служения Молоху и говорится, что всякий, кто будет служить Молоху, должен быть предан смерти. Служение же Молоху состояло в принесении родителями в жертву своих детей перед изображением Молоха, причем эти дети полагались на простертые руки его и сжигались. Моисеев закон строго, под страхом смерти, запрещал каждое подобное жертвоприношение. Правда, иногда евреи являлись нарушителями этого закона. Так было, между прочим, во времена царя Манасии, который увлекался вавилонским культом. Но хранители закона еврейского всегда строго восставали против культа Молоха. Благочестивые цари принимали решительные, строгие меры к искоренению этого культа в народе. Что касается времени после вавилонского пленения, когда у евреев произошел переворот в их жизни и они с особой ревностью стали исполнять и охранять закон во всех возможных его предписаниях, то как в это время, а также и в последующее — до настоящего времени, у евреев не могло быть что-нибудь похожее на человеческие жертвоприношения. Здесь указывалось на один факт, о котором упоминается в сочинении Иосифа Флавия против Апиона. Этот александрийский адвокат страшно ненавидел евреев и распространял относительно них всевозможные нелепости. В числе прочих нелепостей он допустил такую клевету, что будто бы когда Антиох Епифан, известный гонитель еврейской религии и еврейского культа, в начале II века взял Иерусалим, то в одном из отделений храма нашел грека, который сказал ему, что он здесь заключен евреями, чтобы впоследствии, когда он достигнет большей полноты и телесности, принести его в жертву. Этот рассказ Апиона был его вымыслом и никем из серьезных историков еврейства не подтверждается. Вот краткая история вопроса о человеческих жертвах у евреев. Хотя существует некоторое указание на человеческие жертвоприношения у древнейших евреев, но закон всегда строго это воспрещал. Что же касается времени после пленения вавилонского и до последнего времени, то ничего подобного у них не было. Иногда указывают на существование у евреев обряда обрезания, что будто бы этот обряд есть что-то такое, вроде человеческого жертвоприношения. Но такое сопоставление есть полнейшее непонимание этого обряда: обрезание есть символ завета еврейского народа с Богом, и в этом обряде нет ни малейшего указания на то, что это есть человеческое жертвоприношение.

Утверждающие, что этот обряд есть жертвоприношение, совершают своего рода кощунство.

3-й вопрос: «**Чем у евреев заменено принесение в жертву Иегове еврейских первенцев и распространена ли эта замена на первенцев рабов из другого племени?**»

Закон относительно посвящения первенцев еврейских дан был при выходе евреев из Египта. При освобождении еврейского народа от рабства египетского произошло избиение первенцев египетских... Все же первенцы еврейские были посвящены Богу. Впоследствии это повеление Бога находило свое особое оправдание в том, что евреи призваны были к служению Господу Богу, как говорится в XIX главе книги Исход. Но служителями Бога могли быть не все, а только известная избранная часть народа. Первоначально эта функция — служение Богу — возлагалась на первенцев, так что при вступлении в завет еврейского народа с Богом, о чем говорится в XXIV главе книги Исход, когда был построен жертвенник по числу 12 колен Израильского народа, для совершения жертвы были избраны юноши из 12 колен, это и были первенцы еврейского народа. Но после временного отступления евреев от культа истинного Бога, после поклонения их тельцу, этого права лишены были все колена, за исключением колена Левиева, так что право быть священниками и совершать служение Богу было присвоено колену Левиеву, которое и заменило собой первенцев еврейского народа. Но чтобы все же увековечить в памяти народа, что все первенцы во всякой семье должны быть посвящены Богу, был установлен особый выкуп за каждого первенца. Во время жизни Христа Спасителя цена этого выкупа была около пяти рублей. Вторая часть вопроса: «Распространена ли эта замена на первенцев рабов из другого племени?» На основании моего личного ознакомления с этим вопросом мне об этом ничего не известно. Закон о первенцах простирался как на людей, так и на животных, но он касался только евреев. Для лиц иноплеменных он только тогда был обязателен, когда они принимали обрезание и, таким образом, делались как бы истинными евреями.

4-й вопрос: «**Есть ли указание в Библии, что убийство некоторых людей и избиение иноплеменников считалось евреями фактом, угодным Иегове?**»

При ответе на этот вопрос можно указать только на один факт, что избиение известного племени было как бы исполнением воли Божией. Это повеление Божие относительно избиения Амаликитян, которые навлекли на себя особый гнев Божий вследствие проявленного ими коварства и жестокости, когда евреи, освободившись от фараона, направились к Земле Обетованной. В то время они находились в опасности от преследовавших их египтян и испытывали страшные неудобства в пище, в окружающей их дикой пустыне. Этим тяжелым моментом их жизни воспользовались коварные Амаликитяне, которые преградили в узком месте путь евреям и сделали на них нападение. Но Амаликитяне были в это время разбиты, и их попытка преградить евреям путь была неудачна. И вот за то, что они хотели препятствовать народу, который по воле Божией стремился к цели своего путешествия, Бог повелел истребить их из поднебесья. Библейская история знает только один этот факт, где истребление врагов является актом, угодным Господу Богу. Что касается семи ханаанских народов, которых евреи должны были лишить права на владение Палестиной, то относительно их не было прямого определения их истребить, а только — изгнать или, в случае сопротивления, истребить. Прямого указания на то, что все эти ханаанские племена были преданы истреблению, нет. Вообще повеление об этих народах далеко не исполнилось: многие из этих ханаанских племен остались жить в Палестине. Итак, в Библии имеется только один факт избиения иноплеменных как факт, угодный Богу, это — избиение Амаликитян.

Вопрос 5-й: «**Что такое, в сущности, Талмуд, Шулхан-Арух, Каббала, какое значение они имеют в жизни современного еврейства и заключаются ли в них указания на употребление евреями христианской крови?**»

Относительно этого вопроса говорил мой предшественник, так что многое из того, что он сообщил, я не стану повторять, чтобы не утруждать вашего внимания, но к сказанному им я считаю нужным добавить следующее. Во-первых, относительно Талмуда я должен констатировать, что Талмуд развился на почве Моисеева закона. Мишна прямо и непосредственно примыкает к известным частям из книги Исхода, Левита, Чисел и Второзакония. Мишна составляет первую часть Талмуда. Гемара — это дополнительная часть Талмуда, непосредственно связанная с Мишной, и тоже обыкновенно пользуется местами Священного Писания. Это — первый факт. Теперь второй факт. Нужно сказать, что Талмуд нельзя представлять никоим образом сочинением одного лица, которое выдержало здесь определенный план и известную определенную тенденцию. Талмуд есть произведение многих поколений, многих людей, которые по своим взглядам и направлениям принадлежали к различным эпохам, взглядам, различным тенденциям. Талмуд, особенно Гемара, в редакционном отношении не представляет чего-нибудь совершенно законченного. Относительно Талмуда, особенно Вавилонского, можно сказать так: его можно сравнить с собранием протоколов каких-нибудь многолюдных собраний лиц, очень жарко спорящих между собой, имеющих различные взгляды, но которые в конце спора не пришли ни к какому определенному заключению. Вследствие этого совершенно понятно, что в Талмуде наряду с изречениями, дышащими великой мудростью, иногда есть изречения, дышащие фанатизмом. Третье, что я должен дополнить: есть два Талмуда: Талмуд Иерусалимский и Талмуд Вавилонский. Мишна, основная часть Талмуда, в том и другом одна и та же, но Гемары несколько различны. Гемара в Иерусалимском Талмуде была произведением тех раввинов или ученых, которые жили в Палестине, а Гемара в Вавилонском — произведение ученых-евреев, которые жили в Месопотамии, в Месопотамских школах. Вавилонская Гемара гораздо больше, чем Иерусалимская, хотя она захватывает меньшее количество трактатов. В настоящее время у евреев практическое применение имеет более Вавилонский Талмуд, а Талмуд Иерусалимский пользуется сравнительно меньшим употреблением, меньшим значением, но в научном употреблении встречаются одинаково как Иерусалимский, так и Вавилонский.

Шулхан-Арух есть сборник, составленный на основании Талмуда. Шулхан-Арух издан гораздо позже Талмуда. Вавилонский Талмуд издан в VI веке, а Шулхан-Арух в XVI веке и принадлежит одному еврейскому ученому. Шулхан-Арух — это систематизация правил относительно быта евреев. Он имеет значение регламентации внешнего поведения, внешнего быта евреев, начиная с того момента, когда еврей встает, и до того момента, когда он ложится спать. В Шулхан-Арухе с мельчайшей подробностью отмечен весь быт евреев, но нужно сказать, что некоторые постановления Шулхан-Аруха в настоящее время уже являются устаревшими, так что иногда относительно их раввины преподавали частичные разъяснения. Что касается Каббалы, то она представляет собой вид теософического учения. Это учение зиждется не на одной чисто библейской почве, но имеет некоторую связь с философскими школами, особенно пифагорейцев и неоплатоников. Каббала касается преимущественно теоретической стороны мировоззрения евреев. Она в своих существенных частях старается разрешить вопрос о происхождении мира, происхождении человека, о внутренней жизни Божества, насколько оно постижимо для человеческого ума, об отношении Божества к миру, людям и о злых духах. Вообще это очень интересное, хотя, нужно заметить, очень трудно изложенное учение. Каббала представляет собой до некоторой степени попытку осмыслить с точки зрения философской принципы еврейского мировоззрения. В некоторых пунктах она уже несколько расходится с началами талмудического мировоззрения. Так, здесь, например, находили возможным указать на сокровенное учение о Троичности Лиц Божества. Некоторые из ученых-евреев, занимавшихся в течение своей жизни Каббалой, потом принимали христианство. Вообще же в Каббале есть очень много такого, что дает возможность теософически понять основы ветхозаветного мировоззрения.

На вопрос «Какое значение они имеют в жизни современного еврейства?» вкратце можно ответить так: Талмуд и Шулхан-Арух нормируют практическую жизнь евреев, а Каббала нормирует теоретические мировоззрение. Но я должен добавить, что Каббала далеко не под силу еврею со средним умом. Ею могут заниматься только ученые и вообще люди сильные умственно.

Относительно второй части этого вопроса: «Заключаются ли в них указания на употребление евреями христианской крови?» — я отвечаю, что ни в Талмуде, ни в Шулхан-Арухе, ни в Каббале указания на употребление евреями христианской крови не заключаются. Правда, делались попытки найти такие указания. Из позднейших попыток особенно замечательна попытка в этом отношении Ролинга Августа, бывшего профессора, сделанная им в начале 80-х годов прошлого столетия, в его сочинениях «"Полемика" и человеческая жертва раввинизма» и «Мои ответы раввинам». В этих двух сочинениях Ролинг старался указать на одно место из книги Зогар, где будто бы говорится о закалывании евреями людей с целями добывания крови. Но это место Ролингом было неправильно переведено. В свое время эта неправильность была указана известным ученым Францем Деличем. Я, со своей стороны, просмотрел по ливорнскому изданию книги Зогар это место, в котором Ролинг видел указание на человеческие жертвоприношения, в частности на тридцать уколов, о которых здесь несколько раз упоминалось, и я должен засвидетельствовать, что в данном случае Ролинг не прав. Он не совсем правильно перевел это место из книги Зогар. Оно на самом деле относится к убиению скота, но никоим образом не к убою людей. Точно так же Ролинг неправильно перевел другое место, которое взято им из каббалистического сочинения «Сефер Галикутим». При более вдумчивом отношении к делу это место не дает основания видеть то, что думает Ролинг. В нем говорится о «крови девственной» (Sanguis virginitatis), но не о «крови девиц». В последнее время в Киеве была издана брошюра, представляющая перевод Франца Делича (Киев, 1913 год, типография Лубковского). Эту брошюрку, если кто-нибудь пожелает с ней ознакомиться, я могу предоставить. В ней подробно указано мною сказанное.

Следующий вопрос 6-й: **«Какому толкованию подверглось в Талмуде запрещение Пятикнижия Моисея — употреблять в пищу кровь?»**

Относительно этого можно сказать, что строгое запрещение, данное книгой Левит относительно употребления крови, в Талмуде получило конкретную форму. Книга Левит строго запрещает употребление крови в пищу в сыром виде. Но Талмуд со свойственною талмудистам тщательностью относительно определения содержания постановлений закона Моисеева, желая указать те конкретные случаи, которые этого касаются, и имея в виду, что в книге Левит говорится ближайшим образом о крови животных и птиц, между прочим, задавался вопросом: что же делать с кровью тех живых существ, которые не принадлежат ни к четвероногим животным, ни к птицам, как, например, с кровью рыб или с кровью саранчи? Относительно крови рыб, чистых рыб, и затем крови саранчи, чистой саранчи, талмудисты нашли возможным разрешить употребление ее в пищу.

Вопрос 7-й: **«Каким способом рекомендует Талмуд добывать кровь из тела в случае надобности в ней?»**

Этот вопрос для меня представляется не совсем ясным. Если иметь в виду, что здесь дело идет относительно надобности кровопускания или еще относительно какой-нибудь надобности, то среди ученых-талмудистов, которые были хорошо осведомлены в медицине, в этом случае разрешалось употреблять те же самые медицинские способы, как и вообще в медицине. Некоторый намек на это может дать встречающийся в Талмуде термин «Дамъ-Га-Каза», т.е. кровь, которая получается от рассечения вены. На основании этого термина можно догадываться, что в тех случаях, когда нужно сделать кровопускание, прибегали к такому же способу вскрытия вен, который применялся в древности греческими врачами. Об этом можно читать у Пренса в сочинении «Библейско-талмудическая медицина», изданном в 1911 году. Этот врач очень основательно изучил еврейскую талмудическую медицину и в отделе относительно крови говорит, между прочим, и относительно способов добывания крови. В общем, это те же самые способы, какие применялись медиками того времени.

8-й вопрос: **«Каково отношение Талмуда к иноплеменникам и не содержится ли в нем прямых указаний на то, что убийство иноплеменника дозволено и является актом, угодным Иегове?»**

Вопрос об отношении Талмуда к иноплеменникам один из щепетильных вопросов для тех, кто занимался Талмудом. По поводу этого написано очень много сочинений, причем в одних сочинениях вопрос этот решается в одном смысле, а в других сочинениях — в другом. Было бы очень долго входить в детальное обсуждение этого вопроса, но, насколько я могу постигнуть с моей точки зрения этот вопрос, я могу сказать, что отношение Талмуда к иноплеменникам зависит от того взгляда, насколько Талмуд видит в иноплеменнике лицо более или менее безопасное для самого существования еврейства, именно для его религии. Если известный иноплеменник по своему образу жизни, по взглядам, по понятиям не представляется угрожающим самой основе еврейства, именно религии, то такой иноплеменник может пользоваться полным уважением со стороны всякого последователя Талмуда. Наоборот, если этот иноплеменник по своему складу понятий, по своей жизни представляется угрожающим основе еврейства, особенно его религии, то таковой иноплеменник заслуживает со стороны еврейства известное осуждение и даже вражду. Вот точка зрения отношения Талмуда к иноплеменникам, насколько я, разумеется, мог ее понять. Поэтому в Талмуде встречаются различные суждения относительно иноплеменников, смотря по тому, относятся ли они к иноплеменникам, которые угрожают еврейской религии, или к иноплеменникам, которые не угрожают. Если иноплеменник исполняет так называемые семь заповедей Ноя, которые по еврейскому преданию были даны Господом Богом Ною и его потомкам и которые обязательны для всех людей, верующих в живого Бога, если он исполняет такие законы — повиновение правительству, удаление от богохульства, удаление от идолослужения, удаление от разврата, убийства, грабежа, удаление от вкушения живого кровавого мяса, — таковой иноплеменник может рассчитывать на полное благоволение и расположение со стороны всякого последователя Талмуда, он может сделаться так называемым пришельцем, «геръ-тошевъ», не принимающим даже обета обрезания, что требуется для пришельцев, делающихся полноправными членами еврейского общества. Но если иноплеменник, наоборот, по своему образу жизни представляет отрицание этих семи заповедей — он является идолопоклонником, хулителем имени Божьего, он является развратником, покровительствует убийству, грабежу, вкушает живое мясо и так далее, — то против такого иноплеменника действительно направляется грозное предписание Талмуда. Таким образом, отношение Талмуда к иноплеменникам зависит от того, насколько известный иноплеменник опасен или безопасен для основы еврейской религии. Однако я должен сказать, что в Талмуде есть выражения, которые подавали повод обличать талмудистов в полной нетерпимости и человеконенавистничестве. Это выражение, на которое часто ссылаются, следующее: «лучшего из гоев убей». Нужно сказать, что это выражение цитируется не совсем точно. Как видно из некоторых мест Талмуда, оно должно иметь такую формулировку: «лучшего из гоев-идолопоклонников убей во время войны». В такой формулировке это выражение ничего страшного, угрожающего относительно иноплеменников не представляет, оно имеет указание на обычное право убивать во время войны, причем рассчитано, конечно, на то, что во время войны нужно напрягать все усилия на тех лиц, которые являются по своей храбрости или по своим умственным достоинствам, по своей силе лучшими представителями военной силы. Для врага нападающего, для врага защищающегося эту самую силу и доблесть составляют лучшие люди, и если этих лучших людей истребить, то этим самым можно будет обессилить нападающего врага. Это обычное военное право, трактовавшееся в древнее время. Талмуд констатирует это обычное право. Теперь второе выражение, на которое также указывается — «гой, изучающий закон, повинен смерти». Смысл этого выражения, как видно из Талмуда, совсем не тот, что иноплеменник, который изучает закон Моисея, за то, что он осмеливается изучать Тору, должен быть подвергнут смертной казни. Смысл этого выражения заключается в том, что иноплеменник, не будучи осведомлен в тех приемах, которыми обставлено изучение закона, дабы это изучение приводило к жизни, а не к смерти, — иногда, запутавшись в определениях закона, может из закона вынести что-нибудь такое, что приведет его к духовной, моральной смерти, а не к моральной жизни, что требуется самим законом. Таким образом, выражение относительно смерти трактуется в смысле смерти духовной. Талмудисты различали смерть земную и смерть небесную — духовную, — «коройсъ», которая будет не по определению человеческого суда, а по определению суда Божьего. Таким образом, сказанное выражение не содержит в себе того, что должно наказывать смертной казнью иноплеменников, изучающих Тору.

Вопрос 9-й: **«Когда впервые появилась Каббала, к какому времени относится ее полное развитие и каково отношение Каббалы к Библии и Талмуду?»**

Каббалу нужно различать как известную литературу и учение. Учение Каббалы относится к первым векам христианства. Очень может быть, что часть этого учения еврейству была известна: по крайней мере во время апостола Павла было нечто напоминающее Каббалу. Затем в Апокалипсисе находится указание на знакомство с Каббалой, в частности, и это сказывается в употреблении числа 666, как определяет в Апокалипсисе Иоанн Богослов числовое значение имени Антихриста, по чисто каббалистическому приему «гематрия», о котором вчера сообщил мой предшественник по экспертизе. Таким образом, уже в первые века существовала Каббала как учение. Но как литература Каббала является не ранее II века после Рождества Христова. Раби Шимону-бен-Иохаю, еврейскому ученому, занимавшемуся особенно Каббалой, жившему во время великого восстания Бар-Кохбы при Адриане, еврейским преданием

403

приписывается составление книги Зогар, которая имеет громаднейшее значение в истории еврейства и относительно которой вчера о. Пранайтис сообщил достаточные сведения. Нужно сказать, что ученая критика позднейшего времени отрицает, чтобы Раби Шимон-бен-Иохай, живший в начале второго века после Рождества Христова, мог быть автором книги Зогар. Он, вероятно, только положил начало этой книге. Что же касается ее редактирования, то оно относится к гораздо более позднему времени. Думают, что не раньше XI века после Рождества Христова. В истории Каббалы различаются два периода: так называемый древний и новейший. Древняя Каббала исчерпывается этими каббалистическими произведениями, которые явились приблизительно в первые десять веков по Рождеству Христову. Возникновение новейшей Каббалы относится к началу XVI века. В этот период Каббала уже имеет более последовательных представителей. Время возникновения этой новейшей Каббалы связано с именем Исаака Лурье, последователем его Хаимом Витала и др. Каббала, как я уже сказал, в своей основной части, именно в книге Зогар, всецело примыкает к Библии, представляя собою мистическое толкование библейского учения. Все каббалисты базируются на Библии, но при этом устанавливают своеобразные приемы толкования. Что касается отношения Каббалы к Талмуду, то должен сказать, что каббализм и талмудизм интересуются разными предметами. Каббализм интересуется прежде всего вопросами теоретическими и теософическими, тогда как талмудизм интересуется вопросами практическими, касающимися быта евреев. Но в то же время нужно заметить, что как в Талмуде, так и в Каббале часто фигурируют одни и те же имена еврейских мудрецов.

10-й вопрос: **«Какими способами Каббала истолковывает Библию?»**

То, что было сообщено по этому вопросу, я считаю достаточным и нахожу излишним особенно долго на этом вопросе останавливаться, но я должен заметить, что те приемы толкования, которые были указаны о. Пранайтисом, еще не исчерпывают всех приемов. Там встречаются и другие приемы. Каббала не исключает исторического и логического понимания Библии. Нельзя предполагать, что она строит свои заключения только на основании «гематрия, темуротъ» и т.д. Нет, она дает полный простор обыкновенным историческим и теологическим соображениям, но во многих случаях она пользуется специально мистическими, каббалистическими приемами толкования.

11-й вопрос: **«Не ввела ли Каббала в еврейскую среду новых ритуалов и не была ли источником диких суеверий?»**

На этот вопрос я должен ответить отрицательно. Никаких новых ритуалов Каббала не ввела. Что же касается диких суеверий, то напрасно было бы предполагать, что Каббала занимается этим. Она заставляет углубляться в содержание еврейского мировоззрения, что приводит к совершенно обратным результатам, т.е. к отрицанию суеверия. Но возможно некоторое злоупотребление содержанием Каббалы. Так, например, у каббалистов подробно трактуется относительно духов. У них этот вопрос широко поставлен. С этой точки зрения могли быть злоупотребления лицами, не посвященными в Каббалу, и могли выработаться различные суеверия, но, само собой разумеется, Каббала сама по себе источником таких суеверий не может быть признана.

12-й вопрос: **«Чем в Каббале заменен ритуал принесения в жертву животных, прекратившийся с разрушением храма?»**

В Каббале, как и в Талмуде, жертвоприношения заменены, во-первых, чтением Священного Писания, во-вторых, молитвой, в-третьих, делами милостыни, в-четвертых; покаянием. Вот, собственно говоря, что у евреев-талмудистов в настоящее время заменяет их прежнее жертвоприношение. В Каббале придается особое значение молитве, которая у каббалистов признается не только выражением служения Богу, но и особым священнодействием. Затем Каббала требует более, чем Талмуд, особого духовного внутреннего просвещения человека. Талмуд ограничивается, так сказать, определениями, касающимися внешнего поведения евреев, так как талмудисты придерживаются строгого формализма. В Каббале другая точка зрения, там центр животворящий переносится в дух самого человека. В этом и заключается различие между моралью Талмуда и Каббалы, но при этом они не исключают одна другую. Когда же дело касается практических вопросов, то требуется

Талмуд, потому что Талмуд представляется более положительным по сравнению с Каббалой.

13-й вопрос: **«Не содержится ли в Талмуде и Каббале указаний на сближение понятий: сеир (козел) и сеир (римлянин, в широком смысле этого слова — ариец)?»**

Понятие «ариец» есть понятие совершенно чуждое Талмуду и Каббале. Но нечто вроде игры словами «сеир» (козел) и «сеир» (Эдом и Рим) встречается. Дело в том, что козел (саир) буквально значит «косматый». Он был так назван, по-видимому, за свою косматую шею. Так же саиром (косматым) называется Исав, брат Иакова, в отличие от Иакова (гладкого). Тот же самый Исав называется «Эдомом», что значит «красный»; в этом названии, по-видимому, заключается указание на то, что он за красную чечевичную похлебку продал свое первородство. Так что получается сближение: «сеир» — что значит «косматый» (козел) Исав и «красный» — Эдом. Игра этими словами действительно встречается. Что же касается слова «Эдом», то это название применялось также к римлянам. В Талмуде есть места, где под словом «Эдом» можно разуметь римлян, но в смысле могущества римлян по отношению к евреям, а не римлян как христиан. Римляне как христиане, я думаю, талмудистам были совершенно неизвестны. Они знали Рим как средоточие власти, власти, которая наложила свою железную руку и на евреев. Против римлян евреи несколько раз восставали, и в конце концов одно из восстаний завершилось полным уничтожением их государства, почему римляне не могли, конечно, заслужить особых симпатий со стороны талмудистов. Таким образом, Рим, с именем Эдом, упоминается в Талмуде, но это упоминание не следует никоим образом относить к римским христианам.

14-й вопрос: **«Какое значение имело число 13 в Талмуде и Каббале?»**

Что касается Талмуда, то, строго говоря, никакого значения оно не имело. Но что касается Каббалы, то можно указать место из Зогара, где говорится относительно 13 манипуляций, которые проделывает резник с ножом. Он 12 раз нож пробует, нет ли зазубрины на лезвии ножа, потому что если окажется впоследствии, что была зазубрина, то мясо животного признается трефным, негодным для употребления с точки зрения еврейского закона; а на тринадцатый раз он ножом прорезает кровеносные сосуды на шее животного. Вот это-то число 12 + 1 = 13 и дало возможность каббалистам сопоставить процесс заклания животного с процессом смерти всякого благочестивого или кающегося в предсмертной агонии еврея. Дело в том, что как у нас благочестивый христианин, если он сознательно умирает, произносит молитву — «Господи Иисусе Христе, Сыне Божий, помилуй нас», так и благочестивый еврей считает нужным произнести перед смертью ту формулу, которая составляет самую суть еврейской религии, «Шема исроэль Адоная элогену, Адонай эход!» — что значит: «Услышь, Израиль, Господь Бог наш, Господь един!» В этой формуле заключается все выражение, все существо еврейской религии. Вот еврей, расставаясь с жизнью, исповедуется, произносит эту молитву. Употребляющееся здесь слово «эход» (один), что при переводе на цифру значит 13, представляет основу еврейского вероучения. Это-то и дало возможность каббалистам сопоставить момент смерти всякого благочестивого, кающегося еврея, произносящего эту формулу, с моментом заклания животного. При этом нужно сказать, что заклание животного не является у евреев простым актом только заклания, а является до некоторой степени актом, требующим особого благословения. Резник перед тем, как ножом перерезать горло животного, должен произнести соответствующее благословение. В этом смысле акт этот является освящающим. Вот в этом месте книги Зогар можно видеть некоторое указание, что цифра 13 имеет какое-то значение. Что касается других мест, то, насколько я знаком с содержанием книги Зогар, они особого значения не имеют.

15-й вопрос: «**Из какого места тела, по толкованию Талмуда и Каббалы, выходит по преимуществу душа вместе с кровью?**»

По еврейскому представлению, душа находится в крови. Поэтому когда кровь выходит из организма, то, по еврейскому представлению, выходит душа. Так что с точки зрения еврейской религии каждое место выхода крови является местом выхода души в тот момент, когда человек умирает от кровоизлияния. Но указать точно, из какого места выходит душа при разных случаях смерти, невозможно. Если принять во внимание сопоставление смерти человека с закланием животного, то, что резник вскрывает вену на шее, из которой вытекает кровь, то местом ухода души придется назвать шею.

16-й вопрос: «**Нет ли указаний в Каббале и в истории евреев на то, что даже евреи, казненные в средние века за проявление религиозного фанатизма, считаются жертвою, угодною Иегове?**»

Этот вопрос несколько широко поставлен. В Каббале есть упоминание о так называемых убитых правительством. Под этими убитыми разумеется Акиба и другие, так называемые асара гаругей малхут — 10 убиенных правительством. Это относится ко времени восстания евреев при Адриане, которое было во II веке по Р.Х. Что касается других личностей из евреев, убитых в средние века за проявление религиозного фанатизма, то, насколько я знаком с Каббалой и с еврейской историей средневековья, я не могу сказать в данном случае ничего определенного.

17-й вопрос: «**Когда появилось среди евреев учение неохасидов и какое отношение оно имеет к учению Каббалы?**»

Об этом здесь уже говорилось, и я могу добавить, что учение неохасидов ближайшим образом связано со временем редактирования книги Зогар, с ее распространением среди евреев и, в частности, с именем ученого, писателя Исаака Лурье (1572 г.). Но фактически обнаружился неохасидизм не ранее половины XVIII столетия, когда он выразился в более определенном направлении, отличном от талмудизма. Нужно сказать, что неохасидизм не представляет собою секты, как многие склонны думать. Это есть известное направление еврейства, которое отличается от талмудизма тем, что оно более, как я уже сказал, переносит духовные интересы евреев в их внутреннее душевное настроение, не интересуясь его внешней, обрядовой стороной. На первых порах между неохасидизмом и талмудизмом были некоторые враждебные недоразумения, враждебные отношения, но впоследствии неохасидизм совершенно слился с талмудизмом, так что в настоящее время существенного различия между неохасидизмом и талмудизмом, собственно говоря, нет. Есть некоторая разница в совершении молитв. У хасидов допускаются, например, оживленные теловижения. Затем есть некоторая разница в порядке молитв, но что касается самих молитв, правил и обрядов, то они одинаковы.

18-й вопрос: «Где по преимуществу распространилось среди евреев учение неохасидов и кто из учеников основателя его наиболее известен как основатель нового хасидского толка, занимавшегося одновременно и Талмудом, и Каббалой?»

На этот вопрос был дан ответ, что учение это сначала распространилось в Царстве Польском и в Галиции и что основателем его, вернее говоря, выразителем, так как хасидское учение, можно сказать, издревле не было чуждо евреям, является Бааль-Шем. Затем наиболее развивает это учение Шнеерсон в конце XVIII и в начале XIX столетия.

19-й вопрос: «Какие разоблачения сделали франкисты по поводу человеческих жертвоприношений у евреев на диспуте во Львове (1759 г.)?»

Относительно этого мне приходилось читать, но специально этим вопросом я не занимался. На основании же всего того, что я читал, я прихожу к заключению, что, строго говоря, несмотря на все обличения франкистов, они все же не доказали, что у евреев существуют человеческие жертвоприношения.

20-й вопрос: «Были ли в средние века и в наше время случаи осуждения евреев по обвинению их в убийстве христиан с религиозными целями, причем евреи бывали изобличены и собственными сознаниями и нахождением, по их указанию, останков замученных ими жертв?»

Я должен сказать, что этот вопрос не совсем правильно сформулирован. Здесь говорится об убийстве христиан с религиозной целью. Насколько я знаю, с религиозной целью не было убийств и, собственно говоря, этого обвинения никогда не предъявляли к евреям, потому что еврейская религия вообще против убийств. Основная заповедь евреев заключается в том, что им запрещены идолопоклонство, разврат и убийство. Так что с религиозной целью убийств быть не может. Здесь надо сказать: по побуждению религиозного изуверства. Если бы было сказано так, то я должен был бы ответить, что этим вопросом во всей его широте я не занимался. Я не имел исторических документов, которые по этому вопросу, насколько мне известно, существуют в очень большом количестве. Мне известен только изданный объединенным дворянством сборник, в котором помещены Велижское и Саратовское дела. Затем, недавно я получил дело относительно Дамасского убийства. Что же касается всех прочих актов, то я с ними не знаком. С литературой по этому вопросу я знаком. Я имею в виду главным образом Франка, сочинение которого появилось недавно, затем сочинение Штрака и список подобного рода убийств, помещенный в «Земщине». Один мой хороший знакомый указал мне на это. Но сам я этих исторических фактов не изучал, поэтому в данном случае компетентного заключения человека, изучавшего этот вопрос, дать не могу. Должен оговориться, что среди подобного рода дел мне известно также дело относительно убиения младенца Гавриила, которое было совершено в 1690 г. в г. Белостоке. Как видно из Жития этого младенца, он был замучен евреями, которые издевались над ним. Этот младенец Гавриил был прославлен Богом, как говорится в Житии, так что верующие получали исцеление от обращения к этому младенцу в своих молитвах. В настоящее время мощи этого младенца почивают в г. Слуцке Минской губ. Младенец Гавриил был вскоре причислен к лику святых. Впоследствии, когда произошло соединение униатов с российской православной церковью, российская православная церковь приняла почитание этого святого, но как местного святого. По свидетельству епископа Сергия, он был причислен к тому разряду святых, которые прославляются только на общем богослужении, а отдельной службы для него сперва не было установлено. Только в позднейшее время, именно в 1908 г. была составлена служба святому мученику Гавриилу-младенцу. Потом из других святых, замученных евреями, упоминается имя Евстратия. Здесь, при посвящении археологического музея духовной академии, я видел изображение некоего юноши, о котором в археологическом музее на польском языке написано, что он замучен в 1761 году от жидов. Таким образом, мое лично знакомство по данному вопросу ограничивается пока только этими документами, именно: делами Гродненским, Велижским и Саратовским, изданными комитетом объединенного дворянства, делом Дамасским, затем делом младенца Гавриила и тем, что я видел в здешнем музее Киевской духовной академии. Поэтому особенно определенно по данному вопросу высказаться я не имею возможности. Но, насколько я познакомился с историей этого вопроса, в частности относительно убиения младенцев, относительно убиения дьякона Евстратия, я не нахожу в них указания, что убийства эти совершались с целью ритуальной, что это было по требованию религиозного ритуала, об этом нигде не говорится, а только говорится, что убийства были совершены евреями. Чтобы убийства совершались с ритуальной целью по требованию известного существующего в еврейской религии догмата, насколько мне этот вопрос знаком, у меня такого убеждения не сложилось. Если же убийства были совершены евреями, то это отнюдь не говорит за то, что в еврейской религии есть какой-то обряд, который требует убиения младенцев и добывания крови, а это говорит только за то, что в еврействе существуют преступные типы, которые прежде всего нарушают свой собственный религиозный закон, допуская убийство. Всякий благочестивый еврей, чтущий заветы своей религии, не решится на такое убийство, так как убийство по еврейской религии для благочестивого еврея представляется грехом, лишающим его права на вечную жизнь, одним из самых страшных грехов. Поэтому все подобные факты относительно убивания младенцев и вообще детей, замученных евреями, я отношу не к требованию религиозного ритуала, а к обыкновенной преступности, которая может быть и среди евреев, к тем преступным типам, от которых сами евреи отказываются. Благочестивый еврей по требованию своего закона никогда не одобрит и не поощрит такого убийства. Кроме того, следует иметь в виду вообще отрицательное отношение еврейства к употреблению крови в пищу, как об этом ясно говорится в книге Левит в тех местах ее, которые здесь цитировались.

22-й вопрос: «**Содержатся ли в Талмуде противонравственные учения вообще?**»

Это до некоторой степени предрешается уже тем, что я уже говорил, той точкой зрения тех ученых, которым Талмуд обязан своим содержанием. Конечно, в Талмуде можно найти выражения, которые до некоторой степени отзываются фанатизмом, но что касается общего направления Талмуда, общей морали, то это — мораль закона Моисеева. Особенно рельефно она выступает в «Поучении отцов», «Пирке Авот», которое печатается в приложении к еврейским молитвенникам. Эта мораль во многом совершенно совпадает с моралью древних христиан и ничего необыкновенного и отличного от нее в ней не содержится. Талмуд со стороны своего направления представляет развитие направления учения фарисеев, о которых упоминается в Евангелии. В Евангелии от Матфея сказано: «Все, что они говорят, исполняйте, а по делам их не ходите, потому что говорят, а не делают». Таким образом, мораль учения фарисеев, потомки которых впоследствии развили содержание Талмуда, не встретила осуждения Спасителя — высшего выразителя человеческой морали. Он говорил: «то, что фарисеи говорят, вы исполняйте, но не подражайте им, потому что они не делают того, что говорят». В этих словах я могу характеризовать содержание Талмуда в отношении нравственного учения. Я говорю относительно морали, относительно нравственного учения Талмуда в точном смысле этого слова. Что же касается некоторых отзывов Талмуда относительно Христа...

Председатель: Я прошу Христа не касаться.

Троицкий: Это в данном случае я исключаю, и тут, собственно говоря, вопрос чисто религиозный, догматический, не относящийся к морали.

23-й вопрос: «Встречаются ли в Талмуде какие-нибудь указания о христианах и если имеются, то какие именно?»

Нужно сказать, что упоминаний о христианстве в Талмуде очень мало. Но в трактате «Таанит» упоминается, что евреи постятся в первый день недели, в наше воскресенье, причем Талмуд называет христиан «ноцри», — это одно из немногих мест, в которых встречается упоминание о христианах.

24-й вопрос: «Что Талмуд подразумевает под термином 7 заповедей Ноевых и как Талмуд относится к тем, которые придерживаются их?»

Я говорил об этом в той части показания, когда говорил, как Талмуд относится к тем лицам, которые придерживаются семи заповедей Ноевых.

25-й вопрос: «Заключается ли в учении еврейской религии, как древней, так и позднейшей (Зогар и др.), предписание об умерщвлении христиан с ритуальной целью?»

Упоминания об умерщвлении христиан с ритуальной целью в еврейской религии, как древней, так и позднейшей, как мне известно по литературным памятникам, не заключается.

26-й вопрос: «Какое значение имеет Библия в духовной и нравственной жизни еврейского народа?»

412

Библия имеет значение Священного Писания. Библия есть по преимуществу памятник, дорогой для евреев: она читается в синагоге. Кроме того, благочестивые евреи более или менее все стараются приобрести Ветхий Завет — Библию и в свободные часы, в субботу, занимаются чтением ее. Священное Писание пользуется у евреев уважением не меньшим, чем у христиан.

27-й вопрос: **«Дает ли основание Ветхий Завет для обвинения евреев в употреблении человеческой крови?»**

Я уже сказал, что Ветхий Завет для обвинения евреев в употреблении человеческой крови никакого основания не дает.

28-й вопрос: **«В каком отношении стоит Талмуд к Библии, и дает ли он какие-либо основания для обвинения евреев в употреблении христианской крови?»**

Основанием Талмуда служит вообще Библия, так что он базируется на Библии и, стало быть, оснований к обвинению евреев в употреблении христианской крови он не дает.

29-й вопрос: **«Имеются ли данные и какие именно, которые указывали бы на то, что убийство Андрея Ющинского совершено из побуждений религиозного изуверства, вытекающего из вероучений еврейской религии или ее толков (сект), и в последнем случае каких именно?»**

Насколько я помню, мне кажется, таких данных не существует. Вот, собственно говоря, все, что я имел честь заявить.

ДОПРОС ПРОФ. ТРОИЦКОГО

Председатель: Защита имеет вопросы?

Карабчевский: Мы пока не имеем вопросов.

Прокурор: Скажите, пожалуйста, я не совсем понял из вашего объяснения относительно «выкупа». Я позволю себе привести стих из 13-й главы Исхода и текст из Талмуда. Там так сказано: «И сказал Господь Моисею, говоря: освяти мне каждого первенца, разверзающего всякие ложесна между сынами Израилевыми, от человека до скота: Мои они». Как это понимать?

Троицкий: Это значит — специально назначенные для Бога.

Прокурор: Тут сказано, что «от человека до скота».

Троицкий: Всех первенцев от людей и от скота.

Прокурор: Значит, есть некоторое сопоставление между человеком и животным: «посвяти мне первенцев от человека до скота».

Троицкий: Здесь говорится только относительно назначения их для Бога.

Прокурор: Первенцы от скота приносятся в жертву?

Троицкий: Первенцы от скота вообще посвящались Богу.

Прокурор: И обязательно приносились в жертву?

Троицкий: Нет, это не обязательно.

Прокурор: А вот стих 13-й говорит: «а всякого из ослов, разверзающего, заменяй агнцем; а если не заменишь, выкупи его, и каждого первенца человеческого из сынов твоих выкупай».

Троицкий: Всякого из ослов надо было заменить агнцем. В жертву приносились только чистые животные, только известной породы — волы, тельцы, козлы и т.д., и птицы — голуби, горлицы.

Прокурор: Здесь в тринадцатой главе говорится, что всякий из ослов заменяется первенцем. «Если не заменишь выкупом его...» Что это значит? Слово «выкуп» как понимать? Каждого первенца из сынов человеческих выкупают?

Троицкий: Выкуп этот равнялся пяти сиклам, а сикл равнялся 85 коп. во времена Иисуса Христа.

Прокурор: Я вас понял, что, посвящая первенцев, которые сначала составляли династию священничества, имели особый почет и первенство, а затем первенцы 11 колен лишились этих привилегий, тогда, лишившись этих привилегий, они выкупали первенцев.

Троицкий: Ввиду того, что еврейский народ называл себя народом священников, то этим первенцам сперва предоставлялись священнические функции (в 24-й главе Исхода). Впоследствии эти священнические функции совершенно были отняты от одиннадцати колен, но первенцы все же оставались посвященными Господу Богу, за них полагался особый выкуп.

Прокурор: Это случайное совпадение? 13-й стих 13-й главы говорит о жертвах каждого первенца «из сынов твоих... Каждого первенца из сынов человеческих выкупать». Дальше 15-й стих говорит о том, когда фараон не хотел отпустить евреев, то Господь умертвил всех первенцев человеческих и первенцев

414

скота. «Вот почему я приношу в жертву Господу Богу мужеского пола всякого первенца из сынов моих». Следовательно, ясно говорится — приношу в жертву.

Троицкий: Это посвящение первенца служило в свое время до известной степени компенсацией, если так можно выразиться, за избиение первенцев египетских. Ради освобождения евреев из Египта были избиты между прочим египетские первенцы. И вот потребовалось, чтобы евреи в воспоминание об этом событии приносили первенцев не только от людей, но также и от скота. Что же касается специального значения первенцев, то об этом говорится дальше.

Прокурор: Позвольте окончательно сформулировать мое мнение. При выходе евреев из Египта, за те мучения, которым они подвергались от египтян, Бог покарал египтян. Все первенцы египетские были истреблены, и в благодарность установлен обряд пасхальный...

Троицкий: Посвящение первенцев.

Прокурор: И Бог истребил, по-видимому, не только первенцев человеческих, но и первенцев скота. В воспоминание об этих событиях установлен обряд, и приносились кровавые жертвы, пасхальные жертвы, агнец пасхальный?

Троицкий: Агнец был установлен в воспоминание обо всех событиях, сопровождавших бегство евреев, и обо всех казнях египетских.

Прокурор: Я потому останавливаюсь на этом месте Библии, что этот стих имеет соотношение к Талмуду. В Исходе, гл. XIII, говорится так: «Господь ожесточил сердце фараона. Господь умертвил всех первенцев, и отсюда приносят в жертву всех первенцев человеческих и скота». Значит, пасхальный агнец приносился в воспоминание. Вот мне хотелось видеть ближайшее отношение к этому; тут говорится, что приносятся в жертву первенцы человеческие и скота, соответственно первенцам человеческим и скота?

Троицкий: В данном случае не помню, какое употреблено выражение в Талмуде относительно людей, но, во всяком случае, — не в смысле заклания. Здесь не совсем точно употреблено, что приносится в жертву — может быть, здесь не совсем точный перевод, приносят в жертву — посвящают, но заклания — я не помню. Посвящение — это еще не указывает на то, что приносят в жертву закланием. Если я пожертвовал в церковь что-нибудь, это не значит, что я пожертвовал собой, это не значит — заклание данного существа, но просто посвящение Богу. Я не утверждаю, но догадываюсь, что там, во всяком случае, не может быть такого смысла, что приносят в жертву в смысле заклания.

Прокурор: Значит, вы относитесь отрицательно к вопросу об употреблении в жертву человеческой крови? А знакомы ли вы с учением евреев-мистиков? Существует такое мистическое учение?

Троицкий: Я знаком с ним очень мало.

Прокурор: Скажите, профессор, когда прекратились кровавые жертвы?

Троицкий: В 70-м году, после того как, Иерусалимский храм был сожжен императором Титом. После этого кровавых жертв не было.

Прокурор: Может быть, по еврейскому закону приносились жертвы и после храма?

Троицкий: Никоим образом.

Прокурор: Кровь очищает от грехов?

Троицкий: Да.

Прокурор: Каким образом можно соединить прекращение кровавых жертв с такими словами — сказал равви Иисус: «Я слышал, что жертвы приносятся, хотя нет храма, я слышал, что жертва приносится, хотя бы и не было возлияний».

Троицкий: Это место мне представляется неясным, но я его понимаю так. Здесь, очевидно, идет речь о том, что евреи, возвратившись из вавилонского плена, стали приносить жертвы раньше, чем был построен храм, а для жертвоприношения, для жертвенной крови должно быть известно то место, где был построен жертвенник царем Соломоном. Так как при возвращении из вавилонского пленения евреев с ними возвратились лица, знавшие о существовании этого места, они указали, что вот в этом-то месте находился жертвенник. Евреи, объятые ревностью, стали совершать жертвы раньше того, чем был построен храм, а храм строился 20 лет. Я должен сказать, что это место вообще мне представляется несколько неясным.

Прокурор: Не отметила ли история попыток евреев восстановить кровавые жертвы после сооружения храма?

416

Троицкий: Такие попытки мне неизвестны, мне известны попытки евреев восстановить храм Иерусалимский во времена Юлиана Отступника. Когда приступили к закладке храма, то выходили языки огненные из земли и разогнали рабочих, так что, согласно словам Спасителя, камня на камне не останется от храма, как бы сам Бог не разрешил строить храма. Это была главнейшая попытка евреев восстановить храм. За последнее время также есть такое стремление, но это стремление практического значения не имеет. Без восстановления же храма невозможно приношение жертв.

Прокурор: Нет ли молитвы у евреев до сих пор о восстановлении храма и о восстановлении жертвенного культа?

Троицкий: О восстановлении храма есть молитвы.

Прокурор: Кровавые жертвы прекратились, чем же они заменились?

Троицкий: Они заменились покаянием по учению раввинов.

Прокурор: А с точки зрения правоверного еврея, фанатика, для которого жертвенный культ играл громадное значение, как он может примириться с несуществованием храма, с одной стороны, и с прекращением жертв — с другой?

Троицкий: Приводится такая беседа Авраама с Богом. Авраам просит Бога о постройке храма, чтобы приносить в нем жертвы. Бог обещал. «Но что тогда будет, когда храм разрушится?» — спрашивает Авраам. Бог отвечает на это: «Они будут читать те постановления закона Моисеева, где находится закон о жертвах...» Для талмудистов чтение трактата о жертвах до некоторой степени как бы заменяет жертвоприношение.

Прокурор: Ведь в Библии подробно указано, как совершается обряд жертвоприношения. Вы не можете в немногих словах сказать, как приносятся жертвы?

Троицкий: Главные моменты такие: сначала еврей приводил жертвенное животное к жертвеннику. Приносящий жертву непременно должен привести ее сам. Затем он налагал на нее руки и при этом умственно должен был произносить слова молитвы, потом это животное передавали священнику, после чего священник, убедившись, что это животное годно для жертвоприношений, делал распоряжение, и животное закалывалось известным образом. Вот известный ритуал. Потом снималась шкура, и животное обмывалось водою. Смотря по характеру жертвы, она сжигалась целиком или часть его. Кровь жертвенного животного непременно сливалась у жертвенника, а при известных случаях выливалась в известный сосуд, и священник кропил ею на жертвенник или в храм. Вот в главных чертах картина жертвоприношения.

Прокурор: В чем тут символическое значение кровавого обряда?

Троицкий: Грешный человек, преступивший закон, в наказание за преступление воли Творца сам должен подлежать смерти и должен быть лишен жизни. Но человек вместо себя, по особому милосердию Божьему, может принести другое живое существо, и это живое существо заменяло своей жизнью его жизнь, спасало человека, и символом этого являлась непременно кровь, так как кровь была непременным условием очищения.

Прокурор: Так что кровь имеет значение громадное?

Троицкий: Громадное.

Прокурор: Вам известен текст: «разложат двое из сынов Аароновых, двое священников и еще двое...»?

Троицкий: Это записано во время освящения второго храма и записано в Талмуде.

Прокурор: Это в виде исторического указания? В Библии этого нет?

Троицкий: В Мишне имеется в виду богослужение, которое существовало во втором храме. Так называется храм, который был построен в V веке до Рождества Христова и потом был разрушен в 70 году. Так вот в Мишне излагается практика, которая была во втором храме. Что касается той практики, которая существовала относительно жертв в храме первом, Соломоновом, то она была одинакова с установленной Моисеем относительно скинии. Эта же картина касается практики второго храма.

Прокурор: Вы нам сказали: священник посвящает жертву, — а тут сказано, что потомки Аарона должны присутствовать.

Троицкий: Я вам нарисовал картину процесса жертвоприношения, но об обстановке я не упоминал. Присутствовать могло несколько человек.

Прокурор: Духовный резник у евреев имеет соотношение с тем лицом, которое когда-то, во времена оны, приносилось в жертву, закалывало животное? Ведь не всякий же мог закалывать? Вероятно, тогда были специалисты?

Троицкий: У евреев жертвы приносились лицами, которые непременно происходили из потомства Аарона, а что касается резников, то в настоящее время резник может быть из любого колена, это так называемый шахет. Резник у них должен быть человеком, так сказать, порядочной жизни, непременно богоугодной жизни, должен обладать известными знаниями и, разумеется, должен быть человеком, знающим свое дело, обладающим известной мускулатурой, нервами, — одним словом, нормальным в нравственном и физическом смысле человеком, но не требуется, чтобы он был из известного колена.

Прокурор: Теперь есть потомки Аарона?

Троицкий: Евреи говорят, что есть. У меня, например, были ученики-евреи в академии, которые говорили, что будто бы есть.

Прокурор: Я вас понял в том смысле, что кровь животных заменила кровавые жертвы человеческие?

Троицкий: Человек, который должен был каяться, говорил так, что кровь очищает его от греха, и, таким образом, жертвенное животное заменяло собою грешного человека, вот в каком смысле я понимаю.

Прокурор: Вы изволили нам сказать, что сам человек должен принести себя в жертву за то, что он не исполнил завета, т.е. сам себя заколоть?

Троицкий: Он должен быть принесен в жертву.

Прокурор: Ну например, я желаю принести себя в жертву, так меня заколют?

Троицкий: Бог говорит: «Ты не послушался слова Моего, то за это ты должен подвергнуться смертной казни». Человек этот должен искупить себя, принести искупительную жертву, и по особой милости Божьей он приносит в жертву животное вместо себя.

Прокурор: Скажите, вы знаете, что кровь признается в числе этих семи напитков, тут употребляется слово «машка»?

Троицкий: Но в данном случае машка — жидкость.

Прокурор: Кровь может быть употребляема в вареном виде?

Троицкий: Этот вопрос остается проблематическим. Я свое заключение относительно этого предмета составлял на основании двух сочинений. В одном сочинении, составленном знатоком еврейского быта, который сам еврей и затем принял христианство, говорится, что кровь тех животных, которых можно употреблять в пищу, если только она будет сварена, может быть употребляема в пищу. Затем в другом сочинении, составленном на основании Талмуда, это тоже признается. В свое время, когда меня об этом спрашивали, то я давал показания на основании этих двух авторитетов. Я склонен думать, что вареная кровь (крови, которая остается после того, как мясо обмывается, имеется всего маленькая капля) может быть употреблена, но в данном случае я не имею точных оснований.

Прокурор: Между письменным законом и устным есть разница? Письменный закон запрещает употребление крови, устный — допускает употребление крови рыбы и саранчи. На чем это основано и при чем тут саранча, отчего можно употреблять кровь рыбы и саранчи?

Троицкий: В запрещении говорится: кровь животного и птицы, а рыба и саранча не принадлежат ни к птицам, ни к четвероногим.

Прокурор: Так на основании стиха Библии, который говорит, что кровь рыбы потому, что она не четвероногая и не птица. Но человек ведь не четвероногий и не птица — как же с его кровью?

Троицкий: Относительно этих двуногих у евреев были суждения, хотя и сказано было еще Ною, что нельзя проливать человеческую кровь. Так, один раввин спрашивает другого: нам запрещена кровь животных, а не кровь человека? И тот его упрекает и говорит: «...Можно заключить из заключения меньшего к большему, что если запрещено употребление крови животных, тем более употребление крови человека».

Прокурор: Но все-таки было целое суждение.

Троицкий: По этому поводу в Шулхан-Арух, там, где говорится о крови, насколько мне припоминается, всегда говорится о том, что кровь рыб и птиц разрешается, есть одно маленькое замечание, где относительно этой крови рыб и крови человека даются справочные примечания. Так что из всего этого видно, что евреи, во всяком случае, старались так или иначе этот вопрос выяснить, но кровь человеческая строго воспрещалась.

Прокурор: Скажите, пожалуйста, у евреев врач пользуется таким уважением, как раввин?

Троицкий: Близко к раввинам.

Прокурор: Так что по предписанию врачебному, согласно их письменным и устным законам, кровь считается допустимой?

Троицкий: Для лечебных целей кровь животных допустима, но только тогда, если кровь эта не бывает видима глазом, и в самых исключительных случаях, когда кто-нибудь близок к смерти, если врач найдет непременно нужным для спасения жизни, — мне кажется, что она может быть допустима. Дело в том, что для евреев одной из самых важных заповедей считается заповедь «пикуах нефеш». Это значит «забота о сохранении своей жизни». Если больному человеку угрожает смерть, то для такого больного кровь допустима. Это видно из сочинения одного из самых важных ученых среди евреев. Как видно из этого сочинения, в крайних случаях, в случае опасности для жизни разрешается делать некоторые отступления от этих правил. Но при этом непременным условием ставится, чтобы это отступление не сопровождалось идолопоклонством, развратом и убийством. Если бы умирающему человеку для спасения его жизни нужно было совершить одно из возможных нарушений закона и если бы врач прописал такой рецепт, какое-нибудь лекарство, где требуется кровь быка, овцы, то, мне кажется, с точки зрения Талмуда это было бы допустимо.

Прокурор: Скажите, вы вчера слышали относительно того, что если кровь нужна, скажем, из животного, если кто-нибудь сделает надрез способом шехиты, то нужно за это покрыть кровь, а если путем прокалывания и ущемления, тогда можно добыть кровь. Есть такие тексты?

Троицкий: Видите, тут, кажется, разные способы толкования. Насколько мне помнится, это место находится в связи с таким вопросом. Какой-то раввин спрашивает другого раввина: «Что мне делать — у меня на лице моль (злокачественная мошка)?» — «Да нужно живой кровью кропить, тогда моли не будет». Раввин спрашивает «Как же мне кровь добыть?» Дело в том, что по еврейскому закону, когда режут животных, кровь непременно должна быть покрыта, они не имеют права оставлять кровь непокрытой.

Прокурор: А чем это объясняется?

Троицкий: Это на основании закона Моисея кровь должна быть непременно покрыта, а в данном случае требуется. чтобы кровь оставалась. Этот раввин предлагает в таком случае получить эту кровь не посредством шехиты — посредством разрезывания, причем эта кровь вытекает из шейных сосудов, а другим способом, посредством прокалывания.

Прокурор: Это обход закона?

Троицкий: Да.

Прокурор: Так что кровь имеет особое значение? Придается значение тому способу, которым эта кровь извлекается? Этого вы не отрицаете?

Троицкий: Непременно так.

Прокурор: Теперь необходимо еще выяснить вопрос о козле отпущения, который соединяется с «Эдомом». Все это, может быть, лишнее, но мне хочется выяснить. У евреев существовал жертвенник и козел отпущения? Его сбрасывали туда, один посвящался сатане, а другой кому?

Троицкий: Один — Господу, а другой, так называемый сеир лаазозель, прогонялся в пустыню.

Прокурор: Вот этот-то и был козел отпущения?

Троицкий: Да, в нем первосвященник отпускал грехи всему народу.

Прокурор: Скажите, не было ли у них потом установления, козел или «сеир», Исав и «сеир»? Израильтяне ведут свое начало от Иакова, а от Исава все другие. Не было ли символического значения, что отпускать жертвенного козла, отпускать сатане, именно, что это есть другие народы, не евреи?

Троицкий: На основании известной мне литературы я не могу на это сослаться.

Прокурор: Нет?

Троицкий: Что-то такое будто бы есть о козле, которого сравнивают с Исавом. Сеир — козел, Исав — «сеир». Но это какое-то каббалистическое произведение, во всяком случае, значения в смысле определения христианина не может иметь.

Прокурор: Не заключается ли в том тексте, который я вам сейчас прочту, решение вопроса: «Кто проливает кровь безбожника, совершает этим дело, равноценное жертвоприношению»?

Троицкий: «Кто проливает кровь безбожника»? Это имеет каббалистическое значение. Я сейчас вам не могу указать.

Прокурор: Вы уже говорили, и я позволю себе напомнить еще раз, что относительно того текста, на который указывают

Пранайтис и Ролинг, текст из Зогара, о котором идет спор каббалистического характера, где идет речь о том, что человек «амгаарец» умирает при заткнутом рте и смерть его уподобляется животному, которое умирает под ножом резника, закалывается, читается молитва соответствующая. Вы изволили сказать, что под этим надо понимать раскаявшегося грешника из евреев. Но не происходит ли спор между учеными, которые говорят, что это нераскаявшиеся грешники, а именно иноплеменники?

Троицкий: Относительно выражения «Амгаарец» споры есть, но только я должен сказать, что собственно под словом «Амгаарец», которое значится в этом месте Зогара, разумеются евреи, потому что раньше этого места говорится о лицах, которые не соблюдают постановления закона или обрядов закона. Это, несомненно, евреи, и в этом месте Зогара никоим образом нельзя предполагать, что речь идет относительно не евреев.

Прокурор: Это ваше мнение, а все-таки спор ведется?

Троицкий: Спор идет относительно значения понятия «амгаарец». «Амгаарец» в Талмуде означает вообще невежда-еврей, но невежда закона, неуч закона, и в частности разумеет еврея, не исполняющего обрядовых постановлений.

Прокурор: Тут идет речь о какой-то духовной смерти человека и тут же говорится о закалывании. Сопоставляется смерть человека с закалыванием животного. И говорится о 12 испытаниях ножа и 13-м уколе. Я этого не могу понять, какое это имеет значение?

Троицкий: Вещь совершенно простая. Описывается двоякого рода смерть: одна смерть без покаяния, а другая смерть может быть с покаянием. Мы говорим о тех амгаарецах, которые каются, они умирают со смирением.

Прокурор: Почему при закрытом рте?

Троицкий: Заткнутый рот — это восточная поговорка, у евреев очень часто встречающаяся. Если слишком кто-нибудь превозносится и кричит — ему закрывают непременно рот. Если говорится относительно умирающих со смирением, то их смерть уподобляется смерти животных, которые умирают, не открывая рта, с закрытым ртом.

Прокурор: Я поставлю так вопрос. Во всяком случае, этот текст из Зогара обратил на себя внимание. Вы изучали этот вопрос?

Троицкий: Меня раньше этот вопрос не интересовал. Он заинтересовал меня после того, как я был приглашен к судебному следователю в прошлом году. Тогда было обращено мое внимание на книгу Зогара, раньше я этого места не знал, потом посмотрел и убедился, что в данном случае Делич совершенно прав.

Прокурор: Может быть, вам известно, что по этому поводу писал тот же Ролинг и другие толкователи? Вообще это место возбуждает большое сомнение, его можно истолковывать и так и этак, оно очень иносказательно, вы этого не отрицаете?

Троицкий: Издание ливорнской книги Зогара было мне предоставлено моим знакомым. Оно тем хорошо, что там сделана вокализация и показано, как нужно читать. Без вокализации еврейские слова можно читать на несколько ладов, а здесь только так, как читают современные евреи, а не иначе. Если его читать как следует, то получается тот смысл, который дает Делич и который дали в этой брошюрке, изданной в Киеве, а другого смысла нет.

Прокурор: Как вы толкуете: «лучшего из гоев убей»? Вы добавляете «во время войны», разве «во время войны» было указано?

Троицкий: Я должен сказать, что я получил несколько писем по этому поводу, где указано было, что мной в предварительной экспертизе допущена была маленькая неточность и были указаны не все места из Талмуда. На основании этого я счел своим нравственным долгом сообщить, что мной допущена была некоторая неточность.

Прокурор: Насколько я понял из ваших слов, вы не изучали вопроса о еврейских убийствах, т.е. об убийствах детей, совершенных евреями. Этим вопросом вы не интересовались до тех пор, пока вас не пригласили экспертом, и когда вы прочли определенную брошюру и затем ознакомились с Житием св. Гавриила, мощи которого находятся в Слуцке, и с другими, и вот на основании этих данных и Жития Евстафия вы заинтересовались этим вопросом, и, веря в то, что раз уже православная церковь канонизировала их, вы тем не менее отрицаете возможность совершения евреями убийства с ритуальными целями, но в то же время допускаете, что отдельными изуверами могут быть совершены преступления. Я никак не могу понять. Вы, с одной стороны, допускаете, что изуверства отдельных сектантов возможны, но, с другой стороны, вы говорите, что раз религия таких убийств не допускает, то и вы их отвергаете. Что значит «ритуал»? В каком смысле вы понимаете? С какой целью они совершают? Не известно?

Троицкий: Ритуал — «ритус», что значит известного рода акт, совершаемый с целью выражения того или иного религиозного представления или чувства, акт, повторяющийся периодически, а не акт единичный, — акт, определяемый известной внешней схемой. Возьмем, например, таинство крещения, оно всегда совершается по одному известному, установленному порядку. Это я называю «ритус», от которого происходит слово «ритуал». В данном случае этого нет. Насколько я ознакомился с этим процессом, такой акт не вытекает из самого существа еврейской религии.

Прокурор: Например, скопческие изуверства?

Троицкий: Оно имеет свое основание и толкование одного места из Евангелия от Матфея, здесь хотя и ложное толкование, но оно известное основание имеет.

Прокурор: А если я так поставлю вопрос: с разрушения Иерусалимского храма прекращаются кровавые жертвы. Кровавые жертвы ничем не заменяются, кроме молитвы, а кровавая жертва у изуверов приносится из иноплеменников, которыми разрушен Иерусалимский храм. Первенцев из иноплеменников известного возраста мы можем принести в жертву, чтобы быть господами мира, или этого вы тоже не можете допустить?

Троицкий: Никоим образом этого нельзя, потому что по строго определенному закону еврей мог приносить [в жертву] только волов, овец и козлов, а прочее он не имел права принести.

Прокурор: Это еще когда не был разрушен Иерусалимский храм?

Троицкий: Теперь тем более он не мог принести человека, потому что человеческие жертвы строго запрещены.

Прокурор: Это мы знаем.

Троицкий: Следовательно, если бы даже нашелся какой-нибудь изувер еврей, то, во всяком случае, для того, чтобы принести жертву, он взял бы корову, взял бы быка непременно, ибо жертва эта была бы понятна, но чтобы взять человека, о котором нигде не упоминается, это может сделать разве какой-нибудь сумасшедший.

Прокурор: Ведь изуверы принадлежат к числу фанатиков, которые нормальны только для самих себя.

Троицкий: У изуверов есть определенная планомерность, у изуверов она есть преувеличение одного момента, из определенной схемы. Во всяком случае, их образ действий понятен из какого-нибудь одного свойственного им акта сознания.

Прокурор: Не будем касаться психологии, эта область нам недоступна. Так как вы ученые, вы все знаете, то я хочу спросить: чем же заменены кровавые жертвы в храме? А с другой стороны, вы знаете сочинения Серафимовича, Неофита, правда, бывших евреев, но тем не менее сознающихся в том, что кровавые жертвы приносятся. Я, конечно, не берусь судить, но таких сочинений не одно, есть сочинение Пикульского, с этим сочинением вы, вероятно, знакомы? Следовательно, раз приносят жертвы (говорят, в пасхальные опресноки кровь попадает), откуда это взялось? Что это — фантазия сумасшедших людей? Однако мы видим эти сочинения в библиотеках.

Троицкий: Я должен сказать, что к этого рода свидетельствам надо относиться с большой осторожностью. Я не знаком с Серафимовичем. Говорят, что евреи примешивают эту кровь в мацу, но это мнение я считаю фантастическим бредом. Насколько я знаком с приготовлением мацы, здесь не только что кровь, но даже прикосновение нечистого человека безусловно воспрещается. Ригорист-еврей, он не допустит, чтобы христианин, не особенно чистый, ходил около того места, где приготовляют мацу. В ней не допускается ничего квасного, кровь же содержит в себе значительную по своему составу часть «хомеца»; откуда подобного рода легенда исходит и как она создается, я совершенно не понимаю. Насколько я научно знаком с предметом и из своих личных отношений с евреями — у меня были ученики-евреи, у меня были знакомые среди евреев, которые со мной всегда откровенны, ничего от меня не скрывали, — насколько я знаком со всем этим, я совершенно этого не допускаю.

Прокурор: Вы не допускаете, потому что вы неоднократно беседовали с евреями и у вас евреи знакомые. Больше я вопросов не имею.

426

Замысловский: Число 13 имеет некоторое значение, и это то слово, с которым должен умирать каждый правоверный еврей, имеет огромное значение. Вот производится тоже 13 испытаний ножом.

Троицкий: 13 манипуляций с ножом производится так: сначала резник попробует нож на ногте 12 раз, а на тринадцатый отрезает.

Замысловский: Вы говорили, что «сеир» значит козел и Исав, а Исав называется еще «Эдомом». Так вот относительно этого, известно ли вам, что во Львове на диспуте одна часть евреев публично обвиняла другую часть в том, что она имеет тайну крови?

Троицкий: Не известно.

Замысловский: Теперь вы говорите, что у Неофита все басни, что вы даже допустить не можете употребления крови. Но ведь нашлись вот евреи, и довольно много их было, которые решились на публичном диспуте с текстами и доказательствами в руках обвинять других евреев в том, что они употребляют кровь. Как же вы совмещаете ваше заявление, что все это средневековые басни и дикие фантазии, с тем, что одна часть евреев публично предъявила другой части обвинение в этом и привела целый ряд текстов — правильно или неправильно, мы будем об этом потом говорить, — но так было на публичном диспуте?

Троицкий: Я бы на это дал строго определенный ответ, если бы мне представили все эти тексты, все эти книги, обличающие евреев в ритуальном убийстве. Если бы все это мне было представлено и я бы там увидел то, о чем вы говорите, то я, конечно, от всех своих слов отрекся бы.

Замысловский: Но это факт, что одна часть евреев с книгами в руках публично обвиняла другую часть. Это исторический факт.

Троицкий: Но подробностей содержания этого факта я не знаю, так как с этим делом я знаком очень поверхностно, но мне желательно было бы знать, какие там книги были предъявлены.

Замысловский: Но вам должно быть известно, что все книги, неугодные еврейству, вредные для еврейства, роковым образом делаются библиографической редкостью и исчезают из книгохранилищ. Этот факт известный, вы не будете его отрицать?

Троицкий: В настоящее время много из того, что было вычеркнуто цензорами из Талмуда, вновь воспроизведено, и замечательно, что сами евреи способствуют восстановлению того, что у них когда-то цензорами было вычеркнуто. Я из этого факта отнюдь не вижу, чтобы евреи уничтожали свою собственную литературу с какой-либо целью.

Замысловский: Но вам ведь известно, что была выпущена изобличающая евреев книга Пикульского. Теперь ведь это редчайшая книга.

Троицкий: Я не читал ее, не знаю.

Замысловский: И ни в каком книгохранилище не видали ее?

Троицкий: Я не знаю, я не читал, но слышал, что книга такого автора есть, под названием «Злость жидовская», как будто бы в Петербургской академии она есть, как будто я видел заголовок этой книги на польском языке, но я не читал.

Замысловский: Но во всяком случае, вы не будете отрицать, что она есть библиографическая редкость?

Троицкий: Да, я это готов допустить.

Замысловский: Теперь далее. Я возвращусь к слову «эдом». Как по-еврейски «красное вино»?

Троицкий: У них это будет «яин адом».

Замысловский: Но ведь «эдом» — «красный».

Троицкий: Да, «эдом» также означает «красный».

Замысловский: А как будет «христианское вино»?

Троицкий: «Яин ноцри».

Замысловский: А не известно ли вам, что на этом диспуте было сказано, что красное вино «Яин эдом» и христианское вино тоже «Яин эдом»? Разница только в зигел, т.е. точке.

Троицкий: Видите ли, чем это объясняется. Была попытка сказать, что «Эдом», который буквально означает «красный», означает в Талмуде и христианина. И вот отсюда выводят, что «Яин эдом» — «красное вино», означает и «вино христианское». Но этим допускается логическая передержка в подстановке терминов, которая не оправдывается талмудической терминологией. Термином, обозначающим в Талмуде специально христианина, является «ноцри», который происходит от слова

428

«назарей». Поэтому называть христианина «эдомом», собственно, большая неточность.

Замысловский: Совершенно верно, это неточность с точки зрения ученого, не выдерживающая критики. Я с этим согласен, но тем не менее эти франкисты говорили на диспуте, что все евреи именно так понимают слово «эдом» и что между словами «красное вино» и «христианское вино» разница заключается в одной точке.

Троицкий: Франкисты были каббалисты, а у каббалистов, как было сказано, сильно развита фантазия. Вот они и могли об этом говорить, но я, собственно, не знаю, я с этим диспутом не знаком.

Замысловский: Но книжка Кузьмина была у вас в руках?

Троицкий: Нет, я не читал ее.

Замысловский: Но ведь это очень серьезное исследование!..

Председатель: Господин поверенный гражданского истца, вы не можете делать таких замечаний.

Замысловский: Но ведь профессор говорил нам, что он читал Франка, читал другие издания, одним словом, всю ту литературу, которая была специально издана.

Председатель: Но ведь профессор заявляет, что он этого не читал.

Замысловский: А я именно думал, что он читал.

Грузенберг: Книга эта была выпущена месяц тому назад.

Замысловский: В августе месяце. Не можете ли вы нам объяснить, какое значение в еврейском правописании имеют точки? Ведь они в корне меняют значение слова.

Троицкий: Они менять корни не могут, потому что корни составляются из согласных, а эти точки и известные гласные имеют второстепенное значение.

Замысловский: Одним словом, я хочу сказать, что между словами «красное вино» и «христианское вино» разница только в одной точке, а так как в Талмуде этих точек нет, они выпущены, то никакой разницы нет между этими словами?

Троицкий: Можно это и так и иначе прочитать.

Замысловский: Но ведь в Талмуде этих знаков нет?

Троицкий: Да, этих знаков нет.

Замысловский: Так что можно читать и так и иначе при известной фантазии, и притом фантазии, распаляемой фанатизмом. Конечно, человек ученый такого значения этим словам не придает, но фанатик, мысли которого работают в определенном, предрешенном направлении, может придать такое значение. Так что вы согласны, что в одном случае имеется точка, а в другом ее нет, а в Талмуде вообще эти точки не пишутся?

Троицкий: Это совершенно верно.

Замысловский: Теперь последний вопрос, чтобы покончить с этим диспутом. Не известно ли вам, что еврейские писатели и христианские утверждали так, что победа на нем в смысле доказательности была именно за франкистами? Но помните ли вы, что даже Гретц, который является апологетом еврейства, признает, что на этом диспуте франкисты если не одержали победу, то, во всяком случае, и не были побеждены? Не припомните ли, не упоминается ли у Гретца такое место?

Троицкий: Сейчас не могу припомнить.

Замысловский: Тогда переходим к другому тексту: «Лучшего из гоев умертви». Этот текст повторяется в нескольких трактатах, причем иногда говорится «гой», а иногда «акум». Вы нам объясняли теперь, в отличие от того, что было на предварительном следствии, что это значит «убиение гоев на войне».

Троицкий: Во время войны.

Замысловский: И объясняли так, что на войне, естественно, очень важно выбить из строя лучшего из врагов.

Троицкий: Да.

Замысловский: Не встречается ли этот текст в таком сочетании слов: «справедливейшего из гоев убей»? Не говорили ли вы судебному следователю, что этот текст встречается в такой редакции, или вы забыли? Можно напомнить то, что вы говорили?

Троицкий: По-еврейски читается так, что во время войны убей лучшего из иноплеменников.

Замысловский: Как по-еврейски читается, я не знаю, но напоминаю вам, что следователю вы говорили так, что этот текст в одном месте читается «лучший из гоев», а в другом месте — «справедливейший из гоев».

Троицкий: Первоначально, когда меня следователь об этом спрашивал, я отвечал на память, и вполне возможно, что я применил текст в более коротком виде. Я тогда комбинировал от

430

понятия «лучший», конечно, лучший не в смысле нравственном. Во всяком случае, настоящее объяснение я считаю более положительным и говорю, что этот текст надо понимать в смысле «лучший».

Замысловский: Чтобы не прерывать, нельзя ли напомнить то место, которое имеется в показании, данном судебному следователю?

Прокурор: Я присоединяюсь к этому ходатайству.

Замысловский: Вы ссылались на трактат Санхедрин, где сказано «лучший», и на трактат Соферим, где сказано «справедливейший». Как вы говорили следователю?

Троицкий: Встречается это место в Мехилте, и там сказано «лучший», затем помещено и в Талмуде, и там также сказано «лучший».

Замысловский: Не смею этого оспаривать, но в Соферим сказано «справедливейший». Не согласны ли вы, что под ваше толкование слово «справедливейший» не подойдет, потому что зачем же на войне выводить из строя справедливейшего?

Григорович-Барский: Я заявляю...

Замысловский: Прошу, наконец, не перебивать меня, это возмутительно.

Председатель: Позвольте ему кончить допрос.

Григорович-Барский: Представитель гражданского истца удостоверяет то, чего нет, поэтому я и возражаю. Трактат Соферима относится к двум положениям: и «лучший», и «справедливейший». Здесь нет двух трактатов, о которых он говорит.

Председатель: Суд определяет восстановить это по имеющимся показаниям. Эксперт Троицкий был допрошен 15 ноября 12-го года и, между прочим, показал, что оба текста говорят: «лучшего из гоев умертви или справедливейшего из гоев убей».

Замысловский: Не известно ли вам, что этот текст, «лучшего из гоев убей», употребляется в таком сочетании: «лучшего из гоев убей, самой красивой змее размозжи голову»?

Троицкий: Это, собственно, слова толкователя Библии и Талмуда Раши (Соломона Ицхаки). Это толкование параллельно тексту. Там это выражение есть, и это место, насколько помню, объясняется в толковании к книге Исход, гл. 14. Там говорится, что за евреями погнался фараон с 600 колесницами. И тут Раши обращается с таким вопросом: откуда фараон мог добыть коней для колесниц, ведь сказано раньше, что весь скот у египтян умер от моровой язвы? Оказывается, что те египтяне, которые боялись Бога и слушались предсказания Моисея, свой скот убрали, и у них этот скот остался. Но когда явилась надобность для фараона запрячь в колесницы коней, то ему египтяне доставили свой скот и он погнался за евреями. По этому поводу Раши замечает, что тут имеется в виду коварство египтян, которые, с одной стороны, были обязаны Моисею, а с другой стороны, они все-таки напали на евреев. По этому поводу и сказано, что красивейшей змее, но только не размозжи голову, а, кажется, мозг змеи из головы выдави.

Замысловский: Значит, «лучшего из гоев убей, самой красивой змее размозжи мозг или голову». Не находите ли вы, что это сочетание противоречит тому толкованию, которое вы даете? Ведь с змеями войны не бывает, их надо уничтожать?

Троицкий: Змея опасна в смысле врага.

Замысловский: Но это враг постоянный, с ним нет периодов войны или мира, змей всегда надо уничтожать?

Троицкий: Но тем не менее это послужило историческим поводом для этого выражения. Это место есть в толковании к книге Исход.

Замысловский: Так что вы признаете, что сочетание «лучшего из гоев убей, самой красивой змее размозжи мозг», что оно как будто стоит в противоречии с тем объяснением, которое вы давали, что убивать можно только во время войны, ибо змей надо уничтожать всегда.

Троицкий: Это лишь сравнение.

Замысловский: Это мы оставим и перейдем к уголовным делам. Вы говорили так, что, да, евреи убивают христиан, что этого отрицать вы не можете, но что это вовсе не убийства ритуальные, а обычные. Но позвольте, значит, вы объединяете все убийства: скажем, какое-нибудь воровство, ограбление и убийство евреем христианина, скажем, еврей, участвовавший в революционной организации, убил бомбой или из «браунинга» христианина, вы все объединяете в одно целое с Саратовским делом и с Велижским делом?

Троицкий: Я уже имел честь сказать, что давал объяснения в пределах совершенно определенно поставленных мне вопросов. Мне совершенно определенно был поставлен вопрос о том, имеются ли данные, что это убийство вытекало из вероучения еврейской религии и было совершено с религиозной целью. Я не мог отрицать, что убийство могло быть совершено евреями из каких-нибудь иных целей — грабежа или мести и т.д. На поставленные мне вопросы о специальных убийствах, о которых упоминалось, кажется, в количестве 172, по которым существовало предположение, что были особые специальные мотивы, т.е. мотивы религиозные, я отвечал, что убийства совершались не потому, что еврейский ритуал требует периодического совершения таких убийств, а потому, что и среди евреев существуют преступные типы, от которых в данном случае отказывается и сам религиозный еврейский закон. Они могут совершать эти убийства ради грабежа, ради воровства, иногда, может быть, с целью мщения, в состоянии ожесточения, гнева, допускаю, даже убийства с целью издеваться над религией христиан — я это допускаю; я допускаю это хотя бы и относительно младенца Гавриила. Однако я должен сказать, что благочестивые евреи, насколько мне известно, относятся с уважением к благочестию христиан, потому что для евреев страх Божий везде существует. Так вот и относительно этого я говорю, что это не было убийство с религиозной целью, потому что такого требования в еврейской религии нет, а что могло быть совершено по каким-либо другим мотивам.

Замысловский: Так что всякий благочестивый еврей от таких злодеев отстранится. А не известно ли нам, что в Саратовском деле было ходатайство от еврейского общества, от выдающихся еврейских деятелей о том, чтобы это дело совсем прекратить, другими словами, еврейство не только не отстранялось от лиц, осужденных по Саратовскому делу на каторгу, но утверждало, что дела этих лиц есть дела всего еврейства?

Троицкий: Хотя я читал Саратовское дело, но не так внимательно, чтобы запомнить все детали. Я думаю так, что раз предъявлялось обвинение не просто в убийстве, а в убийстве по требованию еврейской религии, то это уже было обвинение не к отдельным личностям, а ко всей религии, и для меня вполне понятно, что еврейству нужно было заступиться за права своей религии. Если бы это было доказано, то не только этих двух преступников, а вообще всю нацию еврейскую надо было бы истребить как преступную. Так что для меня вполне вероятно, что еврейство встало на защиту.

Замысловский: Так что от этих злодеев еврейство не только не отстранилось, а наоборот. Вы говорите, что убийства совершаются евреями-злодеями, от которых все благомыслящее еврейство отшатывается. Так вот я и говорю, раз Саратовское дело не ритуальное, как вы сказали, раз совершено злодеями, ибо они пошли на каторгу, как же вы объясните, что это благочестивое еврейство не только не отшатнулось, а, наоборот, настойчиво подавало прошения Государю Императору, желая посодействовать тому, чтобы дело было прекращено и уничтожено навсегда?

Троицкий: Я понимаю так, что они просили, чтобы было уничтожено не обвинение в убийстве, а обвинение в ритуале. Я не могу в данном случае слишком возражать, потому что все это дело читал не так внимательно, чтобы запомнить все подробности. Тут вопрос вот в чем: когда еврейство от них не отстранялось? Вероятно, во время самого процесса, пока вопрос о том, есть ли тут ритуальное убийство, оставался открытым. В это время они, вероятно, и подавали свои прошения Государю Императору. Но когда они были обвинены как убийцы и осуждены как убийцы, причем вопрос о ритуальности был отвергнут, то я убежден, что еврейство о них не хлопотало. Когда же предъявлялось обвинение ко всему еврейству, вполне естественно, что евреи обращались с ходатайствами.

Замысловский: Вы нам говорили о Житии св. Гавриила. Сказано ли в этом Житии, что св. Гавриил был не только умерщвлен евреями, но и обескровлен? В Житии сказано это или нет?

Троицкий: Насколько мне помнится, там не было сказано, что он был обескровлен.

Замысловский: Это вы признаете достоверно?

Троицкий: Да.

Замысловский: Известно ли вам, что в Житии св. Гавриила сказано, что он лишен жизни путем массы уколов и что даже на мощах, которые имеются, видны эти уколы?

Троицкий: Мне известно, что в Житии об этом говорится.

Замысловский: Дальше. Известно ли вам, что по Велижскому делу — я ограничиваюсь только теми немногими делами, которые, по вашим словам, вам известны, — что по Велижскому делу выяснено, что был убит мальчик четырех лет от роду?

Троицкий: Известно.

Замысловский: Известно ли вам, что ему тоже был нанесен ряд колотых ран инструментом, похожим на гвоздь, у которого острый конец нарочно отломан, т.е. колюще-режущим орудием, это вы не помните?

Троицкий: Сейчас я этих деталей не помню.

Замысловский: Не известно ли, что у него рот был завязан и, по удостоверению врача, он был «рассудительно замучен», как выразился врач?

Троицкий: Я не помню.

Замысловский: Не известно ли еще, что злодеяние исполнено было на раздетом ребенке, ибо на рубашке его вовсе нет никаких знаков крови? Это по Велижскому делу вам известно?

Троицкий: Нет, не известно.

Замысловский: Раз вам неизвестны такие детали, которые, по-моему, очень существенны, как же вы решаетесь говорить, что это убийство не ритуальное?

Председатель: Господин поверенный гражданского истца, входить в спор с экспертом не разрешается.

Замысловский: Тогда я иначе поставлю вопрос. Ввиду того, что теперь прочитаны такие детали, которые вам неизвестны, но которых вы не отрицаете, не перемените ли вы своего мнения о том, что, может быть, это убийство было ритуальное: кровь выточена, уколы нанесены?

Троицкий: Велижское дело произвело на меня такое впечатление, что там свидетелями были какие-то эксцентричные личности, разные распутные женщины и всякий сброд, так что следователю в этой компании свидетелей, вероятно, было очень трудно и невозможно добраться до какой-нибудь истины. Поэтому у меня явилось представление, что это — что-то совершенно неуловимое. И в конце концов ведь, насколько мне помнится, Государь Император Николай Павлович не утвердил приговора.

Замысловский: Обвинительного приговора — совершенно верно.

Троицкий: Раз там были замешаны лица до некоторой степени преступного, сомнительного характера, и все детали, которые они констатировали, не были доказаны, то у меня явилось такое впечатление, что здесь вывод сделать невозможно.

Замысловский: Я говорю не о свидетельских показаниях, а о том, в каком виде был труп. Вы, конечно, делаете разницу между событием, преступлением, между трупом и теми, кто это сделал. Я не говорю, кто именно — Шмуль или Берко, а говорю о трупе.

Троицкий: Относительно трупа факт представлялся, несомненно, в том виде, как его описывали судебный следователь и врач. Нужно было допытаться, где причина такого состояния трупа, а для этого надо было иметь сведения, установленные предварительным следствием с момента этого события. Для этого явились свидетели, но эти свидетели оказались совершенно не удостоверяющими то, что убийство это было совершено евреями. Но если бы их показания вели к этому факту, нужно было бы подумать, почему евреи обвиняются в обескровлении, но в том-то и дело, что доказательств такого обвинения не было.

Замысловский: А вы Саратовское дело знаете? Вот в Велижском деле свидетели не подвели, а в Саратовском деле они подвели. Вы не отрицаете факта?

Троицкий: В Саратовском деле я известного издевательства над мальчиком не отрицаю, мальчик был обрезан, я только отрицаю, что подобного рода факты совершались в последовательности, т.е. и в 1853 г., и в 1854 г., и в 1855 г. Вот что я отрицаю.

Замысловский: Вы отрицаете преемственность, а вы не допускаете, что преступления, может быть, и были совершаемы, но они оставались необнаруженными, безгласными?

Троицкий: Этого я не утверждаю.

Председатель: Господин поверенный гражданского истца, эксперт этого не может знать.

Замысловский: Вам известно, что в Житии св. Гавриила сказано, что его тело было выброшено, не похоронено, а выброшено, оно найдено было выброшенным?

Троицкий: Относительно того, что оно было выброшено, я в настоящее время не совсем хорошо себе представляю, не помню.

Замысловский: Не помните. А по Велижскому делу вы, может быть, помните, что тело было выброшено?

Троицкий: Относительно Саратовского дела я помню, что тело мальчика нашли брошенным в болото. А по Велижскому не помню.

Замысловский: Вы нам говорили, что в отношении евреев есть разница между их словами и между их делами, так как Иисус Христос сказал, что слова, которые говорит фарисей, ничего худого не заключают в себе, вы должны следовать им, но не должны следовать их делам. Вам, как ученому, слова еврейства хорошо известны?

Троицкий: Насколько я изучал, известны.

Замысловский: А известны ли вам дела еврейства, т.е. жили вы в местности, населенной евреями?

Председатель: Господин поверенный гражданского истца, вы говорите не по вопросу. Эксперт может отвечать только как ученый, на основании научных данных, а если он будет вам говорить, что жил между евреями, и будет вам высказывать свои впечатления, это уже не будет научная экспертиза.

Замысловский: Господин председатель, свои показания эксперт может черпать из разных источников, во-первых, может черпать из ученых книг и сочинений, и, во-вторых, свои познания о еврействе он может черпать из познания еврейской среды, из познания, как живет и как действует еврейство, и что это факт, в этом убеждает нас допрос эксперта Пранайтиса, когда он прямо говорил — это я знаю из ученых сочинений, а это мне известно с детства.

Председатель: И я его останавливал.

Замысловский: Таким образом, сведения, которые получает эксперт не из ученых книг, а из того, что он вращается в еврейской среде и знакомится с ее нравами и обычаями, исключаются?

Председатель: Я только хотел устранить свидетельские показания.

Замысловский: Я хочу установить, что эксперт проф. Троицкий знает еврейство только по книгам, но не из жизни, что он изучал еврейство как ученый, но не жил в еврейской среде. Как ученый знает слова еврейства, а не знает дел еврейства. А он сам говорил, что слова их разнятся от дела.

Председатель: Господин поверенный гражданского истца, вы об этом можете сказать в своей речи.

Замысловский: Если вы устраняете этот вопрос, то я подчиняюсь, я больше вопросов не имею.

Шмаков: Тогда мы поговорим о книгах. Вы ссылались на Франка, на Делича, а известны ли вам, например, ученые труды профессоров Геллани, Таубера?

Троицкий: Известны.

Шмаков: У Геллани в книге «Ритуальные преступления у древних евреев», не известно ли вам, что в этом труде и в других, которые я назвал, что там проводится та же точка зрения, как у вас, или противоположная?

Троицкий: Противоположная точка зрения. Эта точка зрения не признана как среди ортодоксального еврейства, так и среди ортодоксального христианства. Точка зрения этих сочинений мне известна, но я игнорирую эти сочинения.

Шмаков: Значит, вы признаете, что работы этих ученых существуют?

Троицкий: Да.

Шмаков: И имеют противоположное содержание, но вы их не признаете?

Троицкий: Да, не признаю.

Шмаков: А такое сочинение, как Огюста Гильома, вам известно?

Троицкий: Я с этим сочинением не знаком.

Шмаков: Значит, вы сочинений по вопросам этого характера совсем не знаете?

Троицкий: Не знаю.

Шмаков: Стало быть, вы знаете некоторые сочинения, на которые вы ссылались, на другие сочинения противоположного характера, противоположных воззрений вы не обращаете внимания, а третьих вы совсем не знаете?

Троицкий: На сочинения с противоположным содержанием я обращаю некоторое внимание, но не придаю им такого руководящего значения.

Шмаков: Знать не хотите. Хорошо. Теперь вы здесь ссылались, между прочим, на Афиона. Дошла ли к нам какая-нибудь работа Афиона?

Троицкий: Относительно его объяснения?

Шмаков: Вы отвечайте нам на вопрос: дошла ли к нам какая-нибудь определенная работа Афиона?

Троцкий: Определенной работы Афиона до нашего времени не дошло.

Шмаков: Все работы исчезли, а вы говорите об Афионе с чьих слов?

Троцкий: Со слов еврейского ученого, писателя Иосифа Флавия.

Шмаков: Значит, вы рассказываете об Афионе с еврейских слов и утверждаете, что Афион был лжец и еретик?

Троцкий: Со слов еврейского писателя Иосифа Флавия.

Шмаков: Затем возвращусь еще раз к вопросу о библейских текстах, о которых была начата беседа. Я покорнейше прошу ответить на следующее — существует ли в Зогар такого рода утверждение, что евреи сейчас находятся в четвертом периоде пленения и что кто господствует над Израилем, тот господствует как бы над всем миром? Почему это применяется к израильтянам? Там еще говорится, что им принадлежит весь мир, так как они составляют весь мир. В Писании сказано, что в тот день, когда Иерусалимский храм будет разрушен, им останется только одно... Вы об этом знаете?

Троцкий: Я об этом в настоящее время не припоминаю.

Шмаков: Затем, не сказано ли там, что если израильтянам будет хорошо, то они будут действовать так, чтобы господство над другими народами перешло только в еврейские руки, и что по поводу этого в Зогар приведена та лестница, которую Иаков видел во сне?

Троцкий: Не помню.

Шмаков: Тоже не помните? Затем трактат, что надо так действовать, что христиане «ноцри» не будут иметь больше никакого господства над израильтянами, даже самыми незначительными?

Троцкий: Я в настоящее время не помню такой концепции понятий у евреев, я не помню, чтобы так говорилось о христианах.

Шмаков: Не сказано ли дальше: «Наше пленение будет продолжаться до тех пор, пока не прекратится владычество акумов»?

Председатель: Господин поверенный гражданского истца, этот вопрос я устраняю.

Шмаков: Если было разрешено спрашивать об отношениях еврейства в Талмуде к иноплеменникам, то мне кажется, что

439

эксперту можно предложить и такой вопрос. Затем вы цитировали здесь выражение «на войне». Но ведь это выражение находится только в одном трактате, именно в Абодазара, а вы сами говорили, что ни в книге Мехильта, ни в других этого выражения нет?

Троицкий: Это, собственно, толкование на книгу Исход.

Шмаков: Я и прошу вас ответить, есть там это выражение «на войне» или нет?

Троицкий: Там, кажется, этого выражения нет.

Шмаков: Затем была цитата из трактата Соферим?

Троицкий: Да.

Шмаков: Там тоже этого нет?

Троицкий: Там как будто бы есть.

Шмаков: По крайней мере по переводу Переферковича там тоже нет. Значит, из трех трактатов, где это упоминается, только в одном указана эта оговорка, что «на войне», и то вы сами объясняете в подтверждение этого текста таким образом, что его приурочили к военному времени: вы говорите, что это было, когда израильтяне уходили из Египта. Затем, по вашему мнению, жертвы всесожжения и благодарственные заменяются молитвами, а жертвы за грехи и повинности?

Троицкий: Покаянием.

Шмаков: Не говорили ли вы у судебного следователя, что эти жертвы оставались без соответствующего эквивалента в еврейском богослужебном ритуале? Вы говорили, что жертвы благодарности и жертвы всесожжения заменяются молитвой, а остальные за повинности и за грехи не имеют ничего равнозначащего, никакого эквивалента в нынешнем еврейском богослужении?

Троицкий: Я не говорил, что покаяние равно кровавой жертве.

Шмаков: Вы сказали, что будто все жертвы заменены покаянием и молитвой, а у судебного следователя вы говорили о замене покаянием и молитвой только относительно жертв благодарственных, но жертвы за грехи и повинности вы признавали ничем не замененными в теперешнем еврейском ритуале. Так это было?

Троицкий: Да, это было так.

Шмаков: Затем вы говорили, что Талмуд, в сущности, то же самое, что Библия?

Троицкий: Я этого не говорил.

Шмаков: Да, но по мировоззрению, по характеру. Из вашего показания нельзя было вывести какого-нибудь существенного разноречия между Талмудом и Пятикнижием?

Троицкий: Да, они согласуются.

Шмаков: Не можете ли вы объяснить это изречение: «Библия — соль, Мишна — перец, а Гемара — благоухающая пряность»? Есть такое выражение в Талмуде?

Троицкий: Есть.

Шмаков: Чем что объясняется?

Троицкий: Это, собственно, указывает на известное остроумие еврейства в сравнениях.

Шмаков: Но это есть?

Троицкий: Да.

Шмаков: А относительно того, что слова мудрецов более важны, чем слова Библии?

Троицкий: Это выражение буквально гласит, что слова мудрецов, т.е. талмудистов, отягчают больше, чем слова закона. Оно не имеет того значения, что будто бы слова талмудистов имеют в глазах еврейства больше значения, чем закон.

Шмаков: Это ваше толкование? Но то, что вы сказали, это есть?

Троицкий: Есть. Это не мое толкование, а это понимание еврейства. Там употребляется особенный термин, который переводят как «отягчают». Здесь дается такой смысл. Закон, довольно давнишний, имеет более общий характер, а изречения талмудистов имеют характер более конкретизированный, если можно так выразиться, т.е. более точно определяющий всякие яркие случаи жизни. Так что в этом отношении, конечно, Талмуд, несомненно, более действителен, чем Пятикнижие.

Шмаков: Вы, кажется, признавали, что Гемара есть существенная часть Талмуда?

Троицкий: Нет, я этого не говорил. Я сказал — Мишна.

Шмаков: Но как же вы объясняете, что евреи руководятся не Пятикнижием, а Гемарой?

Троицкий: Требуется тем и другим, нельзя обойтись без Гемары.

Шмаков: Не сказано ли в трактате Абодазара, что на том свете сидят праведники и изучают Талмуд?

Троицкий: Очень может быть, я этого места не припоминаю, но может быть, что это место есть, потому что, по еврейским представлениям о загробной жизни, в душе человека и после смерти происходит известного рода умственный прогресс. В раю, как представляли талмудисты, есть академия, где сидят мудрецы и занимаются толкованием Талмуда.

Шмаков: Не сказано ли, что Талмуд создан раньше, чем Библия, и если бы Талмуд не существовал, то небеса и земли не могли бы продолжать свое бытие?

Троицкий: Относительно Талмуда я такого выражения не помню, но есть такое выражение относительно Торы-закона; сказано, что закон создан для того, чтобы находил в нем применение закон Моисеев. Так что это сказано о Торе, а не о Талмуде.

Шмаков: Вы так полагаете?

Троицкий: Я не полагаю, я знаю.

Шмаков: Затем я хотел еще спросить относительно жертв иудейских. Вот вы сказали здесь, что мученик Гавриил принадлежит к святым четвертого разряда. Это что же, каноническое деление или ваше собственное?

Троицкий: Ни то и ни другое. Я сказал на основании святцев, составленных преосвященным епископом Сергием, который отнес его к этому разряду. Эти сведения я получил от лица, к которому я обратился как к профессору. Так что это не мое личное мнение, а есть мнение преосвященного Сергия.

Шмаков: Т.е. вам это передали?

Троицкий: Передал профессор, к которому я тоже обратился как профессор.

Шмаков: А мученик Евстратий?

Троицкий: Память этого мученика празднуется православной церковью.

Шмаков: Не находятся ли его мощи в Киево-Печерской лавре?

Троицкий: В лавре я был, но к мощам его не прикладывался.

Шмаков: Вы не отрицаете?

Троицкий: Я не отрицаю, что память Евстратия-мученика празднуется православной церковью.

442

Шмаков: Затем вы говорили, что раз этим задевается все еврейство, раз предъявляется обвинение в ритуальном убийстве, то нет ничего мудреного, что все евреи идут на помощь для собственного спасения. С этим можно согласиться, но если говорить не о ритуальном убийстве, а о совершении преступления из религиозного изуверства, почему же тогда еврейство идет на помощь обвиняемым?

Троицкий: Не думаю, чтобы оно шло на помощь, потому что есть масса таких фактов, где являются подсудимыми евреи, обвиняемые в убийствах и других преступлениях, и евреи относятся к этому апатично.

Шмаков: А вы знаете, что по настоящему делу подсудимый Бейлис обвиняется в совершении преступного деяния из побуждений религиозного изуверства, и вам, может быть, известно, что все еврейство...

Председатель: Это вопрос совершенно не религиозного свойства.

Шмаков: Если бы эксперт сам не заявлял об этом, то я бы его не поставил. Ввиду того что вы сказали, что мои вопросы не имеют прямого отношения к делу, я этим ограничиваюсь.

Карабчевский: Скажите, пожалуйста, когда по поводу смерти какого-нибудь ребенка, который был убит, пытались поставить обвинение, что тут участников было шесть, из которых два было законоучителя, а другие — такие, что следили, чтобы все было по ритуалу, и что все это вытекает из Библии и из других книг Священного Писания евреев, то как вы понимаете, что этот вопрос стоит на религиозной почве?

Троицкий: Смотря по тому, в какой постановке делается вопрос, что здесь подразумевается.

Карабчевский: Что здесь было обескровление, употребление крови, что совершалось все по ритуалу, что было 6 человек, что известную роль исполняет священник; то как вы полагаете, такого рода убийство касается всего еврейского народа или нет?

Троицкий: Я бы сказал, что ставится вопрос об особой ритуальной церемонии еврейства и тут же ставится вопрос о ритуальном убийстве.

Карабчевский: Затем вас спрашивали и старались навести на вопрос о неблагонадежности еврейских священных книг в смысле политическом, а именно: вас спрашивали, имеется ли в Зогар указание на четвертый период переживаемого евреями пленения и на дальнейшие переживания и мысли евреев. Скажите, когда был написан Зогар?

Троицкий: В основной своей части, насколько я помню, вероятно, еще во втором веке после Рождества Христова, но в своем окончательном виде он был составлен ранее XI века.

Карабчевский: Так что нас отделяет несколько веков?..

Троицкий: Веков восемь или девять.

Карабчевский: Скажите, пожалуйста, выражение: «убей лучшего из гоев, лучшего из акумов» — вам, безусловно, ясно, что здесь идет речь о войне?

Троицкий: Да.

Карабчевский: А затем: «красивой змее разбить голову» — не есть ли это уподобление тому, что внешние качества не должны парализовать, не должны мешать отношению к внутренним качествам?

Троицкий: Я заявил уже гражданскому истцу, что я в данном случае не могу сказать, есть ли это выражение, но выражение «выдавить змее мозг» — это выражение есть, оно приводится для объяснения одного стиха.

Карабчевский: Скажите, эксперт, ведь вообще, и по представлению христиан и по представлению евреев, образ змеи всегда представлялся в виде чего-то враждебного, отвратительного, заслуживающего смерти? Ведь змея соблазнила Еву на грехопадение, так что представление о змее являлось чем-то угрожающим духовной жизни человека.

Троицкий: Это символ хитрости, злобы и коварства.

Карабчевский: Скажите, пожалуйста, такое выражение: «ты умрешь смиренный, с закрытым молчащим ртом» — неужели вы это можете приурочить к вопросу о каком-то заклании христиан?

Троицкий: Это никакого отношения не имеет.

Карабчевский: Это очень красивый образ смиренного, умирающего праведника... Теперь скажите мне относительно некоторых выражений, которые теперь пытаются отождествить с наименованием христианина, — относительно выражения «гой». Не относилось ли это к безбожнику, преступнику из евреев?

Троицкий: Выражение это указывает известный национальный характер, известную особенность народа. Следующее выражение — «акум». Это выражение указывает на религиозные особенности, причем слово «акум» составлено из четырех слов следующих: «овед коховим и мазолот», берутся начальные буквы, соединяются, и получается слово «акум» — т.е. тот, кто поклоняется звездам и знакам Зодиака.

Карабчевский: Значит, «акум» — это человек, который не верит в Бога живого, а верит в идолов, в планеты, в звезды и т.д.? Вас спросил один из поверенных гражданского истца о том, знакомы ли вы с литературой, которая толкует этот вопрос иначе. Вы сказали, что да, знакомы, но что это не переубедило вас в ваших ученых взглядах.

Троицкий: Я указывал, что с сочинениями Пикульского и Кузьмина я не знаком, но что касается той литературы, с которой я по этому вопросу счел нравственным долгом познакомиться, то эта литература нимало не поколебала меня в том взгляде, которого я придерживаюсь.

Карабчевский: Ваши основные доводы основаны на изучении самого текста Священного еврейского Писания? Вы владеете древнееврейским языком?

Троицкий: Я читал Библию, Талмуд, Зогар и другие, так что еврейскую литературу, первоисточники еврейской религии я изучал очень много раз. И то, что я показывал сейчас, я показываю на основании первоисточников, которые я изучал во время своего профессорства.

Карабчевский: И на основании знакомства с первоисточниками вы и приходите к заключению, что всякий вывод относительно того, что евреи употребляют христианскую кровь, не имеет никакого основания.

Троицкий: Да, на этом основании.

Грузенберг: Скажите, вот вас спрашивал прокурор относительно жертвоприношения по Библии, и вы сказали, что окроплялись кровью стены храма и т.д., что, значит, кровь имела значение для евреев. Ведь это относится ко времени Библии — сколько именно лет тому назад?

Троицкий: Всего получается 1843 года.

Грузенберг: Значит, 1843 года тому назад. А вам говорят, что это имеет отношение к настоящему времени. Скажите, не все ли решительно народы в свое время приносили в жертву животных?

Троицкий: В древности, конечно, и даже теперь, я думаю, у некоторых племен жертвоприношение животных является обычным явлением.

Грузенберг: Конечно. Ведь и у славян, до принятия ими христианства, были, очевидно, жертвоприношения?

Троицкий: И у славян жертвоприношения животных совершались.

Грузенберг: Теперь отбросим это недоразумение — то, что имело место 1843 года тому назад у всех народов. Но я хочу отбросить и другой вопрос. Вам говорили, что сочинение Пикульского, относящееся к XVII веку — 1660 году, что евреи приняли меры к тому, чтобы книга, написанная более 250 лет тому назад, не появилась в печати. Книга имеется у нас в библиотеке, имеется в других местах империи. Разве могут евреи помешать вновь отпечатать эту книгу, если бы это нашли нужным?

Троицкий: Конечно, нет.

Грузенберг: Затем, переходя к делу, позвольте вас спросить. Не известно ли вам, что Государственный совет разобрал книжку «Еврейское слово против Бога и против ближнего» монаха Неофита и что сказал Государственный совет?

Троицкий: Насколько мне помнится, относительно монаха Неофита Государственный совет вынес самое нелестное мнение. Было обращено внимание на то, что места из Талмуда, которые в этой книге, между прочим, приводятся, не отысканы, Государственный совет вынес самое невыгодное впечатление.

Грузенберг: Государственный Совет проверил книгу Неофита и убедился, что его ссылки на Талмуд не верны. Вы читали книгу, изданную канцелярией объединенного дворянства?

Троицкий: Я неясно себе представляю, я эту книгу пробегал, но вынес самое невыгодное впечатление.

Грузенберг: Вы говорите, самое невыгодное впечатление. Теперь вот книга Неофита, к сожалению, в том переводе, который есть в деле, почему-то заглавие книги не переведено. Вы видели книгу Неофита?

Троицкий: У меня в записной книжке есть заглавие.

446

Грузенберг: Не можете вы нам объяснить? Тут читали, что есть какой-то благоверный монах Неофит, который пишет. А на самом деле как книга значится, какое заглавие, греческое или молдавское?

Троицкий: Переведена с молдавского. Полный заголовок, я прочитаю его в переводе на русский язык: «Опровержение религиозного культа евреев и обычаев их с доказательством из Священного Писания. Составлена на молдавском языке Неофитом, монахом из евреев. Переведена Иоанном Георгием. Издание четвертое, 1861 года. Она пожертвована схимонахом Андреем с горы святого Афона».

Грузенберг: Что, собственно, значит по-гречески «неофит»?

Троицкий: Новорожденный. Это относится к тому времени, когда в древнехристианской церкви язычники обращались в христианство, то на первый день после своего обращения они назывались неофитами, рожденными для новой жизни. Это древняя христианская терминология, применявшаяся к известного рода христианам, оглашенным неофитами, в смысле новообращенных, новорожденных для веры.

Грузенберг: Вы говорите, что по приговору Государственного совета видно, что самое нелестное впечатление было вынесено?

Троицкий: Да, я читал и сам вынес нелестное мнение о Неофите.

Грузенберг: Будьте добры мне сказать. Вот вас спрашивали о том, что по еврейскому закону три тысячи лет тому назад было жертвоприношение животными, что непременно первенцев животных надо было убивать. Когда приводили животных в храм, разве они шли непременно для того, чтобы заколоть, или шли на содержание клира и на помощь нищим?

Троицкий: Я как будто об этом сказал, что первенцы посвящались евреями, если это были первенцы скота, не обязательно приносились в жертву, а они вообще приводились в храм, а там от священства, которое заведовало этими первенцами, зависело, давать им то или другое назначение.

Грузенберг: Или на помощь бедным, или на содержание храма — это делали сами священники? Вы рассказывали, что три тысячи лет тому назад, когда было жертвоприношение животными, было установлено вместо этого давать выкуп. Так вот, выкуп — куда он шел, на добрые дела или выкупом от Бога откупались?

Троицкий: Я сказал: первенцев от скота посвящали храму, а что касается первенцев от людей — малолетний ребенок, когда его приносили в сороковой день в храм, когда было очищение матери (то, что в православной церкви вспоминается в Сретение Господне), то за них приносился известный выкуп. Этот выкуп по закону Моисея равнялся пяти сиклам, что по нашему теперешнему курсу — 4,5 рубля. Выкуп шел на удовлетворение нужд храма, этот сбор опускался в особую кружку.

Грузенберг: Теперь позвольте вас спросить. Вы — профессор духовной академии, вы, как оказывается, знаете еврейский язык, не только этот, но и древний, скажите, есть такое место, что будто евреям разрешается принимать христианство, чтобы потом уронить этим христианскую веру?

Троицкий: Насколько я знаю, такого места нет. Я догадываюсь, что в Шулхан-Арух это указывается в главе об «акумах», но... собственно говоря, этого места нет. Там говорится об идолопоклонниках, но не о христианах, и говорится совершенно не о крещении, а говорится о том случае, что должен предпринимать еврей, если он подвергается преследованию со стороны других людей, если они преследуют его, угрожают опасностью его жизни, что он должен в этом случае предпринимать. Вот, собственно, насколько мне припоминается, содержание этого места.

Грузенберг: А не сказано там наоборот, когда преследует тебя опасность и если тебя спросят: «не еврей ли ты?», то ты не имеешь права отречься, а обязан сказать: «нет, я еврей», так что даже в смертельной опасности евреи не имеют права отказаться даже словесно, что он еврей?

Троицкий: Да, не имеют права отказываться.

Грузенберг: Тут говорилось также о том, что будто еврейские ученые, которых нам не называли, говорят, что то, что относится к врагам евреев Амаликитянам, которые истребляли евреев, что будто бы ученый, еврей Маймонид сказал, что все, что говорится об идолопоклонниках, говорится о христианах.

Троицкий: В таком смысле отзыва о христианах нет. Должен сказать, что Маймонид был большой философ и относился к христианскому учению не особенно благоволительно, но тем не менее Маймонид высоко ценил культурное значение христианства, он говорил, что распространение христианства способствует распространению закона Моисеева. Это был удивительный исследователь теологии. Он не мог высказать таких мыслей, что можно убивать христиан без всякого повода.

Грузенберг: Вы коснулись этого вопроса, не знаете ли вы, такое уважительное отношение к христианам было не только у Маймонида, но и другие еврейские писатели говорили: «хотя мы не разделяем взглядов христиан, но это ведет к вере в единого Бога». Среди писателей-евреев и ученых много было, которые относились к христианам с полным уважением. Не знаете ли вы такого выражения, что набожный христианин православный, или лютеранин, или католик ближе к Богу, чем неверующий еврей?

Троицкий: Такого выражения я не помню.

Грузенберг: Если понадобится, я укажу текст этого и мы переведем. Будьте добры сказать, известно ли вам что-либо относительно 13 уколов, вы сказали, что Ролинг перевел этот текст недобросовестно?

Троицкий: Да, я это сказал.

Грузенберг: Но известно ли вам, что по поводу этого недобросовестного перевода прямо говорили, что один доктор назвал его клеветником и клятвопреступником, так как он, как профессор, принес присягу. Не было ли процесса и чем это кончилось?

Председатель: Это не научный вопрос.

Грузенберг: Это научный вопрос. Профессор говорит, что Ролинг перевел это место недобросовестно. Теперь дальше о 13 уколах. Я извиняюсь перед судом и перед присяжными, но это, к сожалению, имеет значение. Когда еврей-резник по закону режет животное, то говорят, он должен 12 раз попробовать на своем ногте, нет ли на ноже зазубрины, а режет только один раз?

Троицкий: Да.

Грузенберг: Господин эксперт, ваш предшественник сказал на мой вопрос, что есть книга Мизбах гамелех. Есть такая книга?

Троицкий: Я с этой книгой не знаком и не знаю, есть ли она.

Грузенберг: Встречали указания в литературе?

449

Троицкий: Не помню такой книги.

Грузенберг: Вчера тут говорилось, что у евреев, у хасидов, у неохасидов есть закон резать девушек. Помните, говорили: правителей всех стран и девушек истреблять? Верно это или не верно?

Троицкий: Насколько мне известно, здесь, по-видимому, повторяется нечто вроде того, что сказал Ролинг. Есть одно место, в котором говорится о так называемой даме бетулим, что буквально значит «девственная кровь», но не «кровь девиц». У него вследствие этого получилось совершенно извращение этого смысла. Там говорится: «кровь девственная». А Ролинг говорит: «кровь девиц». Он составил целую лестницу символизма, будто говорится о крови, получающейся от убиения девиц. На самом деле этого нет. Я этот текст имею здесь.

Грузенберг: Вот вы говорили, что евреи, начиная уже от ранних времен, чувствовали отвращение к крови, например, при приготовлении пищи не имели права есть мясо с кровью. Что они делают, чтобы есть мясо?

Троицкий: Они его предварительно вымачивают в сосуде так, чтобы кровь вся вышла.

Грузенберг: Теперь дальше он говорит о медицине, что евреи медиков очень уважают, ставят наравне с раввинами, спрашивали часто о том, что евреями-медиками не предписывалось иногда кровопускание и прочее (я боюсь этого слова «прочее»), для евреев писали в Талмуде, что если он болен, то надо из него выпускать кровь. Из кого — из еврея, а не из христианина?

Троицкий: Из еврея.

ЭКСПЕРТИЗА ПРОФ. КОКОВЦОВА

По 1-му вопросу: «**Какое значение имела кровь жертв при храмовых жертвоприношениях у евреев?**» — я всецело присоединяюсь к мнению проф. Троицкого. Очистительное значение крови при жертвоприношениях ясно указано в самой Библии, Лев. 17.11. Оно явствует также из известного церемониала кропления кровью жертвенника каждений, как это описано в 16-й главе той же книги Левит.

По 2-му вопросу: **«Есть ли указания в Библии на человеческие жертвоприношения у евреев?»** — я точно так же вполне согласен с тем, что было сказано по этому поводу проф. Троицким. Принесение в жертву дочери Иевфиая (Судей, гл. 11) является совершенно исключительным случаем, отмечаемым как таковой самим библейским повествованием в заключительных словах рассказа. Человеческие жертвоприношения в законодательстве Пятикнижия считаются «мерзостью» (Лев. 18.21 сл.) и караются смертью (Лев. 20.2). Принесение человеческих жертв некоторыми израильскими и иудейскими царями жестоко порицается пророками и ставится библейскими повествователями в прямую связь с падением того и другого царства и уведением народа в плен (срав. II Цар. 17.7 сл.; 21.2 и т.д.).

По 3-му вопросу: **«Чем у евреев заменено принесение в жертву Иегове еврейских первенцев и распространена ли эта замена на первенцев врагов из другого племени?»** — я могу сказать, что это принесение в жертву первенцев, если речь идет о человеческих первенцах (Исх. 13, 12 сл.), согласно постановлению книги Чисел 3. 12 сл., было заменено посвящением Богу всех сынов Левиевых. Этим решается в отрицательном смысле вторая часть вопроса.

По 4-му вопросу: **«Есть ли указания в Библии на то, что убийство некоторых людей и избиение иноплеменников считалось евреями актом, угодным Иегове?»** — я согласен с мнением, высказанным проф. Троицким.

По 5-му вопросу: **«Что такое, в сущности, Талмуд, Шулхан-Арух, Каббала и какое значение они имеют в жизни современного еврейства и заключаются ли в них указания на употребление евреями христианской крови?»** — я должен в дополнение к сказанному проф. Троицким отметить, что Талмуд — это не учение, а вполне определенное произведение, которое строго может быть фиксировано во времени. Талмуд состоит из сборника традиционных постановлений (Мишны), редактированного приблизительно в начале III века по Р.Х., и истолкования этого сборника (Гемары), редактированного приблизительно в конце V века по Р.Х. Я говорю о так называемом Вавилонском Талмуде, пользовавшемся наибольшим авторитетом в глазах еврейства. Так называемый Иерусалимский Талмуд состоит точно так же из основного ядра, которым является та же

Мишна, и истолкования его, редактированного приблизительно в конце IV века по Р.Х. Нужно, однако, заметить, что оба Талмуда распадаются на законоположительную часть (Галаху), которая, собственно, и имеет известную обязательную силу для евреев, и не законоположительную часть (Хагаду), заключающую в себе все, что не есть Галаха, как-то: нравоучительные рассказы и сентенции, поэтические легенды истолкования библейских мест, магические формулы и т.д. Эта последняя часть постоянно служила неисчерпаемым материалом для враждебных выходок против еврейства. Из нее выхватывались отдельные изречения, как, например, изречение р. Элиезера в тр Песахим, л. 49 б., что «невежду можно проколоть в день очищения, который приходится в субботу» и т.п., и изречениям этим ошибочно приписывалось законоположительное значение. В законоположительной части (Галахе) также нет строгой системы и той законченности, которая позволяла бы пользоваться Талмудом как сборником законоположений. Окончательные решения в Талмуде часто не даются, и приходится их выводить самому путем разных соображений. Поэтому вскоре возникла необходимость в особых кодексах. Одним из таких кодексов был Шулхан-Арух, составленный в XVI веке Иосифом Каро. Таким образом, и Талмуд в своей галахической части и Шулхан-Арух представляют собой законоположительные сборники. Наоборот, Каббала есть не что иное, как некоторого рода религиозно-философское учение как таковое, не вторгающееся в область религиозного закона и не имеющее поэтому никакой обязательной силы для еврейства. Ни в Талмуде, ни в Шулхан-Арухе, ни в Каббале, насколько последняя мне известна, никаких указаний на употребление евреями христианской крови не находится.

По 6-му вопросу: «**Какому толкованию подверглось в Талмуде запрещение Пятикнижия Моисея — употреблять в пищу кровь?**» — я вполне присоединяюсь к тому, что было указано проф. Троицким.

По 7-му вопросу: «**Каким способом рекомендует Талмуд добывать кровь из тела в случае надобности в ней?**» — я могу сообщить, что соответствующее указание находится в Тосефте Хуллин VI § 4, где указывается, что в случае надобности в крови животного для каких-либо целей, — само собой разумеется, не имеющих ничего общего с едой, а например, как видно из других мест Талмуда, удаления вредных насекомых запахом крови, — предлагается убивать животное или прокалыванием или отщемлением, но не способом, обычным при ритуальном убое скота.

По 8-му вопросу: **«Каково отношение в Талмуде к иноплеменникам, и не содержится ли в нем прямых указаний на то, что убийство иноплеменника дозволено и является актом, угодным Иегове?»** — я должен к тому, что было сказано по этому предмету проф. Троицким, прибавить, что Талмуд, вообще говоря, возлагает на еврея в отношении единоверца бо́льшие обязанности, чем в отношении нееврея, и поэтому устанавливает в некоторых случаях известное неравноправие еврея и нееврея. Но отсюда еще далеко до того, чтобы он предписывал или дозволял причинять умышленный вред нееврею, а тем более убивать нееврея. Убийство вообще считается одним из трех величайших грехов, по теории раввинизма. Весьма характерны для определения предписываемых Талмудом обязанностей в отношении неевреев такие постановления, как, например, в тр. Гиттин, л. 61а, где указывается, что «следует призревать бедных иноверцев наравне с бедными израильтянами и навещать больных иноверцев наравне с больными израильтянами». Эти постановления тем более замечательны, что относятся к неевреям талмудической эпохи, т.е. преимущественно к язычникам. Изречение «лучшего из неевреев убей» (Мехильта к Исх. 14.7), приписываемое таннаиту Шимону бен-Иохаю. в Вавилонском Талмуде, насколько известно, не находится и. кроме того, представляет случайное единичное выражение личного негодования, объясняющееся обстоятельствами жизни упомянутого раввина. В Иерусалимском Талмуде, тр. Киддушин, IV. 11 (л. 66 с.), встречается аналогичное выражение: «лучшего из неевреев убей; лучшей из змей раздроби мозг» с добавлением: «самая дельная женщина — ведьма», которое проливает полный свет на приведенное выше изречение относительно «лучшего из неевреев».

По 9-му вопросу: **«Когда впервые появилась Каббала, к какому времени относится ее полное развитие и каково отношение Каббалы к Библии и Талмуду?»** — я присоединяюсь к тому, что уже было сказано здесь проф. Троицким.

По 10-му вопросу: «**Какими способами Каббала истолковывает Библию?**» — я считаю нужным указать, что особенно характерным для Каббалы является аллегористическая интерпретация Библии, в чем Каббала сходится с системой Филона, хотя и расходится с нею в применении аллегористики к отдельным случаям. С особенным усердием Каббала старается, в угоду своей метафизике, видеть символизм везде, даже в простых исторических рассказах. Как на весьма характерный пример такого способа истолкования библейского текста можно указать, например, на известное место Зогара Идра Рабба, III л. 128a (по мантуанск. изд.), где по поводу выражения книги Бытия 36,31 «и от цари, которые царствовали в земле Идумейской, прежде чем царствовал царь у сынов Израилевых», говорится, что здесь идет речь о первобытных царях и первобытном Израиле, причем фраза понимается в смысле создания миров, которые предшествовали нашему миру, но затем по некоторой причине исчезли.

По 11-му вопросу: «**Не ввела ли Каббала в еврейскую среду новых ритуалов и не была ли источником диких суеверий?**» — я могу сказать, что прямых сведений по этому предмету не имею, но считаю невероятным, чтобы Каббала могла установить какой бы то ни было новый ритуал. Каббала не есть законоположительный кодекс, а теософическое учение и не могла заниматься поэтому ритуальными вопросами.

По 12-му вопросу: «**Чем в Каббале заменен ритуал принесения в жертву животных, прекратившийся с разрушением храма?**» — должен опять сказать, что такими вопросами Каббала заниматься не могла, как известное религиозно-философское учение, никогда не вмешивавшееся в обрядовые постановления раввинизма.

По 13-му вопросу: «**Не содержится ли в Талмуде и Каббале указаний на сближение понятий: сеир (козел) и сеир (римлянин, в широком смысле этого слова — ариец)?**» — я не могу сказать ничего положительного, потому что не имел возможности сделать здесь по этому предмету справки. Каких-либо подходящих мест в Талмуде не знаю и считаю сомнительным, чтобы такие места там имелись, ввиду весьма позднего (после талмудического) усвоения словами «эдом» и «сеир» более обширного значения — «христианин».

По 14-му вопросу: «**Какое значение имело число 13 в Талмуде и Каббале?**» — могу прямо сказать, что ни в Талмуде, ни в Каббале, поскольку последняя мне известна по источникам и пособиям, это число никакого символического значения не имеет.

По 15-му вопросу: «**Из какого места тела, по толкованию Талмуда и Кабаллы, выходит по преимуществу душа вместе с кровью?**» — ничего не могу сказать, но весьма сомневаюсь, чтобы в Талмуде имелось какое-либо по этому предмету указание.

По 16-му вопросу: «**Нет ли указаний в Каббале и в истории евреев на то, что даже евреи, казненные в средние века за проявление религиозного фанатизма, считаются жертвою, угодною Иегове?**» — не имею в своем распоряжении в настоящий момент никаких данных и потому ничего положительного сказать не могу.

По 17-му вопросу: «**Когда появилось среди евреев учение неохасидов и какое отношение оно имеет к учению Каббалы?**» — я присоединяюсь к тому, что уже было высказано проф. Троицким, но должен заметить, что хасидизм не имеет, по моему мнению, никакой генетической связи с Каббалой. Хасидизм есть, несомненно, реформационное движение, явившееся протестом против мертвой обрядности раввинизма. Учителя хасидов хотят бороться с безверием и потому выдвинули на первый план мистическую метафизику Каббалы, способную повлиять на воображение человека.

По 18-му вопросу: «**Где по преимуществу распространилось среди евреев учение неохасидов и кто из учеников основателя его наиболее известен как основатель нового хасидского толка, занимавшегося одновременно и Талмудом и Каббалой?**» — я согласен с тем, что сказано было проф. Троицким.

По 19-му вопросу: «**Какие разоблачения сделали франкисты по поводу человеческих жертвоприношений у евреев на диспуте во Львове (1759 г.)?**» — я не могу ответить, так как опять-таки был лишен возможности сделать здесь справку. В своем манифесте, обнародованном около того же времени во Львове (см. Franck «La Kabbale», 1889, стр. 306 сл.), франкисты ни слова не говорят о человеческих жертвоприношениях раввинистов.

По 20-му вопросу: «**Были ли в средние века и в наше время случаи осуждения евреев по обвинению их в убийстве христиан с религиозными целями, причем евреи бывали изобличены и собственными сознаниями и нахождением, по их указанию, остан-**

ков замученных ими жертв?» — определенного ответа, к сожалению, дать не могу, потому что не имел возможности основательно изучить соответствующие дела по документам. Если бы, впрочем, я и имел возможность изучить весь соответствующий материал, я все равно не был бы в состоянии, как не юрист, в нем разобраться, то есть точно установить, на основании подлинных актов, все случаи изобличения евреев их собственными сознаниями и нахождения, по их указанию, останков замученных ими жертв. О разных средневековых и новейших процессах в различном их освещении я читал, но принять без проверки по актам все соответствующие сведения, ввиду возможности умышленных извращений фактов, я решительно не в состоянии и потому должен отказаться от прямого ответа.

По 21-му вопросу: **«Каково отношение еврейства к употреблению крови в пищу?»** — могу сказать, что запрет употребления крови всегда соблюдался строжайшим образом евреями в течение тысячелетий. Для характеристики еврейского консерватизма в этом отношении можно указать на скромную попытку благочестивого, но философски образованного писателя Иосифа Альбо (в XV веке), автора знаменитого сочинения на еврейском языке о догматах, высказать предположение, что когда-нибудь, может быть, запреты такие, как тука и крови, будут отменены при изменившихся ныне обстоятельствах жизни. Эти слова вызвали бурю негодования против автора, и его труд, озаглавленный Сефер Иккарим («Книга догматов»), был назван Сефер Окрим, т.е. «Книга разрушителей».

По 22-му вопросу: **«Содержатся ли в Талмуде противонравственные учения вообще?»** — я присоединяюсь к тому, что уже было сказано проф. Троицким, и думаю точно так же, что никаких безнравственных учений в Талмуде не имеется.

По 23-му вопросу: **«Встречаются ли в Талмуде какие-нибудь постановления о христианах и если имеются, то какие именно?»** — я должен сказать, что, насколько мне помнится, в Талмуде ни одного постановления, относящегося именно к христианам, не находится. Что касается термина «гой», который в Талмуде обыкновенно усвояется еврею, то под ним подразумевается всегда только язычник. Термин «ам-хаарец» исключительно обозначает невежду, необразованного человека, и только при полном незнакомстве с талмудической терминологией может быть понят в значении «христианин».

456

По 24-му вопросу: **«Что Талмуд подразумевает под термином семь заповедей Ноевых и как Талмуд относится к тем, которые придерживаются их?»** — я считаю возможным согласиться с мнением предшествовавших экспертов.

По 25-му вопросу: **«Заключается ли в учении еврейской религии, как древней, так и позднейшей (Зогар и др.), предписание об умерщвлении христиан с ритуальной целью?»** — можно дать только отрицательный ответ. Ни Библия, ни Талмуд не требуют ритуальных убийств. В каббалистической литературе я менее осведомлен, но с некоторыми важнейшими произведениями знаком и на основании этого знакомства решаюсь утверждать, что считаю совершенно немыслимым, чтобы еврейская теософия, занимающаяся вопросами отвлеченного характера, требовала человеческих убийств. По этому поводу уместно коснуться некоторых мест из трех каббалистических сочинений, где будто бы такое требование убийства христиан имеется и где даже будто бы описано, как именно такое убийство должно совершаться. Эти места были 30 лет тому назад указаны пражским профессором-богословом Ролингом и наделали много шуму. К тому, что сказал об этих местах проф. Троицкий, я прибавлю следующее. Первое из этих мест, Зогар л. 119а, не говорит ни слова ни о христианах, ни о каком-либо убийстве, ни о 13 поранениях. Речь идет о евреях, не соблюдающих предписаний еврейского закона, а не о христианах. Повествователь говорит, что если эти грешники, наказанные за это бедностью, покаются и не будут роптать на Бога, то они умрут с закрытым ртом, т.е. без ропота, как животные. Другое сходство еще подмечает автор в данном случае между этими умирающими еврейскими грешниками и животными: и те и другие умирают с тринадцатью, потому что первые, умирая, произносят слово «Эхад» (един), последнее слово исповедания единства Божия: «Слушай, Израиль, Господь Бог наш, Господь един», числовое значение которого равно 13. Но и животные умирают с тринадцатью, так как при убое их резник 12 раз пробует нож, и, таким образом, эти 12 проб ножа вместе с самим ножом тоже дают 13. Второе место находится в сочинении Шаар ха-Хакдамот, известного ученика Исаака Лурье, Хаима Витала (л. 33 б. по иерус. изданию 1850 г.). Здесь будто бы, по словам Ролинга, указывается, что «убийство скорлуп» (келипотов), т.е. неевреев, необходимо для ускорения пришествия Мессии. Но слова «убийство скорлуп» не находятся в тексте и совершенно бессмысленны с точки зрения идей книги Зогар, потому что скорлупы — духовные субстанции, а не материальные и убийство их потому невозможно. В третьем месте, в сочинении Сефер ха-Ликкутим того же Витала, точно так же не говорится ничего об убийстве девушек (бетулот), а, как уже указал проф. Троицкий, о девственной крови (дам бетулим). Упомянутые места, вполне разъясненные в свое время Деличем и Мерксом, таким образом, совершенно безвредны и не дают основания думать, что в Каббале предписываются ритуальные убийства.

По 26-му вопросу: **«Какое значение имеет Библия в духовной и нравственной жизни еврейского народа?»** — я вполне согласен со всем сказанным по этому поводу проф. Троицким. Библия занимала всегда и продолжает и ныне занимать, насколько я могу судить, первостепенное значение в духовной жизни еврейского народа.

По 27-му вопросу: **«Дает ли основание Ветхий Завет для обвинения евреев в употреблении человеческой крови?»** — можно отвечать только отрицательно. Если Ветхий Завет, и в частности Пятикнижие, устанавливает, так сказать, догмат неупотребления всякой крови, в том числе и человеческой, то для обвинения евреев в употреблении человеческой крови не может быть никакого разумного основания. Необходимо прибавить, что это относится и ко всем наличным еврейским сектам, в частности к караимам, которые запрет употребления человеческой крови выводят, в отличие от раввинистов, прямо из ветхозаветного текста.

По 28-му вопросу: **«В каком отношении стоит Талмуд к Библии, и дает ли он какие-либо основания для обвинения евреев в употреблении христианской крови?»** — я вполне согласен с мнением, высказанным проф. Троицким. Как дальнейшее развитие библейского закона, Талмуд исходит прямо из Библии и не дает точно так же никакого основания для обвинения евреев в употреблении христианской крови, т.е. в нарушении библейского запрета. Специальная оговорка раввинского закона в Тосефте (Керитот, II, § 17) касательно запрещения «крови двуногих», т.е. людей, вызвана именно опасением возможности совершить тяжкий грех в случае, если бы пришлось проглотить собственную кровь.

По 29-му вопросу: «Имеются ли данные и какие именно, которые указывали бы на то, что убийство Андрея Ющинского совершено из побуждений религиозного изуверства, вытекающего из вероучений еврейской религии или ее толков (сект), и в последнем случае каких именно?» — на этот вопрос можно ответить, по моему мнению, только отрицательно. Решительно никаких данных, которые указывали бы на то, что убийство Андрея Ющинского совершено из побуждений религиозного изуверства, вытекающего из вероучений еврейской религии или ее толков, не имеется. Что касается обескровления трупа, то судебно-медицинская экспертиза не дает, мне кажется, основания считать доказанным, что оно было умышленно произведено; но и в последнем случае решительно невозможно допустить, чтобы обескровление было сделано евреем ради получения человеческой, в частности христианской, крови. Совершенно невероятно, чтобы какой-либо настоящий еврей, т.е. еврей, соблюдающий свой закон и верящий, что закон этот дан самим Богом, мог решиться на большой грех и тяжкое преступление, убийство, ради не только бессмысленного с точки зрения его религиозного закона поступка, но если дело идет об употреблении крови в пищу, то и поступка, строго запрещаемого тем же законом. Я скажу прямо, что, если бы где-либо был найден обескровленный труп христианина и было бы вместе с тем доказано, что убийство совершено евреем, я предпочел бы допустить какие угодно мотивы убийства, за исключением лишь желания получения человеческой крови, и в крайнем случае готов был бы допустить нелепое предположение, что труп обескровлен евреями для того, чтобы его можно было съесть, чем еще более нелепое предположение, что он обескровлен евреями для того, чтобы именно добыть из него кровь.

ДОПРОС ПРОФ. КОКОВЦОВА

Председатель: Желают ли стороны задать вопросы эксперту Коковцову?

Прокурор: Я имею вопросы (к Коковцову). Вы так же смотрите, профессор, на Неофита и его сочинения, как и ваш предшественник?

Коковцов: Это произведение представляется мне весьма подозрительным. Мне представляется невероятным, чтобы сын еврея написал такое произведение, в котором попадаются такие выражения о евреях, как «нечестивый народ» или «весь еврейский народ подлежит проклятию» и т.д. Не мог сын еврея выразиться так о народе, к которому принадлежал его родной отец. Подозрительным кажется мне затем нелепое выражение: «фарисеи, которые называются хасидимами». Особенно странным представляется мне в устах сына ученого, раввина указание на то, что раввины будто бы не уверены в том, что Иисус Христос не был Бог, то есть колеблются в отношении своего догмата единобожия. Еврейство много страдало за свою верность своей религии; при таком колебании эти страдания за веру представлялись бы непонятными.

Прокурор: Следовательно, я буду прав, если скажу, что это сочинение представляется вам подозрительным с точки зрения его содержания, а во-вторых, вы не допускаете, чтобы сын еврейского народа мог написать против этого народа такой памфлет. А вот относительно произведения Пикульского, ведь он тоже еврей был и написал сочинение под заглавием «Злость жидовская»?

Коковцов: Это сочинение мне малознакомо.

Прокурор: А Серафимович был тоже еврей?

Коковцов: Его труд мне тоже малознаком.

Прокурор: Там указывается на то, что существует много разных нелепостей, не то что нелепостей, а каких-то непонятных суеверий. Между прочим, там говорится о том, что евреи считают, будто бы кровь падает с неба и из воздуха на их кушанья, на хлеб, — между прочим, об этом говорит и Неофит в своей книге. Вам не известно, есть ли действительно у евреев такое суеверие, что в сыром месте на хлебе появляются красные круги?

Коковцов: Мне это не известно. Я читал объяснение, что это процесс чисто органический и химический.

Прокурор: А что евреи считают это за кровь?

Коковцов: Этого я совершенно не знаю.

Прокурор: И даже что кладут какие-то вилки?

Коковцов: Не знаю.

Прокурор: А что это за опреснок — эфикоймон?

Коковцов: Так называется часть среднего из трех опресноков, которые подаются на стол в начале пасхальной трапезы. Опресноки эти, положенные один на другой, символизируют священника, левита и Израиля. Часть среднего опреснока отламывается в начале трапезы, откладывается в сторону и вкушается по окончании трапезы. Самый термин «эфикоймон» — не то греческого, не то иранского происхождения.

Прокурор: У правоверных евреев, у евреев очень религиозных, маце и опреснокам придается очень большое значение. Вы слышали из самого хода процесса, что маца специально пеклась в имении Зайцева?

Коковцов: Мне известно, что печение мацы совершается с особой осторожностью исключительно ради того, чтобы в мацу не попал никакой квасной элемент.

Прокурор: При этом присутствует раввин или кто-нибудь?

Коковцов: Не знаю.

Прокурор: У Неофита есть указание на то, что во время венчания раскалывается яйцо, посыпается соль и пепел. Этот обычай у религиозных евреев вам известен?

Коковцов: Такой обычай мне неизвестен, но он представляется мне сомнительным.

Прокурор: Но указания Неофита на то, что пепел посыпают и т.д., во всяком случае, показывают, что он что-то знает, или каждый мог бы это написать?

Коковцов: Ничего не могу об этом сказать.

Прокурор: Скажите, мальчики до 13 лет у евреев считаются несовершеннолетними и занимают особое положение?

Коковцов: Да, они считаются совершеннолетними в религиозном отношении только начиная с тринадцатилетнего возраста; с этого возраста они считаются «бар-мицва» и в религиозных обрядах полноправными.

Прокурор: Вам известно, что одним из пап римских было сделано распоряжение о сожжении Талмуда, как заключавшего в себе ряд суеверий недопустимых, и действительно Талмуд был сожжен в 1224 г.?

Коковцов: Это не единственный случай. Талмуд сжигался много раз, и не только Талмуд, но и разные другие книги. Я не думаю, чтобы из этого можно было бы извлечь какие-либо выводы в том смысле, что он был опасен.

Прокурор: Мне хотелось бы выяснить, известно ли вам, чем вызывалось такое распоряжение папы.

Коковцов: Это был донос.

Прокурор: Не это одно. Это распоряжение вызывалось тем, что Талмуд был наполнен богохульством и суеверием. Вы сами приводили из Талмуда изречения и говорили, что тут кто хочет укажет изречения, которые могут быть названы суеверием.

Коковцов: Кто знает Талмуд, кто читал его довольно много, тот сумеет разобраться, и такие изречения могут вызвать только улыбку.

Прокурор: Так что он невинно изложен и богохульства не заключает?

Коковцов: Не заключает.

Прокурор: А по отношению к христианскому кресту?

Коковцов: Конечно, евреи не верят во Христа, но богохульства у них нет.

Председатель: Я просил бы относительно богохульства вопросов не касаться.

Прокурор: Я только в общих чертах; я, конечно, не буду выяснять эти вопросы.

Шмаков: Я прошу занести в протокол, что эксперту Коковцову не известны богохульства.

Грузенберг: Вот нас спрашивал прокурор о том, что какой-то папа приказал сжечь Талмуд, и вы сказали, что не один такой случай был. А не известно ли вам, что по распоряжению мусульман была сожжена целая библиотека, где были выдающиеся произведения ума человеческого?

Коковцов: Да.

Грузенберг: А не известно ли вам, что у язычников сжигались книги христианские?

Коковцов: Да.

Грузенберг: Эти вопросы я оставляю и перейду к деловым вопросам. Скажите, есть ли такой текст (о котором говорил эксперт Пранайтис), позволяющий евреям принять христианство с единственною целью уронить потом эту новую религию?

Коковцов: Я не могу сейчас привести цитаты, но знаю, что такого текста нет, и совершенно невероятно, чтобы он мог быть.

Грузенберг: Вас спрашивал прокурор, что будто бы до 13 лет еврейские мальчики считаются у евреев почти что на положе-

462

нии животных. Что, это есть предельный возраст, с которого он делается совершеннолетним?

Коковцов: С этого возраста он считается способным исполнять закон и может носить молитвенный плащ.

Грузенберг: И он лично ответствен за грехи перед Богом?

Коковцов: Да.

Грузенберг: А до 13 лет отвечают родители, которые его воспитывают. В этом смысле надо понимать?

Коковцов: Да.

Грузенберг: Известно ли вам, что и в христианской религии у лютеран есть конфирмация, где, в зависимости от возраста, начинается вопрос о религиозной ответственности ребенка?

Коковцов: Это мне известно.

Грузенберг: Вот здесь много говорилось о догматах крови. Вы вчера сказали, что, зная Талмуд, зная еврейские богослужебные книги в их главнейших основаниях и чертах, вы не допускаете мысли об употреблении евреями христианской крови.

Коковцов: Я не могу допустить этого, потому что это было бы бессмысленно с точки зрения еврейского закона и вместе с тем опасно. Выходило бы, что ради исполнения бессмысленного с точки зрения религии дела еврей нарушал бы основной запрет Моисеева закона и к тому же подвергал бы большой опасности и себя самого, и весь свой народ. По еврейской религии, человек должен так соблюдать закон, чтобы остаться живым. Поэтому в случае опасности разрешается нарушать предписания. Так что это положение допустить невозможно.

Грузенберг: Здесь много говорилось со стороны представителей обвинения, что будто после разрушения храма жертву нельзя было приносить; они заменили жертву, причем было указано, не заменили ли они человеческими жертвоприношениями. Так вот скажите: чем заменено после разрушения храма жертвоприношение животных?

Коковцов: Две обычные жертвы всесожжения, которые совершались в храме утром и после обеда (так называемый тамид), заменены двумя соответствующими молитвами (стефиллами) из 18 благословений. Затем очистительные жертвы, в особенности церемониал очищения грехов, заменены покаянием...

Грузенберг: Так что вы говорите, что все жертвы заменены молитвами?

Коковцов: И покаянием.

Грузенберг: И ничего другого вместо жертв не допускается?

Коковцов: Нет. Это и невозможно: до восстановления храма в Иерусалиме считается невозможным вообще жертвоприношение.

Грузенберг: Следовательно, по еврейскому закону, нет сомнения, что до восстановления храма в Иерусалиме немыслимо вообще приношение жертв?

Коковцов: На это прямо указывает ряд мест книги Второзакония.

Грузенберг: Вы говорили относительно 13 уколов, причем относительно текста по этому поводу вы повторили слова Троицкого, что это есть недобросовестный перевод.

Коковцов: Я так не выразился. Моя мысль была та, что это перевод неправильный. Пользуясь имевшимися в моем распоряжении текстами и имея в руках перевод Ролинга, я пришел к заключению, что он неверен.

Грузенберг: Вы изучали, значит, все тексты и тот самый текст, на который ссылается Ролинг?

Коковцов: Я имел возможность пользоваться двумя изданиями XVI века, мантуанским и кремонским, сличил этот текст с текстом двух амстердамских изданий, сообщенным Деличем, и с текстами, по которым сделан перевод Меркса и Ролинга, и убедился, что еврейский текст всех изданий здесь одинаков, но перевод Ролинга не соответствует оригиналу.

Грузенберг: И вы убедились, что Ролинг допустил, мягко говоря, неправильный перевод, недобросовестный?

Прокурор: Этого слова не было. Я прошу ваше превосходительство указать, что это слова защиты, а что профессор их не говорил.

Грузенберг: Профессор Троицкий сказал, что перевод недобросовестный.

Председатель: А проф. Коковцов сказал, что он неправилен.

Грузенберг: Проф. Коковцов сказал, что несколько раз Ролингу доказывали, что он пишет неверно, и в конце концов сказали: ну что с таким человеком спорить. Это были слова профессора вчера, и я не виноват, что г. прокурор упустил их.

Коковцов: Я сказал, что вопрос считается решенным в том смысле, что наука признала правильными переводы Делича и

Меркса и затем к этому вопросу больше не возвращалась, так что на перевод, который дал Ролинг, не обращается больше никакого внимания.

Грузенберг: Значит, я точно сформулирую вашу мысль, если скажу, что считается бесспорным тот перевод, о котором вы говорите, а к переводу Ролинга наука теперь не обращается?

Коковцов: Она не придает данному месту книги Зогар другого значения, кроме того, которое было придано учеными Деличем и Мерксом.

Грузенберг: А текст, который приводился о деле убийства, тоже неправильный. Не указывали ли вы, что там даже вставлено два других слова? Вы вчера говорили относительно переводов Ролинга и указывали, что в одном месте он вставил два слова, которых в действительности нет?

Коковцов: Это в сочинении Хаима Виталя, где говорится об убийстве скорлуп (келипот); я сказал, что келипоты нельзя убить, потому что дело идет о духовных существах. Сличив текст Ролинга с текстом подлинного сочинения, я убедился, что эти два слова («убийство скорлуп») самовольно вставлены Ролингом, как и несколько слов в начале. Я здесь увидел некрасивые передержки.

Грузенберг: Некрасивые передержки. Так вы говорите, что Ролинг вставил два слова с самого начала, изменил также в середине текст, причем вы говорите, что никаких указаний на приношения в жертву нет.

Карабчевский: Затем я хотел еще спросить по поводу следующего. Конечно, мы должны считаться до известной степени с историческими фактами, — в какой мере они могут служить доказательствами, об этом я буду говорить в своей речи, — но в ученом споре они, несомненно, имеют значение. Так вот, мне хотелось бы знать, каким образом исторические критики относятся к указаниям на процессы, которые были в средние века, в прошлые времена, и каким образом те из ученых, которые положительно приходят к заключению, что рассказы об употреблении крови вымысел, каким образом они относятся к этим историческим событиям или рассказам?

Коковцов: Они подвергают это большим сомнениям, т.е. разные подробности подвергают большим сомнениям.

Карабчевский: Вам известен Вагензейль, что это — еврей или нет?

Коковцов: Я не знаю, еврей или нет, я знаю, что это был враг еврейства и что он написал известную книгу против еврейства.

Карабчевский: По поводу полемики с этим автором и другими вы не можете назвать ряд ученых имен, которые прямо указывают, каким образом в средние века нарождались подобные процессы, какими побуждениями и кто ими руководил?

Коковцов: Я подробностей не могу припомнить.

Карабчевский: Я говорю, что раз исторический критик приходит к известному заключению, что это есть вздор, то у него есть известная аргументация.

Коковцов: Да, они оспаривают это.

Карабчевский: Тут говорили о разных процессах. Не известны ли вам по Саратовскому делу следующие обстоятельства? Говорилось, что обыкновенно преступления ритуального характера приурочиваются к весне, к Пасхе. Не знаете ли вы, Саратовское убийство когда имело место?

Коковцов: Одного мальчика убили в декабре, другого в январе, но утверждать это я боюсь.

Карабчевский: Были ли там какие-нибудь специфические уколы, из которых делались выводы, что это преступление крови?

Коковцов: Насколько мне помнится, большого количества уколов не было, но над обоими мальчиками было совершено обрезание.

Карабчевский: А в средние века совершались распятия?

Коковцов: Да.

Карабчевский: По поводу Велижского дела вам не известно, что после окончательного приговора осужденные были признаны невиновными и были освобождены, причем было ясно доказано, что они невиновны?

Коковцов: Да, мне помнится это.

Зарудный: Не помните ли беседы Гилеля с одним язычником, который просил рассказать ему сущность учения Талмуда, а Гилель сказал, что расскажет в течение того времени, пока можно простоять на одной ноге?

Коковцов: Да, помню.

Зарудный: Скажите, кто был Гилель?

Коковцов: Это был один из древнейших и авторитетнейших представителей раввинизма, который жил в I веке до Р.Х.

Зарудный: А такая беседа была?

Коковцов: Он сказал, что вся сущность еврейского закона заключается в том, чтобы не делать другому того, что самому неприятно.

Зарудный: Так что сущность еврейского закона — «не делай другому того, что тебе неприятно». Вот это изречение Гилеля не сходно ли с одним из наших христианских изречений? Нет ли у нас в этом же роде изречения?

Коковцов: Не могу положительно сказать.

Зарудный: Это изречение повторяется в Евангелии?

Коковцов: Оно подходит к евангельскому изречению «люби ближнего, как самого себя», которое, впрочем, встречается уже в книге Левит.

Зарудный: И в этом Гилель видел всю сущность еврейской религии?

Карабчевский: Позвольте мне еще один вопрос задать. Здесь говорилось о цадиках и хасидах, и это в нашем представлении являлось чем-то криминальным, уголовно наказуемым. Объясните, что такое хасид и что такое цадик.

Председатель: Здесь не упоминалось о хасидах и цадиках в смысле криминальном.

Карабчевский: Мне хотелось бы восстановить, к какому времени относится возникновение хасидизма, чтобы установить, имеет ли это связь с появлением обвинений в ритуальных убийствах, или это было задолго раньше, а хасидизм явился позже.

Коковцов: Хасидизм появляется в XVIII веке.

Карабчевский: Затем не имеются у вас более или менее специальные сведения о Залмане Шнеерсоне, основателе хасидизма?

Коковцов: Мне о нем очень мало известно.

Карабчевский: Скажите, не известно ли вам, что его личная жизнь отличалась крайним благочестием и чистотой нравственности?

Коковцов: Я подробностей не помню, я этим вопросом мало занимался, но я читал о Шнеерсоне.

Карабчевский: Не известна ли вам, например, его деятельность во время Отечественной войны?

Коковцов: Да, кое-что я читал, но точных сведений не имею.

Карабчевский: Я больше вопросов не имею.

Зарудный: Профессор, вот тут говорили о франкистах, о секте, основанной Франком, о диспуте вс Львове в 1859 году. Вы знаете, кто такой Франк?

Коковцов: Он хотел реформировать еврейство.

Зарудный: Я не слышал, вы, кажется, говорили, что он выдавал себя за Мессию?

Коковцов: Он был последователем Саббатай-Цеви, который выдавал себя за Мессию.

Зарудный: А потом, после диспута, не выдавал ли себя Франк за вновь воскресшего Иисуса Христа?

Коковцов: Не помню.

Зарудный: А вы не знаете, как он окончил свою жизнь, не был ли он шпионом?

Коковцов: Он находился долгое время в тюрьме в Ченстохове.

Зарудный: По обвинению в шпионаже?

Коковцов: Я не помню.

Прокурор: Вы на вопрос защиты, между прочим, сказали, что вам неизвестен текст, в котором сказано, что принять крещение с тем, чтобы обмануть христиан, еврею дозволено и он, так сказать, заслуживает даже за это уважения. Между прочим, патер Пранайтис указал на Горе Деа, где значится: «Если еврей может обмануть акумов, заставляя их верить, будто и он (сам) акум, то это дозволено». А под акумом понимается христианин.

Коковцов: Виноват, под акумом нет возможности понимать христианина. Во всех старых текстах и рукописях, в тех местах, где в новых изданиях значится «акум», стоит слово «гой». Слово «акум» — позднейшая, цензорская поправка.

Прокурор: Тогда, значит, можно обмануть гоя. Заставить их верить, будто он сам гой, — это дозволено. Есть такое выражение?

Коковцов: Это выражение, вероятно, заключается в тексте, который говорит о законности обмана в таком положении, когда приходится или умереть, или обмануть, и говорится, что в таком случае он может обмануть, одеться в платье христианина, и что этим он не совершает ничего худого в таких случаях.

Прокурор: Это вы так толкуете?

Коковцов: В опасном положении, например, когда евреев убивают, тогда допускается обман, но тем не менее можно только переодеться, но запрещается назвать себя неевреем.

Прокурор: Тогда я позволю себе вас спросить, вы с «историей евреев» проф. Греца немного знакомы; не помните ли вы там такое место в панегирике Берне и Гейне, где он бросает крестившим их священникам такой упрек: «Они же оба наружно отреклись от иудейства, но только как борцы, овладевающие доспехами и знаменем врага, чтобы поразить его тем вернее и тем основательнее его умертвить»? Это говорит Грец. Вы не отрицаете этого?

Коковцов: Я не отрицаю, но и не могу признать.

Прокурор: Вы не отрицаете этого места?

Коковцов: Я не отрицаю, но я не хорошо помню это место, а потому не могу ничего сказать положительного.

Прокурор: Этот текст приведен у о. Пранайтиса. Затем патер Пранайтис, между прочим, обратил внимание на такое место в Зогаре. Он указывает, что во второй части Зогара, где есть ссылка на книгу Исход, т.е. ссылка на Библию, говорится по поводу ритуальных жертв: «Пусть возьмут себе каждый агнца по семействам, по агнцу на семейство. Мы имеем учение, что трое соединены (равны) между собою: первенец животного, первенец пленницы и первенец служанки, ибо все остальное (спасение Израиля) связано с этими тремя родами первенцев. Каким образом? Потому что сказано «агнец». В агнце все соединено. Соединяется агнец (настоящий) с агнцем (типическим), и нельзя их разделить при убийстве. И еще как соединяются? Потому что написано. (Тут ссылка на книгу Левит.) И пусть он (агнец хранится у вас. Свяжите его узами), и пусть он будет сохранен в ваших руках и в вашей власти до тех пор, пока не заколете его и не совершите над ним суда. И это (должно соблюдать до тех пор), пока не придет (Мессия), как написано». Такой текст есть?

Коковцов: Мне этот текст знаком. Значение его мне не совсем ясно. Я мог бы его выяснить тогда, если бы можно было получить всю эту книгу и посмотреть, а так я ничего не могу сказать. Необходимо иметь еврейский оригинал с соответствующими комментариями.

Прокурор: Позвольте мне по этому предмету высказать вам такое недоумение. Комментарии действительно все разъясняют, и в очень желательном для евреев смысле, но я прошу сказать — этот текст вам известен? Мы просим, чтобы вы нам указали, что означает этот текст.

Коковцов: Это патер Пранайтис ссылается на этот текст.

Карабчевский: Если этот текст приведен патером Пранайтисом, то это есть ли научное доказательство?

Прокурор: Я попрошу тогда восстановить этот текст, если защита возражает. Это в 16-м пункте его заключения.

Карабчевский: Это заключение патера Пранайтиса.

Прокурор: Этот текст прямо приведен из Зогара. Так вы не отрицаете (обращаясь к Коковцову)?

Коковцов: Я не могу ничего сказать, не имея оригинала. Я не утверждаю и не отрицаю.

Прокурор: А затем вы говорите, что не можете разъяснить этого текста, а комментарии могут?

Коковцов: Да.

Прокурор: Затем, нам известно по поводу того, что говорили патер Пранайтис и проф. Троицкий относительно восстановления жертв после разрушения храма. В одном трактате, Эдуиота, значится: «Рабби Иисус сказал — я слышал, что жертвы приносятся, хотя и нет храма»... «Я слышал, что режут жертвы, хотя бы и не было возлияний». Как согласовать эти слова рабби Иисуса, который жил во втором веке после Рождества Христова? Значит, можно и следует приносить жертвы, хотя и нет храмов? Для меня это обстоятельство очень важно.

Шмаков: Скажите, профессор, что, для христиан имеются в Талмуде различные псевдонимы?

Коковцов: Я не совсем понимаю.

Шмаков: Например: нохри, акум...

Коковцов: Таких наименований для христиан я не знаю.

Шмаков: Этих наименований вы не знаете?

Коковцов: Для неевреев вообще есть наименование «гой», другого выражения я не знаю.

Шмаков: А «гой» как понимать?

Коковцов: Это выражение вообще обозначает нееврея, лицо, не принадлежащее к евреям.

Шмаков: А акум?

470

Коковцов: Я уже сделал поправку в этом отношении. Это выражение было введено начиная с конца XVI века, со времени введения христианской цензуры для еврейских книг. Для того чтобы не было подозрения, что идет речь о христианах, вместо «гой» было введено слово «акум».

Шмаков: Значит, «гой» и «акум» друг друга заменяют?

Коковцов: Слова стоят одно вместо другого, но не заменяют.

Шмаков: Аммэ-Гаарец-Гаолян, это тоже заменяет?

Коковцов: Это выражение невозможно.

Шмаков: Таким образом, значит, есть известного рода слова, которые заменяют собой христиан?

Коковцов: Я этого не говорю.

Шмаков: Вы сами признали, что «акум» и «гой» употребляются одно вместо другого.

Коковцов: Не везде.

Шмаков: Т.е. что это неевреи, стало быть, христиане?

Коковцов: Это зависит от того, в каком тексте это выражение употреблено. В более поздних текстах слово «гой» заменено цензурой словом «акум»...

Шмаков (перебивая): Отвечайте на вопрос прямо.

Председатель: Поверенный гражданского истца, дайте профессору закончить.

Коковцов: Первоначально для всех неевреев употреблялся этот один термин «гой», но, конечно, с распространением христианства и мусульманства под термином «гой» стали разуметься люди различных религий, и так как раввинизм не мог остаться индифферентным к этому обстоятельству, то касательно значения в Талмуде слова «гой» были сделаны соответственные разъяснения. Так что, употребляя слово «гой», надо делать различие между христианами и язычниками.

Шмаков: Значит, слово «гой» относится к христианам, мусульманам и язычникам?

Коковцов: Да, но соответственно указанному разъяснению.

Шмаков: А слово «акум» стоит вместо слова «гой»?

Коковцов: В позднейших изданиях, но не в оригинальном тексте Талмуда.

Шмаков: Затем, не знаете ли вы такого места в Талмуде, что когда кто-нибудь, т.е. еврей, молится и ему навстречу идет акум с крестом в руках и еврей, вместо молитвы, наклоняется, то он не должен наклоняться, хотя бы его мысли были обращены к Богу?

Коковцов: Это место очень сомнительное, я должен видеть оригинал.

Шмаков: Не употребляется ли здесь такое выражение, которое соответствует сложному слову «основа-уток», вместо крест-перекресток?

Коковцов: Что оно значит, это очень спорно.

Шмаков: Но такое выражение есть?

Коковцов: Да, есть.

Шмаков: Вот относительно того места из Горе Деа, где сказано, что нельзя продавать воду, если еврей знает, что ею будет совершено крещение, есть такое место?

Коковцов: Я не могу этого сказать.

Председатель: Господин гражданский истец, я опять попрошу вас держаться ближе к вопросу.

Шмаков: Здесь утверждается, что акум не есть христианин.

Председатель: Господин поверенный гражданского истца, вы уклоняетесь.

Шмаков: Акум — это значит «идолопоклонник»?

Коковцов: Сомнительно, чтобы могли называть христианина идолопоклонником. В старых изданиях везде стоит «гой», там нет выражения «акум».

Шмаков: В Горе Деа, стр. 148, сказано... «среди акумов не должны быть».

Коковцов: Я не видел этого места и не могу ничего сказать.

Шмаков: Значит, на этот вопрос вы не можете ответить, но не отрицаете, что здесь говорится о гоях?

Коковцов: Я не могу сказать.

Шмаков: Я спрашиваю, имеется ли в Талмуде постановление, касающееся христиан?

Председатель: Нужно помнить, что здесь не богословский спор. Мы не спорим о богословских вопросах. Я вас прошу задавать вопросы по содержанию.

Шмаков: Я говорю об отношении Талмуда к христианам. Здесь было высказано такое положение, что евангельские правила...

Председатель: Нам ведь дорого время, будьте любезны обратиться к делу.

Шмаков: Тогда позвольте спросить вас, известно ли вам сочинение проф. Соколова, в Казани, об обрезании?

Коковцов: Я этого русского сочинения не знаю, потому что пользуюсь преимущественно иностранной литературой, которая всегда опирается на первоисточники. В занятиях Библией я предпочитаю базироваться на немецкой науке.

Шмаков: Но вопрос об обрезании относится к вашему предмету.

Коковцов: Относится, но я не им занимаюсь главным образом.

Шмаков: Так не можете ли вы сказать, какое основное положение обрезания, не рассматривается ли обрезание как жертва части вместо целого?

Коковцов: Может быть, но я должен объяснить, как велика вообще литература по Библии и как трудно запомнить разные мелочи.

Председатель: Господин поверенный гражданского истца...

Шмаков: Я должен спросить для выяснения...

Коковцов: Я еще не окончил своего объяснения по поводу этого. Обширность литературы не позволяет следить одинаково за всем. Разумеется, я стараюсь следить сколько могу за научным движением, но помнить всего не в состоянии. Чтобы объяснить это, у меня нет достаточно данных.

Карабчевский: Таким образом, вы удостоверяете, что слово «акум» заменено цензурой, т.е. что цензура заменила им, а в подлинном тексте этого слова нет?

Коковцов: В подлинных старых изданиях и, разумеется, во всех рукописях XI, XII и XIII веков нигде слова «акум» нет.

Карабчевский: Затем еще один вопрос. Вся эта литература, начиная с Талмуда, и последующие сочинения написаны, так сказать, языком кратким, сжатым — или, наоборот, это образная восточная форма, как бы поэтическое произведение?

Коковцов: Трудно установить такое определение. Законоположительные части Талмуда писаны преимущественно сжатым, сухим языком, но Агада написана поэтическим языком, в ней встречаются гиперболы, сравнения и т.д.

Шмаков: Вы говорите, что цензура ввела слово «акум» вместо слова «гой», какая же цель была в этом?

Коковцов: Цель та, чтобы нельзя было понимать под гоем христианина; если стоит «акум», то подразумевается язычник, потому что «акум» значит «почитающий звезды» и планеты, а «гой» обозначает вообще нееврея. Поэтому то, что относится к акуму, не относится к христианину.

Грузенберг: Будьте добры сказать, вас спрашивали относительно термина «гой», относится ли это к христианам или нет, и вы изволили сказать, что в еврейских ученых книгах и литературе делается разница, с одной стороны, между язычниками, а с другой стороны, между христианами и мусульманами, как верующими в единого Бога.

Коковцов: Да, в еврейской литературе, но в Талмуде нет такого различения в способе выражения.

Грузенберг: Да, а в еврейской литературе, в ученых сочинениях, что говорят относительно христиан — надо их выделять из этой общей массы или нет?

Коковцов: Да, но чтобы евреи считали дозволенным обманывать христиан, этого совсем нет.

Грузенберг: Значит, вы устанавливаете, что начиная с X века еврейские книжники и ученые предписывают относиться к христианам добросовестно и честно?

Коковцов: Начиная приблизительно с XI—XII веков в еврейской литературе начинают появляться систематические увещания относиться к неевреям совершенно так же, как к евреям, а затем позже такие же специальные увещания касательно отношения именно к христианам.

Грузенберг: Начинают предписывать относиться к христианам добросовестно и честно?

Коковцов: Да.

Грузенберг: Не указывают ли они, эти сочинения, кроме того, что выделяют христиан и мусульман как верующих в единого Бога, в которого веруют иудеи?

Коковцов: Да, такая точка зрения на христиан высказывается.

Грузенберг: Так что евреи, несмотря на разномыслие, ибо иначе они не были бы евреями, относятся к христианам с уважением и говорят, что они верят в единого Бога, как и евреи?

Коковцов: Да, об этом есть много цитат, например, в таком роде, как, что все, евреи и неевреи, равны пред престолом Божьим.

Грузенберг: Все равны как христиане, так и уравниваются Божьим именем.

Шмаков: А нет ли такого закона в Талмуде: «Когда израильтянин и гой являются на суд, то оправдывай еврея, если можешь оправдать на основании еврейских законов. Когда гой станет жаловаться, говори: но он прав, таковы его законы. Если же еврей может быть оправдан на основании узаконений народов земли, оправдывай его и говори — таковы законы ваши, а когда ни то, ни другое невозможно, действуй против гоя, выдумывая на него, как учит рабби Измаил».

Коковцов: Если не ошибаюсь, дальше сказано следующее: «А рабби Акиба советует не прибегать ко лжи, чтобы не посрамить имени Божьего в случае изобличения еврея во лжи». А мнение рабби Акибы предпочитается.

Шмаков: Это ваше мнение, ваше заключение, что рабби Акибу нужно дать предпочтение?

Коковцов: Это закон. Если рабби Акиба спорит с кем-либо одним, закон всегда согласно рабби Акиба.

Шмаков: Но такого рода взгляд в Талмуде есть?

Коковцов: Да, но он не считается получившим перевес.

Шмаков: Нет ли в Талмуде такого рода постановления, что евреи, живущие среди акумов, не могут иметь соединения с акумами, а потом всякий поступающий по закону свободен соединиться с другими народами?

Коковцов: Это я в первый раз слышу.

Шмаков: А существует такое постановление?

Коковцов: Чтобы это сказать, мне нужно видеть оригинал.

Председатель: Господин поверенный гражданского истца...

Шмаков: Профессор сказал по общему вопросу, что в еврействе проповедовалось в XII веке уважение к христианам и дружелюбное к ним отношение. А теперь я спрашиваю в частности.

Коковцов: Эта цитата, по вашим словам, из Талмуда. Но последний редактирован в конце V века, а я говорю о том, что происходило позже, в средние века. Талмуд был закончен в VI веке.

Шмаков: А рабби Акиба когда жил?

Коковцов: Во II веке.

Председатель: Поверенный гражданского истца...

Шмаков: Я ставлю вопрос, есть ли в Талмуде такое учение, вы говорите, что Талмуд был закончен в VI столетии, а не сказано ли там, что везде, куда вступают евреи, они делаются господами?

Коковцов: Я не могу ничего сказать, мне нужно видеть оригинал.

Грузенберг: Мы обращаемся к суду с ходатайством судебного определения по следующим вопросам: как профессор, так и поверенный гражданского истца цитировали, читали прямо места со ссылками на Талмуд и Шулхан-Арух, указывали страницу, главу, и эксперт отвечал — предъявите мне книгу, не могу же я помнить сотни книг, и тогда я скажу, так ли это. Так как при таком способе ведения дела может остаться сомнение у тех, которые недостаточно знают, кто такой профессор Коковцов, то мы просим предъявить эти книги, на которые делались ссылки противниками, проф. Коковцову, чтобы он мог прочесть и сказать, правы они или не правы. Мы считаем, что это вытекает из закона и решений сената 1892 года по делу Носаря. Тут дело идет о ссылке на определенный текст, и эти ссылки берутся из заключения Пранайтиса. Эксперт Пранайтис говорит, что в таких-то сочинениях написано то-то, а я буду говорить, что этого там нет. Как же присяжные могут решить, кто из нас прав и кто не прав? Поэтому-то мы и ходатайствуем о том, чтобы было вынесено определение по этому вопросу.

Ходатайство защиты судом отклоняется.

ЭКСПЕРТИЗА ПРОФ. ТИХОМИРОВА

Тихомиров: Я должен сказать, что к заключению профессоров Троицкого и Коковцова я вполне присоединяюсь, и, по моему мнению, их речи исчерпали весь материал, который можно было бы привести для этого вопроса. Я же буду говорить о некоторых сравнительно мелких деталях и некоторых логических выводах, в которые укладывались в моем сознании ответы на эти вопросы. По большинству вопросов, по которым я просто согласен с заключениями Коковцова и Троицкого, я говорить не буду. По прочим я скажу несколько слов и думаю, что свои заключения изложу сравнительно скоро.

Первый вопрос: **«Какое значение имела кровь жертв при храмовых жертвоприношениях у евреев?»** *Второй вопрос:* «Есть ли указание в Библии на человеческие жертвоприношения у евреев?» *Третий вопрос:* «Чем у евреев заменено принесение в жертву Иегове еврейских первенцев и распространена ли эта замена на первенцев рабов из другого племени?» *Четвертый вопрос:* «Есть ли указания в Библии на то, что убийство некоторых людей и избиение иноплеменников считалось евреями актом, угодным Иегове?» По этим четырем вопросам я вполне согласен с заключением профессоров Троицкого и Коковцова. Должен сказать, что из вчерашнего допроса проф. Троицкого для меня выяснилось, что придается какое-то значение толкованию 13-го стиха 13-й главы книги Исход, где говорится, что первенца от человека выкупают. Пытаются вывести заключение, что это означает — приносят в жертву, и при этом подчеркивают: 13-я глава — 13-й стих. Я должен сказать, что удивляюсь тому, что можно придавать значение совпадению: 13 и 13. Это чистое недоразумение. Ведь нужно знать, что разделение Библии на главы и стихи — явление очень позднее, и говорить о том, что это намеренно соединено — 13 и 13, — об этом не стоит и толковать. Это чистое совпадение, что текст, который как раз нужен для настоящего дела, оказался как раз в главе 13. Я, конечно, вполне согласен с тем, что проф. Троицкий и Коковцов говорили относительно того, что посвящение первенцев вовсе не обозначало принесения в жертву.

Вопрос пятый: «Что такое, в сущности, Талмуд, Шулхан-Арух, Каббала и какое значение они имеют в жизни современного еврейства и заключаются ли в них указания на употребление евреями христианской крови?» По этому, пятому, присоединяюсь к тому, что говорили профессора Троицкий и Коковцов. На меня Талмуд всегда производил впечатление чего-то очень пестрого, калейдоскопического, где можно встретить массу противоречий. Это во-первых, а затем и в позднейшей литературе можно встретить массу противоречий с Талмудом. Итак, то Талмуд сам себе противоречит, то ему противоречат. Можно сказать, что в этом отношении еврейское законодательство очень своеобразно и мне оно напоминает законодательство английское. Там тоже ничего не отделено — старое от новейшего. Так и в Талмуде — ничего не отделяется, и вследствие этого получается куча разнообразного материала весьма противоречивого, а поэтому и можно, по-моему, всегда выбрать из Талмуда что угодно. Затем, многие постановления устарели и явно не исполняются, а поэтому при чтении постановлений Талмуда приходится считаться с тем, исполняется ли это евреями или нет. Так, мне припоминается пример: есть постановление: «если у еврейки родится ребенок, то еврейка может его принимать, а если у акумки — то принимать не может», а между тем разве мы не знаем, что в большинстве у нас почти все акушерки еврейки и пользуются ими все. Итак, Талмуд сам себе противоречит, и ему противоречат последующие законодательства.

Вопрос шестой: **«Какому толкованию подвергалось в Талмуде запрещение Пятикнижия Моисея — употреблять в пищу кровь?»** Я, безусловно, присоединяюсь к проф. Троицкому и Коковцову.

Вопрос седьмой: **«Каким способом рекомендует Талмуд добывать кровь из тела в случае надобности в ней?»** Тоже присоединяюсь. Могу только сказать, что если идет речь о добывании жертвенной крови, то, разумеется, ее можно достать путем перерезания шейной артерии. Обычно в трактатах о жертвоприношениях поясняется, что нож должен быть обоюдоострый, обычно ритуальное резание характеризуется словами: ducto et reducto.

Вопрос восьмой: **«Каково отношение Талмуда к иноплеменникам и не содержится ли в нем прямых указаний на то, что убийство иноплеменника дозволено и является актом, угодным Иегове?»** *Вопрос девятый:* **«Когда впервые появилась Каббала, к какому времени относится ее полное развитие и каково отношение Каббалы к Библии и Талмуду?»** *Вопрос десятый:* **«Какими способами Каббала истолковывает Библию?»** *Вопрос одиннадцатый:* **«Не ввела ли Каббала в еврейскую среду новых ритуалов и не было ли источников диких суеверий?»** По этим вопросам присоединяюсь к заключению профессоров Коковцова и Троицкого. *Вопрос двенадцатый:* **«Чем в Каббале заменен ритуал принесения в жертву животных, прекратившийся с разрушением храма?»** По этому вопросу мне представляется неполная согласованность, или, может быть, я неправильно уловил мысль предшествующих экспертов. Именно, чем заменяется жертва — двумя ли вещами, молитвою и покаянием, или тремя, или четырьмя: молитвой, покаянием, добрыми делами

478

и изучением Торы, и в частности законов о жертвах, которые изложены в 3-й книге Моисеевой — Левит. Я не считаю себя достаточно компетентным, чтобы входить в оценку этих разногласий, но мне кажется, что изучение законов может тоже считаться заменою жертвы. Проф. Троицкий привел разговор Бога с Авраамом: как будут жить потомки, когда не будет жертв? И Бог сказал: будут изучать закон. И теперь, когда мальчик достигает школьного возраста, когда его начинают обучать, то его прежде всего начинают обучать по Слову Божию, и это обучение рассматривается как принесение Богу в жертву этой чистой души. Из чего начинают чтение? Из книги Левит. И это как будто указывает, что изучение Слова Божия действительно заменило собой жертвы. Относительно жертвенника — никогда не будет возможно отыскать место, где был когда-то жертвенник.

Вопрос тринадцатый: **«Не содержится ли в Талмуде и Каббале указаний на сближение понятий: сеир (козел) и сеир (римлянин, в широком смысле этого слова — ариец)?»** По этому вопросу я вполне согласен с заключениями Троицкого и Коковцова.

Вопрос четырнадцатый: **«Какое значение имело число 13 в Талмуде и Каббале?»** Вполне согласен с тем, что в Талмуде — никакого, что же касается Каббалы, то речь идет просто о своеобразном толковании книги Зогар. Мне кажется, что самый вопрос о значении числа 13 — чисто случайный. Я знаком с еврейской историей, мне казалось, что там имеют значение числа 7, 10, а 13 — этого никогда не встречал. Не вытекает ли это из нашего суеверия, ведь у нас тоже боятся числа 13, и самая постановка этого вопроса, не продиктована ли она отчасти нашим суеверием?

Вопрос пятнадцатый: **«Из какого места тела, по толкованию Талмуда и Каббалы, выходит по преимуществу душа вместе с кровью?»** Можно сказать так: когда человек ранен, то из этого места, когда он умирает, выходит душа. Имелось в виду, что когда по закону у евреев надо было убить. Здесь я должен сказать, что у евреев казнь совершалась без пролития крови — побиванием камнями, удушением, заливанием рта. Относительно же позорной казни, распятия на кресте — это римская казнь, которой евреи не знали; что же касается усечения мечом (jusgiadii), то это было прерогативой римских граждан.

479

Вопрос шестнадцатый: «**Нет ли указаний в Каббале и в истории евреев на то, что даже евреи, казненные в средние века за проявление религиозного фанатизма, считаются жертвою, угодною Иегове?**» Вполне согласен с Коковцовым и Троицким.

Вопрос семнадцатый: «**Когда появилось среди евреев учение неохасидов и какое отношение оно имеет к учению Каббалы?**»

Вопрос восемнадцатый: «**Где по преимуществу распространилось среди евреев учение неохасидов и кто из учеников основателя его наиболее известен как основатель нового хасидского толка, занимавшегося одновременно и Талмудом и Каббалой?**» Относительно этих вопросов тоже согласен с профессорами Троицким и Коковцовым. Могу только сказать, что играющие столь большую роль у хасидов цадики мне представляются просто уважаемыми лицами, которые избираются отдельными хасидами в качестве нравственных руководителей. Нечто подобное тому, как в монастыре избирают какого-нибудь старца, которому доверяют свои души. Самое слово «цадик» значит «праведник», и ничего страшного для христиан и для того края, где цадик живет, в нем не заключается. Так, мы даже в Киеве видим в Троицком монастыре одну надгробную надпись на нескольких языках, между прочим, и на еврейском, где к покойнику (несомненно, христианину) прилагается эпитет «цадик». Еще могу указать на историю музыки: Мусоргский использовал...

Председатель: Этого не касайтесь.

Тихомиров: Вопрос девятнадцатый: «**Какие разоблачения сделали франкисты по поводу человеческих жертвоприношений на диспуте во Львове (1759 г.)?**» Я не знакомился с историей этого диспута и затрудняюсь сказать.

Вопрос двадцатый: «**Были ли в средние века и в наше время случаи осуждения евреев по обвинению их в убийстве христиан с религиозными целями, причем евреи бывали изобличены и собственными сознаниями, и нахождением, по их указанию, останков замученных ими жертв?**» Ставится вопрос о средних веках, но в средние века было много таких своеобразных явлений, с которыми мы совершенно не знакомы. Тогда были процессы о ведьмах, были даже суды над животными. Средние века представляются нам чем-то таким, что почерпнуть оттуда разъяснения, интересующие нас по этому вопросу, едва ли возможно. Мне приходилось кое-что читать по этим средневековым обвинениям евреев. Я должен сказать, что в процессах действительно получалось сознание, но ведь нужно сказать, что это сознание получалось при посредстве пытки, а пытка способна довести до сознания и в том, чего не было. Под пыткой еврей сознавался в том, что у мужчин бывает месячное очищение. Ясно, что до такого абсурда может довести только полное отчаяние. Мне кажется, что не одно только сознание, но лишь нахождение, по указанию сознавшегося, останков убитого человека может иметь доказательное значение. Сознавшийся человек указал, где останки. Если это так, тогда это, конечно, служит доказательством, но мне не приходилось читать, чтобы эти указания когда-либо оправдывались, чтобы когда-нибудь удавалось найти останки. Так что о нахождении, по признанию обвиненных евреев, тел убитых я ничего не знаю. Эти обвинения евреев появились только в XII веке, и выходит, что целых 11 веков у евреев не было случаев, когда бы им нужна была христианская кровь, а в XII веке — зачем-то понадобилась? Эта эпоха совпадает с крестовыми походами, когда вспышка христианского фанатизма вызвала, конечно, нападки на евреев как на врагов христианства. В странах протестантских это обвинение совсем перестало выдвигаться против евреев. Что касается этого обвинения, то у меня такое впечатление, что, в сущности, католическая церковь и католическое духовенство главным образом выдвинули это обвинение. Вместе с тем, когда католические страны на Западе стали более просвещенными, то тогда перестало выдвигаться это обвинение, но потом это сделалось достоянием нашего русского Запада, польско-католического края. В XVII, XVIII и даже XIX веках именно в польском крае чаще всего появляется это обвинение. Мне кажется, интересы церкви здесь дают значительно себя знать, и вот почему: в католической церкви действительно есть довольно много признанных святых, замученных евреями. Что же касается до православной церкви, то она активного участия в поддержании этого обвинения не принимала. Ссылка на святую православную церковь может быть поддержана только двумя примерами, именно: примером младенца Гавриила, замученного в конце XVII в. евреями, и мученика Евстратия, мощи которого почивают в Киево-Печерской лавре и про которого известно, что он был взят в плен и продан евреями, был убит, т.е. распят на кресте, но потом своими чудесами обратил многих в христианство. Из этих двух примеров первый, т.е. младенец Гавриил, пожалуй, даже не может быть показателем того, как православная церковь смотрит на эти случаи. Дело в том, что это — святой униатов в то время, когда этот край был в унии с римско-католической церковью. Потом, с переходом к православным, святой этот сделался достоянием православных. В 1830 г епископ, кажется, Анатолий, обратился в Святейший Синод за решением вопроса, как смотреть на мученика Гавриила. Но в Святейшем Синоде по этому предмету никаких данных не оказалось, справка же на месте тоже ничего не дала, потому что акты сгорели или что-то с ними случилось. Единственным источником, по которому мы знаем о мученике Гаврииле, является польская надпись на его гробе. Только и всего. Сначала был составлен в честь его тропарь, а теперь и целая служба, но тем не менее он в списке православных святых не значится, а лишь считается местным святым, а местными святыми называются такие, которым можно служить молебны только на месте. Так что если бы в Киеве попросили священника в честь этого святого отслужить молебен, то он колебался бы это сделать, так как этот святой не признан Русской православной церковью. Что касается замучения Евстратия, то, несомненно, он был замучен евреями. Но здесь мы имеем случай мучительства, издевательства над христианской религией, но ведь с миссионерами часто это случается: когда они попадают, например, к дикарям, то дикари их нередко даже съедают.

По вопросу двадцать первому: «**Каково отношение еврейства к употреблению крови в пищу?**» — я вполне согласен с предшествующими экспертами Троицким и Коковцовым.

Вопрос двадцать второй: «**Содержатся ли в Талмуде противонравственные учения вообще?**» Я думаю, что не содержатся, по тем же самым основаниям, которые были здесь уже приведены. В частности же, по поводу характеристики талмудической морали гиллелевой формулой, надо сказать, что ей вполне соответствует евангельская формула: «Якоже хощете, да творять вам человецы, и вы творите им такожде».

Вопрос двадцать третий: «**Встречаются ли в Талмуде какие-нибудь постановления о христианах, и если имеются, то какие**

именно?» О христианах постановлений не имеется. Что касается упоминаний, на которые указывалось и которые могли быть сочтены за постановления о христианах, то таковые имеются, но их немного, всего около двух страниц.

Вопрос двадцать четвертый: **«Что Талмуд подразумевает под термином 7 заповедей Ноевых и как Талмуд относится к тем, которые придерживаются их?»** Совершенно верно было указано, что эти заповеди состоят в правилах: не служить идолам, не убивать, не совершать гнусных грехов, вроде кровосмешения и т.п., и, затем, избегать крови. Нужно сказать, что эта последняя заповедь считается собственно Ноевой; они все называются Ноевыми, но мне припоминается, что я где-то читал, что первые шесть принадлежат Адаму, а вот последняя — Ноева, но я не ручаюсь за точность этой детали.

Что касается *вопросов 25-го и 26-го,* то я вполне согласен с заключениями профессоров Коковцова и Троицкого.

Что касается вопроса *двадцать шестого,* относительно того, **«какое значение имеет Библия в духовной и нравственной жизни еврейского народа?»**, то тут смысл вопроса такой, не ставится ли Талмуд выше Библии, не отменил ли он фактически в жизни евреев значение Библии. И совершенно априорно и на основании всех данных говорю, что, конечно, нет. Библия остается священнейшей из книг, как и книги Торы. Читается ли она при богослужении? Читается, как у нас Апостол и Евангелие. Как же она могла потерять свое значение? Если можно говорить о потере ее значения, то только в том смысле, как иногда у нас говорят об утрате Евангелием практического значения в нашей моральной жизни. У нас иногда фактически устав духовной консистории имеет большее значение, чем Евангелие, но ведь никто же не решится утверждать, что Евангелие потеряло свое значение.

Вопрос двадцать седьмой: **«Дает ли основание Ветхий Завет для обвинения евреев в употреблении человеческой крови?»** Я вполне согласен с тем, как на этот вопрос ответили профессора Троицкий и Коковцов.

Вопрос двадцать восьмой: **«В каком отношении стоит Талмуд к Библии, и дает ли он какие-либо основания для обвинения евреев в употреблении христианской крови?»** В этом случае я, пожалуй, соглашусь с ответом г. Пранайтиса, который на вопрос, дает ли Талмуд какие-либо основания для обвинения. сказал: «Дает для тех, кто хочет найти». Действительно, в Талмуде такой разнообразный материал, что кто хочет найти что-нибудь — все найдет.

Наконец, последний вопрос: «**Имеются ли данные и какие именно, которые указывали бы на то, что убийство Андрея Ющинского совершено из побуждений религиозного изуверства, вытекающего из вероучений еврейской религии или ее толков (сект), и в последнем случае каких именно?**» На этот счет я должен сказать, что вероучение евреев очень кратко, из него ничего не вытекает. У них кратко сказано: Един Бог; затем верят в то, что придет когда-то Мессия. Весь этот символ веры в трех строчках можно уместить. Так что о вероучении в этом смысле говорить нельзя. Догматов у них нет, соборов вселенских, которые бы устанавливали эти догматы, не было. Так что если здесь говорится о еврейском вероучении, то это просто недоразумение, ибо их вероучение чрезвычайно кратко. Постановления же религиозные, моральные, ритуальные — это другое дело. Я думаю, что они-то и разумелись, когда ставился этот вопрос о вероучении; именно имелись в виду постановления морального, практического и ритуального характера. На это я отвечу, что из вероучения еврейской религии никаких таких данных почерпнуто быть не может. Что же касается толков, то обыкновенно, как и в настоящем случае, внимание направляется на хасидов. Но у того, кто знает хасидов, с большим трудом укладывается подобное подозрение. Мы, в сущности говоря, слышим ссылку на популярную среди хасидов книгу Зогар, знаем, что там говорится о числе 13, знаем, что это число 13 может быть оттуда извлечено, но отсюда едва ли может быть сделано указание на употребление евреями крови. Эксперты уже дважды выяснили значение этих указаний и то, что из них нельзя заключить о ритуальных убийствах, между тем, насколько я слышал на судебном следствии, вопрос главным образом базируется на числе 13, что было сделано 13 уколов для обескровления Андрея Ющинского. **Поэтому, нисколько не колеблясь, должен сказать, что никаких данных для подобного обвинения я не нахожу.**

ДОПРОС ПРОФ. ТИХОМИРОВА

Прокурор: Вы на вопрос 28-й: «В каком отношении стоит Талмуд к Библии и дает ли он какие-либо основания для обвинения евреев в употреблении христианской крови?» — если не ошибаюсь, сказали, что в Талмуде всякий, кто хочет, может все найти. Значит, в этом отношении вы присоединяетесь к о.Пранайтису. Значит, там можно найти об употреблении христианской крови?

Тихомиров: Я избрал ту формулу, которая была высказана о. Пранайтисом, т.е. кто хочет искать, тот может найти, так как в Талмуде, при известной экзегетической ловкости и при игнорировании его духа и фактического значения в жизни еврейства, можно действительно найти что угодно. Ведь в Талмуде надо различать элемент практический и теоретический, действующий и переставший действовать.

Прокурор: Вы отметили, что обвинения евреев в ритуальных убийствах начинаются еще с XII века, с крестовых походов. А вам известно, что книга Зогар, откуда вышел хасидизм, появилась в XIII в.? Зогар вышел из каббалистического учения. Вам известно, что после изгнания евреев из Испании и других мест, когда они переселились в Россию и Польшу, тогда и появились эти обвинения?

Тихомиров: Они в Польше тоже появились, но эти обвинения, если угодно вам знать, были вызваны социальными и политическими причинами.

Прокурор: Мы не касаемся значения таких причин. Мы главным образом сопоставляем такие факты, как выселение евреев из Европы. Затем вы сказали, что в протестантских странах не было обвинения евреев. Вы с этим вопросом не особенно знакомы?

Тихомиров: Я сказал, что историю этих процессов я не изучал.

Шмаков: Вы изволили сказать, что дела о ритуальных убийствах стали возникать с XII века, а не известно ли вам дело об убийстве в Малой Азии до XII века?

Тихомиров: Эти сведения об убийствах христиан евреями до XII века по большей части настолько не проверены, что церковными историками не считаются достоверными.

Шмаков: Не было ли там содеяно евреями того, о чем здесь говорили, не был ли убитый распят и не сопровождалось ли это мучением, не надругались ли тогда над христианской религией?

Тихомиров: Думаю, что этого не было, а подозрение на евреев могло явиться.

Шмаков: Вы сказали, что цадик — это еврей, которого выбирает община?

Тихомиров: Нет, не община, а каждый отдельный хасид в нравственные руководители. Если он ему доверяет, то он становится поверенным его души.

Шмаков: Вы приурочили это к тому, как послушник или молодой монах выбирает себе старца. А вам не известно ли обстоятельство, что достоинство цадика есть наследственное?

Тихомиров: Факты отчасти говорят за то, но принципиально, насколько я знаю, это не является наследственным. Хасид может выбирать цадика, которому доверяет. Если он ведет недостойный образ жизни, как же его выбрать в цадики?

Шмаков: Но цадик есть звание наследственное?

Тихомиров: Можно думать на основании примеров, но в принципе этого требования нет.

Шмаков: Вы говорите, что выбирают как старца, а вам не известно, что цадики бывают и очень молодые?

Тихомиров: Мне это не известно.

Шмаков: А цадик в Горностайполе?

Тихомиров: Мне это не известно, но ведь цадик — это не есть возраст, а это есть известное положение. Ведь пресвитеры у нас тоже старшие, но тем не менее пресвитером можно быть и в 20 лет.

Шмаков: Я понимал так, потому что вы говорили о старцах.

Тихомиров: Это аналогия. Я говорил в том смысле, что как старцы являются руководителями совести молодых монахов, так и цадики являются руководителями хасидов.

Шмаков: Вы занимаете кафедру еврейского языка?

Тихомиров: Нет, философии в историко-филологическом институте в Нежине.

Шмаков: В академии вы больше не состоите?

Тихомиров: Нет, теперь не состою.

Дурасевич: Вы говорили о мощах Гавриила и сказали, что там есть надгробная надпись. Вы не знаете этой надписи?

Тихомиров: Я только приблизительно в отдельных выражениях знаю. Одна женщина пошла в поле снести хлеб своему мужу и взяла с собой мальчика Гавриила, 6 лет. По дороге у нее этого мальчика не то выхватили, не то обманом взяли и куда-то увели. Все поиски ее потом были тщетны, а мальчика нашли убитым в поле с многообразными ранами. Отдельные лица потом говорили, что собаки охраняли труп от диких зверей и птиц, и в этом было усмотрено, что мальчик невинно пострадал...

Дурасевич: А не написано ли так: младенец Гавриил, умученный от жидов?

Председатель (к Дурасевичу): Не перебивайте эксперта.

Тихомиров: Да, кажется, написано.

Дурасевич: Не говорится ли теперь в каком-либо тропаре про умученного Гавриила?

Тихомиров: Служба составлена, но в последние только годы, и составлена как будто преосв. Антонием Волынским, но Св. Синод вопроса о канонизации его не возбуждал.

Дурасевич: А если бы в Киеве заказать молебен ему, то будут служить?

Председатель: Это никакого отношения к делу не имеет.

Дурасевич: Тогда другой вопрос. Существуют ли еще какие-нибудь цивилизованные народы, где бы резник был духовным лицом? Кроме евреев — нет?

Тихомиров: Не знаю, но и у евреев это не духовное лицо.

Карабчевский: Скажите, известны ли вам из литературы такие случаи, чтобы был прямо констатирован факт подделки под ритуал, т.е. не подделки, так как раз ритуала нет, то нельзя и подделать, но случаи нанесения ранений с целью ложного обвинения евреев?

Тихомиров: Точно я не помню, но мне припоминается случай, что в Испании обвинили в похищении и в убийстве одного человека еврея. Еврея осудили и казнили, а виновный преспокойно жил и потом нашелся.

Карабчевский: А не было ли случая в 1753 г., что один отец ранил собственную дочь и спрятал ее в погреб, обвинили в этом евреев, а потом, по расследовании кардинала, это дело было обнаружено?

Тихомиров: Не знаю.

Карабчевский: А не известно ли вам, что о подобных же случаях говорится в булле папы Григория X?

Тихомиров: Не помню.

ЛИТЕРАТУРА

Психоанализ о множественной (диссоциативной) личности

Мак-Вильямс Нэнси. Психоаналитическая диагностика/ Понимание структуры личности в клиническом процессе. — М., 1998.

Nancy McWilliams. Psychoanalytic Diagnosis. — The Guilford Press. New York, London, 1994.

Ross D. R. Effects of hypnosis on the features of multiple personality disorder /American Journal of Clinical Hipnosis. 1989. 32, 99—106.

Ross D. R. Multiple personality disorder: Diagnosis, clinical features and treatment. — New York: Wiley. 1992.

Putnam F. W. Diagnosis and treatment of multiple personality disorder. — The Guilford Press, 1989.

Spiegel D. Multiple personality us a post-traumatic stress disorder: Psychiatric Clinics of North America. 1984. 7, 101—110.

Sizemore C. C. & Pittillo E. S. I'm Eve /Garden City, New York: Doubleday, 1977.

Thigpen C. H. & Clecley H. The three faces of Eve. — New York: McGraw-Hill, 1957.

Труды по теме «Каннибализм»

Першиц А. И. Война и мир в ранней истории человечества: В 2 т. — М., 1994.

Убийцы и маньяки. — М., 1996.

A. Gorbin. The village of Cannibals. — Harvard, 1999.

R. Rhodes. Why They Kill. — New York, 1999.

Marvin Harris. Cannibals and Kings. — New York, 1977.

Tannahill, Reay. Flesh & blood: A history of the cannibal complex. — London: Hamish Hamilton, 1975.

Arens W. The man-eating myth: antropology & antropofagy. — Oxford etc.: Oxford univ. Press, 1980.

Villeneuve Roland. Les Cannibales. — Paris: Pigmalion, 1979.

Психиатрия

Александровский Ю. А. Глазами психиатра. — М., 1998.

Буянов М. И. Беседы о детской психиатрии. — М.: Просвещение, 1992.

Гримак Л. Гипноз и преступность. — М., 1997.

Гуревич П. Почти маньяк//АРХЕТИП/ Московская межрегиональная психоаналитическая ассоциация. № 2. 1996. С. 117—119.

Гриндер Д., Бендлер Р. Из лягушек в принцы. Нейролингвистическое программирование.

Казнимые сумасшествием. — Франкфурт, 1971.

Крафт-Эбинг, Рихард фон. Половая психопатия с обращением особого внимания на извращение полового чувства/ Пер. с нем. — М.: Республика, 1996.

Хроника текущих событий. — Самиздат, 1967—1980.

Судебно-медицинская экспертиза, криминалистика

Дерягин Г. Б. Половые преступления. — Архангельск, 1996.

Дынкина И. Методические указания к судебно-медицинской экспертизе трупов женщин в случаях лишения их жизни на сексуальной почве. — Л., 1970.

Ткаченко А. Сексуальные извращения — парафилии. — М., 1999.

Старович Збигнев. Судебная сексология /Пер. с польск. — М.: Юрид. литература, 1991.

Фурман М. А. Хроника необычного расследования (Очерки). — М.: Юрид. литература, 1989.

D. O. Lewis. Guilty by Reason of Insanity. — New York, 1998.

Разное

Агада Шел Песах. — Нью-Йорк, 1979.

Антисемитизм в Советском Союзе, его корни и последствия/ Сб. — Иерусалим, 1979.

Белая книга /Антисионистский Комитет советской общественности и Ассоциация советских юристов. — М.: Юрид. литература, 1985.

Вук Г. Это Б-о-г мой. — Иерусалим, 1977.

Дышев С. Россия уголовная. — М., 1998.

Зафесов Г. Тайные рычаги власти. — М., 1990.

Карманная библиотека иудаизма. — Нью-Йорк, 1979.

Кин Ц. Итальянский ребус. — М., 1991.

Ковалев Э., Малышев В. Террор: Вдохновители и исполнители. — М., 1984.

Песах. — Иерусалим, 1979.

Прайсман Л. Дело Дрейфуса. — Таллин, 1992.

Росси Д., Ломбрасса Ф. Во имя лжи. — М., 1983.

Рот С. История еврейского народа. — Иерусалим, 1978.

Рэй Клайн. ЦРУ от Рузвельта до Рейгана. — Нью-Йорк, 1989.

Судоплатов А. Тайная жизнь генерала Судоплатова. — М., 1998.

Судоплатов П. Спецоперации, Лубянка и Кремль. 1930—1950 годы. — М., 1997.

Эндрю К., Гордиевский О. КГБ. История внешнеполитических операций от Ленина до Горбачева. — Лондон, 1992.

Эттингер Ш. Очерк истории еврейского народа. Т. 1—2. — Иерусалим, 1979.

Andrew C., Mitrokhin V. The Mitrokhin Archive and the Secret History of KGB. — New York, 1999.

Corson W., Crowley R. The New KGB. — New York, 1985.

Dobson C., Payne R. The Weapons of Terror. — New York, 1978.

Goren R. The Soviet Union and Terrorism. — London, 1978.

Netanyahu B. Terrorism. — New York, 1987.

Sterling C. The Terror Network. — New York, 1979.

TERRORISM// An International Journal. — New-York — London. 1978—1980.

СОДЕРЖАНИЕ

КНИГИ ЭДУАРДА ТОПОЛЯ

КРАСНАЯ ПЛОЩАДЬ — 1982-й год. Расследование загадочной гибели первого заместителя Председателя КГБ приводит к раскрытию кремлевского заговора и дает живую и достоверную панораму жизни советской империи. Роман предсказал преемника Брежнева и стал международным бестселлером и классическим политическим триллером.

ЖУРНАЛИСТ ДЛЯ БРЕЖНЕВА — Исчезновение известного журналиста «Комсомольской правды» ведет следователей в самые теневые области советской экономики, коррупции и наркоторговли. Лихой детектив с юмористическими эпизодами, перекочевавшими в фильм «Черный квадрат» и др.

ЧУЖОЕ ЛИЦО — Романтическая любовь русского эмигранта и начинающей американской актрисы, заброшенных в СССР со шпионской миссией. Трогательный и захватывающий триллер на фоне последней декады «холодной войны», создания суперсекретных вооружений и совковой жизни.

КРАСНЫЙ ГАЗ — Череда загадочных убийств в Заполярье ставит под угрозу открытие транссибирского газопровода. Классический детектив на фоне леденящей заполярной экзотики и горячих сердечных страстей.

ЗАВТРА В РОССИИ — Покушение на Горячева, Генерального секретаря ЦК КПСС, ставит под угрозу будущее всей России. Роман, опубликованный в США в 1987 году, с точностью до одного дня предсказал путч ГКЧП и все перипетии антигорбачевского заговора, вплоть до изоляции Горбачева на даче. Политический триллер, любовный треугольник и первая попытка предугадать судьбу перестройки.

КРЕМЛЕВСКАЯ ЖЕНА — Получив предупреждение американского астролога о возможности покушения на президента СССР, его жена и следователь Анна Ковина пытаются спасти президента и раскрывают очередной кремлевский заговор. Политический детектив в сочетании с романтической любовной историей.

РОССИЯ В ПОСТЕЛИ — книга-шутка, ставшая классикой эротической литературы о сексе в СССР.

РУССКАЯ СЕМЕРКА — Две американки приезжают в СССР, чтобы с помощью фиктивного брака вывезти последнего отпрыска старого дворянского рода. А он оказывается «афганцем»... Суровая правда о солдатах-«афганцах» в сочетании с неожиданной любовью и чередой опаснейших приключений.

ЛЮБОЖИД — роман о русско-еврейской любви, ненависти и сексе. Первый том «Эмигрантской трилогии».

РУССКАЯ ДИВА — вариант романа «Любожид», написанный автором для зарубежного издания. От «Любожида» отличается более напряженной любовной историей. Автор ставит этот роман выше «Любожида».

РИМСКИЙ ПЕРИОД, или ОХОТА НА ВАМПИРА — Первые приключения русских эмигрантов на Западе, роковой любовный треугольник, драматическая охота за вампиром-террористом. Второй том «Эмигрантской трилогии».

МОСКОВСКИЙ ПОЛЕТ — После двенадцати лет жизни в США эмигрант возвращается в Россию в перестроечном августе 1989 года и ищет оставленную здесь женщину своей жизни. Сочетание политического триллера и типично тополевской грустно-романтической любовной драмы. Последний том «Эмигрантской трилогии».

ЛЮБИМЫЕ И НЕНАВИСТНЫЕ — эмигрантская трилогия о русско-еврейской любви, ненависти и сексе. Состоит из трех томов: «Русская Дива, или Любожид», «Римский период, или Охота на вампира» и «Московский полет». Автор считает эту трилогию главным литературным итогом своей эмиграции.

ОХОТА ЗА РУССКОЙ МАФИЕЙ, УБИЙЦА НА ЭКСПОРТ — короткие повести о «русской мафии» в США. Документальны, аутентичны и по-тополевски лиричны.

КИТАЙСКИЙ ПРОЕЗД — сатирически-политический триллер о последней избирательной кампании Ель Дзына и его ближайшего окружения — Чер Мыр Дина, Чу Бай-Сана, Тан Эль, Ю-Лужа и др. Американский бизнесмен прилетает в Россию в разгар выборов президента, попадает в водоворот российского политического и криминального передела и находит свою последнюю роковую любовь...

ИГРА В КИНО — лирические мемуары о работе в советском кино и попытках пробиться в Голливуд. Книга по-тополевски захватывает с первой страницы и подкупает своей искренностью. В сборник включены юношеские стихи, рассказы для серьезных детей и несерьезных взрослых.

ВЛЮБЛЕННЫЙ ДОСТОЕВСКИЙ — сборник лирических повестей для кино и театра: «Любовь с первого взгляда», «Уроки музыки», «Ошибки юности», «Влюбленный Достоевский» и др.

ЖЕНСКОЕ ВРЕМЯ, или ВОЙНА ПОЛОВ — роман об экстрасенсах, сочетание мистики и политики, телепатии и реальных любовных страстей.

НОВАЯ РОССИЯ В ПОСТЕЛИ — Пять вечеров в борделе «У Аннушки», клубные девушки, интимные семинары в сауне молодых психологов и психиатров, опыт сексуальной биографии 26-летней женщины и многое-многое другое... — вот феноменальная исповедь молодого поколения, записанная автором и собранная им в мозаику нашей сегодняшней жизни.

Я ХОЧУ ТВОЮ ДЕВУШКУ — два тома драматических, лирических и комических историй о любви, измене, ревности и других страстях.

СВОБОДНЫЙ ПОЛЕТ ОДИНОКОЙ БЛОНДИНКИ — два тома захватывающих приключений русской девушки в России и Европе — роковая любовь, криминальные авантюры, нищета и роскошь, от тверской деревни и Москвы до Парижа, Марбельи, Канн и Монако...

НЕВИННАЯ НАСТЯ, или СТО ПЕРВЫХ МУЖЧИН — исповедь московской Лолиты.

У.Е. — откровенный роман с адреналином, сексапилом, терроризмом, флоридским коктейлем и ядом.

РОМАН О ЛЮБВИ И ТЕРРОРЕ, или ДВОЕ В «НОРД-ОСТЕ» — истории любви в роковые часы «Норд-Оста». Тайная любовь Мовсара Бараева. Жених из Оклахомы — свадьба или смерть? Страсти под пистолетом и другие откровения и исповеди.

КНИГИ ЭДУАРДА ТОПОЛЯ — ТАЛАНТЛИВАЯ, ВСЕОБЪЕМЛЮЩАЯ, ДРАМАТИЧЕСКАЯ И КОМИЧЕСКАЯ ЭНЦИКЛОПЕДИЯ ЖИЗНИ СОВЕТСКОЙ И ПОСТСОВЕТСКОЙ РОССИИ

Сайты Эдуарда Тополя в Интернете:

eduardtopol.ru
etopol.ru
etopol.boom.ru
etopol.com

Литературно-художественное издание

Тополь Эдуард
Римский период, или Охота на вампира
Эмигрантский роман

Ответственный редактор О.М. Тучина
Художественный редактор О.Н. Адаскина
Технический редактор О.В. Панкрашина
Компьютерная верстка: В.А. Смехова
Младший редактор А.С. Рычкова

Общероссийский классификатор продукции
ОК-005-93, том 2; 953000 — книги, брошюры

Санитарно-эпидемиологическое заключение
№ 77.99.02.953.Д.000577.02.04 от 03.02.2004 г.

ООО «Издательство АСТ»
667000, Республика Тыва, г. Кызыл, ул. Кочетова, д. 28
Наши электронные адреса:
WWW.AST.RU E-mail: astpub@aha.ru

При участии ООО «Харвест».
Лицензия № 02330/0056935 от 30.04.04.
РБ, 220013, Минск, ул. Кульман,
д. 1, корп. 3, эт. 4, к. 42.

Открытое акционерное общество
«Полиграфкомбинат им. Я. Коласа».
220600, Минск, ул. Красная, 23.